A SANGUE FRIO

Coleção Jornalismo Literário — Coordenação de Matinas Suzuki Jr.

41 inícios falsos, Janet Malcolm
A sangue frio, Truman Capote
Anatomia de um julgamento, Janet Malcolm
A árvore de Gernika, G. L. Steer
Berlim, Joseph Roth
Chico Mendes: Crime e castigo, Zuenir Ventura
Dentro da floresta, David Remnick
Elogiemos os homens ilustres, James Rufus Agee e Walker Evans
Esqueleto na lagoa verde, Antonio Callado
Fama e anonimato, Gay Talese
A feijoada que derrubou o governo, Joel Silveira
Filme, Lillian Ross
Hiroshima, John Hersey
Homenagem à Catalunha, George Orwell
Honra teu pai, Gay Talese
O imperador, Ryszard Kapuściński
O livro das vidas, org. Matinas Suzuki Jr.
O livro dos insultos de H. L. Mencken, seleção, tradução e posfácio de Ruy Castro
A milésima segunda noite da avenida Paulista, Joel Silveira
A mulher do próximo, Gay Talese
Na pior em Paris e Londres, George Orwell
Operação Massacre, Rodolfo Walsh
Paralelo 10, Eliza Griswold
Radical Chique e o Novo Jornalismo, Tom Wolfe
O reino e o poder, Gay Talese
O segredo de Joe Gould, Joseph Mitchell
Stasilândia, Anna Funder
O super-homem vai ao supermercado, Norman Mailer
Tempos instáveis, org. Fernando de Barros e Silva
A vida como performance, Kenneth Tynan
Vida de escritor, Gay Talese
A vida secreta da guerra, Peter Beaumont
O Voyeur, Gay Talese
Vultos da República, org. Humberto Werneck
O xá dos xás, Ryszard Kapuściński

TRUMAN CAPOTE

A sangue frio

Relato verdadeiro de um homicídio múltiplo e suas consequências

Tradução
Sergio Flaksman

Apresentação
Ivan Lessa

Posfácio
Matinas Suzuki Jr.

21ª reimpressão

COMPANHIA DAS LETRAS

Tradução publicada mediante acordo com Random House Trade Publishing, uma divisão de Random House, Inc.

Os versos citados na epígrafe foram retirados de Poesia, *de François Villon. Tradução, organização e notas de Sebastião Uchôa Leite. São Paulo, Edusp, 2000, pp. 368-9.*

Grafia atualizada segundo o Acordo Ortográfico da Língua Portuguesa de 1990, que entrou em vigor no Brasil em 2009.

Título original
In Cold Blood — A True Account of a Multiple Murder and its Consequences

Capa
João Baptista da Costa Aguiar

Preparação
Flávio Moura

Revisão
Isabel Jorge Cury
Maysa Monção
Luciana Baraldi

Atualização ortográfica
Adriana Moreira Pedro

Dados Internacionais de Catalogação na Publicação (CIP)
(Câmara Brasileira do Livro, SP, Brasil)

Capote, Truman, 1924-1984.
A sangue frio: Relato verdadeiro de um homicídio múltiplo e suas consequências / Truman Capote ; tradução Sergio Flaksman ; apresentação Ivan Lessa. — 1ª ed. — São Paulo : Companhia das Letras, 2003.

Título original: In Cold Blood — A True Account of a Multiple Murder and its Consequences
ISBN 978-85-359-0411-6

1. Assassinatos — Kansas 2. Richard Eugene, 1931-1965 3. Jornalismo literário 4. Smith, Perry Edward, 1928-1965 I. Lessa, Ivan. II. Título.

03-4450 CDD-364.152309781

Índices para catálogo sistemático:
1. Assassinatos : Relato jornalístico : Kansas : Problemas sociais 364.152309781
2. Kansas : Assassinatos : Relato jornalístico : Problemas sociais 364.152309781

EDITORA SCHWARCZ S.A.
Rua Bandeira Paulista, 702, cj. 32
04532-002 — São Paulo — SP
Telefone: (11) 3707-3500
www.companhiadasletras.com.br
www.blogdacompanhia.com.br
facebook.com/companhiadasletras
instagram.com/companhiadasletras
twitter.com/cialetras

Sumário

Apresentação

Sangue quente no chicote

Ivan Lessa

Está no lendário das colunas sociais: Truman Capote, Gore Vidal e Norman Mailer, em sarau literário, discutiam livros. Cada qual, evidentemente, falando de seus próprios livros. Capote, o mais baixinho e fisicamente frágil dos três, assim como de longe o mais venenoso, virou-se e disse (Capote era uma das poucas pessoas no mundo capazes de "virar-se" e dizer uma coisa): "Tudo isso que vocês estão dizendo pode ser muito interessante, mas a verdade é que eu escrevi uma obra-prima, e vocês não".

Não é que o baixinho estava com toda a razão? O danado escreveu mesmo uma obra-prima. Sim, claro, estamos falando, como Capote, de *A sangue frio*.

Nascido em Nova Orleans em 1924, falecido na Califórnia em 1984, Truman Streckfus Persons adotou por conta própria, aos onze anos, em 1935, o sobrenome do padrasto, Joseph Garcia Capote, descendente de portugueses, para quem essas coisas são importantes. De 1941 a 1944, trabalhou como office boy na editoria de arte da *The New Yorker*, berço esplêndido de tantos astros e estrelas do futebol literário norte-americano. Acabou irritando o irritadiço poeta Robert Frost, o que lhe valeu a demissão. Em 1945, Capote publicou dois contos: um na revista *Mademoiselle*, outro na *Harper's Bazaar*. Conto em revista, na época, era o equivalente a vender direito de filmagem para Hollywood. Além do dinheiro, dava cartaz. Em 1948, Capote publica *Other voices, other rooms*, romance gótico ambientado no sul dos Estados Unidos em que o texto perdia de longe, em matéria de escândalo, para a contracapa do livro: lá estava ele, lânguido como Claudette Colbert em *Cleópatra* (1934), estendido sobre o que só podia ser uma liteira. Com 24 anos, baixinho, voz escorrida como melado, decadente de estirpe, Truman Capote estava pronto para enfrentar e domesticar o mundo. Publicou a coletânea de seus contos, também góticos, *A tree of night*, em 1949, e um romance mais ligeiro, *A harpa de erva*, em 1951, que acabou virando primeiro peça e, já no século XXI, um infelizmente telefilme.

1958 é o ano que mais deve irritar Vidal e Mailer. Capote publica uma noveleta, *Breakfast at Tiffany's*, que, três anos mais tarde, viraria filme-veículo para Audrey Hepburn e que, no Brasil, passou com o estonteante título de *Bonequinha de luxo*, como se fosse gravação dos Anjos do Inferno ou filme de Gilda de Abreu. O livrinho vendeu mais que os lendários e inexplicáveis "pãezinhos quentes". Capote é festejado. Festejadíssimo. E gosta, gosta muito das festas, festinhas e festivais em sua homenagem. Vira astro de coluna social, figura indispensável em reuniões de aquilo que já foi chamado, por nós, de "café society": alta sociedade e até mesmo grã-finos, para se ter uma ideia de como o mundo é engraçado. Capote não percebeu, escondido nas mãos que o afagavam, cobertas por longas luvas de veludo, o punhal escondido, nem pressentiu o gesto à procura do chicote.

1959. Possivelmente meio de ressaca, depois da festa na noite anterior, Capote folheia o — claro — *The New York Times*. Sabe-se lá que musas (mais sobre elas daqui a pouco) fizeram com que seus olhos se detivessem sobre uma pequena nota de dois parágrafos sobre como o sr. e a sra. Herbert W. Clutter, mais filho e filha, todos da cidade de Holcomb, no estado de Kansas, o mesmo de Dorothy, Toto e do *Mágico de Oz*, haviam sido brutalmente assassinados. Capote, segundo seu próprio relato, bolou que isso poderia dar num bom livro sobre crime e sobre um estado que desconhecia, o Kansas. Fez as malas e partiu para Holcomb na companhia de sua amiga, a também escritora (e boa) Harper Lee, aquela daquele filme com o Gregory Peck, *To Kill a Mockingbird* (1962), e do romance de título idêntico, ganhador do prêmio Pulitzer, nenhum dos quais, insista-se, recebeu o título de *O sol é para todos* — isso é desses massacres que só acontecem no Brasil. Frise-se: quando Capote e Harper Lee partiram para o Kansas, os assassinos ainda eram desconhecidos e não haviam sido capturados.

Ah, sim. As musas. *The Muses Are Heard*. 1958. Reportagem, por assim dizer. Capote acompanhou a excursão à União Soviética de uma montagem de *Porgy and Bess* (a produção passou pelo Municipal do Rio), sob o patrocínio do Departamento de Estado, como parte de intercâmbio cultural entre Estados Unidos e o então Reino do Mal. Foi publicado na *The New Yorker*, para variar, talvez a única revista no mundo, mesmo até os dias de hoje, que banque e encoraje a prática de alguma forma, mesmo e inclusive, nova ou inovadora de expressão artística. Nela, Capote afiara seus pequenos dentes de piranha de jornalista, conforme atestam seus inúmeros perfis para a revista. As maldades dele com Marlon Brando, durante as filmagens de *Sayonara* (1957), são, como tanta coisa do homenzinho, antológicas.

Em Holcomb, no Kansas, a figura dramaticamente urbana de Truman é quase tanto motivo de choque quanto o brutal crime múltiplo. Harper Lee lhe foi utilíssima para angariar a confiança e abrir as comportas do papo entre as pessoas entrevistadas. Capote sabia ouvir. Isso lhe foi útil na pequena cidade e em meio à sociedade, que tanto admirava e cultivava, de Manhattan. Capote, um conquistador nato, acabou hipnotizando (é o único verbo possível) os habitantes-chave de Holcomb. Presos os dois assassinos, conseguiu ter acesso a eles e — seria identificação? — aos trejeitos psicológicos que aproximam dois homossexuais, se um quê homossexual tivesse Perry Smith. Há teses a respeito — acabou íntimo de Perry, ele também pouco mais que um anão, como Capote.

Capote passou ao todo um ano e meio no Kansas examinando aspectos da "história" e conversando com quem podia, principalmente os "dois meninos", como os chamava. Depois foram quase cinco anos de quebrar pedreira, ou geleira, em Verbier, nos Alpes suíços, onde possuía um pequeno chalé. O tom jet set, tão ao gosto do pobre Capote, foi dado pelo resto do trabalho, efetuado em Brooklyn Heights, onde era dono de um apartamento.

Consta que Capote passou um desses seis anos apenas trabalhando nas notas, burilando-as, antes de escrever uma única linha do livro (que ainda não fora batizado como "nonfiction novel" ou "romance sem ficção"). Sempre segundo Capote, ele já delineara o livro inteiro em sua mente, exceto pela última parte, aquela que ele chamava de "a dispensação" do caso. Ainda no departamento do "consta" (Capote, infelizmente, mentia furiosamente. Dele também a invenção, pode-se dizer, da "vida-com-ficção"): ele garantia, em todos os seus depoimentos e entrevistas, ser capaz de memorizar horas de conversa, tendo treinado para isso com um amigo, que lia trechos de um livro e ele, Capote, depois, acertava lá por volta dos 95% do texto. Era sua maneira de dispensar o uso do odioso gravador, talvez o maior inimigo do bom jornalismo. Consta (sempre e novamente) que Capote não lançou mão de 80% de suas pesquisas. Consta que se tivesse publicado 20% do material acumulado naqueles anos de entrevista acabaria com um livro de mais de 2 mil páginas. Há uma infinidade de "consta" na vida de Capote. Na obra, para felicidade geral, nada consta, a não ser talvez o melhor texto da literatura e da reportagem norte-americana do século XX.

Truman Capote batizou seu livro de "romance sem ficção". Para ele, jornalismo era apenas fotografia literária. Ele ambicionava algo mais. Um gênero só para ele. Não achava que *Hiroshima*, de John Hersey, pudesse ser comparado com *A sangue frio*. Para ele, o livro de Hersey era, claro, criativo, no sentido de que não coletara gente falando para um gravador, sofrendo depois um processo editorial. *Hiroshima* era jornalismo clássico, assim como *Children of Sanchez*, de Oscar Lewis, era um documentário extraído de fitas gravadas e, por mais engenhosas e comoventes, não constituía um livro criativo. Seu modelo, beirando o ideal, era Lillian Ross e o que ela fizera com *Picture*, extraordinária reportagem literária em que ela acompanhara John Huston e a filmagem de uma adaptação do romance *The Red Badge of Courage*, de Stephen Crane. Claro que fora primeiro publicada em — é evidente — *The New Yorker*. Outros que chamaram a atenção estética de Capote: Joseph Mitchell, o texto escarrado ("emblemático" é a mãe) da *New Yorker* e, isso é curioso, a inglesa Rebecca West.

(Curioso Capote não morder nenhum dos citados. É definitivo e antológico seu julgamento sobre as sandices perpetuadas pelo pobre do Jack Kerouac. Quando confrontado com o terrível *On the Road*, Capote foi ao âmago da questão: "Isso não é escrever. Isso é bater à máquina".)

A sangue frio foi lançado em início de 1966, virou estrondoso sucesso de crítica e vendas, desfrutou das vantagens de ser o livro do mês e, para comemorar o sucesso e a recém-adquirida fortuna, o bom e leviano Truman Streckfus Persons deu o que até hoje é considerado o baile do século passado: o Black and White Ball, no Hotel Plaza de Nova York. Baile e autor foram considerados clássicos instantâneos.

Assim como nas últimas páginas de *A sangue frio*, encerremos em ritmo de fuga, citando o não muito digno de confiança Capote (ele não disse nada sobre a tradução ou o uso de citações):

"Um dia, comecei a escrever, sem saber que me acorrentara por toda vida a um senhor nobre porém implacável. Quando Deus lhe dá um dom, ele também lhe dá um chicote; e o chicote se destina apenas à autoflagelação... Estou aqui sozinho na escuridão de minha loucura, sozinho com meu baralho — e, é claro, o chicote que Deus me deu".

Hum. Capaz.

A SANGUE FRIO

Foto da família Clutter

Fotos de Perry Smith e Richard Hickock

Para Jack Dunphy e Harper Lee, com amor e gratidão.

Agradecimentos

Todo o material contido neste livro que não provém de minha própria observação ou foi retirado dos registros oficiais ou resulta de conversas com as pessoas diretamente envolvidas, entrevistas em geral realizadas ao longo de um extenso período. Uma vez que esses "colaboradores" aparecem identificados no texto, seria redundante relacioná-los; ainda assim, quero manifestar aqui minha gratidão formal, pois sem sua paciente cooperação meu trabalho não teria sido possível. Também não vou fazer uma lista de todos os cidadãos do condado de Finney que, embora seus nomes não apareçam nestas páginas, trataram o autor com uma hospitalidade e uma amizade que ele poderá até retribuir, mas jamais pagar. No entanto, quero agradecer a algumas pessoas cujas contribuições ao meu trabalho foram muito específicas: o dr. James McCain, presidente da Universidade do Estado do Kansas; o sr. Logan Sanford e os membros do Kansas Bureau of Investigation; o sr. Charles McAtee, diretor das Instituições Penais do Estado do Kansas; o sr. Clifford R. Hope, Jr., cuja ajuda em questões de ordem legal foi valiosa; e finalmente, mas na verdade em primeiro lugar, o sr. William Shawn da revista *The New Yorker*, que me estimulou a empreender este projeto e cujos critérios me mantiveram no bom caminho do começo ao fim.

T. C.

Frères humains qui aprés nous vivez,
N'ayez les cuers contre nous endurcis,
Car, se pitié de nous povres avez,
Dieu en aura plus tost de vous mercis.
François Villon, "Ballade des pendus"

[Irmãos humanos que ainda viveis,
Não sejais corações endurecidos;
Tendo pena de nós, pobres, talvez
De Deus sereis mais cedo merecidos.
François Villon, "Balada dos enforcados"]

1. Os últimos a vê-los com vida

A cidade de Holcomb fica nas planícies do oeste do Kansas, lá onde cresce o trigo, uma área isolada que mesmo os demais habitantes do Kansas consideram distante. A uns 110 quilômetros da divisa entre o Kansas e o Colorado, a paisagem, com seu céu muito azul e o límpido ar do deserto, tem uma aparência que está mais para a do Velho Oeste do que para a do Meio-Oeste. O sotaque local traz as farpas da pronúncia cortante da pradaria, a nasalidade dos caubóis, e os homens, muitos deles, usam calças apertadas, chapéus Stetson e botas de salto alto com bicos pontudos. A terra é plana, e os panoramas são incrivelmente extensos; cavalos, rebanhos de gado e um aglomerado branco de silos de cereais que se elevam com a graça de templos gregos são visíveis muito tempo antes que o viajante os alcance.

Holcomb também pode ser vista de muito longe. Não que haja muito para ver — apenas uma congregação desordenada de construções dividida ao meio pelos trilhos da linha principal da Santa Fe Railroad, um vilarejo fortuito delimitado ao sul por um trecho barrento do rio Arkansas, ao norte por uma autoestrada, a Route 50, e a leste e oeste pelas pradarias e os campos de trigo. Depois que chove, ou quando a neve descongela, a poeira das ruas — sem nome, sem sombra, sem calçamento — transforma-se numa lama espessa e pegajosa. Numa das extremidades da cidade fica uma estrutura austera revestida de estuque, em cujo teto se ergue um letreiro elétrico em que se lê a palavra DANCE — mas ninguém dança mais, e faz muitos anos que o anúncio está apagado. Ao lado fica outro prédio com um letreiro irrelevante, dessa vez pintado em letras douradas que aos poucos vêm descascando numa vitrine suja — BANCO DE HOLCOMB. O banco fechou as portas em 1933, e suas antigas dependências foram transformadas em apartamentos residenciais. É um dos dois "prédios de apartamentos" da cidade: o segundo é um casarão desconjuntado que, por abrigar boa parte do corpo docente da escola local, é conhecido como Casa dos Professores. Mas as residências de Holcomb são em geral casas térreas de madeira, com varandas na frente.

Ao lado da estação do trem, uma mulher magra de calças jeans, botas de caubói e jaqueta de couro cru comanda uma agência dos Correios caindo aos pedaços. A estação ferroviária propriamente dita, com sua pintura descascada cor de enxofre, é igualmente deprimente; o Chief, o Super Chief e o El Capitan passam por lá todos os dias, mas esses famosos trens expressos jamais param em Holcomb. Nenhum trem de passageiros para na cidade — só um ou outro trem de carga. Na estrada há dois postos de gasolina: um também funciona como empório de poucos suprimentos, enquanto o outro faz hora extra como café — o Hartman's Café, onde a proprietária, a sra. Hartman, serve sanduíches, café, refrigerantes e cerveja de baixo teor alcoólico. (Holcomb, como todo o resto do Kansas, vive sob a lei seca.)

E isso é tudo, literalmente. A menos que ainda contemos, como é justo contar, a escola de Holcomb, estabelecimento cuja beleza revela uma circunstância que a aparência da comunidade de resto camufla: os pais que mandam seus filhos para essa escola moderna, "consolidada" e dotada de bons professores — com turmas que vão do jardim de infância ao final do secundário e com uma frota de ônibus para o transporte dos alunos, que no total são cerca de 360 e acorrem para as aulas de distâncias que chegam a quase cem quilômetros — são, em geral, pessoas prósperas. Em sua maioria proprietários rurais, têm origens muito diversas — alemã, irlandesa, norueguesa, mexicana, japonesa. Criam bois e carneiros, plantam trigo, sorgo, capim e beterraba. A agricultura é sempre uma atividade de risco, mas no oeste do Kansas os que a praticam consideram-se "apostadores natos", pois precisam enfrentar chuvas extremamente escassas (a média anual é de 450 milímetros) e angustiantes problemas de irrigação. No entanto, por sorte, nos últimos sete anos não houve estiagem, e os fazendeiros do condado de Finney, de que Holcomb faz parte, tiveram bons resultados: ganharam dinheiro não só com a agricultura, mas também com a exploração dos abundantes recursos de gás natural, e esses ganhos se refletiram na escola nova, nos interiores confortáveis das sedes das propriedades, nos elevados e repletos silos de cereais.

Até uma certa manhã de meados de novembro de 1959, poucos americanos — e bem poucos habitantes do Kansas, na verdade — jamais tinham ouvido falar de Holcomb. Assim como as águas do rio, assim como os motoristas que trafegam pela rodovia, assim como os trens amarelos que correm pelos trilhos da Santa Fe, o drama, na forma de acontecimentos excepcionais, jamais tinha feito escala naquele lugar. E os habitantes da cidade, num total de 270, sentiam-se perfeitamente satisfeitos com isso, contentando-se com uma existência bem comum — trabalhar, caçar, ver televisão, participar das atividades sociais da escola, comparecer aos ensaios do coro ou às reuniões do Clube 4-S. Nas primeiras horas daquela madrugada de novembro, porém, sons nada costumeiros sobrepuseram-se aos ruídos noturnos normais de Holcomb — a histeria aguda dos coiotes, o arrastar seco das folhas sopradas pelo vento, o lamento distante dos apitos de locomotiva. Na ocasião, não foram ouvidos por ninguém na Holcomb adormecida — quatro disparos de espingarda que, no fim das contas, deram cabo de um total de seis vidas humanas. Depois deles, porém, os moradores do local, até aquele momento tão pouco desconfiados uns dos outros que quase nunca se davam ao trabalho de trancar suas portas, passaram a revivê-los vezes sem conta em suas fantasias — aqueles disparos sombrios que produziram clarões de suspeita à luz dos quais muitos velhos vizinhos começaram a olhar-se de um modo estranho e a se comportar como estranhos.

O proprietário da fazenda River Valley, Herbert William Clutter, tinha 48 anos de idade e, graças aos resultados de exames médicos que fizera recentemente para um seguro de vida, sabia estar em perfeitas condições de saúde. Embora usasse óculos sem aro e tivesse apenas uma estatura mediana, pouco menos de 1,75 metro de altura, o sr. Clutter fazia uma bela estampa masculina. Seus ombros eram largos, seus cabelos continuavam escuros, seu rosto confiante, retangular, conservava a aparência jovem e um colorido saudável, e seus dentes, sem manchas e fortes o bastante para partir nozes, ainda estavam intactos. Pesava em torno de setenta quilos — o mesmo peso de quando se formara na Universidade do Estado do Kansas, onde se diplomara em agricultura. Não era tão rico quanto o homem mais rico de Holcomb — o sr. Taylor Jones, um fazendeiro de gado das proximidades. No entanto, era o cidadão mais conhecido da comunidade, importante tanto nela quanto na vizinha Garden City, a sede do condado, onde presidira o comitê de construção da recém-inaugurada Primeira Igreja Metodista, edifício que custara 800 mil dólares. Era presidente da

Conferência das Organizações Agrícolas do Kansas, e seu nome era reconhecido com respeito entre todos os agricultores do Meio--Oeste, bem como em certos gabinetes de Washington, onde fora membro do Conselho Federal de Crédito Agrícola durante a presidência de Eisenhower.

Sempre seguro do que queria da vida, o sr. Clutter conseguira praticamente tudo o que desejava. Em sua mão esquerda, no que lhe restava de um dedo esmagado por um equipamento agrícola, usava uma aliança de ouro, que simbolizava, havia um quarto de século, seu casamento com a mulher que tinha escolhido — a irmã de um colega de faculdade, uma moça tímida, religiosa e delicada chamada Bonnie Fox, três anos mais jovem do que ele. Ela lhe dera quatro filhos — um trio de filhas e em seguida um menino. A filha mais velha, Eveanna, casada e mãe de um filho de dez meses, vivia no norte de Illinois mas visitava Holcomb com frequência. Na verdade, ela e sua família estavam sendo esperadas para dali a quinze dias, pois seus pais estavam planejando, para o Dia de Ação de Graças, uma vasta reunião de todo o clã Clutter (que tivera suas origens na Alemanha; o primeiro Clutter — ou Klotter, como o nome se escrevia então — a emigrar chegou aos Estados Unidos em 1880); cerca de cinquenta parentes tinham sido convidados, vários dos quais moravam em lugares tão distantes como Palatka, na Flórida. E Beverly, a segunda das filhas do casal, também não residia mais na fazenda River Valley; morava em Kansas City, no estado de Kansas, onde estudava enfermagem. Beverly estava noiva de um jovem estudante de biologia, que seu pai aprovava com gosto; os convites para o casamento, previsto para a semana do Natal, já tinham sido impressos. Assim, só continuavam a morar na casa dos pais o filho Kenyon, que aos quinze anos já era mais alto que o pai, e uma irmã, um ano mais velha — a queridinha da cidade, Nancy.

No que dizia respeito à sua família, o sr. Clutter só tinha um motivo sério de preocupação — a saúde da mulher. Ela tinha "problemas nervosos", sofria "pequenas crises" — de acordo com as expressões delicadas usadas pelos que lhe eram próximos. Não que a verdade acerca dos "problemas da pobre Bonnie" fosse mantida em segredo; todos sabiam que volta e meia ela vinha consultando psiquiatras nos últimos seis anos. No entanto, mesmo nesse terreno sombrio o sol vinha brilhando ultimamente. Na quarta-feira anterior, ao voltar de duas semanas de tratamento no Centro Médico Wesley, em Wichita, o lugar onde geralmente se internava, a sra. Clutter tinha trazido notícias em que o marido mal poderia acreditar; com alegria, informou-lhe que a origem de seu sofrimento, finalmente decretara a opinião médica, não estava em sua cabeça mas na espinha dorsal — era uma coisa *física*, e se devia ao deslocamento de uma vértebra. Ela precisava ser operada, é claro, e depois — bem, voltaria a ser a "Bonnie de antes". Seria mesmo possível que toda a tensão, o recolhimento, os soluços abafados pelo travesseiro por trás de portas trancadas, que tudo aquilo se devesse a um problema na coluna? Se fosse verdade, bem que o sr. Clutter podia, em sua mesa de Ação de Graças, recitar uma bênção de ilimitada gratidão.

Normalmente, as manhãs do sr. Clutter começavam às seis e meia; era geralmente despertado pelo clangor dos baldes de leite e pela conversa sussurrada dos dois rapazes que costumavam trazê-los, filhos de um empregado chamado Vic Irsik. Mas naquele dia ele se deixou ficar na cama, os filhos de Vic Irsik que viessem e fossem embora, porque a noite da véspera, uma sexta-feira 13, fora muito cansativa, embora em parte animadora. A "Bonnie de antes" tinha ressurgido; como que para apresentar uma prévia da normalidade, o vigor recuperado que em breve sentiria, ela passara batom, arrumara os cabelos e, envergando um vestido novo, acompanhara o marido até a escola de Holcomb, onde os dois aplaudiram uma adaptação de *Tom Sawyer* encenada pelos alunos em que Nancy representou o papel de Becky Thatcher. O sr. Clutter ficara muito satisfeito de ver Bonnie em público, nervosa mas assim mesmo sorridente, conversando com as pessoas, e os dois ficaram muito orgulhosos de Nancy; ela representava tão bem, sem esquecer nenhuma fala, e com uma aparência, como ele lhe dissera durante os cumprimentos nos camarins, "linda, querida — uma verdadeira beldade do Sul". Ao que Nancy respondera com um comportamento correspondente; fazendo uma reverência com seu figurino de saia-balão, perguntou aos pais se podia ir de carro até Garden City. O State Theatre estava fazendo uma apresentação *especial*, às onze e meia, de uma "Sessão de Sustos" comemorativa da sexta-feira 13, e *todos* os amigos dela estavam indo. Em outras circunstâncias o sr. Clutter teria dito não. Suas regras eram claras, e uma delas era: Nancy — e Kenyon também — devia estar em casa às dez nas noites de semana, e à meia-noite aos sábados. No entanto, amaciado pelos acontecimentos promissores da noite, ele concordara. E Nancy só tinha voltado perto das duas da manhã. Ele a ouvira chegar, e a chamara, porque embora fosse um homem que jamais elevava a voz, tinha umas coisinhas a dizer à filha, instruções que tinham menos a ver com o adiantado da hora do que com o rapaz que viera trazê-la em casa — um dos heróis do time de basquete da escola, Bobby Rupp.

O sr. Clutter gostava de Bobby, e o considerava, para um rapaz de sua idade, dezessete anos, bastante confiável e cavalheiresco; no entanto, desde que seus pais tinham começado a permitir que "saísse" com rapazes, três anos antes, Nancy, apesar de muito admirada e bonita, jamais saíra com mais ninguém, e embora o sr. Clutter compreendesse que os adolescentes de todo o país tinham adotado o costume de formar casais, "namorar firme" e usar "anéis de compromisso", não aprovava esse costume, especialmente porque, pouco tempo antes, surpreendera acidentalmente sua filha e o jovem Rupp trocando beijos. Sugerira então que Nancy tentasse "ver Bobby um pouco menos", dizendo que um afastamento paulatino àquela altura seria bem menos doloroso que uma separação abrupta mais adiante — uma vez que, lembrou ele, aquela separação não tinha como deixar de ocorrer. A família Rupp era católica, e os Clutter eram metodistas — o que já bastaria para pôr fim a quaisquer fantasias que ela e esse rapaz tivessem de um dia se casar. Nancy respondera de maneira razoável — pelo menos não tinha discutido — e agora, antes de dar-lhe boa-noite, o sr. Clutter conseguiu extrair da filha a promessa de dar início a um rompimento gradual com Bobby.

Ainda assim, o incidente tinha retardado de forma deplorável a hora em que ele se recolheu, que habitualmente não passava das onze. E a consequência foi que já eram bem mais de sete horas quando finalmente despertou no sábado, 14 de novembro de 1959. Sua mulher sempre dormia o quanto pudesse. Apesar disso, enquanto se barbeava, tomava um banho e vestia as calças de lã grossa, o casaco de couro e as botinas macias, o sr. Clutter não tinha nenhum receio de perturbá-la; os dois não dormiam no mesmo quarto. Já fazia vários anos que o sr. Clutter dormia sozinho no andar térreo, no quarto principal da casa — uma casa de madeira e tijolo de dois andares, com catorze aposentos no total. Embora a sra. Clutter ainda deixasse suas roupas no armário desse quarto, e guardasse seus poucos cosméticos e seus milhares de remédios no banheiro de azulejos azuis e tijolos de vidro adjacente a ele, tinha se apossado do antigo quarto de Eveanna, que, como os de Nancy e Kenyon, ficava no segundo andar.

A casa — projetada na maior parte pelo próprio sr. Clutter, que a planta demonstrava ser um arquiteto sensato e sóbrio, embora não fosse notável pelo sentido decorativo — fora construída em 1948 ao preço total de 40 mil dólares. (O valor de revenda era agora de 60 mil.) Situada ao final de um longo caminho de acesso, uma alameda sombreada por duas alas de olmos chineses, a vistosa casa branca, erguida no meio de um amplo gramado bem cuidado, causava impressão em Holcomb; era um lugar que as pessoas costumavam apontar. Quanto ao interior, havia extensões de tapetes felpudos cor de fígado que aboliam a intervalos o brilho dos assoalhos encerados e ressonantes; um imenso sofá modernista na sala de estar, coberto por um pano rugoso, entretecido de fios cintilantes de metal; uma copa usada para a família tomar o café da manhã, onde se destacavam banquetas forradas de plástico azul e branco. Era o tipo de mobília apreciado pelo sr. e pela sra. Clutter, bem como pela maioria de seus conhecidos, cujas casas, de maneira geral, eram mobiliadas num estilo muito parecido.

Além de uma faxineira que vinha nos dias de semana, os Clutter não tinham empregados domésticos, e assim, desde a doença da mulher e a partida das filhas mais velhas, o sr. Clutter, por necessidade, aprendera a cozinhar; as refeições da família eram preparadas por ele ou por Nancy, mas principalmente por Nancy. O sr. Clutter gostava da tarefa, era excelente na cozinha — não havia mulher no Kansas que preparasse pão como ele, e seus festejados biscoitos de coco eram sempre os primeiros arrematados nos leilões de caridade — mas não comia muito; à diferença de outros proprietários rurais, até preferia cafés da manhã espartanos. Naquele dia, um copo de leite e uma única maçã lhe bastaram; como jamais tomava café ou chá, acostumara-se a começar o dia sem ingerir nada quente. A verdade é que se opunha a todos os estimulantes, por mais suaves que fossem. Não fumava, e é claro que não bebia; na verdade, jamais experimentara uma bebida alcoólica, e tendia a evitar pessoas que bebessem — circunstância que não restringia tanto quanto se poderia esperar seu círculo social, pois o centro desse círculo eram os membros da Primeira Igreja Metodista de Garden City, uma congregação que reunia 1700 pessoas, na vasta maioria tão abstêmias quanto podia desejar o sr. Clutter. Ao mesmo tempo que tomava o cuidado de não tornar suas opiniões incômodas para os outros, adotando fora de seus domínios modos em que, para todos os efeitos, a censura não estava presente, observava princípios rígidos dentro da família e entre os empregados da fazenda River Valley. "Você gosta de beber?", era a primeira pergunta que sempre fazia a quem lhe pedia emprego, e mesmo que o sujeito lhe desse uma resposta negativa, ainda assim se via obrigado a assinar um contrato de trabalho em que havia uma cláusula declarando o acordo automaticamente nulo caso o empregado fosse descoberto "às voltas com o álcool". Um amigo — antigo pioneiro das fazendas na área, o sr. Lynn Russell — dissera a ele certa vez: "Você não tem dó. Eu garanto, Herb, que se um dia você pegar um empregado seu bebendo, ele vai para a rua na mesma hora. E você nem vai querer saber se a família dele vai ficar passando fome". Talvez seja essa a única crítica jamais feita ao sr. Clutter como empregador. Fora isso, ele era conhecido por sua equanimidade, por seu espírito caridoso e pelo fato de pagar bons salários e distribuir abonos frequentes; os homens que trabalhavam para ele — em certas ocasiões, chegaram a ser dezoito — tinham poucos motivos de queixa.

Depois de tomar um copo de leite e pôr um chapéu forrado de feltro, o sr. Clutter saiu com uma maçã na mão para examinar a manhã. O tempo estava ideal para o consumo de maçãs ao ar livre; a luz muito branca do sol descia do céu muito claro, e um vento leste fazia farfalhar, sem desprender dos galhos, as últimas folhas dos olmos chineses. Os outonos compensam o Kansas pelos males que as demais estações lhe impõem: os ásperos ventos de inverno vindos do Colorado e as neves acumuladas até a altura dos quadris, fatais para os carneiros; os lamaçais e os estranhos nevoeiros na primavera; e o verão, quando até mesmo os corvos procuravam alguma sombra e a infinidade tostada de talos de trigo secava e muitas vezes ardia em chamas ao sol. Finalmente, depois de setembro, instalava-se um outro clima, um verão extemporâneo que às vezes durava até o Natal. Enquanto o sr. Clutter contemplava aquele dia, uma espécie superior da estação, veio a seu encontro um cão mestiço de collie, e os dois juntos saíram andando na direção do curral, adjacente a um dos três celeiros da propriedade.

Um dos celeiros era um imenso galpão pré-fabricado coberto de metal corrugado; estava repleto de grãos — sorgo do tipo West-land — e outro abrigava uma aromática montanha de grãos de sorgo comum de um valor considerável — 100 mil dólares. E essa quantia, por si só, já representava um incremento de quase 4000% sobre toda a renda que o sr. Clutter conseguira obter em 1934 — o ano em que se casou com Bonnie Fox e se mudou com ela da cidade natal de ambos, Rozel, no Kansas, para Garden City, onde ele conseguira o emprego de assistente do agente agrícola do condado de Finney. Naturalmente, bastaram-lhe sete meses para ser promovido; melhor dizendo, para instalar-se no emprego do chefe. Os anos durante os quais ocupou o cargo — de 1935 a 1939 — figuram entre os mais empoeirados e improdutivos que a região conheceu desde que o homem branco nela se instalou, e o jovem Herb Clutter, dono de um cérebro que acompanhava de perto as mais modernas práticas agrícolas, estava bem qualificado para servir como intermediário entre o governo e os desanimados fazendeiros locais; esses homens saberiam se beneficiar do otimismo e da boa formação daquele jovem agradável que dava a impressão de saber o que fazia. Ainda assim, aquilo não era o que desejava fazer; filho de fazendeiro, desde o início Clutter tinha o desejo de cuidar de uma propriedade sua. Decidido a dar o passo, demitiu-se do cargo de agente agrícola ao final de quatro anos e, em terras que arrendou com dinheiro emprestado, criou, em embrião, a fazenda River Valley (nome justificado pelo fato de ser cortada por pequenos trechos do rio Arkansas mas não, diga-se de passagem, por algum indício de vale). Foi uma iniciativa observada com humor e ceticismo por muitos dos conservadores do condado de Finney — veteranos que tendiam a implicar com as noções que o jovem agente do condado tinha adquirido na universidade:

"Muito bem, Herb. Você sempre soube qual era a melhor coisa a fazer na terra dos outros — plante isto ou aquilo, faça um corte no terreno aqui. Mas agora que a terra é sua a coisa vai ser um pouco diferente". Estavam enganados; as experiências do novato deram certo — em parte porque, nos primeiros anos, ele costumava trabalhar dezoito horas por dia. Alguns percalços ocorreram — a safra de trigo se perdeu duas vezes, e houve um inverno em que várias centenas de carneiros morreram numa nevasca; ao cabo de uma década, porém, os domínios do sr. Clutter já se compunham de mais de 320 hectares próprios e de 1200 outros que explorava como arrendatário — e esse total, admitiam seus colegas, formava "uma bela extensão de terras". Trigo, sorgo em grão, sementes de capim selecionado — eis as safras de que dependia a prosperidade da fazenda. A criação animal também era importante — carneiros, e especialmente gado bovino. Um rebanho de várias centenas de cabeças de gado Hereford trazia a marca de Clutter, muito embora ninguém suspeitaria disso se examinasse o conteúdo sempre pouco numeroso do curral, reservado para bezerros em recuperação, algumas poucas vacas de leite, os gatos de Nancy e mais Babe, a favorita da família — uma égua de tiro velha e gorda que jamais se recusava a um passeio curto levando três ou quatro crianças empoleiradas no dorso.

O sr. Clutter deu a Babe o miolo de sua maçã, desejando bom dia ao homem que varria o curral — Alfred Stoecklein, o único empregado que morava na propriedade. O casal Stoecklein e seus três filhos viviam numa casa que ficava a menos de cem metros da casa principal; além deles, os Clutter não tinham nenhum outro vizinho num raio de quase um quilômetro. Homem de rosto comprido com longos dentes manchados de marrom, Stoecklein perguntou: "O senhor está pensando em fazer algum trabalho especial ainda hoje? Um dos meus filhos está doente. A bebezinha. Eu e a patroa passamos a noite às voltas com ela de um lado para o outro. Estava pensando em levar a menina ao médico". E o sr. Clutter, manifestando sua solidariedade, disse que ele podia tirar a manhã de folga, é claro, e que se ele e a mulher pudessem fazer alguma coisa, que por favor Stoecklein avisasse. E então, com o cachorro correndo à sua frente, seguiu no rumo sul atravessando os campos de trigo, agora cor de leão, luminosamente dourados com os talos que restaram da colheita.

O rio ficava naquela direção; e junto à margem erguia-se um pomar de árvores frutíferas — pessegueiros, pereiras, cerejeiras e macieiras. Cinquenta anos antes, de acordo com a memória dos locais, um lenhador não levaria mais de dez minutos para derrubar todas as árvores que havia no oeste do Kansas. Mesmo hoje, de maneira geral, só se plantam na área choupos e olmos chineses — árvores perenes capazes de enfrentar a falta d'água com uma indiferença de cactos. No entanto, como sempre dizia o sr. Clutter, "mais vinte e cinco milímetros de chuva e esta área poderia ser um paraíso, um Éden sobre a Terra". Aquela pequena quantidade de árvores frutíferas crescendo ao longo do rio representava sua tentativa de construir, com ou sem chuva, um pedacinho do paraíso, o que ele considerava um Éden verde com perfume de maçã. Sua mulher disse uma vez: "Meu marido dá mais atenção a essas árvores do que aos filhos", e todo mundo em Holcomb se lembrava do dia em que um pequeno avião em pane tinha caído em cima dos pessegueiros: "Herb ficou louco! Antes mesmo da hélice parar de rodar, já tinha aberto um processo contra o piloto".

Atravessando o pomar, o sr. Clutter seguiu pela margem do rio, que ali era raso e salpicado de ilhotas — praias de areia macia no meio do leito do curso d'água para as quais, em domingos do passado, dias quentes de descanso do tempo em que Bonnie ainda se sentia "em condições", cestas de piquenique eram carregadas e as tardes em família passavam calmas à espera de uma fisgada na ponta da linha de pesca. Era raro o sr. Clutter encontrar invasores em sua propriedade; situado a dois quilômetros e meio da rodovia principal, e acessível apenas por estradas obscuras, aquele não era um lugar aonde forasteiros chegassem por acaso. Mas agora, inesperadamente, um grupo grande apareceu e Teddy, o cachorro, adiantou-se rosnando em desafio. O que não era comum da parte de Teddy. Embora fosse um bom cão de guarda, atento e sempre pronto a fazer alarde, sua bravura tinha um senão: bastava-lhe ver uma arma, como viu agora — pois os intrusos estavam armados —, que sua cabeça baixava e seu rabo se enfiava entre as pernas. Ninguém sabia por quê, já que ninguém conhecia sua história, só que era um cachorro perdido adotado por Kenyon anos antes. Os visitantes eram cinco caçadores de faisão de Oklahoma. A estação dos faisões no Kansas, evento famoso de novembro, sempre atraía hordas de caçadores dos estados vizinhos, e ao longo de toda a semana anterior verdadeiros regimentos envergando bonés quadriculados tinham desfilado pelas extensões outonais da área, provocando grandes revoadas das aves cor de cobre engordadas pelos cereais maduros, derrubadas com disparos de grãos de chumbo. De acordo com o costume, os caçadores, quando não eram convidados, sempre pagavam uma taxa ao dono das terras para poderem perseguir suas presas na propriedade, mas quando aqueles nativos de Oklahoma se propuseram a pagar-lhe pelos direitos de caça, o sr. Clutter achou graça. "Não sou tão pobre quanto pareço. Podem caçar à vontade", disse ele. E depois, tocando a aba de seu boné, tomou a direção de casa e do trabalho daquele dia, sem saber que seria o último de sua vida.

Assim como o sr. Clutter, o jovem que consumia seu desjejum num café chamado Little Jewel jamais tomava café. Preferia *root beer*, uma bebida gasosa não alcoólica à base de raízes. Três aspirinas, uma *root beer* gelada e uma série de cigarros Pall Mall —

essa era sua ideia de um café da manhã adequado. Bebericando e fumando, estudava um mapa aberto à sua frente no balcão — um mapa Phillips 66 do México —, mas sentia uma certa dificuldade em se concentrar, porque estava à espera de um amigo e esse amigo estava atrasado. Olhou pela vitrine para aquela rua silenciosa de cidade pequena, uma rua que jamais tinha visto até a véspera. E nada de Dick. Mas ele havia de aparecer; afinal, a finalidade daquele encontro tinha sido ideia de Dick, o "golpe" que ele tinha planejado. E depois do golpe — o México. O mapa estava rasgado, consultado tantas vezes que sua superfície tinha ficado macia como um pedaço de camurça. Na esquina, no quarto de hotel onde o jovem estava hospedado, havia centenas de outros mapas parecidos — mapas muito manuseados de todos os estados americanos, de todas as províncias do Canadá, de todos os países da América do Sul — porque aquele jovem era um incansável planejador de viagens, algumas das quais tinha efetivamente chegado a fazer: ao Alasca, ao Havaí, ao Japão e a Hong Kong. Agora, graças a uma carta, a um convite para participar de uma "jogada", ali estava ele com tudo o que possuía no mundo: uma mala de papelão, um violão e duas caixas grandes cheias de livros, mapas, canções, poemas e antigas cartas, num peso total de uns 250 quilos. (A cara de Dick quando viu aquelas caixas! "Meu Deus, Perry. Você carrega esse lixo para todo lado?" E a resposta de Perry: "Que lixo? Um desses livros me custou trinta paus".) Lá estava ele na pequena Olathe, Kansas. Até que era engraçado, pensando bem; ele, de volta ao Kansas, quando quatro meses antes tinha jurado, primeiro para a Junta de Condicional do Estado e depois para si mesmo, que jamais voltaria a pôr os pés naquele estado. Bem, não tinha ficado muito tempo longe de lá.

Nomes rodeados por círculos de tinta povoavam o mapa. COZUMEL, uma ilha próxima à costa da península de Yucatán, onde, como tinha lido numa revista masculina, era possível "tirar a roupa, usar apenas um sorriso tranquilo, viver como um marajá e conseguir todas as mulheres que quisesse por cinquenta dólares por mês!". Do mesmo artigo, tinha decorado outras afirmações muito atraentes: "Cozumel é uma fortaleza que resiste às pressões sociais, econômicas e políticas. Nenhuma autoridade aborrece habitante algum dessa ilha" e "Todo ano, bandos de papagaios vêm voando do continente para pôr seus ovos aqui". ACAPULCO tinha a conotação de pescarias oceânicas, cassinos, senhoras ricas e ansiosas; e SIERRA MADRE significava ouro, lembrava *O Tesouro de Sierra Madre*, um filme a que ele tinha assistido oito vezes. (Era o melhor filme de Bogart, mas o velho que fazia o papel do garimpeiro, que Perry achava parecido com seu pai, também era ótimo. Walter Huston. Isso mesmo, e o que ele tinha dito a Dick era verdade: conhecia mesmo os macetes da procura do ouro, pois tinha aprendido com seu pai, garimpeiro profissional. Então, por que eles dois não compravam uns cavalos de carga e iam tentar a sorte na Sierra Madre? Mas Dick, sempre prático, tinha respondido: "Calma, meu querido, calma. Já vi esse filme. Acaba com todo mundo enlouquecendo. Por causa da febre e das sanguessugas, das condições péssimas. E então, quando eles finalmente pegam o ouro — você não lembra —, vinha um vento forte e espalhava tudo?".) Perry dobrou seu mapa. Pagou pela *root beer* e se levantou. Sentado, dava a impressão de ser um homem forte, maior que o normal, com os ombros, os braços e o tronco largos e modelados de halterofilista — e o seu hobby era de fato o levantamento de peso. Mas algumas partes de seu corpo não estavam em proporção com as demais. Seus pés pequenos, enfiados em botinas pretas com fivelas de metal, poderiam caber nas delicadas sapatilhas de uma bailarina; quando se pôs de pé, revelou que sua altura não era maior que a de um menino de doze anos, e agora, atarracado sobre as pernas tortas que pareciam grotescas de tão inadequadas para o tronco crescido que sustentavam, não lembrava mais um corpulento motorista de caminhão e sim um jóquei aposentado, desenvolvido além da conta e cheio de músculos.

Do lado de fora da lanchonete, Perry sentou-se ao sol. Eram quinze para as nove, e Dick já estava meia hora atrasado; no entanto, se Dick não tivesse insistido tanto na importância das 24 horas seguintes, ele não teria reparado no atraso. O tempo raramente lhe pesava, pois conhecia vários métodos de fazê-lo passar — entre eles, olhar-se no espelho. Dick certa vez observou: "Toda vez que vê um espelho você parece que entra em transe. Como se estivesse olhando para uma mulher muito gostosa. Meu Deus, você nunca se cansa?". Longe disso, Perry era fascinado pelo próprio rosto. Cada ângulo produzia uma impressão diferente. Seu rosto era mutável, e experiências conduzidas diante do espelho lhe haviam ensinado a controlar aquelas mudanças de expressão a adquirir uma aparência assustadora, depois maliciosa e depois nobre; bastava uma inclinação da cabeça, uma torção dos lábios, para o cigano perverso transformar-se num romântico inofensivo. Sua mãe era uma índia cherokee puro-sangue, e era dela que tinha herdado o colorido — a pele cor de iodo, os olhos escuros e úmidos, os cabelos negros que mantinha sempre empastados de brilhantina e eram fartos o suficiente para ainda produzir costeletas e uma untuosa cascata de cachos caindo na testa. Suas semelhanças com a mãe eram evidentes; já com o pai, um irlandês ruivo e sardento, eram menos fáceis de perceber. Parecia que o sangue índio tinha anulado qualquer vestígio da origem céltica. Ainda assim, a ascendência era confirmada pelos lábios rosados e pelo nariz atrevido, além de um certo ânimo velhaco, um petulante egoísmo irlandês, que muitas vezes se percebia por trás da máscara cherokee e assumia totalmente o controle quando ele pegava o violão e cantava. Cantar, e cultivar o projeto de um dia fazê-lo diante de uma plateia, era outra maneira hipnótica de ir passando as horas. Perry sempre usava o mesmo cenário imaginário — uma boate em Las Vegas, por acaso sua cidade natal. Era uma sala elegante, repleta de celebridades animadas e atentas à sensacional versão que o novo astro criara para "I'll Be Seeing You", com acompanhamento de violinos, e depois à última balada que ele próprio compusera:

Todo mês de abril papagaios a voar
Cruzam o céu, verdes e carmim,
Verdes e da cor de tangerina.
Eu os vejo passar, eu os ouço voar,
Cantando e trazendo a primavera de abril...

(Dick, da primeira vez que ouvira essa canção, tinha comentado: "Papagaios não cantam. Às vezes eles falam. Ou gritam. Mas nunca vi nenhum papagaio cantar". Dick, é claro, tomava tudo de maneira muito literal, literal *demais* — era incapaz de entender música, poesia — mas ainda assim, no fundo, aquela literalidade de Dick, sua maneira pragmática de pensar em qualquer assunto, era a razão primeira da atração que Perry sentira por ele, pois fazia Dick dar a impressão, em contraste consigo próprio, de ser um sujeito durão, invulnerável, "totalmente masculino".)

Mesmo assim, seu devaneio com o sucesso em Las Vegas, por mais agradável que fosse, não se comparava a outra de suas visões. Desde a infância, por mais da metade de seus 31 anos, Perry vinha pedindo o envio de folhetos ("GANHE FORTUNAS COM O MERGULHO! Treine em Casa nas Horas Vagas. Ganhe Muito Dinheiro em Pouco Tempo com o Mergulho. FOLHETOS GRATUITOS...") e respondendo aos anúncios ("TESOURO NO FUNDO DO MAR! Cinquenta Mapas Autênticos! Oferta Especial...") que despertassem o desejo de uma aventura que sua imaginação logo lhe permitia repetir vezes sem conta: o sonho de descer ao fundo de águas desconhecidas, de mergulhar cada vez mais nas profundezas verdes e sombrias, passando diante dos olhos selvagens dos peixes guardiães e de um casco de navio que o esperava mais adiante, um galeão espanhol — com sua carga submersa de diamantes e pérolas, arcas e mais arcas repletas de ouro.

Um carro buzinou. Finalmente — Dick.

"Meu Deus, Kenyon! Já ouvi!"

Como sempre, Kenyon estava com o diabo no corpo. Seus gritos constantes ecoavam escada acima: "Nancy! Telefone!".

Descalça, de pijama, Nancy desceu correndo a escada. Havia dois telefones na casa — um na saleta que o pai usava como escritório, outro na cozinha. Ela atendeu na extensão da cozinha: "Alô? Ah, sim, bom dia, senhora Katz".

E a sra. Clarence Katz, mulher de um fazendeiro que morava à beira da estrada, respondeu: "Eu disse ao seu pai para não acordá-la. Disse que você devia estar cansada depois da apresentação maravilhosa de ontem à noite. Você estava uma beleza. As fitas brancas no cabelo! E a parte em que achou que Tom Sawyer estava morto — com lágrimas de verdade nos olhos. Tão bom quanto qualquer programa da tevê. Mas o seu pai disse que já estava na hora de você acordar; é verdade, já são quase nove horas. O que eu queria, meu anjo, é o seguinte: Jolene, a minha filha, está louca para fazer uma torta de cereja. E como sei que você é a campeã das tortas de cereja, sempre ganha prêmios, queria saber se eu podia levá-la até aí hoje de manhã para você ensinar a ela".

Normalmente, Nancy teria ensinado de boa vontade Jolene a preparar um jantar inteiro; julgava ser sua obrigação pôr-se às ordens sempre que meninas mais novas a procurassem para aprender a cozinhar, costurar ou estudar para as aulas de música — ou ainda, o que acontecia muito, para fazer-lhe confidências. Como arranjava tempo, e ainda continuava a "praticamente tomar conta daquela casa enorme" e a tirar sempre nota máxima, a ser representante de sua turma, líder no programa do 4-S e na Liga Jovem Metodista, uma boa amazona, excelente instrumentista (piano e clarineta), vencedora todo ano da quermesse do condado (tortas, conservas, bordados, arranjos florais) — como aquela moça com menos de dezessete anos conseguia dar conta de tudo isso, e sem "ficar metida", na verdade com uma simplicidade lépida e radiosa, era um enigma com que a comunidade sempre se defrontava, e a que costumava responder dizendo: "Ela tem *caráter*. Herdou do pai". E não há dúvida de que seu traço mais marcante, o dom que sustentava todos os demais, vinha de seu pai: um apurado senso de organização. Seu tempo era todo escalonado; sabia precisamente, a cada momento, o que deveria fazer, e de quanto tempo precisaria para cada coisa. Naquele dia, o problema era exatamente este: tinha previsto atividades demais. Já se tinha comprometido a ajudar Roxie Lee Smith, a filha de outro vizinho, a ensaiar um solo de trompete que Roxie Lee planejava tocar numa audição da escola; já prometera cuidar de três trabalhosas tarefas para a mãe; e já marcara de ir a uma reunião do 4-S em Garden City com o pai. E ainda precisava fazer o almoço e, depois do almoço, trabalhar nos vestidos das damas de honra do casamento de Beverly, que tinha cortado e estava costurando ela mesma. Naquela situação, não tinha tempo para a aula de torta de cereja para Jolene. A menos que pudesse cancelar alguma coisa.

"Senhora Katz? Pode esperar na linha um momento, por favor?"

Atravessou toda a extensão da casa até o escritório do pai. O escritório, que tinha uma entrada independente para os visitantes comuns, era separado da sala por uma porta de correr; embora o sr. Clutter às vezes dividisse o escritório com Gerald van Vleet, um jovem que o ajudava na administração da fazenda, aquele aposento era fundamentalmente o seu retiro — um santuário bem organizado, forrado com lambris envernizados de nogueira, onde, cercado por barômetros, gráficos de pluviometria e um par de binóculos, sentia-se como um capitão em sua cabine de comando, um navegador pilotando a fazenda River Valley em sua travessia às vezes tormentosa de cada estação do ano.

"Não se preocupe", disse ele, em resposta ao problema de Nancy. "Pode deixar de ir ao 4-S. Eu levo Kenyon no seu lugar."

E assim, tirando do gancho o telefone do escritório, Nancy disse à sra. Katz que ela podia trazer Jolene em seguida. Mas desligou o telefone com o cenho franzido. "Que coisa estranha", disse ela, correndo os olhos pelo escritório e vendo seu pai ajudar Kenyon a somar uma coluna de números e, em sua mesa junto à janela, o sr. Van Vleet, que tinha uma espécie de beleza áspera e tristonha que a levava a chamá-lo de Heathcliff pelas costas. "Toda hora eu ando sentindo cheiro de cigarro."

"No seu hálito?", perguntou Kenyon.

"Não, engraçadinho. No seu."

Com a resposta Kenyon ficou quieto, porque o rapaz, e ele sabia que a irmã sabia, de vez em quando dava suas baforadas — e, aliás, Nancy também.

O sr. Clutter bateu as mãos. "Chega. Isto é um escritório."

No andar de cima, Nancy vestiu calças Levi's desbotadas e um suéter verde, prendendo no pulso um de seus pertences a que dava mais valor, um relógio de ouro; em sua estima, acima dele só ficava o gato de que ela mais gostava, Evinrude, e acima até de Evinrude ficava o anel, de sinete de Bobby, a desconfortável prova de seu "namoro firme", que ela usava (*quando* usava; ao menor problema, tirava o anel do dedo) num dos polegares. Mesmo com fita adesiva, o anel, de tamanho masculino, ficava sobrando nos dedos mais apropriados. Nancy era uma bela moça, magra e ágil como um menino, e as coisas mais bonitas que tinha eram seu reluzente cabelo castanho aparado curto (escovado cem vezes toda manhã e mais cem à noite) e sua pele lustrosa, ainda um pouco sardenta e bronzeada do sol do verão passado. Mas eram seus olhos, muito afastados, castanhos e translúcidos como um copo de cerveja escura levantado contra a luz, que a tornavam adorável de imediato, que anunciavam desde o início sua falta de malícia, sua gentileza ponderada mas ainda assim tão fácil de despertar.

"Nancy!", chamou Kenyon. "Susan no telefone!"

Susan Kidwell, sua confidente. Novamente, atendeu na cozinha.

"Pode contar", disse Susan, que começava invariavelmente toda conversa ao telefone com esse comando. "E pode começar contando por que estava flertando ontem com Jerry Roth." A exemplo de Bobby, Jerry Roth também era um dos astros do time de basquete da escola.

"Ontem à noite? Francamente, eu não estava flertando. Só porque ficamos de mãos dadas? Ele veio aos bastidores durante a peça. E eu estava tão nervosa. Por isso ele pegou na minha mão. Para me dar coragem."

"Quanta gentileza. E depois?"

"Bobby me levou para ver o filme de terror. E aí nós ficamos de mãos dadas."

"E deu medo? Não Bobby. O filme."

"Ele não achou; ficou rindo o tempo todo. Mas você sabe como eu sou. Buuu!!! — e eu caio da cadeira."

"O que você está comendo?"

"Nada."

"Já sei — as unhas", disse Susan, acertando. Por mais que Nancy tentasse, não conseguia se livrar do hábito de roer as unhas e, sempre que tinha algum problema, arrancá-las até o sabugo. "Conte. Alguma coisa errada?"

"Não."

"Nancy. *C'est moi...*" Susan vinha estudando francês.

"Bem — é o meu pai. Ele anda muito mal-humorado nas últimas três semanas. De péssimo humor. Pelo menos quando estou por perto. E quando cheguei em casa ontem à noite ele veio falar de novo *naquilo*."

"*Aquilo*" dispensava explicações; era um assunto que as duas amigas já haviam discutido do começo ao fim, e em relação ao qual estavam de pleno acordo. Susan, resumindo o problema do ponto de vista de Nancy, disse a ela certa vez: "Hoje em dia você ama Bobby, e precisa dele. Mas, no fundo, até mesmo o próprio Bobby sabe que essa história não tem futuro. Mais tarde, quando nós duas formos para Manhattan, o mundo vai ficar muito diferente". A Universidade do Estado do Kansas fica na cidade de Manhattan; as duas moças planejavam matricular-se no curso de artes e dividir o mesmo quarto. "Tudo vai mudar, quer você queira quer não. Mas você não precisa mudar desde já, quando ainda mora aqui em Holcomb e vê Bobby todo dia, assistindo às mesmas aulas — não tem *nenhum motivo* para mudar. Porque você e Bobby ficam muito bem juntos. E vai ser uma coisa boa de lembrar mais tarde — se você ficar sozinha. Será que você não consegue fazer seu pai entender?" Não, ela não conseguia. "Porque", como explicou ela a Susan, "toda vez que eu começo a dizer alguma coisa ele olha para mim como se eu não gostasse dele. Ou como se eu gostasse menos dele. E de repente a minha língua fica travada; tudo o que eu quero é só ser filha dele e fazer o que ele quer." Susan não tinha resposta para isso; a amiga falava de emoções, de uma relação, que ela desconhecia. Morava sozinha com a mãe, que ensinava música na escola de Holcomb, e nem se lembrava com muita clareza do próprio pai, pois anos antes, na Califórnia, onde nascera, o sr. Kidwell um dia tinha saído de casa para nunca mais voltar.

"E de qualquer maneira", continuou agora Nancy, "eu nem mesmo sei se é por minha causa. Ele só fica rabugento. Mas é outra coisa — ele anda muito preocupado com alguma outra coisa."

"Sua mãe?"

Nenhuma outra amiga de Nancy tomaria a liberdade de fazer aquela pergunta. Susan, porém, tinha seus privilégios. Assim que chegara a Holcomb, uma criança melancólica e imaginativa, volúvel, frágil e sensível, então com oito anos, um a menos do que Nancy, os Clutter a haviam adotado com tamanho ardor que aquela pequena californiana sem pai em pouco tempo passou a ser considerada membro da família. Por sete anos as duas tinham sido amigas inseparáveis, cada uma delas, em virtude da escassez de sensibilidades semelhantes e em mesmo grau, insubstituível para a outra. Mas então, em setembro do ano anterior, Susan tinha sido transferida da escola local para a escola maior e supostamente superior de Garden City. A transferência era frequente entre os alunos de Holcomb que pretendiam cursar alguma faculdade, mas o sr. Clutter, pilar empedernido da comunidade, achava que aquelas defecções eram uma afronta ao espírito comunitário; a escola de Holcomb bastava para seus filhos, e era lá que eles ficariam. Assim, as meninas não ficavam mais juntas o tempo todo, e Nancy sentia profundamente a ausência cotidiana de sua amiga, a única pessoa com quem não precisava ter um comportamento contido ou reticente.

"Bem. Mas estamos todos tão felizes com mamãe — você soube das boas notícias." E então Nancy disse: "Escute", e hesitou, como se juntasse coragem para dizer alguma coisa absurda. "Por que eu ando sentindo cheiro de cigarro o tempo todo? Francamente, acho que estou ficando louca. Eu entro no carro, ou numa sala, e parece que alguém acabou de sair de lá fumando. Não é mamãe, nem pode ser Kenyon. Kenyon não se atreveria..."

E nem, ao que tudo indica, qualquer outro visitante ao lar dos Clutter, que era deliberadamente desprovido de cinzeiros. Aos poucos, Susan entendeu a implicação, mas era ridícula. Por mais que ele se encontrasse às voltas com ansiedades particulares, ela não podia acreditar que o sr. Clutter pudesse estar buscando alívio secreto no tabaco. Antes que tivesse a oportunidade de perguntar se era isso mesmo que Nancy queria dizer, Nancy cortou a conversa: "Desculpe, Susie. Preciso ir. A senhora Katz acabou de chegar".

Dick estava ao volante de um Chevrolet preto quatro portas 1949. Quando Perry entrou no carro, olhou para o banco de trás para conferir se o seu violão estava a salvo; na noite anterior, depois de tocar para um grupo de amigos de Dick, tinha esquecido o violão no carro. Era um velho violão Gibson, lixado e encerado, com um acabamento cor de mel. E havia outro instrumento ao lado dele — uma espingarda calibre 12 tipo *pump action*, novinha, de cano azul, com uma cena esportiva de faisões em pleno voo gravada na madeira do cabo. Uma lanterna, uma faca de pesca, um par de luvas de couro e um colete de caça totalmente abastecido com cartuchos eram os elementos que constituíam aquela curiosa natureza-morta.

"Você vai usar isso?", perguntou Perry, indicando o colete.

Dick bateu com os nós dos dedos no para-brisa, como se fosse uma porta. "Desculpe, amigo. Estávamos caçando e nos perdemos. Será que podíamos usar o seu telefone...?"

"*Si, señor. Yo comprendo.*"

"É moleza", disse Dick. "Eu garanto, meu querido, vamos espalhar cabelo pelas paredes, de cima em baixo."

"De cima a baixo", corrigiu Perry. Maníaco por dicionários, com gosto por palavras obscuras, ele estava decidido a melhorar a gramática do companheiro e a aumentar seu vocabulário desde que tinham dividido uma cela na Penitenciária Estadual do Kansas. Longe de ficar ressentido com as aulas, o aluno, para agradar ao tutor, tinha chegado a compor uma pilha de poemas, e embora os versos fossem muito obscenos, Perry, que ainda assim os achara hilariantes, mandara encadernar o manuscrito em couro numa das oficinas da prisão e estampar seu título, *Piadas sujas*, em letras douradas.

Dick usava um macacão azul; as letras bordadas nas costas anunciavam a OFICINA DE LANTERNAGEM DE BOB SANDS. Ele e Perry percorreram a rua principal de Olathe até chegarem ao estabelecimento de Bob Sands, uma oficina de automóveis onde Dick vinha trabalhando desde que deixara a penitenciária em meados de agosto. Mecânico competente, ganhava sessenta dólares por semana. Não iria ganhar nada pelo trabalho que planejava fazer naquela manhã, mas o sr. Sands, que o deixava tomando conta da oficina aos sábados, jamais saberia que estava pagando a seu empregado para que ele consertasse o seu próprio carro. Com a assistência de Perry, Dick pôs-se a trabalhar. Trocaram o óleo, ajustaram a embreagem, recarregaram a bateria, substituíram um mancal em mau estado e puseram pneus novos nas rodas traseiras — todas precauções necessárias, porque entre aquele dia e o seguinte pretendiam submeter o velho Chevrolet a exigências consideráveis.

"Porque o meu velho estava rondando", disse Dick, respondendo a Perry, que queria saber por que ele tinha chegado atrasado ao encontro no Little Jewel. "Eu não queria que ele me visse saindo de casa com a arma. Ele ia ficar bravo se *sabesse* que eu estava mentindo."

"'Soubesse.' Mas o que você disse no fim das contas?"

"O que a gente combinou. Disse que a gente ia viajar e só voltava amanhã — para ir visitar a sua irmã em Fort Scott. Porque ela estava guardando um dinheiro seu. Mil e quinhentos dólares." Perry tinha uma irmã, e já tivera duas, mas a sobrevivente não morava em Fort Scott, uma cidade do Kansas a 140 quilômetros de Olathe; na verdade, ele nem sequer sabia ao certo o endereço atual dela.

"E ele ficou aborrecido?"

"Por quê?"

"Porque ele me detesta", disse Perry, que tinha uma voz ao mesmo tempo suave e afetada — uma voz que, embora em volume baixo, sempre dava um jeito de talhar cada palavra da maneira exata e projetá-la como se fosse um anel de fumaça saído da boca de um pastor. "E a sua mãe também. Eu percebi — aquela maneira inefável de me olhar."

Dick encolheu os ombros. "Não é nada pessoal. É só que eles não gostam de me ver com ninguém da prisão." Duas vezes casado, duas vezes divorciado, agora com 28 anos e pai de três meninos, Dick conseguira a condicional contanto que ficasse morando com os pais; a família, que incluía ainda um irmão mais novo, vivia numa pequena propriedade rural perto de Olathe. "Qualquer pessoa que use o distintivo da fraternidade", acrescentou ele, apontando para um ponto azul tatuado abaixo de seu olho esquerdo — uma insígnia, uma senha visível, graças à qual certos antigos companheiros de prisão podiam identificá-lo.

"Eu compreendo", disse Perry. "E até entendo o lado deles. São boa gente. Ela é muito amável, a sua mãe."

Dick concordou com a cabeça; ele também achava.

Ao meio-dia puseram as ferramentas no chão, e Dick, dando a partida no motor e escutando o barulho, ficou satisfeito com o bom trabalho que tinham feito.

Nancy e sua protegida, Jolene Katz, também estavam satisfeitas com a manhã de trabalho; na verdade, a última, menina magricela de treze anos, estava inflada de orgulho. Com um ar de encantamento, ficou muito tempo olhando para aquela torta magnífica, as cerejas ainda quentes do forno e fervendo por baixo do trançado de massa. Abraçando Nancy, perguntou: "É verdade mesmo que fui eu que fiz esta torta, eu mesma?". Nancy riu, devolveu o abraço e respondeu a ela que sim — com um pouco de ajuda.

Jolene queria provar a torta na mesma hora — nada daquela bobagem de esperar que esfriasse. "Por favor, vamos comer uma fatia cada uma. E a senhora também", disse ela à sra. Clutter, que tinha acabado de entrar na cozinha. A sra. Clutter sorriu — tentou sorrir; estava com dor de cabeça — e agradeceu, mas disse que estava sem fome. Quanto a Nancy, não tinha tempo; Roxie Lee Smith, e o solo de trompete de Roxie Lee, estavam à sua espera, e depois deles as tarefas que prometera fazer para sua mãe, uma das quais tinha a ver com um chá de cozinha que algumas moças de Garden City estavam organizando para Beverly, e outra com a festa do Dia de Ação de Graças.

"Pode ir, querida, eu faço companhia a Jolene até a mãe dela vir buscá-la", disse a sra. Clutter, e então, dirigindo-se à menina com uma timidez invencível, acrescentou: "Se Jolene não se incomodar de ficar comigo". Na mocidade, ela tinha ganhado um prêmio de oratória; a maturidade, ao que parece, tinha reduzido sua voz a um único tom, o de desculpas, e sua personalidade a uma série limitada de gestos travados pelo medo de ofender alguém, ou de desagradar os outros de algum modo. "Espero que você entenda", continuou ela depois da partida da filha. "Não vá pensar que foi grosseria de Nancy."

"Não, de jeito nenhum. Eu adoro a Nancy. Todo mundo adora. Não existe ninguém igual à Nancy. Sabe o que a senhora Stringer costuma dizer?", perguntou Jolene, citando sua professora de economia doméstica. "Um dia ela disse à turma: 'Nancy Clutter está sempre apressada, mas sempre tem tempo. E essa é a definição de uma verdadeira dama.'"

"É verdade", respondeu a sra. Clutter. "Todas as minhas filhas são muito eficientes. Elas não precisam de mim."

Jolene nunca antes tinha ficado sozinha com a "estranha" mãe de Nancy, mas apesar das conversas que tinha ouvido sentia-se muito à vontade, porque a sra. Clutter, embora ela própria fosse tensa, tinha uma qualidade relaxante, como geralmente ocorre com as pessoas indefesas que não representam nenhuma ameaça; mesmo em Jolene, uma jovem ainda bastante infantil, o rosto de missionária da sra. Clutter, em forma de coração, com seu ar etéreo, indefeso e caseiro, despertava uma compaixão protetora. E pensar que ela era a mãe de Nancy! Se fosse tia, vá lá — uma tia solteirona de visita, um tanto estranha, mas *boazinha*.

"Não, não precisam de mim", repetiu a sra. Clutter, servindo-se de uma xícara de café. Embora todos os demais membros da família respeitassem o boicote do marido a essa bebida, ela tomava duas xícaras todo dia de manhã, e muitas vezes passava o resto do dia sem comer mais nada. Pesava 45 quilos; seus anéis — uma aliança e um anel com um único diamante, modesto quase ao ponto da sovinice — balançavam numa de suas mãos ossudas.

Jolene cortou uma fatia de torta. "Caramba!", disse ela, devorando tudo. "Vou fazer uma torta dessas por dia, todo dia da semana."

"Bem, você tem muitos irmãos menores, e meninos comem muita torta. O senhor Clutter e Kenyon, eles nunca se cansam de torta. Mas a cozinheira sim — Nancy acabou ficando enjoada. E a mesma coisa vai acontecer com você. Não, não — por que estou dizendo isto?" A sra. Clutter, que usava óculos sem aro, tirou-os e apertou os olhos com as mãos. "Perdão, querida. Eu tenho certeza de que você nunca vai saber o que é ficar cansada das coisas. Vai se sentir sempre feliz..."

Jolene ficou em silêncio. A nota de pânico na voz da sra. Clutter provocara nela uma mudança de sentimentos; Jolene estava confusa, e desejava que sua mãe, que lhe prometera estar de volta para pegá-la às onze, chegasse logo.

Mais calma, porém, a sra. Clutter perguntou: "Você gosta de miniaturas? De coisas pequenas?", e convidou Jolene para vir apreciar as prateleiras da sala de jantar onde estavam arrumados muitos enfeites liliputianos — tesouras, dedais, jarros de flores de cristal, bonequinhos, garfos e facas. "Ganhei algumas dessas coisas quando ainda era criança. Meu pai e minha mãe — todos nós — passaram muitos anos na Califórnia. Na beira do mar. E lá tinha uma loja que vendia essas coisinhas lindas. Estas xícaras." Um conjunto de xícaras de casa de boneca, presas a uma bandeja diminuta, tremia na palma de sua mão. "Foi meu pai que me deu; eu tive uma infância linda."

Única filha de um próspero plantador de trigo chamado Fox, irmã adorada de três irmãos mais velhos, não fora propriamente mimada, mas poupada, levada a crer que a vida consistia em uma série de acontecimentos agradáveis — outonos no Kansas, verões na Califórnia, um jogo de chá em miniatura. Aos dezoito anos, entusiasmada pela leitura de uma biografia de Florence Nightingale, inscrevera-se como aprendiz de enfermeira no Hospital St. Rose, em Great Bend, no Kansas. Mas não tinha vocação para enfermeira, o que acabara admitindo ao final de dois anos: as realidades de um hospital — as imagens, os odores — deixavam-na enjoada. Ainda assim, até hoje lamentava não ter completado o curso e recebido o diploma — "só para provar", como disse a uma amiga, "que uma vez eu dei certo em alguma coisa". Em vez disso, tinha conhecido e desposado Herb, colega de faculdade de seu irmão mais velho, Glenn; na verdade, como as duas famílias moravam a trinta quilômetros uma da outra, ela já o conhecia de vista havia muito tempo, mas os Clutter, agricultores simples, não tinham o costume de frequentar a casa dos Fox, mais prósperos e sofisticados. No entanto, Herb era bonito, era religioso, tinha força de vontade, e a queria — e ela se apaixonou.

"O senhor Clutter viaja muito", disse ela a Jolene. "Ah, ele está sempre indo para algum lugar. Washington, Chicago, Oklahoma, Kansas City — às vezes parece que ele nunca para em casa. Mas aonde quer que vá, ele sempre lembra que eu adoro coisas pequeninas." Abriu um minúsculo leque de papel. "Este ele me trouxe de San Francisco. Custou um centavo. Mas não é lindo?"

No segundo ano do casamento Eveanna nasceu, e três anos mais tarde, Beverly; depois de cada um dos dois resguardos, a mãe tinha sentido um abatimento inexplicável — acessos de sofrimento que a faziam sair vagando pela casa, aturdida e torcendo as mãos. Entre os nascimentos de Beverly e Nancy passaram-se mais três anos, e aqueles foram os anos dos piqueniques de domingo e das excursões ao Colorado no verão, os anos em que realmente tinha tomado conta de sua casa e sido o centro feliz da vida doméstica. Mas com Nancy e depois com Kenyon, o padrão da depressão pós-parto repetiu-se, e depois do nascimento do filho homem a onda de tristeza que a assolou nunca mais chegou a dissipar-se; permaneceu ali, como uma nuvem densa que podia ou não rebentar em chuva. Ela tinha seus "dias bons", e às vezes eles se enfileiravam em semanas e até em meses, mas mesmo nos melhores desses dias, aqueles em que se sentia "a velha Bonnie", a Bonnie afetuosa e encantadora que os amigos tanto apreciavam, não conseguia invocar a vitalidade social requerida pelas múltiplas atividades do marido. Ele era um homem gregário, um "líder nato"; ela não era, e com o tempo foi parando de tentar. E assim, cercados de um desvelo carinhoso e de total fidelidade, os dois começaram a andar por caminhos semisseparados — o dele uma caminhada pública, um desfile de conquistas gratificantes, e o dela uma trilha percorrida a passos discretos que finalmente tinha ido desembocar nos corredores hospitalares. Mas ela continuava a ter esperanças. A fé em Deus a sustentava, e de vez em quando algumas fontes seculares suplementavam a confiança na misericórdia d'Ele; lia sobre algum remédio milagroso, ouvia falar de um novo tratamento ou, como há pouco acontecera, decidia acreditar que tudo aquilo podia dever-se a um simples "nervo pinçado".

"As coisas pequenas nunca deixam de ser suas", disse ela,

fechando o leque. "Não precisam ser deixadas para trás. Você sempre pode carregar com você numa caixa de sapatos."

"Carregar para onde?"

"Ora, para onde quer que você vá. Às vezes você pode ter de passar muito tempo fora."

Alguns anos antes, a sra. Clutter tinha viajado até Wichita para duas semanas de tratamento e acabara ficando por dois meses. A conselho de um médico, que julgava que a experiência a ajudaria a recobrar "uma sensação de adequação e utilidade", tinha alugado um apartamento, e depois encontrara um emprego — como arquivista na ACM. Seu marido, totalmente solidário, tinha apoiado a aventura, mas ela tinha começado a gostar demais da novidade, a tal ponto que começou a sentir-se pouco cristã. E o sentimento de culpa que desenvolveu em seguida acabou prejudicando o valor terapêutico do experimento.

"Ou pode nunca mais voltar. E — é importante sempre levar alguma coisa sua. Só sua."

A campainha tocou. Era a mãe de Jolene.

A sra. Clutter disse: "Até logo, querida", e pôs o pequeno leque de papel na mão de Jolene. "Só custou um centavo — mas é uma coisa bonita."

Depois disso, a sra. Clutter ficou sozinha em casa. Kenyon e o sr. Clutter tinham ido para Garden City; Gerald van Vleet tinha encerrado seu dia de trabalho; e a sra. Helm, a abençoada arrumadeira a quem ela podia dizer qualquer coisa, não vinha trabalhar aos sábados. Era melhor voltar para a cama — a cama que ela deixava tão raramente que a pobre sra. Helm precisava batalhar por uma oportunidade de trocar os lençóis, fronhas e cobertas duas vezes por semana.

Havia quatro quartos no segundo andar, e o dela era o último, ao final de um espaçoso corredor, vazio a não ser pelo berço que haviam comprado para quando o neto os visitasse. Se trouxessem camas de armar e usassem aquele espaço como dormitório, calculava a sra. Clutter, a casa poderia acomodar uns vinte hóspedes durante os feriados do Dia de Ação de Graças; os outros precisariam hospedar-se em motéis ou na casa de vizinhos. Entre os parentes da família Clutter, a reunião do Dia de Ação de Graças era obrigatória e em revezamento, e neste ano era Herb o anfitrião, de maneira que tinha de ser organizada. Mas como coincidia com os preparativos para o casamento de Beverly, a sra. Clutter tinha a impressão de que não iria sobreviver a nenhum dos dois projetos. Ambos implicavam a tomada de decisões — um processo de que ela jamais gostara e que aprendera a temer, porque toda vez que seu marido saía numa de suas viagens de negócios sempre esperavam que, na ausência dele, ela decidisse na mesma hora tudo o que dizia respeito aos negócios da fazenda, e aquilo era insuportável, um verdadeiro tormento. E se ela errasse? E se Herb ficasse contrariado? O melhor era trancar a porta do quarto e fingir que não estava ouvindo, ou então dizer, como às vezes dizia: "Não sei. Não consigo. Por favor".

O quarto que quase nunca deixava era austero; caso a cama tivesse sido arrumada, algum visitante poderia pensar que estava desocupado. Uma cama de carvalho, uma cômoda de nogueira, uma mesinha de cabeceira — e nada mais, além dos lustres, de uma janela com cortina e de um quadro com a imagem de Jesus andando sobre as águas. Era como se, ao manter aquele quarto impessoal, sem levar para lá os pertences íntimos que preferia deixar misturados aos do marido, atenuasse a ofensa de não compartilhar um quarto com ele. Só ocupava uma das gavetas da cômoda, que continha um pote de vick vaporub, uma caixa de lenços de papel, uma bolsa elétrica de água quente, uma série de camisolas brancas e vários pares de meias brancas de algodão. Sempre usava um par de meias na cama, porque sempre sentia frio. E, pela mesma razão, geralmente mantinha a janela do quarto fechada. No penúltimo verão, num domingo escaldante de agosto, quando estava isolada em seu quarto, ocorrera um incidente delicado. Havia visita em casa, um grupo de amigos que foram convidados para vir à fazenda colher framboesas, e entre eles estava Wilma Kidwell, a mãe de Susan. Como a maioria das pessoas que costumavam frequentar a casa dos Clutter, a sra. Kidwell aceitara a ausência da anfitriã sem fazer nenhum comentário, presumindo, como de costume, que ela estivesse ou "indisposta" ou "em Wichita". De qualquer modo, quando chegou a hora de irem ao pomar, a sra. Kidwell declinou; criada na cidade, cansava-se facilmente e preferiu ficar dentro de casa. Mais tarde, enquanto aguardava o retorno dos colhedores de framboesa, ouviu um som de choro, desconsolado, pungente. "Bonnie?", chamou, e correu escada acima, atravessando o corredor até o quarto de Bonnie. Quando abriu a porta, sentiu o calor acumulado no quarto como uma súbita e horrível mão tapando-lhe a boca; saiu correndo para abrir a janela. "Não!", gritou Bonnie. "Não estou com calor. Estou com frio. Estou gelada. Meu Deus, meu Deus, meu Deus!" Sacudiu os braços. "Por favor, meu Deus, não deixe ninguém me ver neste estado." A sra. Kidwell sentou-se na cama; queria segurar Bonnie nos braços, e finalmente Bonnie deixou-se abraçar. "Wilma", disse ela, "eu estava ouvindo vocês, Wilma. Vocês todos. Rindo e se divertindo. Eu estou perdendo tudo. Os melhores anos, as crianças — tudo. Daqui a pouco, até Kenyon vai estar crescido — vai ser um homem. E como é que vai se lembrar de mim? Como uma espécie de fantasma, Wilma."

Agora, no último dia de sua vida, a sra. Clutter pendurou no armário o vestido caseiro de chita que vinha usando, pôs uma de suas camisolas compridas e um par de meias brancas limpas. Depois, antes de se deitar, trocou seus óculos comuns por um par de óculos de leitura. Embora assinasse vários periódicos (*Ladies' Home Journal*, *McCall's*, *Reader's Digest* e a *Together*, revista quinzenal para famílias metodistas), nenhum deles se encontrava em sua mesa de cabeceira — só uma Bíblia. Havia um marcador entre suas páginas, um pedaço endurecido de seda desbotada em que fora bordada uma advertência: "Prestai atenção, observai e rezai: pois não sabeis quando chega a hora".

Os dois jovens tinham pouco em comum, mas não percebiam, porque compartilhavam muitos traços superficiais. Os dois, por exemplo, eram vaidosos, muito atentos à higiene e às condições de suas unhas. Depois de toda a manhã às voltas com óleo e graxa, passaram quase uma hora inteira arrumando-se no lavatório da oficina. Dick só de cuecas não era exatamente a mesma coisa que Dick totalmente vestido. Nesse estado, dava a impressão de um rapaz de cabelos louro-escuros, de altura mediana, descarnado e talvez de peito afundado; mas a nudez revelava que não era nada disso, e sim um atleta com a constituição física de um peso-galo. A tatuagem de um rosto de gato, azul e sorridente, cobria sua mão direita; em seu ombro, florescia uma rosa azul. Mais tatuagens, desenhadas e executadas por ele próprio, ornamentavam seus braços e seu tronco; a cabeça de um dragão com uma caveira humana entre as mandíbulas abertas; mulheres nuas de seios fartos; um diabinho brandindo um tridente; a palavra PAZ acompanhada por uma cruz que irradiava, na forma de traços irregulares, raios de luz sagrada; e duas criações sentimentais — a primeira um buquê de flores dedicado a MAMÃE-PAPAI, a outra um coração que celebrava o romance entre DICK E CAROL, a moça com quem se casara aos dezenove anos, e de quem se separara seis anos depois a fim de "consertar as coisas" com outra jovem, a mãe de seu filho mais novo. ("Tenho três filhos homens de que vou tomar conta com toda a certeza", escrevera ele em seu pedido de liberdade condicional. "Minha mulher casou-se de novo. Fui casado duas vezes, mas não quero nada com minha segunda mulher.")

Mas nem o físico de Dick nem a galeria de desenhos que o adornava causavam uma impressão tão notável quanto o seu rosto, que parecia composto de duas partes desencontradas. Era como se a sua cabeça tivesse sido cortada ao meio como uma maçã, e depois remontada um pouco fora de alinhamento. E de fato uma coisa assim tinha ocorrido; aqueles sinais de reajuste imperfeito eram o resultado de uma colisão de carro ocorrida em 1950 — acidente que entortara seu rosto estreito e de queixo comprido, fazendo com que o lado esquerdo ficasse um pouco mais baixo que o direito, o que por sua vez tinha deixado os lábios um pouco enviesados, o nariz torto e seus olhos não só desnivelados como com tamanhos díspares, o olho esquerdo francamente viperino, com uma expressão franzida e venenosa, e uma cor azul doentia que, embora involuntariamente adquirida, parecia ainda assim anunciar o sedimento amargo que havia no fundo de sua natureza. Mas Perry lhe dissera: "O olho não tem importância. Porque o seu sorriso é uma beleza. É um desses sorrisos que realmente funcionam". E era verdade. A ação constritora do sorriso contraía o rosto a proporções mais harmônicas, e tornava possível a percepção de uma personalidade menos incômoda — de um "bom rapaz" ao estilo americano, com um corte de cabelo à escovinha, razoavelmente saudável mas não muito esperto. (Na verdade, porém, Dick era muito inteligente. Um teste de QI feito na prisão deu-lhe 130 pontos; na média, nas prisões ou fora delas, as pessoas ficam entre 90 e 110.)

Perry também sofrera um acidente grave, e seus ferimentos, produzidos por uma queda de motocicleta, tinham sido mais graves que os de Dick; passara meio ano num hospital do estado de Washington e mais seis meses andando de muletas, e embora o acidente tivesse ocorrido em 1952, suas pernas grossas e semelhantes às de um anão, quebradas em cinco lugares e cobertas de cicatrizes, ainda lhe causavam dores tão fortes que ele ficara viciado em aspirina. Ostentava menos tatuagens que seu companheiro, mas as suas eram mais sofisticadas — não a obra autoinfligida de algum amador, mas produtos superiores da arte praticada pelos mestres de Honolulu e Yokohama. COOKIE, o nome de uma enfermeira que o tratara bem durante sua hospitalização, estava tatuado em seu bíceps direito. Com o pelo azul e os olhos cor de laranja, um tigre ameaçador exibia as presas vermelhas em seu bíceps esquerdo; uma naja, enrolada em torno de uma adaga, descia por seu braço; e em outros pontos caveiras brilhavam, uma pedra tumular se erguia, um crisântemo florescia.

"O.k., beldade. Largue a escova", disse Dick, vestido e pronto para partir. Tinha tirado o uniforme de trabalho e usava calças cinzentas, uma camisa da mesma cor e, como Perry, botinas pretas até o tornozelo. Perry, que nunca achava calças que coubessem em sua truncada metade inferior, usava jeans com a bainha dobrada e uma jaqueta de couro. Esfregados, penteados, tão bem-arrumados como dois sujeitos que saíssem para um encontro duplo com duas amigas, rumaram para o carro.

A distância entre Olathe, um subúrbio de Kansas City, e Holcomb, que podia ser considerada um subúrbio de Garden City, é de cerca de 650 quilômetros.

Cidade de 11 mil habitantes, Garden City começara a reunir seus fundadores logo depois da Guerra Civil americana. Um caçador de búfalos itinerante, o sr. C. J. (Buffalo) Jones, teve muito a ver com o crescimento subsequente que a transformaria de um aglomerado de choupanas e potreiros para amarrar cavalos num opulento centro de criação de gado dotado de elegantes saloons, um teatro de ópera e o hotel mais elegante entre Kansas City e Denver — em suma, um acúmulo de luxos na fronteira que rivalizava com Dodge City, cidade mais famosa, oitenta quilômetros a leste dali. Junto com Buffalo Jones, que acabaria perdendo o dinheiro e depois a razão (os últimos anos de sua vida foram dedicados a pregações no meio da rua contra o extermínio sistemático dos animais que ele próprio se empenhara em massacrar com tanto lucro), todos aqueles encantos do passado tinham sido sepultados. Só ficaram algumas poucas lembranças; uma ala de pitorescos prédios comerciais é conhecida como Buffalo Block, e o Hotel Windsor, que já foi esplêndido, com seu ainda esplêndido saloon de pé-direito alto, decorado com escarradeiras e palmeiras em vasos, continua a funcionar em meio às lojinhas e aos supermercados como um marco da Main Street — comparativamente vazio, porque os quartos amplos mas escuros do Windsor, seus corredores cheios de eco, não têm como competir com as comodidades e o ar-condicionado oferecidos no austero e pequeno Hotel Warren, nem com os aparelhos de tevê individuais e a "Piscina Aquecida" do Motel Wheat Lands.

Qualquer pessoa que tenha atravessado os Estados Unidos de costa a costa, de trem ou de carro, deve ter passado por Garden City, mas é razoável supor que poucos desses viajantes se lembrem disso. Parece apenas mais uma cidade de porte médio localizada no centro — quase o centro exato — dos Estados Unidos continentais. Mas seus habitantes não se mostram de acordo com essa opinião — e talvez tenham razão. Embora seus habitantes tendam a exagerar um pouco ("O senhor pode procurar no mundo inteiro que não vai encontrar gente mais hospitaleira, ar mais fresco nem água melhor de beber", e "eu poderia ir para Denver ganhando o triplo, mas tenho cinco filhos e acho que não existe um lugar melhor do que aqui para criar meus filhos. Boas escolas, com todos os esportes. Até mesmo uma faculdade", e "eu me mudei para cá para trabalhar como advogado. Uma coisa temporária, nunca planejei ficar muito tempo aqui. Mas quando chegou a oportunidade de ir embora, eu pensei que não tinha razão para ir. Para quê? Talvez aqui não seja Nova York — mas quem quer viver em Nova York?

Bons vizinhos, gente que se preocupa com os outros, isso é o que conta. E tudo o mais de que um homem decente precisa. Belas igrejas. Um bom campo de golfe."), as pessoas que chegam a Garden City, depois que se adaptam ao silêncio da Main Street toda noite depois das oito, acabam descobrindo muita coisa que dá razão aos louvores defensivos de seus cidadãos: uma bela e bem administrada biblioteca pública, um jornal diário competente, praças gramadas e sombreadas aqui e ali, plácidas ruas residenciais onde animais domésticos e crianças podem correr soltos com toda a segurança, um vasto parque de grande extensão com um pequeno zoológico ("Ursos-polares!","Penny, a Elefanta!"), e uma piscina que cobre quase um hectare ("A maior piscina GRATUITA do mundo!"). Essas atrações, combinadas à poeira, ao vento e aos constantes apitos do trem, produzem uma impressão de "cidade natal" que há de ser lembrada com saudade pelos que a deixaram — fato que, para os que ficaram, dá uma sensação de enraizamento e satisfação.

Sem exceção, os moradores de Garden City negam que a população local possa ser diferenciada socialmente ("Não, senhor. Aqui não há nada disso. Todos são iguais, independentemente da riqueza, da cor ou da religião. Tudo do jeito que deve ser numa democracia; assim é que nós somos."), mas, é claro, as distinções de classe são tão claramente observadas, e tão claramente observáveis, como em qualquer outra colmeia humana. Mais 150 quilômetros para o oeste e já estaríamos fora do "Cinturão da Bíblia", faixa do território americano dominada pela letra dos Evangelhos em que qualquer pessoa, mesmo que apenas por razões de negócios, precisa aceitar a religião com um rosto impassível, mas no condado de Finney ainda nos encontramos em pleno cinturão — e por isso a igreja que a pessoa frequenta é o fator que melhor reflete sua posição social. Uma combinação de batistas, metodistas e católicos responde por 80% dos fiéis do condado, mas entre a elite — os homens de negócios, os banqueiros, os advogados, os médicos e os proprietários rurais mais importantes que ocupam a prateleira de cima — predominam os presbiterianos e os episcopais. Um ou outro metodista ainda é bem recebido, e de vez em quando pode-se observar a infiltração de algum democrata, mas no geral a elite se compõe de republicanos de direita, da confissão presbiteriana ou episcopal.

Na qualidade de homem instruído e bem-sucedido em sua profissão, de eminente republicano e de líder de sua igreja — ainda que metodista —, o sr. Clutter tinha direito a uma posição no patriciado local, mas, da mesma forma como jamais entrara para o Garden City Country Club, jamais tentara frequentar os círculos do grupo reinante. Antes pelo contrário, porque aqueles cultivavam prazeres diversos dos seus; ele não era dado a jogos de cartas, ao golfe, a coquetéis ou a jantares elegantes servidos às dez da noite — nem, na verdade, a passatempo algum que, em sua opinião, não fosse "construtivo". E era por isso que, em vez de participar de um jogo de golfe em duplas naquele sábado luminoso, o sr. Clutter estava presidindo a reunião do Clube 4-S do condado de Finney (os quatro "S" são *saber, sentir, servir, saúde*,* e o lema do clube afirma: "Aprendemos a fazer fazendo". É uma organização americana, com representações no estrangeiro, que tem a finalidade de ajudar as pessoas que vivem nas áreas rurais — especialmente crianças e jovens — a desenvolverem qualificações práticas e fibra moral. Nancy e Kenyon eram membros fiéis desde os seis anos de idade). Perto do final da reunião, o sr. Clutter disse: "Agora eu tenho algo a dizer a respeito de um de nossos membros adultos". Seus olhos focalizaram uma japonesa rechonchuda cercada por quatro filhos japoneses igualmente rechonchudos. "Todos conhecem a senhora Hideo Ashida. Todos sabem como os Ashida se muda-

* No original, 4-H Club: *head, heart, hands, health* (literalmente: cabeça, coração, mãos, saúde). (N. E.)

ram para cá vindos do Colorado — e começaram a plantar em Holcomb, dois anos atrás. Uma bela família, o tipo de gente que Holcomb tem sorte em receber. Como qualquer um poderia dizer. Qualquer um que tenha estado doente e que tenha visto a senhora Ashida caminhar não sei quantos quilômetros para trazer-lhe uma das sopas maravilhosas que ela prepara. Ou as flores que ela cultiva onde todos achavam que planta nenhuma pudesse crescer. E no ano passado, na feira do condado, lembrem-se de quanto ela contribuiu para o sucesso da exposição do 4-S. Por isso eu queria sugerir que entreguemos um prêmio à senhora Ashida em nosso Jantar de Comemoração, na próxima terça-feira."

Os filhos puxaram a roupa dela e a cutucaram; o mais velho gritou: "Ei, mamãe, é você!". Mas a sra. Ashida ficou envergonhada; e ria enquanto enxugava os olhos com suas mãozinhas gordas de bebê. Era casada com um arrendatário; a propriedade, especialmente solitária e varrida pelos ventos, ficava a meio caminho entre Garden City e Holcomb. Depois das reuniões do 4-S, o sr. Clutter geralmente levava os Ashida em casa, e assim foi também naquele dia.

"Meu Deus, que surpresa", disse a sra. Ashida enquanto percorriam a Route 50 a bordo da caminhonete do sr. Clutter. "Parece que estou sempre agradecendo a você, Herb. Mas, mais uma vez, obrigada." Ela o conhecera no seu segundo dia no condado de Finney; era véspera de Halloween, e ele e Kenyon vieram fazer-lhe uma visita, trazendo pilhas de abóboras. Ao longo de todo o primeiro ano, os presentes continuavam chegando, cestas com produtos que os Ashida ainda não tinham plantado — aspargos, alface. E Nancy muitas vezes trazia Babe para as crianças brincarem. "Sabe, de quase todas as maneiras, aqui é o melhor lugar onde já moramos. Hideo também acha. Detestamos a ideia de ter de ir embora. De começar tudo de novo."

"Ir embora?", protestou o sr. Clutter, e reduziu a velocidade.

"Ora, Herb. A fazenda, as pessoas para quem nós trabalhamos — Hideo acha que podemos conseguir coisa melhor. Talvez em Nebraska. Mas não está nada resolvido. Por enquanto é só conversa." A voz grave dela, sempre à beira do riso, dava às notícias tristes um tom alegre, mas, vendo que tinha entristecido o sr. Clutter, mudou de assunto. "Herb, eu queria a opinião de um homem", disse ela. "Eu e os garotos andamos economizando, e queremos dar um presente bom para Hideo no Natal. Ele está precisando de dentes. Se a sua mulher lhe desse três dentes de ouro de presente, você ia achar que era um presente errado? Quer dizer, pedir a um homem que ele passe o Natal sentado numa cadeira de dentista?"

"Você é a maior. Nem tente ir embora daqui. Nós vamos amarrar você feito um porco", disse o sr. Clutter. "Sim, sim, dentes de ouro são uma ótima ideia. Se fosse eu, ia ficar radiante."

Suas reações deixaram a sra. Ashida encantada, pois ela sabia que ele não apoiaria o plano dela se na verdade não concordasse; Herb era um cavalheiro. Ela nunca o tinha visto bancar o galã tirar vantagem de alguém ou quebrar uma promessa. E uma promessa foi o que decidiu extrair dele. "Escute, Herb. No banquete — nada de discursos, está bem? Para mim não. Você é diferente. Sabe se levantar e falar para cem pessoas. Mais de mil, até. Tão fácil — e convence qualquer um de qualquer coisa. Não tem medo de nada", disse ela, comentando uma característica do sr. Clutter que era reconhecida por todos: uma destemida segurança de si que o destacava, e que ao mesmo tempo que impunha respeito também limitava um pouco a afeição dos outros. "Não consigo imaginar você com medo. Aconteça o que acontecer, você sempre há de dar um jeito de sair da situação só na conversa."

Lá pelo meio da tarde, o Chevrolet preto já tinha chegado a Emporia, Kansas — uma cidade um pouco maior, e um lugar seguro, decidiram os ocupantes do carro, para fazer algumas compras. Estacionaram numa rua transversal, e depois andaram até encontrar uma loja devidamente cheia.

A primeira compra foi um par de luvas de borracha; eram para Perry, que, ao contrário de Dick, se esquecera de trazer as próprias luvas.

Seguiram depois para um balcão que expunha roupas de baixo femininas. Ao cabo de um intervalo de avaliações indecisas, Perry disse: "Sou a favor".

Dick não. "E o meu olho? Elas são claras demais para escondê-los."

"Moça", disse Perry, atraindo a atenção de uma vendedora. "Tem meias pretas?" Quando ela respondeu que não, ele propôs que tentassem outra loja. "Preto é mais seguro".

Mas Dick tinha tomado uma decisão: meias de qualquer cor eram desnecessárias, um estorvo, uma despesa inútil ("Já investi dinheiro demais nesta operação"), e, afinal, qualquer um que eles encontrassem não viveria para depor. "Sem testemunhas", lembrou ele a Perry, pelo que pareceu a este a milionésima vez. Ele sempre ficava exasperado com a maneira como Dick dizia aquelas duas palavras, como se resolvessem todos os problemas; era burrice não admitir que pudesse haver uma testemunha que eles não vissem. "O inesperado acontece, as coisas às vezes mudam", disse ele. Mas Dick, sorrindo autossuficiente, como um menino, não tinha concordado: "Tire essas bobagens da cabeça. Nada vai dar errado". Não. Porque o plano era de Dick e, desde o primeiro passo até o silêncio final, fora concebido sem nenhuma falha.

Interessaram-se então pelas cordas à venda. Perry estudou as opções, e testou várias. Tendo servido na Marinha Mercante, entendia de cordas e sabia fazer nós. Escolheu um cordão de náilon branco, forte como arame e não muito mais grosso. Discutiram sobre a metragem necessária. A questão deixou Dick irritado, pois era parte de uma dúvida mais ampla, e ele não conseguia, apesar da suposta perfeição de seu planejamento geral, ter certeza da resposta. Depois de algum tempo, respondeu: "Meu Deus, como é que eu vou saber?".

"É melhor dar um jeito."

Dick tentou: "Tem ele. E ela. O rapaz e a garota. E talvez as outras duas. Mas é sábado. Podem ter visitas. Vamos contar com oito pessoas, talvez doze. A única coisa certa é que não pode sobrar ninguém".

"Parece muita coisa. Para você ter tanta certeza."

"Não foi o que eu te prometi, meu querido? Muito cabelo naquelas paredes?"

Perry encolheu os ombros. "Então é melhor comprar o rolo inteiro."

Tinha quase cem metros de comprimento — mais que suficiente para doze pessoas.

Kenyon tinha construído a arca ele próprio: uma arca de enxoval de mogno, forrada de cedro, que tinha a intenção de dar a Beverly como presente de casamento. Trabalhando na chamada saleta do porão, aplicou uma última camada de verniz. O mobiliário da saleta, um aposento com chão de cimento que ocupava todo o comprimento da casa, consistia quase exclusivamente em produtos de sua carpintaria (estantes, mesas, bancos, uma mesa de pingue-pongue) e das costuras de Nancy (uma capa de *chintz* que tinha renovado um sofá decrépito, cortinas, almofadas com frases: FELIZ? e NÃO É PRECISO SER LOUCO PARA VIVER AQUI, MAS AJUDA). Juntos, Kenyon e Nancy tinham feito uma tentativa um tanto desajeitada de modificar a irremovível austeridade do aposento subterrâneo, e nenhum dos dois julgava que tivesse fracassado. Na verdade, os dois consideravam aquela saleta um triunfo e uma bênção — Nancy porque era um lugar onde podia receber "a turma" sem perturbar a mãe, e Kenyon porque era um lugar onde podia ficar sozinho, livre para martelar, serrar e mexer com suas "invenções", a mais recente das quais era uma fritadeira elétrica. Junto à saleta ficava a área da fornalha, que continha uma mesa coberta de ferramentas com algumas de suas outras obras em andamento — um amplificador e uma antiquíssima vitrola de corda que estava restaurando a fim de pô-la para funcionar.

Kenyon não se parecia fisicamente com nenhum dos pais; seus cabelos, cortado à escovinha, eram da cor de cânhamo; ele tinha pouco mais de 1,80 metro e era comprido, embora robusto o suficiente para ter certa vez salvado um par de ovelhas adultas ao carregá-las por três quilômetros em meio a uma nevasca — forte, resistente, mas amaldiçoado pela falta de coordenação motora típica dos rapazes desengonçados. Esse defeito, agravado por uma incapacidade de funcionar sem óculos, impediam-no de participar a sério dos esportes de equipe (basquete, beisebol), que eram a principal ocupação da maioria dos garotos que podiam ser seus amigos. Tinha só um amigo próximo — Bob Jones, filho de Taylor Jones, cuja propriedade ficava um quilômetro e meio a oeste da casa dos Clutter. Na área rural do Kansas, todos os rapazes começavam a dirigir muito cedo; Kenyon tinha onze anos quando seu pai deixou que comprasse, com o dinheiro que ele próprio juntara criando carneiros, uma velha caminhonete com um motor Ford Modelo A — a "Carreta dos Coiotes", como ele e Bob a chamavam. Não muito longe da fazenda River Valley ficava uma área misteriosa conhecida como Morros de Areia; parecia uma praia sem mar, e à noite os coiotes vagavam em meio às dunas, reunindo-se em hordas para uivar. Nas noites de lua os rapazes iam atrás dos animais, faziam-nos correr e tentavam ultrapassá-los com a Carreta; raramente conseguiam, porque mesmo o mais fraco dos coiotes consegue atingir quase oitenta quilômetros por hora, enquanto a velocidade máxima da caminhonete era de menos de sessenta, mas de todo modo era uma diversão bela e excitante, o carro derrapando na areia, os coiotes em fuga enquadrados à luz da lua — como disse Bob, era uma coisa que fazia disparar seus corações.

Igualmente excitantes, e mais lucrativas, eram as caçadas de coelho que os dois meninos promoviam: Kenyon era bom atirador, seu amigo atirava melhor ainda, e os dois juntos chegaram a entregar meia centena de coelhos para a "fábrica de coelhos" — uma instalação de processamento de Garden City que comprava os animais a dez centavos por cabeça, congelava seus corpos e enviava-os em seguida para criadores de marta. Mas o que era mais importante para Kenyon — e para Bob também — eram suas expedições noturnas de caça nos fins de semana ao longo das margens do rio: as caminhadas, a espera pela presa enrolados em cobertores, o rumor de asas ao nascer do sol, avançar na ponta dos pés na direção do som e então, o melhor de tudo, voltar para casa com patos suficientes para doze jantares pendendo de seus cintos. Ultimamente, porém, as coisas tinham mudado entre Kenyon e o amigo. Não tinham brigado, não ocorrera nenhum desentendimento declarado, e nada acontecera além do fato de Bob, que tinha dezesseis anos, ter começado a "sair com uma menina", o que significava para Kenyon, um ano mais novo e ainda o típico adolescente solteiro, não poder mais contar com a sua companhia. Bob lhe disse: "Quando você chegar à minha idade, vai se sentir diferente. Eu pensava igual a você: Mulheres — grande coisa. Mas então você conversa com uma delas, e é uma beleza. Você vai ver". Kenyon duvidava; não podia imaginar que um dia quisesse passar com uma menina as horas que poderia aproveitar com armas, cavalos, ferramentas, aparelhos, ou mesmo um livro. Se Bob não estava disponível, então ele preferia ficar sozinho, pois em seu temperamento ele não era nem um pouco filho do sr. Clutter, mas de Bonnie, um menino sensível e reticente. Seus contemporâneos o consideravam "retraído", mas não o condenavam, dizendo: "O que acontece é que Kenyon prefere viver num mundo só dele".

Deixando o verniz para secar, dedicou-se a outra tarefa — que o obrigou a sair da casa. Queria arrumar o jardim de flores da mãe, um canteiro muito apreciado que crescia debaixo da janela do quarto dela. Quando lá chegou, encontrou um dos empregados afofando a terra com uma pá — Paul Helm, o marido da arrumadeira.

"Viu o carro?", perguntou o sr. Helm.

Sim, Kenyon tinha visto o carro na entrada — um Buick cinza, estacionado junto à porta do escritório de seu pai.

"Achei que você talvez soubesse quem é."

"Só se for o senhor Johnson. Papai disse que ele ia aparecer."

O sr. Helm (o falecido sr. Helm; morreu de um derrame no ano seguinte, em março) era um homem austero de quase sessenta anos cujos modos contidos encobriam uma natureza extremamente curiosa e alerta; gostava de saber o que estava acontecendo. "Que Johnson?"

"O sujeito dos seguros."

O sr. Helm grunhiu. "Seu pai deve estar comprando uma pilha. Já deve fazer umas três horas que aquele carro está parado ali."

O frio do crepúsculo que se aproximava tiritava no ar, e embora o céu ainda estivesse azul-claro, sombras cada vez mais longas emanavam dos altos pés de crisântemos do canteiro; o gato de Nancy brincava em meio às plantas, prendendo as patas no cordão com que Kenyon e o homem mais velho amarravam os pés de flor. De repente, a própria Nancy chegou correndo pelos campos montada na gorda Babe — Babe, voltando de seu prêmio dos sábados, um banho no rio. Teddy, o cão, acompanhava as duas, e os três estavam molhados e reluzentes.

"Você vai se resfriar", disse o sr. Helm.

Nancy riu; ela nunca ficara doente — nem uma vez. Apeando

do dorso de Babe, deitou-se na grama ao lado do canteiro e agarrou seu gato, balançou-o acima dela, beijou-lhe o focinho e os bigodes.

Kenyon ficou enojado. "Beijar um bicho na boca."

"Você costumava beijar Skeeter", lembrou ela.

"Mas Skeeter era um *cavalo*." Um belo cavalo, um garanhão de pelo avermelhado que ele tinha criado desde que era um potro. Como pulava cercas, aquele Skeeter! "Você força o cavalo demais", tinha advertido seu pai. "Um dia vai acabar matando o bicho." E foi o que aconteceu; enquanto Skeeter corria pela estrada com o dono montado, teve um ataque do coração, caiu e morreu. Agora, um ano mais tarde, Kenyon ainda sentia sua falta, muito embora seu pai, apiedando-se dele, lhe tivesse prometido a primeira escolha dos potros nascidos na próxima primavera.

"Kenyon?", disse Nancy. "Você acha que Tracy já terá aprendido a falar? No Dia de Ação de Graças?" Tracy, que ainda não tinha um ano de idade, era o sobrinho dela, filho de Eveanna, a irmã a quem se sentia mais especialmente ligada. (Beverly era a preferida de Kenyon.) "Eu ia adorar ouvir o garoto dizer 'tia Nancy'. Ou 'tio Kenyon'. Você não ia gostar? Você não *adora* ser tio? Kenyon? Meu Deus, por que você nunca me responde nada?"

"Porque você é uma boba", disse ele, jogando uma flor em sua direção, uma dália murcha, que ela enfiou no cabelo.

O sr. Helm pegou a pá. Os corvos crocitavam, o crepúsculo estava próximo, mas sua casa não; a aleia de olmos chineses se transformara num túnel verde-escuro, e ele morava no final dela, a quase um quilômetro de distância. "Boa noite", disse ele, e começou sua jornada. Mas olhou para trás uma vez. "E foi", testemunharia ele no dia seguinte, "a última vez que eu vi os dois. Nancy levando a velha Babe para o celeiro. Como eu disse, nada fora do comum."

O Chevrolet preto estava novamente estacionado, dessa vez em frente a um hospital católico nos arredores de Emporia. Espicaçado por alfinetadas constantes ("É o seu problema. Você acha que só existe um jeito de fazer as coisas — o jeito de Dick"), Dick tinha se rendido. Enquanto Perry esperava no carro, tinha entrado no hospital para tentar comprar um par de meias pretas de alguma freira. Esse sistema bem pouco ortodoxo para obter as meias tinha sido ideia de Perry; as freiras, dissera ele, por certo teriam um vasto estoque. Mas aquele método tinha um problema, é claro: freiras, e tudo o que era ligado a elas, davam azar, e Perry tinha grande respeito por suas superstições. (Outras coisas que temia eram o número 15, cabelos ruivos, flores brancas, ver um padre atravessar a rua, sonhar com cobras.) Ainda assim, não havia outro jeito. Mesmo um supersticioso compulsivo às vezes acredita piamente no destino; era o caso de Perry. Ele estava ali, e tinha embarcado naquela aventura, não porque quisesse, mas porque o destino tinha providenciado tudo; e era uma coisa que ele poderia *provar* — embora não tivesse a intenção de fazê-lo, pelo menos ao alcance dos ouvidos de Dick, pois a prova envolveria confessar o motivo verdadeiro e secreto que o trouxera de volta ao Kansas, uma violação dos termos de sua condicional que ele decidira arriscar por uma razão que não tinha a ver com o "golpe" de Dick ou a carta de convocação que este lhe escrevera. A razão foi que, várias semanas antes, ele soubera que na quinta-feira 12 de novembro outro de seus antigos companheiros de cela seria solto da Penitenciária Estadual do Kansas, em Lansing, e "mais que tudo no mundo" ele desejava um reencontro com aquele homem, seu "verdadeiro e único amigo", o "brilhante" Willie-Jay.

Durante o primeiro dos três anos que passara na prisão, Perry ficara observando Willie-Jay de longe, com interesse mas com uma certa apreensão; para alguém que pretendia ter fama de durão, a intimidade com Willie-Jay não parecia muito recomendável. Ele era o ajudante do capelão, um irlandês magro com cabelos prematuramente grisalhos e olhos cinzentos e melancólicos. Sua voz de tenor era a glória do coral da prisão. Mesmo Perry, apesar do seu desprezo por qualquer demonstração de fé religiosa, ficava "perturbado" quando ouvia Willie-Jay cantar "A oração do Senhor"; a linguagem contundente do hino, cantada com um espírito tão crédulo, o deixava comovido, e fazia perguntar-se se aquele seu desprezo era mesmo justo. Finalmente, estimulado por uma curiosidade levemente aguçada, abordou Willie-Jay, e o ajudante do capelão, receptivo de imediato, julgou adivinhar, no halterofilista de pernas aleijadas com olhar mortiço e voz precisa e enfumaçada, "um poeta, algo raro, que podia ser salvo". A ambição de "levar aquele rapaz para Deus" tomou conta dele. Suas esperanças de sucesso se aceleraram quando, certo dia, Perry mostrou-lhe um desenho que fizera — um grande retrato de Jesus, nada ingênuo do ponto de vista técnico. O capelão protestante de Lansing, o reverendo James Post, deu-lhe tanto valor que o pendurou em seu gabinete, onde ainda se encontra: um Salvador gomalinado e bonito, com os lábios grossos e os olhos sofredores de Willie-Jay. O desenho foi o clímax da busca espiritual nunca muito profunda de Perry e, ironicamente, seu ponto-final; considerou aquele seu Jesus "uma obra de hipocrisia", uma tentativa de "enganar e trair" Willie-Jay, pois continuava tão descrente de Deus como sempre. No entanto, deveria admiti-lo e correr o risco de perder o único amigo que jamais o "entendera de verdade"? (Hod, Joe, Jesse, viajantes de passagem por um mundo onde raramente os sobrenomes se revelavam, tinham sido só seus "parceiros" — nunca nada parecido com Willie-Jay, que na opinião de Perry estava "intelectualmente muito acima da média, tão perceptivo quanto um psicólogo bem treinado". Como era possível que um homem de tantos talentos tivesse ido parar em Lansing? Era o que deixava Perry perplexo. A resposta, que ele conhecia mas não aceitava, classificando de "uma forma de evitar a questão humana mais profunda", era bem clara para os espíritos mais simples: o ajudante do capelão, então com 38 anos, era um ladrão, um assaltante pé de chinelo que, num período de vinte anos, tinha cumprido pena em cinco estados diferentes.) Perry decidiu falar claro: ele sentia muito, mas aquela história toda não tinha nada a ver com ele — o céu, o inferno, os santos, a misericórdia divina — e se a amizade de Willie-Jay se baseava na esperança de ver Perry um dia a seu lado ao pé da cruz, ele estava enganado e a amizade deles era uma coisa mentirosa, uma contrafação, a exemplo do retrato.

Como de costume, porém, Willie-Jay compreendeu; desanimado, mas não desencantado, persistiu em cortejar a alma de Perry até o dia da libertação condicional e da partida de seu proprietário, na véspera do qual escreveu para Perry uma carta de despedida cujo último parágrafo era assim: "Você é um homem de paixões extremas, um homem faminto sem certeza de onde está seu apetite, um homem profundamente frustrado tentando projetar sua individualidade num quadro de conformismo profundo. Você existe num meio mundo suspenso entre duas superestruturas, uma das quais é a autoexpressão e outra, a autodestruição. Você é forte, mas existe um defeito na sua força, e a menos que você aprenda a controlá-lo, esse defeito acabará ficando mais forte que sua força, derrotando-o. O defeito? *A reação emocional explosiva, totalmente desproporcional aos acontecimentos*. Por quê? Por que essa raiva sem razão quando vê outras pessoas que estão felizes ou satisfeitas, por que esse desprezo cada vez maior pelos outros, e esse desejo de feri-los? Certo, você acha que são uns idiotas, sente desprezo por eles porque a moral, a felicidade deles é a fonte da sua frustração e do seu ressentimento. Mas são inimigos terríveis que você traz dentro de si mesmo — com o tempo, mais destrutivos do que balas. As balas são misericordiosas e matam suas vítimas. Essas outras bactérias, se as deixamos envelhecer, não matam, mas deixam atrás de si a carcaça de uma criatura devastada e retorcida; ainda existe fogo em seu interior, mas esse fogo só se mantém aceso alimentado pela lenha do desprezo e do ódio. A pessoa pode acumular com sucesso, mas não acumula sucessos, porque é o seu próprio inimigo e é quem se impede de usufruir plenamente suas realizações".

Perry, lisonjeado de ser o assunto desse sermão, deixara Dick lê-lo, e Dick, que já não tinha Willie-Jay em alta conta, dissera que a carta era "uma xaropada de pregador do tipo de Billy Graham", acrescentando: "'Fogo interior!' O que eu acho é que *ele* é uma bicha com *fogo no rabo*!". Claro que Perry já esperava aquela reação, e em segredo até gostara dela, porque sua amizade com Dick, que ele mal conhecia até seus últimos meses em Lansing, era uma consequência, e um contrapeso, de sua admiração pelo ajudante do capelão. Talvez Dick fosse mesmo "rasteiro", ou até, como dizia Willie-Jay, "um fanfarrão perigoso". Ainda assim, Dick era um sujeito divertido, e era esperto, realista, não fazia rodeios, não vivia com a cabeça nas nuvens nem cheia de vento. Além disso, ao contrário de Willie-Jay, não costumava criticar as aspirações exóticas de Perry; estava sempre disposto a ouvir, a deixar-se contagiar, a compartilhar as visões de "tesouros garantidos" escondidos no fundo dos mares do México e das selvas do Brasil.

Depois da condicional de Perry, passaram-se quatro meses de viagens sacolejantes a bordo de um Ford de quinta mão comprado por cem dólares, rodando de Reno a Las Vegas, de Bellingham, no estado de Washington, a Buhl, em Idaho, e foi em Buhl, onde encontrou trabalho temporário como motorista de caminhão, que a carta de Dick o alcançou: "Amigo P., Saí em agosto, e depois que você saiu Encontrei Uma Pessoa, que você não conhece, mas ele me falou de Uma Coisa que podemos fazer Lindamente. Uma moleza, o golpe Perfeito...". Até então Perry não imaginava que um dia tornaria a ver Dick. Nem Willie-Jay. Mas estava sempre pensando nos dois, e especialmente no último, que em sua memória adquirira uma estatura maior, a envergadura de um sábio grisalho a assombrar os corredores de sua mente. "Você está sempre atrás de coisas negativas", informara-lhe Willie-Jay certa vez, em um dos seus sermões. "Você quer não se importar com nada, existir sem nenhuma responsabilidade, sem fé, nem amigos, nem calor humano."

No curso solitário e desconfortável de suas viagens recentes, Perry tinha passado essa acusação em revista vezes sem conta, e decidira que era injusta. Ele se importava, sim — mas quem jamais se importara com *ele*? Seu pai? Sim, até certo ponto. Uma ou duas moças — mas aquilo era uma "longa história". E mais ninguém além do próprio Willie-Jay. E só Willie-Jay tinha reconhecido o seu valor, suas potencialidades, admitindo que ele não era apenas um mestiço de índio de estatura abaixo da média e músculos desenvolvidos além da conta, vendo-o, apesar de todas as lições de moral, como ele próprio se via — uma pessoa "excepcional", "rara", "artística". Em Willie-Jay, sua vaidade encontrara apoio, sua sensibilidade, abrigo, e os quatro meses que passara exilado daquela valorização a tinham tornado mais desejável do que qualquer sonho de encontrar ouro escondido. Assim, quando recebeu o convite de Dick e percebeu que a data que Dick propunha para sua vinda ao Kansas mais ou menos coincidia com o momento da soltura de Willie-Jay, soube na hora o que devia fazer. Dirigiu até Las Vegas, vendeu seu carro em mau estado, guardou sua coleção de mapas, suas velhas cartas, seus manuscritos e livros, e comprou uma passagem num ônibus da Greyhound. O que iria ocorrer depois da viagem dependia do destino; se as coisas "não dessem certo com Willie-Jay", ele sempre "podia levar em conta a proposta de Dick". E no fim das contas Perry só tivera de escolher entre Dick e coisa nenhuma, pois quando seu ônibus chegou a Kansas City, no fim da tarde do dia 12 de novembro, Willie-Jay, a quem não conseguira avisar de sua chegada, já tinha deixado a cidade — na verdade, apenas cinco horas antes, e embarcado no mesmo terminal ao qual Perry chegou. E disso ele ficou sabendo ao telefonar para o reverendo Post, que o desestimulou ainda mais quando se recusou a revelar o destino exato de seu antigo assistente. "Ele foi para o Leste", respondeu o capelão. "Com uma boa oferta. Um emprego decente, e lugar para ficar na casa de pessoas de bem, dispostas a ajudar." Ao desligar, Perry sentira-se "tonto de raiva e decepção".

Mas o que, perguntara-se quando a angústia diminuiu, ele esperava afinal de um reencontro com Willie-Jay? Tinham sido separados pela liberdade; livres, não tinham nada em comum, eram o contrário um do outro e jamais poderiam "funcionar juntos" — certamente não de forma que lhes permitisse embarcar nas aventuras de mergulho ao sul da fronteira, como ele e Dick tinham planejado. Ainda assim, caso não se tivesse desencontrado de Willie-Jay, caso pudesse ter estado com ele pelo menos por uma hora, Perry estava convencido — "sabia", com toda a certeza — de que agora não estaria na porta de um hospital enquanto Dick teimava em não aparecer com um par de meias pretas.

Dick voltou com as mãos vazias. "Nada", anunciou ele, com uma despreocupação que deixou Perry desconfiado.

"Tem certeza? Pelo menos perguntou?"

"Claro que sim."

"Não acredito. Acho que você entrou lá, ficou fazendo hora por alguns minutos, e depois saiu."

"Está certo, meu querido — como você quiser." Dick deu a partida no carro. Depois de viajarem algum tempo em silêncio, Dick deu uma palmadinha no joelho de Perry. "Ora, francamente", disse ele. "Era uma ideia ridícula. O que elas iriam pensar? Eu entrando lá, como se fosse uma loja de meias..."

Perry disse: "Pode ser que tenha sido melhor assim. Freiras dão muito azar".

O representante da seguradora New York Life Insurance em Garden City sorria enquanto o sr. Clutter destampava uma caneta Parker e abria o talão de cheques. Lembrou-se de uma piada local: "Sabe o que dizem de você, Herb? 'Depois que o corte de cabelo aumentou para um dólar e cinquenta, Herb começou a pagar o barbeiro também em cheque'".

"É verdade", respondeu o sr. Clutter. Como os membros da realeza, era famoso por jamais carregar dinheiro consigo. "É assim que eu faço as coisas. Quando os homens do fisco vêm escarafunchar, os canhotos dos cheques são nossos melhores amigos."

Com o cheque preenchido mas ainda não assinado, reclinou-se na cadeira e deu a impressão de entregar-se a divagações. O corretor, um homem corpulento, um tanto calvo e bastante informal chamado Bob Johnson, esperou que seu cliente não tivesse dúvidas de última hora. Herb era um cabeça-dura, um sujeito que levava muito tempo para fechar qualquer negócio; Johnson vinha trabalhando havia mais de um ano para fechar aquele negócio. Mas não, o cliente só estava vivendo o que Johnson chamava de Momento Solene — um fenômeno familiar aos corretores de seguros. O sujeito que faz um seguro de vida sente-se mais ou menos da mesma forma que o sujeito que assina seu testamento; sempre pensa na própria mortalidade.

"Sim, sim", disse o sr. Clutter, como se falasse sozinho. "Tenho muito a agradecer — coisas maravilhosas na minha vida." Documentos emoldurados em comemoração a marcos de sua carreira reluziam nas paredes de lambris de nogueira do escritório: o diploma universitário, um mapa da fazenda River Valley, prêmios agrícolas, um diploma muito enfeitado trazendo as assinaturas de Dwight D. Eisenhower e de John Foster Dulles, citando seus serviços ao Conselho Federal de Crédito Agrícola. "As crianças. Tivemos muita sorte. Não devia dizer, mas sinto muito orgulho de todos. Kenyon, por exemplo. Por enquanto está pensando em fazer engenharia, ou virar cientista, mas ninguém vai me dizer que o meu garoto não nasceu para ser fazendeiro. Se Deus quiser, um dia ele vai cuidar de tudo isso. Já conheceu o marido de Eveanna? Don Jarchow? Veterinário. Você não imagina como eu gosto desse rapaz. E de Vere também. Vere English — o rapaz com quem minha filha Beverly teve o bom senso de se comprometer. Se alguma coisa acontecesse comigo, eu sei que essas pessoas assumiriam a responsabilidade; Bonnie, sozinha — Bonnie não teria condições de comandar uma operação desse volume..."

Johnson, veterano em escutar divagações desse tipo, sabia que tinha chegado seu momento de intervir. "Mas Herb", disse ele. "Você é *jovem*. Quarenta e oito anos. E pelo jeito, pelo que os exames médicos mostraram, você ainda vai ficar por aqui pelo menos mais algumas semanas."

O sr. Clutter endireitou-se na cadeira e tornou a estender a mão para pegar a caneta. "Para dizer a verdade, estou mesmo me sentindo muito bem. E muito otimista. A minha impressão é que vou conseguir ganhar um bom dinheiro por aqui nos próximos anos." Enquanto expunha seus planos financeiros para o futuro, assinou o cheque e empurrou-o para o outro lado da mesa.

Eram seis e dez, e o corretor estava ansioso para partir; sua mulher devia estar esperando para jantar. "Foi um prazer, Herb."

"Igualmente, amigo."

Trocaram um aperto de mãos. E depois, com uma merecida sensação de vitória, Johnson pegou o cheque do sr. Clutter e depositou-o em sua carteira. Era o primeiro pagamento por uma apólice de 40 mil dólares que, em caso de morte por causas acidentais, pagaria a indenização em dobro.

"E Ele anda comigo, e Ele fala comigo,
E Ele me diz que a Ele pertenço,
E a alegria que compartilhamos quando lá nos demoramos
Ninguém jamais conheceu..."

Acompanhado por seu violão, Perry cantara até seu humor melhorar. Conhecia as letras de uns duzentos hinos e baladas — um repertório que ia de "A cruz cansada" a várias canções de Cole Porter — e, além do violão, ainda tocava gaita, acordeom, banjo e xilofone. Numa de suas fantasias favoritas, seu nome artístico era Perry O'Parsons, que se anunciava como "A Sinfônica de Um Homem Só".

Dick perguntou: "Que tal uma bebida?".

Pessoalmente, Perry pouco se importava com o que bebia, porque não era muito de beber. Já Dick era seletivo, e nos bares geralmente escolhia um Orange Blossom, vodca com suco ou refrigerante sabor laranja. Do porta-luvas do carro Perry tirou uma garrafa de meio litro com uma mistura pronta de vodca e aromatizante de laranja. Passaram a garrafa um para o outro. Embora já estivesse escuro, Dick, dirigindo a cem quilômetros por hora, ainda não tinha acendido os faróis, mas a estrada era reta, a região, plana como um lago, e raramente se via outro carro. Aquilo era "longe de tudo" — ou quase.

"Meu Deus!", disse Perry, olhando para a paisagem, plana e sem limites sob o verde frio e persistente do céu — vazia e solitária com a exceção da luz distante e intermitente das casas de fazenda. Ele detestava aquela paisagem, assim como detestava as planícies do Texas e o deserto de Nevada; espaços horizontais e pouco habitados sempre induziam nele uma depressão acompanhada por sensações de agorafobia. Seus lugares favoritos eram os portos de mar — cidades movimentadas, barulhentas, cheias de navios, com cheiro de esgoto, como Yokohama, onde passara um verão inteiro durante a Guerra da Coreia como recruta do Exército americano. "Meu Deus — e eles ainda me disseram para ficar longe do Kansas! Para nunca voltar a pôr os pés aqui. Como se estivessem me expulsando do paraíso. E olhe só para isso. Uma verdadeira festa para os olhos."

Dick entregou-lhe a garrafa, com o conteúdo já reduzido à metade. "Guarde o resto", disse Dick. "Podemos precisar."

"Você se lembra, Dick? Toda aquela conversa de conseguir um barco? Eu estava pensando — podíamos comprar um barco no México. Barato, mas sólido. E podíamos ir até o Japão. Atravessar o Pacífico. Já atravessaram — milhares de pessoas já atravessaram. Não estou mentindo, Dick — você ia adorar o Japão. Pessoas maravilhosas, gentis como flores. Muito respeito — e não só pelo dinheiro. E as mulheres. Você nunca conheceu uma mulher de verdade..."

"Já conheci, sim", disse Dick, que alegava ainda estar apaixonado pela loura que fora sua primeira mulher, embora ela estivesse casada pela segunda vez.

"Os banhos. Um lugar chamado Piscina dos Sonhos. Você relaxa, e garotas lindas, de arrasar, vêm e esfregam você da cabeça aos pés."

"Você já contou", o tom de Dick era cortante.

"E daí? Não posso repetir?"

"Mais tarde. Mais tarde a gente conversa a respeito. Tenho muito em que pensar."

Dick ligou o rádio; Perry desligou. Ignorando os protestos de Dick, dedilhou o violão:

"Cheguei ao jardim sozinho, o orvalho ainda cobria as rosas,
E a voz que eu ouvi, caindo no meu ouvido,
O Filho de Deus revelava...".

Uma lua cheia se formava na orla do céu.

Na segunda-feira seguinte, enquanto se identificava antes de submeter-se ao detector de mentiras, o jovem Bobby Rupp descreveu sua última visita à casa dos Clutter: "Era noite de lua cheia, e eu pensei que, se Nancy quisesse, podíamos sair para um passeio de carro — até o lago McKinney. Ou ir ao cinema em Garden City. Mas quando eu liguei para ela — deviam ser umas dez para as sete — ela me disse que precisava perguntar ao pai. Depois voltou e disse que ele não tinha deixado — porque já tínhamos chegado tarde demais na noite anterior. Mas perguntou se eu não queria ir até lá ver televisão. Eu passava muito tempo na casa dos Clutter vendo televisão. Nancy é a única menina que eu já namorei. Eu a conheci há muito tempo; fomos colegas desde a primeira série. Que eu me lembre, ela sempre tinha sido bonita e muito querida — uma *pessoa*, mesmo quando era pequena. Quer dizer, ela sempre dava um jeito de fazer todo mundo se sentir bem. A primeira vez que eu saí com ela nós estávamos na oitava série. A maioria dos garotos da nossa turma queria convidar Nancy para o baile de formatura da oitava, e eu fiquei surpreso — e muito orgulhoso — quando ela disse que queria ir comigo. Nós dois tínhamos doze anos. Meu pai me emprestou o carro e eu a levei para o baile. Quanto mais eu a via, mais eu gostava dela; a família toda — não existia outra família como eles, não por aqui, não que eu conheça. O sr. Clutter podia ser muito rigoroso em algumas coisas — religião e coisas assim —, mas nunca tentava dar a impressão de que ele é que estava certo e você, errado.

"Moramos cinco quilômetros a oeste da propriedade deles. Eu costumava ir e voltar de lá a pé, mas sempre trabalhei durante o verão, e no ano passado economizei o bastante para comprar um carro para mim, um Ford 55. Então fui de carro até lá, e cheguei um pouco depois das sete. Não vi ninguém na estrada nem no caminho que vai até a casa, e ninguém do lado de fora. Só o velho Teddy. Ele latiu para mim. As luzes estavam acesas no andar de baixo — na sala de estar e no escritório do senhor Clutter. O andar de cima estava escuro, e imaginei que a senhora Clutter estivesse dormindo — se é que estava em casa. Nunca dava para saber se ela estava ou não, e eu nunca perguntava. Mas descobri que tinha razão, porque mais tarde, ainda naquela noite, Kenyon queria ensaiar — tocava trompa na banda da escola — e Nancy lhe disse que não podia, porque iria acordar a senhora Clutter. De qualquer maneira, quando cheguei eles tinham acabado de jantar, Nancy havia tirado a mesa e posto todos os pratos na máquina de lavar, e os três — os dois mais o senhor Clutter — estavam instalados na sala de estar. E ficamos sentados lá como em qualquer outra noite — Nancy e eu no sofá, o senhor Clutter na cadeira dele, a cadeira de balanço estofada. Ele quase não estava vendo televisão, porque estava lendo um livro — um dos livros de Kenyon, da coleção "Rover Boy". Num certo momento ele foi até a cozinha e voltou trazendo duas maçãs; ofereceu uma para mim, mas eu não quis e ele comeu as duas. Tinha dentes muito brancos, e dizia que era por causa das maçãs. Nancy — Nancy estava de meias e chinelos, de calças jeans, acho que com um suéter verde; estava usando um relógio de ouro e uma pulseira — com o nome dela de um lado e o meu do outro — que eu tinha dado no aniversário dela de dezesseis anos, em janeiro, e ainda um anel, um anelzinho de prata que ela tinha comprado no verão anterior quando foi ao Colorado com os Kidwell. Não era o meu anel — o *nosso* anel. Umas duas semanas atrás, ela ficou brava comigo e me disse que ia ficar sem usar o anel por um tempo. Quando a sua namorada faz isso, quer dizer que você está em período de experiência. Quer dizer, é claro que a gente brigava às vezes — todo mundo briga, todo mundo que namora firme. O que aconteceu foi que eu fui ao casamento de um amigo meu, fui à festa, e tomei uma cerveja, uma garrafa de cerveja, e Nancy ouviu falar. Alguma fofoqueira foi dizer a ela que eu estava totalmente bêbado. Ela ficou furiosa e passou uma semana sem falar comigo. Mas ultimamente a gente estava se dando bem como sempre, e acho que ela já estava quase voltando a usar o nosso anel.

"Certo. O primeiro programa se chamava *O Homem e o Desafio*. Canal 11. Sobre uns sujeitos no Ártico. Depois vimos um filme de faroeste, e depois uma aventura de espionagem — *Cinco dedos. Mike Hammer* começou às nove e meia. Depois o jornal. Mas Kenyon não gostou de nada, especialmente porque ninguém deixava que ele escolhesse os programas. Ele criticava tudo, e Nancy passou o tempo todo mandando-o calar a boca. Eles viviam discutindo, mas na verdade eram muito chegados — mais chegados que a maioria dos irmãos e irmãs. Acho que era em boa parte porque eles ficavam muito tempo sozinhos, com a senhora Clutter longe de casa e o senhor Clutter em Washington ou outro lugar. Eu sei que Nancy gostava de Kenyon de um modo muito especial, mas acho que nem mesmo ela, nem ninguém, entendia exatamente como ele era. Ele dava a impressão de estar sempre em outro lugar. Nunca dava para saber em que ele estava pensando, nem mesmo se ele estava olhando para você — porque ele era meio vesgo. Tem gente que diz que ele era um gênio, e talvez fosse verdade. Pelo menos ele lia muito. Mas, como eu disse, ele era inquieto; não queria ver tevê, queria tocar trompa, e quando Nancy disse que não, eu me lembro que o senhor Clutter perguntou a ele por que ele não descia até o porão, onde podia ensaiar sem ser ouvido. Mas assim ele não queria.

"O telefone tocou uma vez. Duas? Meu Deus, não me lembro. Só que uma vez o telefone tocou e o senhor Clutter foi atender no escritório. A porta estava aberta — a porta de correr entre a sala de estar e o escritório — e eu ouvi quando ele disse 'Van', por isso eu sei que estava falando com o sócio dele, o senhor Van Vleet, e ouvi quando ele disse que estava com dor de cabeça, mas já estava melhorando. E disse que se encontraria com o senhor Van Vleet na segunda-feira. Quando ele voltou para a sala — isso mesmo, tinha acabado de acabar o programa do Mike Hammer. Cinco minutos de jornal. Depois a previsão do tempo. O senhor Clutter sempre prestava atenção na hora da previsão do tempo. Era o que ele ficava esperando. Assim como a única coisa que me interessava era a parte sobre esportes — que vinha em seguida. Depois que acabou o noticiário esportivo, eram dez e meia, e eu me levantei para ir embora. Nancy me levou até o carro. Conversamos um pouquinho, e combinamos de ir ao cinema no domingo à noite — um filme que todas as garotas estavam querendo ver, *Blue Denim*. Depois ela voltou correndo para casa, e eu fui embora. Estava claro como o dia — a lua estava tão luminosa —, fazia frio e ventava um pouco; muitas folhas e galhos rolavam pela estrada. Mas foi só o que eu vi. Agora, tentando me lembrar, acho que devia haver alguém escondido. Talvez no meio das árvores. Só esperando que eu fosse embora."

Os viajantes pararam para jantar num restaurante em Great Bend. Perry, reduzido a seus últimos quinze dólares, estava disposto a pedir apenas uma garrafa de *root beer* e um sanduíche, mas Dick disse que não, que precisavam "forrar" bem com comida sólida, e o preço não tinha importância, ele pagaria. Pediram dois bifes ao ponto, batatas assadas e fritas, cebolas fritas, ensopadinho de milho, favas e tomate, acompanhados de macarrão e milho verde, salada com molho rosê, pães doces de canela, torta de maçã e sorvete, além de café. Para completar, foram a uma loja próxima e escolheram charutos; na mesma loja, compraram ainda dois rolos de fita adesiva.

Quando o Chevrolet preto retornou à estrada e voltou a correr através de uma paisagem rural que subia imperceptivelmente na direção do clima mais frio e seco das planícies de trigo, Perry fechou os olhos e caiu num cochilo induzido pela comida, do qual acordou ao ouvir uma voz que lia o noticiário das onze horas. Abriu uma janela e deixou a torrente de ar gelado banhar seu rosto. Dick lhe disse que estavam no condado de Finney. "Cruzamos a divisa há uns quinze quilômetros", disse ele. O carro avançava muito depressa. As placas, com suas mensagens iluminadas pelos faróis, brilhavam e passavam voando: "Veja os Ursos-Polares", "Motores Burtis", "A Maior Piscina GRATUITA do Mundo", "Motel Wheat Lands", e, finalmente, um pouco antes de começarem as ruas iluminadas, "Olá, Forasteiro! Bem-vindo a Garden City. Um Lugar de Amigos".

Contornaram a orla norte da cidade. Não havia ninguém nas ruas àquela hora, quase meia-noite, e nada estava aberto além de uma fileira de postos de gasolina desoladoramente iluminados. Dick entrou num deles — o Hurd's Phillips 66. Um jovem apareceu e perguntou: "É para encher?". Dick fez que sim com a cabeça, e Perry, saindo do carro, entrou no posto, onde se trancou no banheiro masculino. Suas pernas doíam, como acontecia quase sempre; doíam como se o acidente tivesse ocorrido cinco minutos antes. Tirou três aspirinas de um frasco, mastigou-as lentamente (pois o gosto lhe agradava), e depois tomou um pouco de água da torneira. Sentou-se na privada, esticou as pernas e as esfregou, massageando os joelhos que quase não dobravam. Dick tinha dito que estavam quase lá — "só faltam dez quilômetros". Ele abriu o fecho de um dos bolsos de sua jaqueta e tirou um saco de papel; dentro estavam as luvas de borracha que tinha acabado de comprar. Eram cobertas de cola, pegajosas e finas, e quando as enfiou aos poucos, uma delas se rasgou — não um rasgão perigoso, só uma fenda entre os dedos, mas aquilo pareceu-lhe um mau presságio.

A maçaneta girou e foi sacudida. Dick disse: "Quer algum doce? Tem uma máquina aqui fora".

"Não."

"Tudo bem com você?"

"Estou bem."

"Não vá ficar aí a noite inteira."

Dick enfiou uma moedinha de dez centavos na máquina, puxou a alavanca e pegou um saco de jujubas; mastigando, voltou para o carro e ficou por lá vendo os esforços do jovem frentista para remover do para-brisa a poeira do Kansas e a gosma dos insetos esmagados. O frentista, cujo nome era James Spor, ficou constrangido. Os olhos e a expressão vazia de Dick, e a estranha e prolongada permanência de Perry no lavatório, deixavam-no perturbado. (No dia seguinte ele relatou ao patrão: "Tivemos uns fregueses estranhos ontem à noite", mas não lhe ocorreu, nem naquele momento, nem depois, associar os dois visitantes à tragédia de Holcomb.)

Dick disse: "Bem devagar, por aqui".

"É mesmo", disse James Spor. "Vocês são os únicos que pararam aqui nas últimas duas horas. Estão vindo de onde?"

"Kansas City."

"Vieram caçar?"

"Estamos só de passagem. A caminho do Arizona. Temos trabalho esperando por lá. Numa construção. Alguma ideia da distância entre aqui e Tucumcari, no Novo México?"

"Não mesmo. Três dólares e sessenta." Aceitou o dinheiro de Dick, deu-lhe o troco e disse: "Com licença. Estou no meio de um serviço. Colocando um para-choque num caminhão".

Dick esperou, comeu algumas jujubas, ligou o motor, impacientou-se, tocou a buzina. Seria possível que tivesse avaliado mal o caráter de Perry? Que logo Perry estivesse amarelando? Um ano antes, quando se conheceram, ele tinha achado que Perry era um "sujeito legal", apesar de "meio cismado", "sentimental", "sonhador" demais. Tinha gostado dele, mas não achara que ele merecesse ser valorizado até o dia em que Perry descrevera um homicídio, contando como, simplesmente por ter tido vontade, tinha matado um negro em Las Vegas — surrado até a morte com uma corrente de bicicleta. O episódio elevou a cotação do Pequeno Perry junto a Dick; começou a procurá-lo mais e, como Willie-Jay, embora por razões muito diversas, aos poucos foi-se convencendo de que Perry possuía qualidades incomuns e valiosas. Vários assassinos, ou homens que se gabavam de homicídios ou de sua disposição de cometê-los, circulavam dentro de Lansing; mas Dick ficou convencido de que Perry era aquela raridade, um "matador por natureza" — absolutamente são, mas desprovido de consciência, e capaz de desferir, com ou sem motivo, golpes mortais totalmente a sangue frio. A teoria de Dick era que esse dom, sob sua supervisão, poderia render resultados muito lucrativos. Tendo chegado a essa conclusão, dedicara-se a seduzir Perry e a lisonjeá-lo — fazendo de conta, por exemplo, que acreditava em toda aquela baboseira de tesouros enterrados e que também sentia os mesmos impulsos de vasculhador de praias e a mesma nostalgia pelos portos de mar, que na verdade não achava nada atraentes, pois queria uma "vida normal", com um negócio próprio, uma casa, um cavalo para montar, um carro novo e "muitas galinhas ruivas". Era importante, porém, que Perry não desconfiasse daquilo — pelo menos não antes de ter ajudado, com seu dom, a satisfazer as ambições de Dick. Mas talvez tivesse sido Dick quem errara nas contas e se enganara; se fosse assim — caso ficasse revelado que Perry não passava, no fim das contas, de um "vagabundo comum" —, era o fim da "festa", todos os meses de planejamento tinham sido desperdiçados e não havia nada a fazer além de dar meia-volta e partir. Mas aquilo não podia acontecer; e Dick voltou até o posto.

A porta do banheiro masculino continuava trancada. Ele esmurrou-a: "Pelo amor de Deus, Perry!".

"Um minuto só."

"O que aconteceu? Está passando mal?"

Perry agarrou a borda da pia e pôs-se de pé. Suas pernas tremiam; a dor nos joelhos o fazia suar. Enxugou o rosto com uma toalha de papel. Destrancou a porta e disse: "Está bem. Vamos lá".

***

O quarto de Nancy era o menor e mais pessoal da casa — um quarto de moça, e tão cheio de rendinhas quanto um tutu de bailarina. A parede, o teto e tudo o mais, com a exceção de uma cômoda e de uma escrivaninha, era cor-de-rosa, azul-claro ou branco. A cama branca e cor-de-rosa, coberta de almofadas azuis, era dominada por um imenso urso de pelúcia branco e cor-de-rosa — um prêmio que Bobby tinha conquistado no estande de tiro ao alvo da quermesse do condado. Um quadro de avisos de cortiça, pintado de cor-de-rosa, estava pendurado acima de uma penteadeira com babados brancos; gardênias secas, restos do ramalhete usado preso ao vestido em alguma festa, estavam pregadas no quadro, além de antigos cartões, de receitas recortadas do jornal e de fotos de seu sobrinho bebê, de Susan Kidwell e de Bobby Rupp, flagrado em uma dúzia de atividades — manejando um bastão de beisebol, jogando basquete, dirigindo um trator, andando em traje de banho na beira do lago McKinney (o mais fundo que ousava ir, pois jamais aprendera a nadar). E havia ainda fotografias dos dois juntos — Nancy e Bobby. Destas, ela gostava mais daquela em que os dois apareciam sentados numa luz recortada pelas folhas, entre restos de um piquenique, olhando um para o outro com expressões que, embora sem sorrisos, transmitiam alegria e encantamento. Outras fotos, de cavalos, de gatos já mortos, mas não esquecidos — como o "pobre Boobs", que morrera pouco antes e de maneira tão misteriosa (ela desconfiava de veneno) — atulhavam sua escrivaninha.

Nancy era invariavelmente a última pessoa da família a se recolher; como certa vez comunicara a sua amiga e professora de economia doméstica, a sra. Polly Stringer, as horas tardias da noite eram o momento em que ela "podia ser egoísta e vaidosa". Era então que se entregava a seu tratamento de beleza rotineiro, um ritual de limpeza e cremes que nas noites de sábado incluía ainda a lavagem dos cabelos. Naquela noite, depois de secar e escovar os cabelos, prendendo-os com um lenço vaporoso, deixou separadas as roupas que pretendia usar na manhã seguinte para ir à igreja: meias de náilon, sapatos pretos sem salto, um vestido vermelho de veludo — o mais bonito que tinha, que ela mesma fizera. Seria o vestido com que a enterrariam.

Antes de fazer suas preces, sempre registrava num diário algumas ocorrências ("É verão. Espero que para sempre. Sue veio aqui e montamos em Babe para ir até o rio. Sue tocou flauta. Vaga-lumes.") e um desabafo ocasional ("É ele que eu amo, sim."). Era um diário com espaço para cinco anos; nos quatro anos desde que o ganhara ela jamais deixara de escrever uma entrada, embora o esplendor de vários acontecimentos (o casamento de Eveanna, o nascimento de seu sobrinho) e a dramaticidade de outros (sua "primeira briga DE VERDADE com Bobby" — uma página literalmente manchada de lágrimas) a tenham feito usurpar parte do espaço reservado para o futuro. Cada ano era identificado por uma tinta diferente: 1956 tinha sido verde e 1957, vermelha, substituída no ano seguinte por lavanda-claro. Agora, em 1959, tinha escolhido um digno azul. Mas, como ainda ocorria em qualquer de suas manifestações, continuava a fazer experiências com sua caligrafia, inclinando-a para a direita ou para a esquerda, dando-lhe formas arredondadas ou mais delgadas, mais frouxas ou mais apertadas — como se perguntasse: "Nancy é esta? Ou esta aqui? Ou então mais esta? Qual delas sou eu?". (Certa vez, a sra. Riggs, sua professora de inglês, devolvera uma redação com um comentário escrito: "Boa. Mas por que escrita com três estilos diferentes de letra?". Ao que Nancy respondera: "Porque ainda não tenho idade para ser uma pessoa com uma assinatura definida".) Ainda assim, tinha feito progressos nos meses anteriores, e foi com uma letra de maturidade emergente que escreveu: "Jolene K. veio e mostrei-lhe como se faz torta de cereja. Ensaiei com Roxie. Bobby aqui, assistimos tevê. Saiu às onze".

***

"É aqui, é aqui, tem de ser aqui, a escola fica ali, a garagem é ali, agora viramos para o sul." A Perry, pareceu que Dick estava murmurando coisas sem sentido. Deixaram a autoestrada, atravessaram Holcomb deserta em alta velocidade e cruzaram os trilhos da Ferrovia Santa Fe. "O banco, ali deve ser o banco, agora viramos para o oeste — está vendo as árvores? É aqui, tem de ser aqui." Os faróis revelaram uma aleia de olmos chineses; inúmeras folhas sopradas pelo vento rodopiavam em meio às árvores. Dick desligou os faróis, diminuiu a velocidade e ficou parado até acostumar os olhos à noite de luar. Em seguida, fez o carro avançar lentamente.

Holcomb fica a pouco menos de vinte quilômetros da divisa do fuso horário central dos Estados Unidos, uma circunstância que sempre provoca alguns resmungos, pois significa que às sete da manhã, e no inverno às oito ou mesmo depois, o céu ainda está escuro e as estrelas, caso haja, ainda brilham — como ainda brilhavam quando os dois filhos de Vic Irsik chegaram para cumprir suas tarefas matinais no domingo. Mas às nove, quando os rapazes terminaram o serviço — durante o qual não perceberam nada de incomum —, o sol já tinha surgido, e prometia mais um dia perfeito da estação. Quando deixavam a propriedade e corriam pela aleia, acenaram para um carro que chegava, e uma moça acenou de volta. Era uma colega de Nancy Clutter, e o nome dela também era Nancy — Nancy Ewalt. Era a única filha do homem que dirigia o carro, o sr. Clarence Ewalt, um plantador de beterraba de meia-idade. O sr. Ewalt não era de ir à igreja ele próprio, nem a mulher, mas todo domingo deixava a filha na fazenda River Valley para que ela fosse com a família Clutter aos serviços metodistas de Garden City. Esse arranjo o poupava de "fazer duas viagens de ida e volta até a cidade". E o seu costume era ficar esperando até ver a filha admitida em segurança na casa. Nancy, uma moça muito ciosa da maneira como se vestia, dotada de um corpo de estrela de cinema, óculos no rosto e um modo tímido de andar na ponta dos pés, atravessou o gramado e apertou a campainha da porta da frente. A casa tinha quatro entradas, e quando, depois de bater repetidas vezes, não obteve resposta, foi até a seguinte — a do escritório do sr. Clutter. Aqui, a porta estava semicerrada; abriu-a um pouco mais — o bastante para assegurar-se de que no escritório só havia sombras —, mas achou que os Clutter não gostariam que ela "fosse invadindo" a casa. Bateu na porta, tocou a campainha e finalmente deu a volta até a porta dos fundos. Era lá que ficava a garagem, e ela notou que os dois carros da família estavam lá: dois Chevrolets de quatro portas. O que significava que *só podiam* estar em casa. No entanto, depois de bater sem resultado numa terceira porta, que levava a uma "saleta de instrumentos" e numa quarta, a porta da cozinha, voltou para junto do pai, que lhe disse: "Talvez estejam dormindo".

"Impossível. Você imagina o senhor Clutter deixando de ir à igreja? Para *dormir*?"

"Então entre no carro. Vamos até a Casa dos Professores. Susan deve saber o que houve."

A Casa dos Professores, que ficava diante da escola moderna, é um edifício triste, pungente e nada moderno. Seus vinte e tantos quartos tinham sido agrupados de modo a formar apartamentos gratuitos para os membros do corpo docente incapazes de encontrar, ou de pagar, outra moradia. Ainda assim, Susan Kidwell e sua mãe tinham conseguido dourar a pílula e instalar uma atmosfera acolhedora no apartamento que ocupavam — três aposentos no andar térreo. A sala minúscula continha, por incrível que pareça — além das coisas que usavam para sentar-se —, um órgão, um piano, muitos vasos com plantas em flor, e geralmente um cãozinho muito rápido e um gato sonolento. Susan, naquela manhã de domingo, estava à janela de seu quarto olhando a rua. É uma jovem alta e lânguida com um pálido rosto oval e lindos olhos de um azul acinzentado muito claro; suas mãos são extraordinárias — com dedos longos e flexíveis, de uma elegância nervosa. Estava vestida para ir à igreja, e esperava ver o Chevrolet dos Clutter chegar a qualquer momento, porque ela também sempre ia aos serviços religiosos na companhia da família. Em vez disso, quem chegou foram os Ewalt, e contaram sua estranha história.

Mas Susan não sabia de nenhuma explicação, nem sua mãe, que disse: "Se eles tivessem mudado de planos, tenho certeza de que teriam telefonado. Susan, por que você não liga para eles? Pode ser que estejam dormindo — eu acho".

"E foi o que eu fiz", contaria Susan num depoimento em data posterior. "Liguei para a casa deles e deixei o telefone tocar — pelo menos, tive a *impressão* de ter deixado tocar — pelo menos um minuto, ou mais. Ninguém atendeu, então o senhor Ewalt sugeriu que fôssemos até a casa e tentássemos 'acordá-los'. Mas, quando chegamos lá, eu não quis ir em frente. E entrar na casa. Fiquei com medo, e não sei por quê, pois nunca me ocorreu —, bem, uma coisa assim nunca tinha ocorrido a ninguém. E aí eu vi que os carros ainda estavam lá, até mesmo a velha caminhonete de Kenyon. O senhor Ewalt estava usando roupas de trabalho; havia lama em suas botas; achou que não tinha se vestido adequadamente para fazer uma visita aos Clutter. Especialmente porque nunca tinha. Entrado na casa, quero dizer. Finalmente, Nancy disse que entraria comigo. Demos a volta até a porta da cozinha que, é claro, não estava trancada; a única pessoa que trancava as portas naquela casa era a senhora Helm — a família nunca trancava. Entramos, e eu logo vi que os Clutter não tinham tomado café da manhã; não havia pratos, nem nada no fogão. E então eu reparei numa coisa estranha: a bolsa de Nancy. Estava jogada no chão, meio aberta.

Atravessamos a sala de jantar, e paramos ao pé da escada. O quarto de Nancy é o primeiro, logo que se sobe. Chamei por ela, e comecei a subir, seguida por Nancy Ewalt. O som de nossos passos foi o que me deixou mais assustada, era tão alto e estava tudo tão quieto. A porta de Nancy estava aberta. As cortinas não tinham sido fechadas, e o quarto estava cheio de sol. Não me lembro de ter gritado. Nancy Ewalt disse que eu gritei — gritei e gritei. Só me lembro do ursinho de pelúcia de Nancy olhando para mim. E de Nancy. E de sair correndo..."

Nesse ínterim, o sr. Ewalt tinha chegado à conclusão de que talvez não devesse ter deixado as meninas entrarem sozinhas na casa. Estava saindo do carro para ir atrás delas quando ouviu os gritos, mas antes que conseguisse chegar à casa as meninas já corriam em sua direção. Sua filha gritou: "Ela está morta!", e atirou-se em seus braços. "É verdade, papai! Nancy está morta!"

Susan virou-se para ela. "Não está, não. E não fique dizendo isso. Não se atreva. É só um sangramento pelo nariz. Ela vive sangrando pelo nariz, às vezes muito, e foi isso que aconteceu."

"É sangue demais. Sangue nas paredes. Você não olhou direito."

"Eu não entendia nada", testemunhou mais tarde o sr. Ewalt. "Achei que a menina talvez estivesse ferida. Achei que a primeira coisa a fazer era chamar uma ambulância. A senhorita Kidwell — Susan — disse que havia um telefone na cozinha. Encontrei o telefone, bem onde ela disse. Mas o fone estava fora do gancho, e quando eu o peguei, vi que os fios tinham sido cortados."

Larry Hendricks, um professor de inglês de 27 anos, vivia no andar mais alto da Casa dos Professores. Queria ser escritor, mas seu apartamento não era o refúgio ideal para um aspirante a esse ofício. Era bem menor que o da família Kidwell e, além disso, ele o dividia com sua mulher, três filhos muito ativos e um aparelho de televisão perpetuamente ligado. ("É a única maneira de manter as crianças sossegadas.") Embora ainda inédito, o jovem Hendricks, um másculo ex-marinheiro de Oklahoma que fuma cachimbo, usa bigode e cabelos negros revoltos, tem pelo menos uma aparência devidamente literária — na verdade, é extraordinariamente parecido com as fotografias da juventude do escritor que mais admira, Ernest Hemingway. Para completar seu salário de professor, também dirigia um ônibus escolar.

"Às vezes eu chego a percorrer cem quilômetros num dia", disse ele a um conhecido. "O que não me deixa muito tempo para escrever. Com exceção dos domingos. Mas *naquele* domingo, dia 15 de novembro, eu estava sentado aqui no apartamento lendo os jornais. A maior parte das minhas ideias para contos eu tiro dos jornais — sabia? Bem, a tevê estava ligada e as crianças estavam um pouco agitadas, mas mesmo assim eu escutei *vozes*. Vindo do andar de baixo. Da casa da senhora Kidwell. Mas achei que aquilo não era da minha conta, porque eu morava aqui havia pouco tempo — só tinha chegado a Holcomb no início daquele ano letivo. Mas Shirley — que estava do lado de fora pendurando roupas para secar — minha mulher, Shirley, entrou correndo e disse: 'Querido, você devia descer até lá. Estão todas histéricas'. As duas meninas — olhe, estavam histéricas mesmo. E Susan ainda não superou. Se quer saber a minha opinião, nunca vai superar. E a pobre senhora Kidwell. Nunca teve uma saúde muito boa, e para começo de conversa é nervosa demais. Ela ficava repetindo — mas foi só mais tarde que eu fui entender o que ela queria dizer: 'Oh, Bonnie, Bonnie, o que aconteceu? Você estava tão feliz, você me disse que tinha passado, que nunca mais ia ficar doente'. Alguma coisa assim. Até mesmo o senhor Ewalt estava tão perturbado quanto um homem do tipo dele pode ficar. Tinha ligado para o gabinete do xerife — o xerife de Garden City — e estava dizendo que havia 'alguma coisa *radicalmente* errada na casa dos Clutter'. O xerife prometeu que viria logo, e o senhor Ewalt respondeu que estava bem, que iria esperá-lo na estrada. Shirley desceu as escadas para ficar com as mulheres e tentar acalmá-las — como se isso fosse possível. E eu fui com o senhor Ewalt — fui de carro com ele até a estrada, esperar o xerife Robinson. No caminho ele me contou o que havia acontecido. Quando ele chegou à parte sobre os fios cortados do telefone, eu pensei, epa, e achei que era o caso de ficar com os olhos bem abertos. Anotar cada detalhe. Para o caso de ser chamado a depor no tribunal.

"O xerife chegou; eram nove e trinta e cinco — olhei para o meu relógio. O senhor Ewalt fez um sinal para ele seguir nosso carro, e fomos até a casa dos Clutter. Eu nunca tinha estado lá, só havia visto a casa de longe. É claro que eu conhecia a família. Kenyon era meu aluno, e eu tinha dirigido Nancy na adaptação de *Tom Sawyer*. Mas eles eram jovens tão excepcionais, tão simples, que não dava para saber que eram ricos ou que moravam numa casa tão grande — e as árvores, o gramado, tudo tão limpo e bem cuidado. Depois que chegamos lá e o xerife ouviu a história do senhor Ewalt, ele chamou seu pessoal pelo rádio e pediu que enviassem reforços e uma ambulância. E disse: 'Foi uma espécie de acidente'. Então entramos na casa, os três. Atravessamos a cozinha e vimos uma bolsa de mulher no chão, e o telefone cujos fios tinham sido cortados. O xerife trazia uma pistola na cintura, e quando começou a subir as escadas para o quarto de Nancy percebi que mantinha a mão próxima da arma, pronto para sacá-la.

"Era uma cena horrível. Aquela moça maravilhosa — mas não dava nem para reconhecer. Tinha levado um tiro de espingarda na nuca, a uma distância de uns cinco centímetros. Estava deitada de lado, de frente para a parede, e a parede ficara coberta de sangue. As cobertas estavam puxadas até seus ombros. O xerife Robinson desceu-as, e vimos que ela vestia um roupão de banho, um pijama, meia soquete e chinelos — como se, na hora em que aquilo tudo aconteceu, ainda não tivesse ido para a cama. Suas mãos estavam amarradas atrás das costas, e os tornozelos atados com o tipo de cordão usado para abrir e fechar venezianas. O xerife perguntou: 'É Nancy Clutter?' — ele nunca tinha visto a moça. E eu respondi: 'É, é Nancy'.

"Voltamos para o corredor, e olhamos em volta. Todas as outras portas estavam fechadas. Abrimos uma delas, e era um banheiro. Havia nele alguma coisa errada. Achei que era a cadeira — uma cadeira do tipo de sala de jantar que parecia deslocada num banheiro. A porta seguinte — concordamos que devia ser o quarto de Kenyon. Muita coisa de rapaz espalhada. E eu reconheci os óculos de Kenyon — numa prateleira, ao lado da cama. Mas a cama estava vazia, embora desse a impressão de ter sido ocupada. Então seguimos até o final do corredor, a última porta, e lá, na cama dela, encontramos a senhora Clutter. Também tinha sido amarrada. Mas de maneira diferente — com as mãos à frente do corpo, de maneira que parecia estar rezando — e numa das mãos estava segurando, *agarrando*, um lenço. Ou seria um lenço de papel? O cordão em torno de seus pulsos corria até os tornozelos, que também estavam amarrados, e depois ia até o pé da cama, onde foi preso — um trabalho muito complicado, e feito com capricho. E pensar no tempo que deve ter levado para amarrá-la assim! E ela deitada ali, morrendo de medo. Estava usando algumas joias, dois anéis — uma das razões pelas quais eu sempre achei que o motivo não tinha sido roubo — e um robe, uma camisola branca, e meias brancas. Sua boca tinha sido fechada com fita adesiva, mas ela tinha levado um tiro à queima-roupa no lado da cabeça, e o disparo — o impacto — tinha arrancado a fita. Os olhos estavam abertos. Bem abertos. Como se ainda estivesse olhando para o assassino. Porque ela deve ter visto quando ele se aproximou e apontou a arma. Ninguém disse nada. Estávamos perplexos demais. Lembro que o xerife procurou em volta, para ver se encontrava o cartucho deflagrado. Mas quem tinha feito aquilo era esperto e calmo demais para deixar para trás uma pista como aquela.

"Naturalmente, nós nos perguntávamos onde estaria o senhor Clutter. E Kenyon? O xerife disse: 'Vamos descer'. O primeiro lugar onde olhamos foi o quarto principal — o quarto onde o senhor Clutter dormia. As cobertas estavam puxadas, e ali, perto do pé da cama, havia uma carteira com uma pilha de cartões para fora, como se alguém tivesse embaralhado tudo procurando por alguma coisa em especial — um bilhete, uma promissória, quem sabe? O fato de não haver nenhum dinheiro na carteira não significava nada. Era a carteira do senhor Clutter, e ele jamais andava com dinheiro. Até eu sabia disso, e fazia pouco mais de dois meses que eu vivia em Holcomb. Outra coisa que eu sabia é que nem o senhor Clutter nem Kenyon enxergavam coisa nenhuma sem óculos. E lá estavam os óculos do senhor Clutter em cima de uma mesinha. Por isso eu calculei que, onde quer que estivessem, não tinham ido por sua livre e espontânea vontade. Procuramos em toda parte, e tudo estava como devia estar — nenhum sinal de luta, nada fora do lugar. Menos no escritório, onde o telefone estava fora do gancho e os fios cortados, exatamente como na cozinha. O xerife Robinson encontrou espingardas num armário, e cheirou os canos para ver se tinham sido disparadas recentemente. Disse que não, e — nunca vi um homem mais atarantado — perguntou: 'Onde é que Herb pode *estar*?'. A essa altura, ouvimos passos. Subindo as escadas do porão. 'Quem é?', perguntou o xerife, como se estivesse pronto para atirar. E uma voz respondeu: 'Sou eu, Wendle'. Era Wendle Meier, o subxerife. Parece que ele tinha chegado à casa sem nos ver, e tinha ido investigar no porão. O xerife falou — e era uma coisa de dar dó: 'Wendle, não sei o que pode ter acontecido. Encontramos dois corpos no andar de cima'. 'Bem', disse Wendle, 'e tem mais um aqui embaixo.' E nós todos descemos atrás dele até o porão. Ou sala de jogos, como pode ser chamada. Não era escuro — havia janelas que deixavam entrar muita luz. Kenyon estava num canto, deitado num sofá. Tinha sido amordaçado com fita adesiva, e seus pés e mãos tinham sido amarrados, como os da mãe — o mesmo processo intricado em que o cordão saía das mãos para prender os pés e finalmente era amarrado a um braço do sofá. De algum modo, foi ele que mais me deixou impressionado, Kenyon. Acho que é porque era o que estava mais reconhecível, mais parecido consigo mesmo — embora tenha levado um tiro no rosto, de frente. Usava camiseta e calça jeans e estava descalço — como se tivesse se vestido depressa, com a primeira coisa que encontrou. Sua cabeça estava apoiada por duas almofadas, aparentemente enfiadas debaixo dele para torná-lo um alvo mais fácil.

"Então o xerife disse: 'Onde é que isso vai dar?'. Falava de uma outra porta que havia no porão. O xerife foi na frente, mas do lado de dentro não dava para ver nada até que o senhor Ewalt encontrou o interruptor. Era a sala da fornalha, e estava muito quente. Nessa região, as pessoas instalam uma fornalha a gás na casa e tiram o gás do próprio terreno. Não pagam nada — é por isso que todas as casas são aquecidas demais. Bem, eu olhei para o senhor Clutter, e foi difícil tornar a olhar. Eu sabia que um tiro não bastava para responder por todo aquele sangue. E não estava enganado. Ele tinha levado um tiro, da mesma forma que Kenyon — com a arma bem em frente do rosto. Mas é provável que já estivesse morto quando levou o tiro. Ou, de qualquer maneira, que estivesse morrendo. Porque também lhe tinham cortado o pescoço. Usava um pijama listrado — e mais nada. Sua boca estava fechada com fita adesiva; a fita tinha sido presa atrás da cabeça. Os tornozelos estavam presos, mas não as mãos — ou melhor, ele tinha conseguido, Deus sabe como, talvez de raiva ou de dor, partir a corda que atava suas mãos. Estava estendido no chão diante da fornalha. Sobre uma grande caixa de papelão que parecia ter sido deixada lá de propósito. Uma caixa de colchão. O xerife disse:

'Olhe aqui, Wendle'. Estava apontando para uma pegada manchada de sangue. Na caixa do colchão. A marca de uma meia-sola com círculos — dois buracos no meio, como um par de olhos. Então um de nós — o senhor Ewalt? Não me lembro — apontou para outra coisa. Uma coisa que não me sai da cabeça. Havia um cano de saída de vapor acima de nós, e amarrado a ele, pendendo dele, havia um pedaço de cordão — o tipo de cordão que o assassino tinha usado. Obviamente, em algum momento o senhor Clutter tinha sido amarrado ali, pendurado pelas mãos, e depois tinham cortado as amarras. Mas por quê? Para torturá-lo? Acho que nunca vamos saber. Nunca vamos saber quem foi, nem por quê, nem o que aconteceu naquela casa aquela noite.

"Depois de algum tempo, a casa começou a ficar cheia. Ambulâncias chegaram, e o legista, e o ministro metodista, um fotógrafo da polícia, soldados da polícia estadual, gente do rádio e dos jornais. Ah, uma multidão. A maioria tinha vindo direto da igreja, e se comportava como se ainda estivesse lá. Muito quietos, murmurando. Era como se ninguém conseguisse acreditar naquilo. Um soldado da polícia estadual me perguntou se eu estava em alguma missão oficial, e disse que se não fosse o caso era melhor eu sair da casa. Do lado de fora, no gramado, vi o subxerife conversando com um homem — Alfred Stoecklein, o empregado. Parece que Stoecklein morava a menos de cem metros da casa, só um celeiro entre a casa dele e a dos Clutter. Mas estava dizendo que não tinha escutado nada — 'não sabia de nada até cinco minutos atrás, quando um dos meus meninos veio correndo e contou que o xerife estava aqui. Minha mulher e eu não dormimos nem duas horas essa noite, o tempo todo de um lado para o outro, porque a nossa filhinha menor está doente. Mas a única coisa que a gente ouviu, lá pelas dez e meia ou quinze para as onze, foi um carro se afastando, e eu falei para a patroa: Lá se vai o Bob Rupp'. Comecei a andar para casa, e no caminho, quando estava chegando na estrada, vi o velho collie de Kenyon, e o cachorro estava assustado. Ali parado, com o rabo entre as pernas, sem latir nem se mexer. E quando eu vi o cachorro — de alguma forma, foi então que eu comecei a *sentir* de novo. Estava tonto demais, atordoado demais, para sentir toda a maldade daquilo. O sofrimento. O horror. Estavam mortos. Uma família inteira. Gente boa, simpática, gente que eu conhecia — todos *assassinados*. Eu precisava acreditar, porque era mesmo verdade."

Oito trens de passageiros passam por Holcomb, sem parar, a cada 24 horas. Deles, dois recolhem e entregam correspondência — uma operação que, como o encarregado explica com fervor, tem suas dificuldades. "Sim, senhor, precisa prestar muita atenção. Os trens passam aqui correndo, às vezes a mais de cento e cinquenta por hora. Só o vento já dá para derrubar a pessoa. E quando os sacos de correspondência vêm voando — é uma coisa! É feito pular em cima de outro jogador no futebol americano: Bam! *Bam*! BAM! Não que eu esteja me queixando, nada disso. É trabalho honesto, para o *governo*, e assim eu continuo jovem." A carteira de Holcomb, a sra. Sadie Truitt — ou Mãe Truitt, como é chamada pelos locais — não parece ter a idade que tem, 75 anos. Viúva robusta e experiente que sempre usa lenços de cabeça e botas de caubói ("A coisa mais confortável que a gente pode calçar, macias feito pluma de ganso"), Mãe Truitt é a mais antiga dos habitantes nascidos em Holcomb. "Antigamente, ninguém aqui era da minha família. Naquele tempo, todo mundo chamava esse lugar de Sherlock. Aí um dia chegou esse forasteiro. Chamado Holcomb. Criador de *porcos*. Ganhou dinheiro, e resolveu que a cidade devia ter o nome dele. Assim que ela mudou de nome, o que foi que ele fez? Vendeu tudo. E se mudou para a Califórnia. Não nós. Eu nasci aqui, meus filhos nasceram aqui. E! A gente! Continua! Aqui!" Uma de suas filhas é a sra. Myrtle Clare, por acaso a chefe da agência local dos Correios. "Só não vá achar que foi assim que eu consegui este emprego com o governo. Myrt nem queria que eu pegasse. Mas é um emprego que a gente consegue num *leilão*. E vai para quem dá o menor lance. E eu sempre dou o menor lance — tão baixo que até uma lagarta consegue ver por cima dele. Rá-rá! E os rapazes ficam furiosos. Muitos rapazes bem que queriam ser o carteiro daqui. Só não sei se eles iam gostar no dia em que a neve fica tão alta quanto o velho senhor Primo Carnera, o vento sopra forte, e os sacos saem voando do trem — Ufa! Bam!"

Na profissão de Mãe Truitt, domingo é um dia de trabalho como outro qualquer. No dia 15 de novembro, enquanto ela esperava o trem das 10h32 que seguia para o sul, ficou espantada ao ver duas ambulâncias cruzarem os trilhos e tomarem a direção da propriedade dos Clutter. Em razão do incidente, fez uma coisa que jamais fizera até então — abandonou seus deveres. A mala postal que caísse em qualquer lugar, Myrt precisava saber daquilo imediatamente.

Os habitantes de Holcomb chamam a agência dos Correios de "o Prédio Federal", um título monumental demais para aquele barracão cheio de frestas e poeira. O teto tem goteiras, as tábuas do assoalho estão soltas, as caixas de correio não fecham, as lâmpadas estão queimadas, o relógio parou. "É mesmo uma vergonha", concorda a cáustica senhora, um tanto excêntrica e inteiramente imponente, que chefia todo aquele lixo. "Mas os selos funcionam. De qualquer maneira, não é problema meu. Aqui no meu canto é bem confortável. Tenho a minha cadeira de balanço, um bom fogão a lenha, um bule de café e muita coisa para ler."

A sra. Clare é uma figura famosa no condado de Finney. Sua celebridade não se deve à sua ocupação atual, mas à anterior — recepcionista de salão de baile, atividade que sua aparência atual não permite imaginar. É uma mulher magra, sempre de calças, camisa de lã, botas de caubói, cabelos ruivos e temperamento quente, de idade não revelada ("se quiser saber, adivinhe") mas com opiniões que se manifestam sem que ninguém precise pedir, a maioria delas enunciada num volume alto como o canto de um galo, e com voz igualmente penetrante. Até 1955, ela e o falecido marido operavam o Holcomb Dance Pavillion, um empreendimento que, sendo o único do seu tipo na área, atraía de um raio de até 150 quilômetros uma clientela que bebia depressa, dançava com passos elaborados e cujo comportamento de vez em quando atraía o xerife. "Às vezes a coisa ficava mesmo ruim", diz a sra. Clare, entregando-se a reminiscências. "Alguns desses rapazes de pernas tortas, depois que bebem um pouco, viram uns peles-vermelhas — e querem escalpelar tudo à volta deles. É claro que só vendíamos os acompanhamentos, nunca a bebida propriamente dita. E eu não venderia, mesmo que a lei deixasse. Meu marido, Homer Clare — ele faleceu sete meses e doze dias atrás, depois de uma operação de cinco horas no Oregon —, me disse: 'Myrt, já passamos a vida toda no inferno, agora vamos morrer no céu'. E no dia seguinte a gente fechou o salão de danças. E eu nunca me arrependi. Oh, nos primeiros tempos eu sentia falta de viver à noite — as músicas, a alegria. Mas agora que Homer se foi, fico bem satisfeita de trabalhar aqui no Prédio Federal. Fico sentada um bocado. Tomo a minha xícara de café."

De fato, naquela manhã de domingo, a sra. Clare tinha acabado de servir-se de uma xícara de café que acabara de fazer quando Mãe Truitt apareceu de volta.

"Myrt!", disse ela, mas só conseguiu dizer mais alguma coisa depois de recuperar o fôlego. "Myrt, duas ambulâncias foram para a casa dos Clutter."

E a filha perguntou: "Onde está o trem das dez e trinta e dois?".

"Ambulâncias. Na casa dos Clutter —"

"E daí? Deve ser Bonnie. Uma das crises dela. Cadê o dez e trinta e dois?"

Mãe Truitt desanimou; como sempre, Myrt sabia todas as respostas, e tinha dado a última palavra. E então ocorreu-lhe uma ideia. "Mas Myrt, se fosse só por Bonnie, por que eram *duas* ambulâncias?"

Uma pergunta razoável, como a sra. Clare, admiradora da lógica embora uma intérprete muito peculiar do que esta seria, foi forçada a admitir. Disse que ia telefonar para a sra. Helm. "Mabel há de saber", disse ela.

A conversa com a sra. Helm durou vários minutos, e foi muito perturbadora para Mãe Truitt, que não conseguia acompanhá-la além das respostas monossilábicas e nada reveladoras emitidas por sua filha. Pior ainda, quando a filha desligou, não aplacou de imediato a curiosidade da velha senhora; em vez disso, tomou placidamente um gole de café, foi até sua mesa e começou a carimbar uma pilha de cartas.

"Myrt", disse Mãe Truitt. "Pelo amor de Deus. O que Mabel disse?"

"Não me espanta", disse a sra. Clare. "Quando eu penso na maneira como Herb Clutter passava a vida inteira com pressa, correndo até aqui para pegar a correspondência sem nunca perder um minuto para dizer bom-dia e obrigado, pererecando de um lado para o outro feito uma galinha com a cabeça cortada — fazia parte de clubes, cuidava de tudo, pegava empregos que outras pessoas talvez quisessem. E agora pronto — chegou a hora. Bom, pelo menos ele vai parar com aquela correria."

"Por quê, Myrt? O que houve com ele?"

A sra. Clare levantou a voz. "PORQUE ELE MORREU. E Bonnie também. E Nancy. E o garoto. Atiraram neles."

"Myrt — não me diga uma coisa dessas. Quem atirou neles?"

Sem interromper seu trabalho com o carimbo, a sra. Clare respondeu. "O sujeito do avião. Que Herb processou por ter caído numa das árvores dele. E se não foi ele, talvez tenha sido você. Ou alguém do outro lado da rua. Todos os vizinhos são umas cascavéis. Umas pestes, esperando a oportunidade de bater com a porta na sua cara. É a mesma coisa no mundo inteiro. Você sabe disso."

"Não sei", disse Mãe Truitt, que cobriu as orelhas com as mãos. "Não sei de nada disso."

"Pestes."

"Estou com medo, Myrt."

"De quê? Quando a hora chega, ela chega. E não adianta chorar." Tinha percebido que a mãe estava às lágrimas. "Quando Homer morreu, eu gastei todo o medo que eu tinha, e todo o sofrimento. Se alguém por aí quiser cortar o meu pescoço, boa sorte. Não vai fazer diferença. Vai ser a mesma coisa na eternidade. Lembre-se de uma coisa: se um pássaro fosse carregar toda a areia, grão por grão, até o outro lado do mar, quando ele tivesse acabado de levar tudo para o outro lado a eternidade mal teria começado. Pode assoar o nariz."

A informação terrível, anunciada dos púlpitos das igrejas, distribuída pelos fios telefônicos, divulgada pela estação de rádio de Garden City, a KIUL ("Uma tragédia, inacreditável e muito mais chocante do que as palavras conseguem exprimir, atingiu quatro membros da família de Herb Clutter no fim da noite de sábado ou no início do dia de hoje. A morte, brutal e sem motivo aparente..."), produziu, no ouvinte médio, uma reação mais parecida com a da Mãe Truitt do que com a da sra. Clare: choque, e depois tristeza; uma sensação rasa de horror logo aprofundada por arrepios gelados de medo pessoal.

O Café Hartman's, que contém quatro mesas rústicas e um balcão, só conseguia acomodar uma fração dos comentaristas assustados, em sua maioria homens, que tentaram reunir-se ali. A sra. Bess Hartman, uma senhora de poucas carnes e nada boba, com cabelos encaracolados louros e grisalhos e olhos verdes cintilantes e cheios de autoridade, é prima da chefe da agência dos Correios, a sra. Clare, cujo estilo de franqueza a sra. Hartman era capaz de igualar, e até superar. "Tem gente que diz que sou uma velha durona, mas o caso dos Clutter me deixou sem saber o que fazer", diria ela mais tarde a uma amiga. "Imagine só, alguém fazer uma barbaridade daquelas! Quando eu soube, e as pessoas começaram a entrar aqui contando as coisas mais assustadoras, eu só pensava em Bonnie. É claro, era bobagem minha, mas ninguém sabia o que tinha acontecido, e muita gente achava que *talvez* ... por causa daquelas crises dela. Agora, ninguém mais sabe o que pensar. Deve ter sido vingança. De alguém que conhecia a casa perfeitamente. Mas quem detestava a família Clutter? Nunca ouvi ninguém dizer nada contra eles; não existia família mais querida, e se uma coisa dessas acontece logo com *eles*, quem pode se sentir em segurança? Um velho que estava sentado aqui naquele domingo pôs o dedo na ferida, e disse qual foi a razão de todo mundo daqui ter perdido o sono: 'Aqui todos nós só temos amigos. E mais nada'. De certo modo, foi o lado pior desse crime. É terrível quando um vizinho não pode mais olhar para o outro sem ficar meio ressabiado! É duro ter de conviver com uma coisa assim. Mas se eles acharem o criminoso, vai ser uma surpresa ainda maior que os próprios crimes."

A sra. Bob Johnson, mulher do corretor de seguros da New York Life, é uma excelente cozinheira, mas ninguém comeu o almoço de domingo preparado por ela — pelo menos, não enquanto estava quente — porque seu marido, bem na hora em que enfiava a faca no faisão assado, recebeu o telefonema de um amigo. "E foi aí", lembra ele, em tom pesaroso, "que eu ouvi pela primeira vez o que tinha acontecido em Holcomb. Não acreditei. Não podia ser. Meu Deus, eu estava com o cheque de Clutter no meu bolso. Um papel que valia 80 mil dólares. Se era verdade o que tinham me contado. Mas pensei que não podia ser verdade, que devia haver algum engano, que coisas assim não acontecem, você não vende uma apólice grande para um sujeito e dali a pouco ele morre. Assassinado. O que significava indenização em dobro. Eu não sabia o que fazer. Liguei para o gerente do nosso escritório em Wichita. Disse a ele que estava com o cheque mas ainda não tinha depositado, e perguntei o que devia fazer. Era uma situação muito delicada. Parece que, *do ponto de vista legal*, nós não éramos obrigados a pagar. Mas *do ponto de vista moral* — era outra história. Naturalmente, decidimos fazer o que era moralmente correto."

As duas pessoas que se beneficiaram dessa atitude honrada — Eveanna Jarchow e sua irmã Beverly, únicas herdeiras dos bens de seu pai — estavam, poucas horas depois da horrível descoberta, a caminho de Garden City, Beverly vindo de Winfield, Kansas, onde fora visitar seu noivo, e Eveanna de sua casa em Mount Carroll, Illinois. Aos poucos, no correr do dia, outros parentes foram avisados, entre eles o pai do sr. Clutter, seus dois irmãos, Arthur e Clarence, e sua irmã, a sra. Harry Nelson, todos de Larned, Kansas, e uma segunda irmã, a sra. Elaine Selsor, de Palatka, na Flórida. E também os pais de Bonnie Clutter, o sr. e sra. Arthur B. Fox, que vivem em Pasadena, na Califórnia, e seus três irmãos — Harold, de Visalia, Califórnia; Howard, de Oregon, Illinois; e Glenn, de Kansas City, Kansas. De fato, a maior parte da lista de convidados dos Clutter para o Dia de Ação de Graças recebeu um telefonema ou um telegrama, e a maioria partiu de imediato para o que seria uma reunião de família não em torno da mesa abarrotada de comida, mas ao redor dos túmulos de um funeral coletivo.

Na Casa dos Professores, Wilma Kidwell era obrigada a controlar-se para controlar a filha, pois Susan, com os olhos inchados, tomada por espasmos de náusea, não parava de dizer, de insistir, inconsolável, que precisava ir logo — ir correndo — até a propriedade dos Rupp, a cinco quilômetros dali. "Não está entendendo, mamãe?", disse ela. "Se Bobby simplesmente *ficar sabendo*? Ele amava Nancy. E eu também. Sou eu quem deve contar para ele."

Mas Bobby já sabia. A caminho de casa, o sr. Ewalt tinha feito uma parada na propriedade dos Rupp e consultado seu amigo Johnny Rupp, pai de oito filhos, dos quais Bobby é o terceiro. Juntos, os dois homens foram até o pavilhão — uma construção separada da casa da fazenda propriamente dita, pequena demais para abrigar todos os filhos da família. Os meninos moram no pavilhão, as meninas "em casa". Encontraram Bobby arrumando a cama. Ele ouviu a história do sr. Ewalt, não fez nenhuma pergunta, e agradeceu-lhe ter vindo. Depois, ficou de pé do lado de fora, ao sol. A propriedade dos Rupp fica numa elevação, um platô aberto, de onde se pode ver a terra cultivada e reluzente da fazenda River Valley — cenário que absorveu a atenção de Bobby por talvez uma hora. As pessoas que tentaram distraí-lo não conseguiram. O sino do almoço tocou, e sua mãe chamou-o para entrar — e continuou chamando até o marido dizer: "Não, deixe ele em paz".

Larry, um irmão mais novo, também se recusou a atender ao chamado do sino. Fazia círculos em torno de Bobby, incapaz de ajudar, mas ansioso para fazer alguma coisa, embora Bobby tentasse enxotá-lo. Mais tarde, quando seu irmão saiu da imobilidade e começou a andar, primeiro pela estrada e depois pelos campos que levavam a Holcomb, Larry foi atrás dele. "Bobby. Escute. Se nós vamos até lá, por que não vamos de carro?" Mas o irmão não respondeu. Andava decidido, na verdade quase correndo, mas Larry não tinha a menor dificuldade em acompanhá-lo. Embora só tivesse catorze anos, era o mais alto dos dois, e o mais forte, com as pernas mais compridas, já que Bobby, apesar de todos os seus feitos atléticos, era de estatura um pouco abaixo da mediana — compacto, mas esguio, um rapaz de bela figura com um rosto aberto que combinava traços bonitos e feios. "Bobby. Escute. Não vão deixar você ver Nancy. Não vai adiantar nada." Bobby virou-se para ele, e disse: "Volte para casa". O irmão mais novo ficou para trás, mas continuou seguindo o outro a uma certa distância. Apesar da temperatura outonal e do brilho árido do dia, os dois rapazes suavam quando se aproximaram de uma barreira que a polícia estadual montara na entrada da fazenda River Valley. Muitos amigos da família Clutter, e desconhecidos de todo o condado de Finney, tinham-se reunido naquele ponto, mas os policiais não deixavam ninguém ultrapassar a barreira, que, logo depois da chegada dos irmãos Rupp, foi levantada por um instante para permitir a saída de quatro ambulâncias, o número finalmente necessário para remover as vítimas, e de um carro cheio de homens do gabinete do xerife — homens que, naquele exato momento, tinham acabado de mencionar o nome de Bobby Rupp. Porque Bobby, como ele viria saber antes do cair da noite, era o principal suspeito.

Da janela da sala de sua casa, Susan Kidwell viu o cortejo branco passar, e acompanhou com os olhos até que os carros contornaram a esquina e a poeira leve da rua de terra tornou a assentar. Ainda contemplava a vista quando Bobby, acompanhado da sombra de seu imenso irmão mais novo, tornou-se visível, uma figura oscilante que avançava na direção dela. Ela desceu até a varanda ao seu encontro. Ela disse: "Eu é que queria ter contado para você". Bobby começou a chorar. Larry ficou no jardim da Casa dos Professores, encostado a uma árvore. Nunca tinha visto Bobby chorar, nem queria ver, e por isso baixou os olhos.

Longe dali, na cidade de Olathe, num quarto de hotel em que as cortinas da janela escondiam o sol do meio-dia, Perry dormia, com um rádio portátil cinzento murmurando a seu lado. Além de ter tirado as botas, não se tinha dado ao trabalho de mudar de roupa. Tinha simplesmente caído de cara na cama, como se o sono fosse uma arma que o tivesse atingido pelas costas. As botas, pretas e com fivelas prateadas, estavam de molho numa bacia cheia de água morna de uma cor vagamente rosada.

Alguns quilômetros ao norte, na agradável cozinha de uma modesta casa de fazenda, Dick consumia um almoço de domingo. As outras pessoas sentadas à mesa — sua mãe, seu pai, seu irmão mais novo — não percebiam nada de incomum em seu comportamento. Ele chegara em casa ao meio-dia, dera um beijo na mãe, respondera brevemente às perguntas do pai sobre sua suposta viagem a Fort Scott e sentara-se para comer, aparentando ser o mesmo de sempre. Quando terminou a refeição, os três membros homens da família instalaram-se na sala para assistir a um jogo de basquete pela tevê. A transmissão mal começara quando o pai se espantou ao ouvir o ronco de Dick; como observou para seu filho mais novo, nunca achou que um dia ainda veria Dick preferir o sono a um jogo de basquete. Mas é claro que não sabia o quanto Dick estava cansado, nem que seu filho adormecido tinha, entre outras coisas, dirigido mais de 1300 quilômetros nas últimas 24 horas.

2. Pessoas desconhecidas

Aquela segunda-feira, 16 de novembro de 1959, foi mais uma amostra de um clima bom para a caça ao faisão nas planícies plantadas de trigo do oeste do Kansas — um dia com o céu gloriosamente claro, reluzente como mica. Em dias assim dos anos anteriores, muitas vezes Andy Erhart dedicava longas tardes a caçar faisões na fazenda River Valley, onde vivia seu bom amigo Herb Clutter, e muitas vezes, nessas expedições esportivas, tinha sido acompanhado por três outros amigos próximos de Herb: o dr. J. E. Dale, veterinário; Carl Myers, dono de um laticínio; e Everett Ogburn, homem de negócios. Como Erhart, superintendente da Estação de Experiências Agrícolas da Universidade do Estado do Kansas, todos eram importantes cidadãos de Garden City.

Hoje, aquele quarteto de velhos companheiros de caçadas tinha mais uma vez se reunido para fazer a viagem habitual, mas num espírito inédito, e armados com um equipamento estranho e nada esportivo — esfregões e baldes, escovas e um caixote cheio de trapos e detergentes fortes. Usavam suas roupas mais velhas. Porque, tendo considerado que aquele era o seu dever, uma tarefa cristã, tinham-se oferecido para limpar alguns dos catorze aposentos da casa da fazenda River Valley: os aposentos em que quatro membros da família Clutter tinham sido, como declaravam seus atestados de óbito, mortos por "pessoa ou pessoas desconhecidas".

Erhart e seus amigos percorreram o caminho em silêncio. Um deles observaria mais tarde: "Não havia nada a dizer. Aquilo era tão estranho. Ir até lá, onde sempre tínhamos sido tão bem recebidos". Naquela ocasião, quem os recebeu foi um patrulheiro rodoviário. Responsável pela guarda de uma barreira que as autoridades tinham erguido à entrada da fazenda, o patrulheiro autorizou a entrada e eles ainda tiveram de percorrer mais um quilômetro pela aleia sombreada até chegar à casa dos Clutter. Alfred Stoecklein, o único empregado que morava na propriedade, estava à espera deles para abrir as portas.

Primeiro desceram até a sala da fornalha no porão, onde o sr. Clutter, de pijama, tinha sido encontrado estendido sobre a caixa de papelão do colchão. Acabando ali, seguiram para a sala de jogos, onde Kenyon tinha sido morto. O sofá, uma relíquia que Kenyon tinha resgatado e consertado e que Nancy tinha forrado e coberto com almofadas com frases bordadas, estava arruinado pela quantidade de sangue que absorvera; como a caixa do colchão, precisaria ser queimado. Gradualmente, à medida que o grupo da faxina progredia do porão até os quartos do segundo andar onde Nancy e sua mãe tinham sido mortas em suas camas, mais combustível foi se acumulando para a fogueira que armariam a seguir — roupas de cama e colchões empapados de sangue, um tapete, um urso de pelúcia.

Alfred Stoecklein, que normalmente era um homem de poucas palavras, não parava de falar enquanto ia buscar água quente e ajudava como podia na faxina. Queria que "as pessoas parassem de falar e tentassem entender" por que ele e a mulher, embora morassem a menos de cem metros da casa, não tinham ouvido "nadinha" — nem mesmo um eco de tiro — de toda a violência que tinha ocorrido. "O xerife e esse povo todo que andou por aí tirando impressões digitais e remexendo tudo, *eles* entenderam como é que foi. Como foi que a gente não escutou. Primeiro, tinha o vento. Um vento oeste, como o daquela noite, leva o som para o outro lado. Outra coisa: tem o celeiro que fica entre esta casa e a nossa. O celeiro não deixa passar muita coisa. E já pensaram nisso? O sujeito que fez isso devia saber que a gente não ia ouvir. Senão não ia querer correr o risco — atirar com uma espingarda quatro vezes no meio da noite! Tinha de ser maluco. Claro, vocês vão dizer que ele é louco mesmo. Para fazer o que fez. Mas o que eu acho é que quem fez isso tinha planejado tudo tintim por tintim. Ele *sabia*. E tem uma coisa que eu também sei. Eu e a patroa, foi a última noite que a gente dormiu neste lugar. A gente vai se mudar para uma outra casa na beira da estrada."

Os homens trabalharam do meio-dia ao anoitecer. Quando chegou a hora de queimar o que tinham recolhido, empilharam tudo numa caminhonete e, com Stoecklein ao volante, dirigiram-se até um ponto distante no meio do campo norte da propriedade, um lugar plano cheio de cor, embora uma cor só — o amarelo-escuro e reluzente dos talos do trigo em novembro. Lá descarregaram a caminhonete e formaram uma pirâmide com as almofadas de Nancy, as roupas de cama, os colchões, o sofá da sala de jogos; Stoecklein regou tudo com querosene e riscou um fósforo.

Dos presentes, ninguém tinha sido mais próximo da família Clutter do que Andy Erhart. Amável, cordial e digno, um estudioso com as mãos calejadas de trabalho e o pescoço queimado de sol, fora colega de turma de Herb na Universidade do Estado do Kansas. "Fomos amigos por trinta anos", diria ele algum tempo depois, e ao longo daquelas décadas Erhart vira o amigo evoluir até transformar-se, de um mal pago agente agrícola do condado, num dos mais conhecidos e respeitados proprietários rurais da região: "Tudo o que Herb tinha foi ele que ganhou — com a ajuda de Deus. Era um homem modesto mas orgulhoso, como tinha o direito de ser. Criou uma bela família. Fez alguma coisa da vida dele". Mas aquela vida, e tudo que dela fizera — como podia ser, perguntou-se Erhart enquanto olhava a fogueira arder. Como podia ser que tanto esforço, tanta virtude, fossem de um dia para o outro reduzidos a essa fumaça rala que subia em direção ao céu amplo e aniquilador?

O Kansas Bureau of Investigation (KBI), organismo estadual com quartel-general em Topeka, tinha uma equipe de dezenove detetives experientes espalhados por todo o estado, e os serviços desses homens eram usados sempre que um caso parecia ultrapassar a competência das autoridades locais. O representante do Bureau em Garden City, e agente responsável por uma grande área do oeste do Kansas, tem 47 anos e vem de uma família que vive no Kansas há quatro gerações. Magro e de boa aparência, chama-se Alvin Adams Dewey. Foi inevitável que Earl Robinson, o xerife do condado de Finney, chamasse Al Dewey para cuidar do caso Clutter. Inevitável e apropriado. Porque Dewey, ele próprio ex-xerife do condado de Finney (de 1947 a 1955) e, antes disso, agente especial do FBI (entre 1940 e 1945 servira em Nova Orleans, em San Antonio, em Denver, em Miami e em San Francisco), era profissionalmente qualificado para lidar mesmo com um caso tão complicado como os assassinatos da família Clutter, sem motivo aparente e quase sem nenhuma pista. Além disso, sua atitude em relação ao crime transformou aquela investigação, como ele diria mais tarde, numa "coisa pessoal". Disse que ele e a mulher "gostávamos muito de Herb e Bonnie", e "víamos os dois todo domingo na igreja, e um casal visitava muito o outro", e acrescentou: "Mas mesmo que eu não conhecesse a família, e não gostasse tanto deles, iria me sentir da mesma forma. Porque eu já vi coisas ruins, podem acreditar que vi. Mas nada tão cruel quanto isso. Por mais tempo que possa levar, pode ser o resto da minha vida, eu ainda vou saber o que aconteceu naquela casa: o porquê, e quem foi".

No final, dezoito homens estavam envolvidos em tempo integral na investigação do caso, entre eles três dos melhores investigadores do KBI — os agentes especiais Harold Nye, Roy Church e Clarence Duntz. Com a chegada desse trio a Garden City, Dewey convenceu-se de que tinha conseguido reunir "uma equipe forte". "É melhor tomarem cuidado com a gente", disse ele.

O gabinete do xerife fica no terceiro andar da sede do tribunal do condado de Finney, um prédio comum de pedra e cimento que se ergue no meio de uma praça atraente, cheia de árvores. Hoje, Garden City, que no passado foi uma violenta cidade de fronteira, é muito sossegada. No cômputo geral, o xerife não tem muito que fazer, e seu gabinete, três salas esparsamente mobiliadas, é normalmente um lugar tranquilo, bastante frequentado pelos funcionários do tribunal em seus momentos de descontração; a sra. Edna Richardson, sua hospitaleira secretária, costuma ter um bule de café no fogo e tempo de sobra para "bater um bom papo". Ou tinha, até, como se queixava, "acontecer essa história dos Clutter", que trouxe "todos esses forasteiros, toda essa onda dos jornais". O caso, que chegou às manchetes até de Chicago, a leste, e de Denver, a oeste, tinha de fato atraído para Garden City uma quantidade considerável de jornalistas.

Na segunda-feira, ao meio-dia, Dewey deu uma entrevista coletiva no gabinete do xerife. "Vou falar de fatos, e não de teorias", informou ele aos jornalistas reunidos. "O fato mais importante aqui, o que não podemos esquecer, é que não estamos lidando com um assassinato, mas com quatro. E não sabemos qual dos quatro mortos era o alvo principal. A vítima primária. Pode ter sido Nancy ou Kenyon, ou um dos pais. Muita gente diz que devia ser o sr. Clutter. Porque ele estava com o pescoço cortado; foi o mais maltratado de todos. Mas isso é uma teoria, e não um fato. Seria bom se soubéssemos qual foi a ordem em que a família morreu, mas o legista não consegue determinar; só sabe que os homicídios ocorreram entre as onze da noite de sábado e as duas da madrugada de domingo." A seguir, em resposta a perguntas, disse que não, nenhuma das mulheres tinha sido "molestada sexualmente", e que não, até onde se sabia nada tinha sido roubado da casa, e que sim, ele achava uma "estranha coincidência" o fato de o sr. Clutter ter assinado uma apólice de seguro no valor de 40 mil dólares, com uma cláusula de indenização em dobro, apenas oito horas antes de morrer. No entanto, Dewey tinha "uma certeza razoável" de que não existia ligação alguma entre esse ato e o crime; como poderia haver, quando as únicas pessoas que se beneficiariam eram as duas filhas sobreviventes do sr. Clutter, as filhas mais velhas, a sra. Donald Jarchow e a srta. Beverly Clutter? E sim, disse ele aos repórteres, ele tinha uma opinião sobre quantos eram os assassinos, um ou dois, mas preferia não revelá-la.

Na verdade, a essa altura, Dewey ainda estava indeciso em relação a esse ponto. Ainda cultivava algumas opiniões — ou, para usar suas palavras, "conceitos" — e, para reconstituir o crime, desenvolvera tanto o "conceito de um único assassino" quanto o "conceito de dois assassinos". No primeiro caso, acreditava que o assassino seria um amigo da família ou, pelo menos, um homem com um conhecimento mais do que superficial da casa e dos moradores — alguém que sabia que as portas quase nunca eram trancadas, que o sr. Clutter dormia sozinho no quarto principal do andar térreo, que a sra. Clutter e os filhos ocupavam outros quartos no segundo andar. Essa pessoa, imaginava Dewey, teria chegado à casa a pé, provavelmente em torno da meia-noite. As janelas estavam escuras, os Clutter adormecidos, e quanto a Teddy, o cachorro da fazenda — bem, Teddy era famoso por seu medo de armas. Teria ficado assustado ao ver a arma do intruso e fugira ganindo. Ao entrar na casa, o matador primeiro cuidara das instalações dos telefones — um no escritório do sr. Clutter, o outro na cozinha —, depois tinha ido ao quarto do sr. Clutter e acordara o dono da casa. O sr. Clutter, à mercê do visitante armado, foi obrigado a obedecer — forçado a acompanhá-lo até o segundo andar, onde acordaram o restante da família. E então, com um cordão e fita adesiva fornecidos pelo matador, o sr. Clutter teria amarrado e amordaçado sua mulher, amarrado a filha (que inexplicavelmente não foi amordaçada) e depois prendido as duas às suas camas. Em seguida, pai e filho teriam sido escoltados até o porão, e lá o sr. Clutter fora obrigado a amordaçar Kenyon e amarrá-lo no sofá da sala de jogos. Em seguida, o próprio sr. Clutter teria sido levado até a sala da fornalha, espancado, amordaçado e preso. Livre agora para fazer o que quisesse, o assassino matara um por um, tomando o cuidado de coletar a cada vez o cartucho usado. Quando terminou, apagou as luzes e foi embora.

Podia ter acontecido assim; no limite, era possível. Mas Dewey tinha suas dúvidas: "Se Herb achasse que sua família corria perigo, perigo de morte, teria lutado como um leão. E Herb não era um fracote — era um sujeito forte, em plena forma. Kenyon também — era do tamanho do pai, ainda mais alto, com os ombros largos. É difícil imaginar que um homem só, armado ou não, pudesse ter dado conta dos dois". Além do mais, havia razão para supor que os quatro tivessem sido amarrados pela mesma pessoa: nos quatro casos, o mesmo tipo de nó tinha sido usado, um nó de meia-volta.

Dewey — assim como a maioria de seus colegas — era a favor da segunda hipótese, que em muitos pontos essenciais era igual à primeira. A diferença importante era que o assassino não estaria sozinho, mas acompanhado de um cúmplice, que teria ajudado a dominar a família, amordaçar e amarrar cada um. Ainda assim, como teoria, essa também tinha suas falhas. Dewey, por exemplo, achava difícil compreender "como dois indivíduos podiam chegar ao mesmo grau de fúria, o tipo de fúria psicopata necessária para cometer esse tipo de crime". E explicava: "Supondo que o assassino fosse alguém conhecido da família, um membro desta comunidade; supondo que fosse um homem comum, a não ser por um desejo louco de vingança contra os Clutter, ou um dos Clutter — onde ele teria encontrado um comparsa, alguém louco o suficiente para ajudá-lo? A história não cola. Não faz sentido. No fim das contas, porém, nada faz sentido".

Depois da coletiva, Dewey retirou-se para o seu gabinete, uma sala que o xerife lhe tinha emprestado temporariamente. Continha uma mesa de trabalho e duas cadeiras de espaldar reto. A mesa estava coberta com as coisas que, esperava Dewey, um dia se tornariam elementos para o julgamento: a fita adesiva e os metros de cordão retirados das vítimas e encerrados em sacos plásticos (como provas, nem uma nem o outro pareciam muito promissores, pois eram produtos comuns, que se podiam obter em qualquer ponto dos Estados Unidos), e fotografias da cena do crime tiradas por um fotógrafo da polícia — vinte ampliações em papel brilhante do crânio esfacelado do sr. Clutter, do rosto destruído de seu filho, das mãos amarradas de Nancy, dos olhos amortecidos pela morte mas ainda abertos de sua mãe, e assim por diante. Nos dias que viriam, Dewey passaria muitas horas a examinar essas fotos, na esperança de conseguir "de repente ver alguma coisa", de que algum detalhe significativo se revelasse: "Como os quebra-cabeças em que perguntam quantos animais podem ser encontrados num desenho. De certo modo, é o que eu fico tentando fazer. Encontrar os animais escondidos. Eu sinto que devem estar ali — se pelo menos eu conseguisse vê-los". Na verdade, uma das fotografias, um close-up do sr. Clutter e da caixa de colchão em cima da qual estava estendido, já tinha revelado uma valiosa surpresa: pegadas, marcas empoeiradas de sapatos cujas solas tinham um padrão em losangos. As pegadas eram imperceptíveis a olho nu, mas ficaram registradas no filme; de fato, o clarão de uma lâmpada de flash delineara com extrema precisão os seus contornos. Essas pegadas, junto com outra encontrada na mesma caixa de papelão — a marca sangrenta e grossa de uma meia-sola no padrão conhecido como "Pata de Gato" — eram as únicas "pistas sérias" de que os investigadores podiam se gabar. Não que se gabassem delas; Dewey e sua equipe tinham decidido manter em segredo a existência desses indícios.

Entre os outros artigos presentes na mesa de Dewey estava o diário de Nancy Clutter. Ele percorrera às pressas suas páginas e agora se preparava para uma leitura mais aplicada das entradas cotidianas, que começavam no aniversário de treze anos da garota e terminavam uns dois meses antes de ela completar dezessete; as confidências nada sensacionais de uma menina inteligente que adorava animais, gostava de ler, cozinhar, costurar, dançar, andar a cavalo — uma moça muito querida, bonita, virginal, que achava "divertido flertar" mas na verdade só estava "apaixonada de verdade por Bobby". Dewey começou a ler pela última entrada. Consistia em três linhas escritas uma ou duas horas antes de ela morrer. "Jolene K. veio e mostrei-lhe como se faz torta de cereja. Ensaiei com Roxie. Bobby aqui, assistimos tevê. Saiu às onze."

O jovem Rupp, a última pessoa conhecida a ter visto a família com vida, já tinha sido submetido a um extenso interrogatório, e embora tivesse contado claramente a história de como tinha passado "apenas uma noite comum" com os Clutter, fora convocado para uma segunda entrevista, em que seria submetido a um teste no detector de mentiras. O fato é que a polícia não estava pronta a dispensá-lo como suspeito. O próprio Dewey não acreditava que o rapaz tivesse "nada a ver com nada"; ainda assim, era verdade que, naquela fase inicial da investigação, Bobby era a única pessoa a quem um motivo, embora muito débil, podia ser atribuído. Em vários pontos do diário, Nancy referia-se à situação que poderia ter criado o motivo: a insistência de seu pai para que ela e Bobby "rompessem", parassem de "se ver tanto" — uma objeção que ele fazia porque os Clutter eram metodistas e os Rupp, católicos. A seu ver, a circunstância anulava totalmente qualquer possibilidade que o jovem casal pudesse ter de casar-se um dia. Mas a anotação do diário que mais atraiu a atenção de Dewey não tinha nenhuma relação com o impasse entre os Clutter e os Rupp, entre católicos e metodistas. Na verdade, dizia respeito a um gato, o animal de estimação favorito de Nancy, Boobs, o qual, segundo uma entrada de duas semanas antes de sua própria morte, ela encontrou "caído no celeiro", vítima, ao que ela suspeitava (sem dizer por quê), de um envenenador: "Pobre Boobs. Eu o enterrei num lugar especial". Ao ler essas palavras, Dewey sentiu que podiam ser "muito importantes". Se o gato tinha sido envenenado, isso não poderia ter sido um pequeno, terrível prelúdio dos assassinatos? Decidiu encontrar o "lugar especial" onde Nancy tinha enterrado o gato, mesmo que isso o obrigasse a revirar toda fazenda River Valley.

Enquanto Dewey se ocupava do diário, seus principais assistentes, os agentes Church, Duntz e Nye, percorriam a região e conversavam, como disse Duntz, "com qualquer pessoa que pudesse dizer qualquer coisa": os professores da escola Holcomb, onde tanto Nancy como Kenyon eram alunos-modelo, sempre com notas máximas; os empregados da fazenda River Valley (uma equipe que na primavera e no verão às vezes chegava a dezoito homens mas que, no momento atual, de baixa estação, consistia em Gerald van Vleet e mais três trabalhadores temporários, além da sra. Helm); os amigos das vítimas; e, muito especialmente, seus parentes. De longe e de perto, uns vinte deles tinham chegado para acompanhar os enterros, que ocorreriam na manhã de quarta-feira.

O mais jovem dos agentes do KBI, Harold Nye, um homenzinho baixo de 34 anos com olhos inquietos e desconfiados e de nariz, queixo e espírito aguçados, tinha recebido a incumbência, que ele considerava "delicada feito o diabo", de entrevistar os parentes dos Clutter: "É doloroso para você e para eles. Num caso de assassinato, não se pode respeitar o sofrimento. Ou a privacidade. Ou os sentimentos pessoais. É preciso fazer as perguntas. E algumas delas incomodam profundamente". Mas nenhuma das pessoas que ele interrogou, e nenhuma das perguntas que fez ("Eu estava explorando os antecedentes emocionais. Achei que a resposta pudesse ser outra mulher — um triângulo. Basta pensar: o senhor Clutter era um homem bastante jovem e muito saudável, mas a mulher era uma semi-inválida, dormia num quarto separado...") rendeu alguma informação útil; nem mesmo as duas filhas sobreviventes conseguiram sugerir uma causa para o crime. Em suma, Nye só soube o seguinte: "De todas as pessoas do mundo, os Clutter eram os que tinham a menor probabilidade de ser assassinados".

Ao final do dia, quando os três agentes se reuniram na sala de Dewey, revelou-se que Duntz e Church tinham tido mais sorte do que Nye — o Irmão Nye, como os outros o chamavam. (Os membros do KBI gostam muito de apelidos. Duntz, um homem corpulento mas de passos leves e rosto largo de felino, é conhecido como o Velho — injustamente, porque ainda nem completou cinquenta anos —, e Church, que tem mais ou menos sessenta anos, pele rosada e aparência de um professor, mas, segundo seus colegas, é "durão" e "o gatilho mais rápido do Kansas", é chamado de Cabeleira, por ser parcialmente calvo.) Os dois homens, no decorrer de suas investigações, tinham colhido "indícios promissores".

A história de Duntz tinha a ver com um pai e um filho que serão aqui conhecidos como John Senior e John Junior. Poucos anos antes, John Senior tinha fechado um pequeno negócio com o sr. Clutter cujo resultado irritara John Senior, que achava que Clutter o tinha obrigado a aceitar condições desvantajosas. Agora, tanto John Senior quanto seu filho bebiam muito; na verdade, John Junior era um alcoólatra que já fora encarcerado diversas vezes.

Num dia infeliz, pai e filho, cheios da coragem insuflada pelo uísque, tinham ido à casa de Clutter para "acertar as coisas com Herb". Mas não tiveram a oportunidade, porque o sr. Clutter, um abstêmio agressivamente contrário à bebida e aos bêbados, tinha apanhado uma arma e obrigado os dois a se retirarem de sua propriedade. Aquela descortesia com a dupla não tinha sido esquecida; apenas um mês antes, John Senior dissera a um conhecido: "Sempre que eu penso naquele filho da mãe, as minhas mãos ficam ansiosas para estrangular o homem".

A descoberta de Church era de natureza semelhante. Ele também ouvira falar de uma pessoa francamente hostil ao sr. Clutter; um certo sr. Smith (embora esse não seja seu nome verdadeiro), que acreditava que o proprietário da fazenda River Valley matara seu cão de caça a tiros. Church tinha inspecionado a casa de Smith e lá vira, pendurado numa viga do celeiro, um rolo de corda preso com o mesmo tipo de nó usado para amarrar os quatro membros da família Clutter.

Dewey disse: "Pode ser que tenha sido mesmo um deles. Uma coisa pessoal — uma rixa que saiu de controle".

"A não ser que tenha sido roubo", disse Nye, embora o roubo como motivo tivesse sido muito discutido e depois mais ou menos descartado. Os argumentos contrários eram bons, e o mais forte era que a aversão do sr. Clutter a dinheiro em espécie era lendária em toda a região; não tinha cofre em casa e jamais carregava somas grandes em dinheiro. E mais, se o roubo fosse a explicação, por que o ladrão não tinha tirado as joias que a sra. Clutter estava usando — uma aliança de ouro e um anel de diamante? Ainda assim, porém, Nye não estava convencido: "A coisa toda tem cheiro de roubo. E a carteira de Clutter? Alguém a deixou aberta e vazia na cama dele — não acho que tenha sido o dono. E a bolsa de Nancy. A bolsa estava jogada no chão da cozinha. Como foi parar lá? E nem um tostão na casa inteira. Bem — dois dólares. Encontramos dois dólares dentro de um envelope na cômoda de Nancy. E sabemos que Clutter descontou um cheque de sessenta dólares um dia antes. Calculamos que ainda devia estar com uns cinquenta. Tem gente que diz: 'Ninguém iria matar quatro pessoas por cinquenta dólares'. E mais: 'Talvez o assassino tenha levado o dinheiro — mas só para tentar criar uma pista falsa, para dar a ideia de que foi só para roubar'. Mas eu tenho cá as minhas dúvidas".

Ao anoitecer, Dewey interrompeu a reunião a fim de telefonar para sua mulher, Marie, e avisar que não iria jantar em casa. Ela respondeu: "Certo. Tudo bem, Alvin", mas ele percebeu uma ansiedade incomum em seu tom de voz. Os Dewey, pais de dois meninos, estavam casados havia dezessete anos, e Marie, antiga estenógrafa do FBI nascida em Louisiana que ele conhecera quando prestava serviço em Nova Orleans, estava acostumada às dificuldades da profissão — os horários incomuns, as ligações de surpresa que o convocavam para pontos distantes do estado.

Ele perguntou: "Algum problema?".

"Não, nada", respondeu ela. "Mas quando você vier para casa hoje à noite, vai precisar tocar a campainha. Mandei trocar todas as fechaduras."

Agora ele entendeu, e disse. "Não se preocupe, querida. Tranque as portas e deixe a luz da varanda acesa."

Depois que desligou, um dos colegas perguntou a ele: "Qual é o problema? Marie está assustada?".

"Claro que sim", respondeu Dewey. "Ela e todo mundo."

Mas nem todos. Pelo menos não a viúva que chefiava a agência dos correios de Holcomb, a intrépida sra. Myrtle Clare, que zombava de seus conterrâneos, dizia que eram "uns medrosos, tremiam nas botas com medo de fechar os olhos", e declarava: "Já eu venho dormindo tão bem como sempre. Se alguém quiser tentar alguma coisa contra mim, pode tentar". (Onze meses antes, um grupo armado de bandidos mascarados tinha invadido a agência dos correios e roubado 950 dólares.) Como sempre, as opiniões da sra. Clare eram endossadas por poucas pessoas. "Por aqui", de acordo com o proprietário de uma loja de ferragens de Garden City, "trancas e fechaduras são os artigos que mais tenho vendido. As pessoas nem escolhem uma marca determinada; só querem que elas *aguentem*." A imaginação, é claro, é capaz de abrir qualquer porta — destrancar a fechadura e deixar o terror entrar. Na terça-feira, ao amanhecer, caçadores de faisão do Colorado que lotavam um carro — forasteiros, que desconheciam o desastre local — ficaram assustados com o que viram ao atravessar a pradaria e passar por Holcomb: janelas acesas, quase todas as janelas em quase todas as casas, e, nas salas iluminadas, pessoas vestidas, até mesmo famílias inteiras, que tinham passado a noite inteira em vigília, atentas, montando guarda. De que tinham medo? "Pode acontecer de novo." Com algumas variações, era essa a resposta costumeira. No entanto, uma professora observou: "As pessoas não estariam tão alteradas se isso tivesse acontecido com outros que não os Clutter. Com uma família menos admirada. Menos próspera, menos segura. Mas eles representavam tudo o que as pessoas daqui valorizam e respeitam, e o fato de uma coisa dessas ter acontecido com eles — é o mesmo que alguém dizer que Deus não existe. Dá a impressão de que a vida não tem sentido. Acho que as pessoas não estão apenas assustadas; estão é profundamente deprimidas".

Outra razão, a mais simples, a mais feia, é que aquela congregação até então pacífica de vizinhos e velhos amigos tinha sido obrigada, de uma hora para outra, a enfrentar a experiência singular da desconfiança mútua; compreensivelmente, acreditavam que o assassino só podia ser um deles e, sem exceção, concordavam com a opinião emitida por Arthur Clutter, irmão do falecido, numa entrevista concedida aos jornalistas no saguão de um hotel de Garden City no dia 17 de novembro: "Quando tudo for esclarecido, aposto que vamos descobrir que quem fez isso deve morar num raio de quinze quilômetros daqui".

Mais ou menos seiscentos quilômetros a leste de onde Arthur Clutter se encontrava naquela ocasião, dois jovens dividiam uma mesa no Eagle Buffet, um restaurante de Kansas City. Um deles — com o rosto estreito e um gato azul tatuado na mão direita — tinha consumido vários sanduíches de salada de galinha e agora contemplava a refeição de seu companheiro: um hambúrguer intocado e um copo de *root beer* em que se dissolviam três comprimidos de aspirina.

"Perry, garoto", disse Dick, "você não quer o seu hambúrguer. Vou pegar."

Perry empurrou o prato para o outro lado da mesa. "Meu Deus! Não vai deixar eu me concentrar?"

"Você não precisa ler tudo cinquenta vezes."

A referência era a um artigo de primeira página da edição de 17 de novembro do *Star* de Kansas City. A manchete era: POUCAS PISTAS NO ASSASSINATO DE 4, e o artigo, continuação do relato dos homicídios feito na véspera, terminava com um parágrafo resumindo tudo:

> Os investigadores estão atrás de um assassino ou assassinos cuja astúcia é clara, embora seus motivos não o sejam. Porque esse assassino ou assassinos tomou ou tomaram o cuidado de: *Cortar os fios do telefone dos dois aparelhos da casa. *Amarrar e amordaçar suas vítimas com perícia, sem indícios de luta com qualquer uma delas. *Não deixar nada fora do lugar na casa, nenhuma indicação de que estivessem à procura de alguma coisa, com a possível exceção da carteira [de Clutter]. *Abater a tiros quatro pessoas em locais dife-

rentes da casa, tendo a calma de recolher os cartuchos deflagradas da espingarda. *Entrar e sair da casa, possivelmente de posse da arma do crime, sem serem vistos. *Agir sem um motivo, se descartarmos a possibilidade de uma tentativa frustrada de assalto, como os investigadores parecem inclinados a fazer.

"'Porque esse assassino ou assassinos'," disse Perry, lendo em voz alta. "Está errado. A gramática. Devia ser 'porque esse assassino ou *esses* assassinos'." Tomou um gole de sua *root beer* temperada com aspirina e continuou. "De qualquer maneira, não acredito nisso. Nem você. Admita, Dick. Fale francamente. Você acredita nessa história de falta de pistas?"

Na véspera, depois de estudar os jornais, Perry tinha feito a mesma pergunta, e Dick, que achava ter-se livrado dela ("Escute aqui. Se esses caubóis tivessem descoberto alguma ligação, já estaríamos ouvindo o galope dos cavalos cada vez mais perto"), ficou aborrecido por tornar a ouvi-la. Aborrecido demais para protestar quando Perry tornou a abordar a questão: "Eu sempre segui minha intuição. É por isso que ainda estou vivo. Sabe Willie-Jay? Ele achava que eu era um 'médium' de nascença, e ele sabia dessas coisas, e ficou interessado. Disse que eu tinha um alto grau de 'percepção extrasssensorial'. A minha cabeça funciona mais ou menos como um radar — e eu vejo as coisas antes de ver. Um vislumbre do futuro. Por exemplo, o meu irmão e a mulher. Jimmy e a mulher dele. Eram loucos um pelo outro, mas ele era ciumento feito o diabo, e atormentou tanto a vida dela, sempre com ciúme, certo de que ela o passava para trás, que ela acabou se matando e no dia seguinte Jimmy meteu uma bala na cabeça. Quando aconteceu — foi em 1949, e eu estava no Alasca com meu pai, perto de Circle City —, eu disse para o meu pai: 'Jimmy morreu'. Uma semana mais tarde recebemos a notícia. Juro por Deus. Outra vez, no Japão, eu estava ajudando a descarregar um navio, e me sentei para descansar um pouco. De repente, ouvi uma voz dentro de mim, dizendo: 'Pule!'. Pulei acho que uns dois metros, e na mesma hora, bem no lugar onde eu estava sentado antes, caiu uma tonelada de carga. Podia dar mais de cem exemplos. Nem quero saber se você acredita ou não. Por exemplo, logo antes do meu acidente de moto, eu vi tudo acontecer: vi na minha cabeça — a chuva, a derrapagem, eu deitado no chão, sangrando e com as pernas quebradas. E é isso que eu estou sentindo. Uma premonição. Alguma coisa me diz que é uma armadilha". Bateu no jornal. "Muitas prevaricações."

Dick pediu outro hambúrguer. Durante os últimos dois dias, vinha sentindo uma fome que nada — três bifes, um atrás do outro, uma dúzia de tabletes de chocolate Hershey's, meio quilo de jujubas — conseguia saciar. Perry, por outro lado, tinha perdido o apetite; sobrevivia à base de *root beer*, aspirina e cigarros. "Não admira você ficar meio fora de si", disse Dick. "Pare com isso, meu querido. Largue desse medo. Nós demos o golpe. Foi perfeito."

"É estranho você me dizer isso, depois de tudo", disse Perry. A calma no tom de sua voz enfatizou a malevolência da resposta. Dick aceitou bem, chegou mesmo a sorrir — e seu sorriso era uma proposta habilidosa. Aqui, dizia ele, com um sorriso de menino, está um sujeito muito agradável, bem-arrumado, afável, um semelhante em quem qualquer um pode confiar a ponto de deixar-se barbear por ele.

"Está certo", disse Dick. "Pode ser que eu tenha recebido uma informação errada."

"Aleluia."

"Mas no geral foi perfeito. Fizemos tudo da maneira certa. Não sabem de nós. Nunca vão saber de nós. Não existe a menor ligação."

"Tem uma que me ocorre."

Perry tinha ido longe demais. E avançou mais ainda: "Floyd — não é assim que ele se chama?". O comentário era maldoso, mas Dick bem que merecia, toda aquela confiança parecia uma pipa cuja linha precisava ser recolhida. Ainda assim, Perry acompanhou com alguma preocupação os sintomas da fúria que afetavam a expressão de Dick: o queixo, os lábios, todo o rosto relaxou; bolhas de saliva apareceram nos cantos de sua boca. Se aquilo fosse acabar em briga, Perry era capaz de se defender. Era baixo, bem mais baixo do que Dick, e suas pernas nanicas e aleijadas não eram confiáveis, mas pesava mais que o amigo, era mais forte, seus braços eram capazes de estrangular um urso. Provar aquilo, porém — ter de fato uma briga, um confronto de verdade —, estava longe de ser desejável. Gostasse ou não de Dick (e ele não desgostava de Dick, embora antes gostasse mais, tivesse mais respeito por ele), era óbvio que agora não podiam mais separar-se em segurança. Naquele ponto estavam de acordo, porque Dick tinha dito: "Se vão nos pegar, é melhor que peguem os dois juntos. Aí podemos confirmar a história um do outro. Quando eles vierem com a história da confissão, dizendo que você disse uma coisa e eu disse outra". Além disso, se ele rompesse com Dick, seria o fim de planos que ainda lhe pareciam atraentes, e ainda eram, apesar dos reveses recentes, considerados possíveis pelos dois — uma vida conjunta de mergulhos e caça ao tesouro entre as ilhas ou ao longo dos litorais ao sul da fronteira.

Dick disse: "O *senhor* Wells!". Pegou um garfo. "Ia valer a pena. Se eu fosse preso por passar uns cheques, ia valer a pena. Só para entrar de novo lá." O garfo desceu e cravou-se na mesa. "Bem no coração, meu querido."

"Não estou dizendo que ele ia fazer uma coisa dessas", disse Perry, disposto a fazer uma concessão, agora que a raiva de Dick tinha passado ao largo dele e atingido um outro alvo. "Ele é medroso demais para isso."

"Claro", disse Dick. "Claro. Medroso demais." Era prodigiosa, de fato, a facilidade com que Dick conseguia produzir suas mudanças de estado de espírito; num instante, todos os sinais de maldade, de violência súbita, tinham se evaporado. E ele disse: "E essa sua coisa de premonição? Me diga uma coisa: se você tinha certeza de que a gente ia dar com os burros n'água, por que não desistiu? O acidente não teria acontecido se você tivesse parado de andar de motocicleta, não é?".

Aquele era um enigma que também tinha ocorrido a Perry. Ele achava que tinha conseguido responder, mas a resposta, embora simples, era também um tanto nebulosa: "Não. Porque depois que já está determinado que uma coisa vai acontecer, a única coisa que se pode fazer é esperar que não aconteça. Ou sim — depende. Até o fim da vida, tem sempre alguma coisa esperando, e mesmo que seja uma coisa ruim, que você sabe que é ruim, o que você pode fazer? Não há como parar de viver. É feito o meu sonho. Desde que eu era pequeno, tenho esse mesmo sonho. Estou na África. Na floresta. Andando no meio das árvores na direção de uma árvore isolada. Meu Deus, essa árvore cheira mal; me deixa meio enjoado, o quanto ela fede. Só que ela é linda — com folhas azuis, e diamantes pendurados nos galhos. Diamantes do tamanho de laranjas. É por isso que eu estou ali — para pegar um barril de diamantes. Mas eu sei que no mesmo instante em que eu tentar, no instante em que eu estender a mão, uma cobra vai cair em cima de mim. Uma cobra que toma conta da árvore. Eu sei disso antes de acontecer, entendeu? E, meu Deus, eu não sei lutar contra uma cobra. Mas resolvo correr o risco. No fim das contas, estou com mais vontade de pegar os diamantes do que com medo da cobra. Assim, quando eu vou pegar o primeiro, e já estou com o diamante na mão, puxando, a cobra cai em cima de mim. Eu luto com ela, mas ela é escorregadia e eu não consigo agarrar, ela começa a me esmagar, dá para ouvir as minhas pernas quebrando. Agora vem a parte que me deixa todo suado só de lembrar. Ela começa a me engolir. Primeiro os pés. Como se eu estivesse afundando em areia movediça". Perry hesitou. Não tinha como deixar de perceber que

Dick, ocupado em limpar as unhas com um dos dentes do garfo, estava desinteressado de seu sonho.

Dick disse: "E depois? A cobra te engole? Ou o quê?".

"Nada. Não tem importância." (Mas tinha! O final era muito importante, uma fonte de alegria íntima. Uma vez ele tinha contado a seu amigo Willie-Jay; descrevera para ele a ave imensa, uma "espécie de papagaio" amarelo. É claro que Willie-Jay era diferente — um sujeito de espírito delicado, "um santo". E ele tinha entendido. Mas Dick? Dick podia achar ridículo. E isto Perry não podia permitir: uma pessoa que caçoasse daquele papagaio, que aparecera voando em seus sonhos pela primeira vez quando ele tinha sete anos, uma criança mestiça detestada e cheia de ódio que vivia num orfanato da Califórnia dirigido por freiras — disciplinadoras de hábito que o açoitavam por fazer xixi na cama. Foi depois de uma dessas surras, uma que ele jamais conseguiu esquecer ("Ela me acordou. Estava com uma lanterna, e bateu em mim com ela. E quando a lanterna quebrou, continuou a me bater no escuro"), que o papagaio apareceu, chegou enquanto ele dormia, uma ave "mais alta que Jesus, amarela como um girassol", um anjo guerreiro que cegava as freiras com o bico, comia seus olhos, massacrava todas elas enquanto "pediam misericórdia", e depois o pegava com toda a delicadeza, e o envolvia com as asas, levando-o pelos ares para o "paraíso".

Com o passar dos anos, os tormentos de que a ave o livrava variaram; outras pessoas — as demais crianças, seu pai, uma moça sem fé, um sargento que ele encontrara no Exército — tomaram o lugar daquelas freiras, mas o papagaio continuava o mesmo, um vingador alado. Assim, a cobra, a guardiã da árvore dos diamantes, não conseguia acabar de devorá-lo, mas era ela própria devorada. E depois vinha a ascensão bem-aventurada! A ascensão a um paraíso que numa versão era apenas "uma sensação", uma impressão de poder, de superioridade absoluta — sensações que em outra versão eram transpostas para "Um lugar real. Como num filme. Talvez tenha sido aí que eu tenha visto — talvez seja a lembrança de um filme. Onde mais eu poderia ter visto um jardim como aquele? Com degraus de mármore branco? Fontes? E ao longe, lá embaixo, quando se chegava ao final do jardim, dava para ver o mar. Lindo! Como perto de Carmel, na Califórnia. Mas o melhor de tudo — era uma mesa imensa. Você nunca imaginou tanta comida. Ostras. Peru. Salsichas. Frutas suficientes para encher um milhão de taças de salada de frutas. E mais — tudo completamente *grátis*. Quer dizer, não precisava ter medo de encostar naquilo. Eu podia comer quanto quisesse, e sem gastar nada. É assim que eu sabia onde estava".

E Dick disse: "Eu sou normal. Só sonho com mulheres louras. E por falar nisso, você ouviu a do pesadelo do bode da freira?". Dick era assim — tinha sempre uma piada suja para contar sobre qualquer coisa. Mas contou a piada com graça, e Perry, embora fosse bastante puritano até um certo ponto, não conseguiu deixar de rir, como sempre.

Falando de sua amizade com Nancy Clutter, Susan Kidwell disse: "Éramos como irmãs. Pelo menos, era assim que eu me sentia — como se ela fosse minha irmã. Não consegui ir à escola — não nos primeiros dias. Só voltei para a escola depois do enterro. Bobby Rupp também. Por um tempo, Bobby Rupp e eu estávamos sempre juntos. Ele é um ótimo rapaz — tem um bom coração — e nunca antes nada de tão terrível tinha acontecido com ele. Perder alguém que ele amava. E depois, ainda por cima, ele teve de passar por um teste no detector de mentiras. E não ficou ressentido por causa disso; entendeu que a polícia estava fazendo o que precisava fazer. Algumas coisas difíceis, duas ou três, já tinham acontecido comigo, mas não com ele, por isso ele teve um choque ao descobrir que a vida talvez não fosse um longo jogo de basquete. A maior parte do tempo a gente saía para passear no velho Ford dele. De um lado para o outro na estrada. Até o aeroporto, ida e volta. Ou até o Cree-Mee — um drive-in — aonde íamos para tomar coca-cola e ouvir rádio. O rádio estava sempre ligado, nós dois não tínhamos nada a dizer. Só de vez em quando Bobby dizia o quanto amava Nancy, e como nunca mais ia gostar de outra garota. Eu tinha certeza de que Nancy não iria gostar disso, e falei para ele. Eu me lembro — acho que foi uma segunda-feira — que nós fomos de carro até o rio. Estacionamos na ponte. Dá para ver a casa de lá — a casa dos Clutter. E parte da terra — o pomar do senhor Clutter, e os campos de trigo até perder de vista. Bem longe, num dos campos, uma fogueira estava acesa; deviam estar queimando coisas da casa. Aonde quer que a gente olhasse, havia alguma coisa que nos fazia lembrar do acontecido. Pessoas com redes e varas vasculhavam o rio, mas não atrás de peixes. Bobby disse que estavam procurando armas. A faca. A espingarda.

"Nancy adorava o rio. Nas noites de verão, íamos as duas montadas na égua de Nancy, Babe — aquela tordilha velha e gorda. Direto para o rio e para dentro da água. Babe ficava andando pela parte rasa enquanto nós duas tocávamos flauta e cantávamos. Ficava frio. Eu me pergunto, meu Deus, o que vai acontecer com ela? Babe. Uma senhora de Garden City ficou com o cachorro de Kenyon. Teddy. Mas ele fugiu — e andou de volta até Holcomb. Mas ela veio e o levou de novo. E eu fiquei com o gato de Nancy — Evinrude. Mas Babe, acho que vão vender. Nancy ia detestar. Ia ficar furiosa. Outro dia, na véspera do enterro, Bobby e eu estávamos sentados perto dos trilhos. Vendo os trens passar. Uma bobagem. Feito carneiros quando a neve cai, sem saber o que fazer. De repente, Bobby acordou e disse: 'Precisamos ver Nancy. Precisamos ficar com ela'. Daí pegamos o carro dele e fomos até Garden City — até a casa funerária Phillips, na Main Street. Acho que o irmão mais novo de Bobby estava com a gente. Estava, sim, tenho certeza. Porque eu me lembro que o pegamos na saída da escola. E eu me lembro de ele contar que no dia seguinte não ia haver aula, para que todo mundo de Holcomb pudesse ir ao enterro. E contou o que o pessoal achava. Disse que todo mundo acreditava que tinha sido coisa de 'um matador de aluguel'. Eu não quis saber. Mexericos e conversa fiada — coisas que Nancy desprezava. De qualquer maneira, não me importa muito saber quem foi. De algum modo, me parece menos importante. Perdi minha amiga. Saber quem matou não vai trazê-la de volta. O que mais importa? Não nos deixaram entrar. Na capela funerária. Disseram que ninguém podia 'ver a família'. Só os parentes. Mas Bobby insistiu, até que o dono da funerária — ele conhecia Bobby, acho que ficou com pena — disse que ia deixar, que era para não falarmos nada, mas que podíamos entrar. Eu preferia não ter entrado."

Os quatro caixões, que quase enchiam a capela pequena e abarrotada de flores, estariam fechados durante o serviço religioso — muito compreensivelmente, porque apesar de todo o cuidado dedicado à aparência das vítimas, o efeito era perturbador. Nancy usava seu vestido de veludo vermelho-cereja; seu irmão, uma camisa xadrez clara; os pais estavam com trajes mais sóbrios, o sr. Clutter, um terno de lã azul-marinho, e sua mulher, um vestido de crepe da mesma cor; e — era isto, em especial, que dava à cena uma aura de horror — a cabeça de cada um deles estava totalmente envolta em algodão, um casulo imenso duas vezes maior que um balão de gás cheio, e o algodão, por ter sido salpicado de alguma substância brilhante, cintilava como neve numa árvore de Natal.

Susan bateu em retirada de imediato. "Saí e fui esperar no carro", recorda ela. "Do outro lado da rua um homem varria as folhas secas. Olhei para ele. Porque eu não queria fechar os olhos. A minha impressão era que eu iria desmaiar se fechasse os olhos. Fiquei olhando aquele homem varrer as folhas e queimá-las. Olhei sem ver muito. Porque a única coisa que eu via era o vestido, que eu conhecia tão bem. Ajudei Nancy a escolher o tecido. O modelo foi ela que criou, e foi ela própria que costurou. Eu me lembro como ela ficou animada na primeira vez em que usou o vestido. Numa festa. O vestido vermelho de Nancy não me saía da cabeça. E Nancy dentro dele. Dançando."

O *Star* de Kansas City publicou um longo relato sobre o enterro dos Clutter, mas a edição em que a reportagem saiu já tinha dois dias de idade quando Perry, deitado na cama de um quarto de hotel, decidiu lê-la. Mesmo assim, apenas percorreu o texto, pulando de um parágrafo para o outro: "Mil pessoas, a maior multidão dos cinco anos da história da Primeira Igreja Metodista, compareceram hoje ao serviço em memória das quatro vítimas... Vários colegas de Nancy na Holcomb High School choraram quando o reverendo Leonard Cowan disse: 'Deus nos dá coragem, amor e esperança mesmo quando caminhamos em meio às sombras do vale da morte. Tenho certeza de que estava com eles em suas últimas horas. Jesus nunca nos prometeu que não sofreríamos dor ou mágoa, mas sempre disse que estaria lá para nos ajudar a suportar a mágoa e a dor'... No dia inesperadamente quente para a estação, cerca de seiscentas pessoas foram até o cemitério Valley View, na orla norte da cidade. Lá, nas orações à beira do túmulo, recitaram o Pai-Nosso. Suas vozes, reunidas num murmúrio contido, podiam ser ouvidas em todo o cemitério".

Mil pessoas! Perry ficou impressionado. Perguntou-se quanto o funeral teria custado. Pensava muito em dinheiro, embora não com tanta frequência quanto na manhã daquele dia — um dia que ele começara sem "nem um tostão furado". A situação tinha melhorado um pouco; graças a Dick, eles agora possuíam uma "quantia razoável" — o suficiente para levá-los até o México.

Dick! Jeitoso. Esperto. Tinha de admitir. Era incrível como ele era capaz de levar os outros na conversa. Como o vendedor da loja de roupas de Kansas City, Missouri, o primeiro dos lugares que Dick tinha resolvido "atacar". Quanto a Perry, ele nunca tinha tentado passar um cheque frio. Ficou nervoso, mas Dick lhe disse: "Você só precisa ficar parado. Não pode rir, nem se espantar com nada que eu disser. Nessas coisas a gente precisa dançar conforme a música". E para aquilo, ao que parecia, Dick tinha o talento perfeito. Entrou como quem não quer nada, e em tom despreocupado apresentou Perry ao vendedor como "um amigo meu que vai se casar daqui a pouco", e foi em frente: "Eu sou o padrinho. E estou ajudando o noivo a escolher as roupas que ele vai precisar. Rá-rá, o que se pode chamar de — rá-rá — enxoval dele". O vendedor caiu como um pato, e dali a pouco Perry, sem suas calças de brim, provava um terno sombrio que o vendedor considerava "perfeito para uma cerimônia informal". Depois de comentar as estranhas proporções do corpo do freguês — o tronco imenso apoiado nas pernas atrofiadas — acrescentou: "Acho que não temos nada que vá ficar bom sem modificações". Dick respondeu que não havia problema, que tinham tempo — o casamento seria "de amanhã a uma semana". Em seguida, escolheram uma série de paletós e calças considerados próprios para a lua de mel que, segundo Dick, seria na Flórida. "Conhece o Eden Roc?", perguntou Dick ao vendedor. "Em Miami Beach? Estão com as reservas feitas. Presente dos pais dela — duas semanas a quarenta dólares por dia. Que coisa, hein? Um sujeito feio como ele arranjou uma beldade que, além de ter um corpo lindo, é cheia da nota. E enquanto isso gente feito eu e você, homens bonitos..." O vendedor apresentou a conta. Dick enfiou a mão no bolso de trás das calças, franziu as sobrancelhas, estalou os dedos e disse: "Que droga! Esqueci minha carteira!". O que pareceu a seu comparsa uma desculpa tão fraca que não poderia enganar nem mesmo "um negro recém-nascido". Mas o vendedor, ao que tudo indica, não tinha a mesma opinião, porque lhe apresentou um cheque em branco, e quando Dick o preencheu com uma quantia oitenta dólares superior ao total da conta, devolveu-lhe a diferença em dinheiro na mesma hora.

Do lado de fora, Dick disse: "Quer dizer que você vai se casar na semana que vem? Então vai precisar de uma aliança". Momentos depois, a bordo do velho Chevrolet de Dick, chegaram a uma loja chamada Best Jewelry. De lá, depois de comprarem com cheque um anel de diamante e uma aliança de brilhantes, foram até uma loja de penhores para vender os mesmos artigos. Perry ficou com pena de desfazer-se deles. Tinha começado a acreditar até certo ponto naquela noiva fictícia, embora em sua concepção, à diferença da de Dick, ela não fosse nem rica nem bonita; em vez disso, era bem-arrumada, falava com delicadeza, era possivelmente "formada na faculdade" e, de qualquer modo, "um tipo muito intelectual" — o tipo de garota que ele sempre quisera conhecer, mas jamais na verdade chegara a ver de perto.

A menos que contasse Cookie, a enfermeira que conheceu quando passou dias no hospital por causa do acidente de moto. Uma boa garota, Cookie, e gostava dele, tinha pena dele, fazia o possível para mimá-lo, estimulou-o a ler "boa literatura" —... *E o vento levou*, o livro de poemas sentimentais de Walter Benton, *This is My Beloved*. Ocorreram entre eles episódios sexuais de uma natureza estranha e secreta, e falaram de amor e também de casamento, mas no fim das contas, quando seus ferimentos sararam, ele se despediu e deu a ela, à guisa de explicação, um poema que garantia ter escrito:

Existe uma raça de homens que não se adapta,
Uma raça incapaz de sossegar;
Por isso partem os corações de amigos e parentes;
E andam pelo mundo afora ao deus-dará.

Atravessam os campos e as enchentes,
E sobem à crista das montanhas;
Neles atua a maldição do sangue cigano,
E não sabem como descansar.
Se andassem em linha reta podiam chegar longe;
São fortes e destemidos e sinceros;
Mas estão sempre cansados do que existe,
E desejam o estranho e o novo.

Ele nunca mais a vira nem tivera notícias dela, mas ainda assim, muitos anos depois, mandara tatuar seu nome no braço, e certa vez, quando Dick lhe perguntou quem era "Cookie", ele respondeu: "Ninguém. Uma garota com quem quase me casei". (Ele invejava o fato de Dick ter sido casado — duas vezes — e ser pai de três filhos. Mulher e filhos — essa era uma experiência que "todo homem devia ter", mesmo que, como ocorrera com Dick, ela "não satisfizesse nem prestasse para muita coisa".)

Os anéis foram penhorados por 150 dólares. Foram até outra joalheria, a Goldman's, e de lá saíram com um relógio masculino de ouro. Na parada seguinte, a Elko Camera Store, "compraram" uma sofisticada filmadora. "Uma câmera de filmar é o melhor investimento", ensinou Dick a Perry. "São a coisa mais fácil de vender ou pôr no prego. Câmeras e aparelhos de tevê." Sendo assim, decidiram adquirir vários destes últimos e, depois de completarem a missão, resolveram atacar mais algumas lojas de roupas — Sheperd & Foster's, Rothschild's, Shopper's Paradise. Ao final do dia, quando as lojas fecharam, os dois tinham os bolsos cheios de dinheiro e o carro lotado de artigos vendáveis e penhoráveis. Passando em revista aquela farta coleta de camisas e isqueiros, de aparelhos caros e abotoaduras baratas, Perry sentiu-se animado — agora seria o México, um novo começo, uma vida "de verdade". Mas Dick estava deprimido. Não tomou conhecimento dos elogios de Perry ("É verdade, Dick. Você estava fabuloso. Até eu quase acreditei em você"). E Perry estava surpreso; não conseguia imaginar por que Dick, geralmente tão cheio de si, de repente, justo quando tinha boas razões para se gabar, tinha ficado tão humilde, com um aspecto tão murcho e tristonho. Perry disse: "Eu te pago uma bebida".

Pararam num bar. Dick tomou três Orange Blossoms. E depois do terceiro, perguntou de repente: "E o meu pai? Eu fico — ah, meu Deus, ele é tão bom. E a minha mãe — você viu como ela é. E *eles*? Eu no México. Ou em algum outro lugar. Mas eles vão estar aqui quando os cheques começarem a ser devolvidos. Eu conheço o meu pai. Ele vai querer cobrir. Como já tentou antes. E não vai poder — está velho e doente, não tem mais nada".

"Eu fico muito penalizado", disse Perry, sinceramente. Sem ser compassivo, era sentimental, e o afeto de Dick pelos pais, a preocupação com eles que alegava, tocou-o de fato. "Mas Dick. É muito simples", disse Perry. "*Nós* pagamos os cheques. Depois de chegar no México, de começar as coisas por lá, podemos ganhar dinheiro. Muito dinheiro."

"Como?"

"Como?" — o que Dick queria dizer? A pergunta deixou Perry atônito. Afinal, tinham discutido uma extensa gama de possibilidades. Garimpar ouro, mergulhar atrás de tesouros afundados — esses eram apenas dois dos projetos que Perry propusera com tanto entusiasmo. E havia outros. O barco, por exemplo. Tinham conversado várias vezes sobre um barco equipado para pesca em alto-mar, que podiam comprar, tripular eles próprios e alugar para turistas — embora nenhum dos dois jamais tivesse comandado nem uma canoa nem fisgado um bagre sequer. E também podiam ganhar dinheiro fácil pilotando carros roubados na travessia das fronteiras sul-americanas. ("Pagam quinhentos dólares por viagem", pelo menos era o que Perry tinha lido em algum lugar.) Mas das muitas respostas que podia ter dado, escolheu falar com Dick sobre a fortuna que os esperava na ilha de Cocos, um ponto próximo ao litoral da Costa Rica. "Sem brincadeira, Dick", disse Perry. "É coisa certa. Eu tenho o mapa. Eu sei da história toda. Foi enterrado lá em 1821 — prata peruana, joias. Sessenta milhões de dólares — é o que disseram que valia. Mesmo que a gente não achasse nada, mesmo que só encontrasse uma parte — está me acompanhando, Dick?" Até então, Dick sempre o encorajara, escutava com atenção aquelas histórias de mapas e tesouros, mas agora — e isto jamais lhe ocorrera antes — ele se perguntou se Dick não teria apenas *fingido* o tempo todo, só para enganá-lo.

Aquela ideia, agudamente dolorosa, logo passou, pois Dick, com uma piscadela e um soco de brincadeira em Perry, disse: "Claro, meu querido. Estou contigo. Até o fim".

Eram três da manhã, e o telefone tornou a tocar. Não que o horário fizesse diferença. Al Dewey estava bem acordado, assim como Marie e seus filhos, Paul, de nove anos, e Alvin Adams Dewey Jr., de doze. Pois quem conseguiria dormir numa casa — uma casa modesta, térrea — em que o telefone ficou tocando de cinco em cinco minutos a noite inteira? Enquanto saía da cama, Dewey garantiu à mulher: "Desta vez vou deixar fora do gancho". Mas não se atreveu a cumprir a promessa. Verdade que a maioria das ligações era de jornalistas à cata de notícias, candidatos a humoristas ou teóricos diversos ("Al? Escute só. Já entendi tudo. Foi assassinato e suicídio. Eu sei que Herb estava com problemas financeiros. Estava quase a zero. E aí o que ele fez? Um contrato de seguro de muito dinheiro, matou Bonnie e os filhos e se matou com uma bomba. Uma granada de mão cheia de chumbo de caça"), ou ainda pessoas com a mentalidade de autores de carta anônima ("Sabe os estrangeiros? Que não trabalham? Vivem dando festas? Servindo bebidas? De onde vem o dinheiro deles? Eu não ficaria nada surpreso se eles estivessem na origem de toda essa história dos Clutter"), ou senhoras nervosas alarmadas pelos boatos em circulação, boatos sem fundamento algum ("Alvin, eu conheço você desde menino. E quero que você me diga sem rodeios sim ou não. Eu gostava do senhor Clutter, tinha muito respeito por ele, e me recuso a acreditar que esse homem, um cristão — recuso-me a acreditar que ele andasse atrás de mulheres...").

Mas a maioria das pessoas que telefonavam eram cidadãos responsáveis dispostos a ajudar ("O senhor já conversou com a amiga de Nancy, Sue Kidwell? Eu conversei com a garota, e uma das coisas que ela me contou ficou na minha cabeça. Ela disse que da última vez que conversou com Nancy, Nancy disse a ela que o senhor Clutter andava de muito mau humor. Nas últimas três semanas. Que ela achava que ele devia estar muito preocupado com alguma coisa, ou até que ele tinha começado a fumar..."). Ou então os autores dos telefonemas eram pessoas oficialmente envolvidas — policiais e xerifes de outras partes do estado ("Pode ser alguma coisa, ou não, mas um barman daqui diz que ouviu dois sujeitos falarem do caso de um jeito estranho, parecia que tinham algo a ver com o crime..."). E embora nenhum desses telefonemas tivesse até então resultado em coisa alguma além de mais trabalho para os investigadores, sempre era possível que o próximo viesse a ser, como Dewey dizia, "a mudança que faz a cortina cair".

No momento em que atendeu o novo telefonema, Dewey ouviu de imediato: "Quero confessar".

E respondeu: "Com quem estou falando?".

O homem do outro lado da linha repetiu sua primeira frase, e acrescentou: "Fui eu. Eu matei todos eles".

"Sei", respondeu Dewey. "Se o senhor quiser me dar seu nome e endereço..."

"Ah, não, nada disso", respondeu o homem, a voz carregada de uma indignação inebriada. "Não vou dizer mais nada. Só quando eu receber a recompensa. O senhor manda a recompensa, e aí eu digo quem sou. E não aceito discussão."

Dewey voltou para a cama. "Não, querida", disse ele, "nada de importante. Só mais um bêbado."

"O que ele queria?"

"Queria confessar. Contanto que mandássemos a recompensa primeiro." (Um jornal do Kansas, o *News* de Hutchinson, oferecera mil dólares por qualquer informação que pudesse levar ao esclarecimento do crime.)

"Alvin, você está acendendo mais um cigarro? Francamente, Alvin, podia pelo menos *tentar* dormir."

Mesmo se tirasse o telefone do gancho, ele estava tenso demais para dormir — irritado e frustrado demais. Nenhuma de suas "pistas" levara a nada, só a um beco sem saída que acabava num muro totalmente branco. Bobby Rupp? O detector de mentiras eliminara Bobby. E o sr. Smith, o fazendeiro que fazia nós idênticos aos usados pelo assassino, também tinha sido descartado como suspeito, depois de provar que estava "em Oklahoma" na noite do crime. O que só deixava os John, pai e filho, mas também eles tinham apresentado álibis que podiam ser comprovados. "E assim", como diz Harold Nye, "tudo somado, chegamos a um belo número redondo. Zero." Nem mesmo a procura da cova do gato de Nancy tinha dado em alguma coisa.

Ainda assim, um ou dois desdobramentos significativos tinham ocorrido. Primeiro, quando arrumava as roupas de Nancy, a sra. Elaine Selsor, sua tia, encontrara um relógio de ouro enfiado dentro de um sapato. Segundo, acompanhada por um agente do KBI, a sra. Helm tinha percorrido todos os aposentos da fazenda River Valley, andado por toda a casa na expectativa de encontrar alguma coisa fora do lugar, e tinha achado. No quarto de Kenyon. A sra. Helm olhou por muito tempo, andou de um lado para o outro pelo quarto com os lábios apertados, tocou em algumas coisas — a velha luva de beisebol de Kenyon, suas botas de trabalho manchadas de lama, seus óculos tristemente abandonados. O tempo todo, ela não parava de murmurar: "Alguma coisa aqui está errada. Estou sentindo, eu sei, mas não consigo dizer o que é". E então ela se lembrou. "É o *rádio*! Onde está o radinho de Kenyon?"

Juntos, esses dois achados forçavam Dewey a tornar a admitir a possibilidade de roubo como motivo do crime. Aquele relógio não fora parar dentro do sapato de Nancy por acidente. Deitada no escuro, ela deve ter ouvido sons — passos, ou talvez vozes — que a levaram a supor a presença de ladrões na casa. Assim, deve ter-se apressado a esconder o relógio, um presente do pai a que dava muito valor. Quanto ao rádio, um aparelho portátil cinza marca Zenith — não havia dúvida de que tinha desaparecido. Mesmo assim, Dewey não conseguia aceitar a teoria de que aquela família tivesse sido chacinada por um resultado pífio — "poucos dólares e mais um rádio". Aceitar essa ideia seria obliterar sua imagem do matador — ou melhor, dos matadores. Ele e seus colaboradores tinham tomado a decisão definitiva de usar o termo no plural. A execução precisa dos crimes era prova suficiente de que pelo menos um dos dois homens era dotado de uma esperteza incomum e fria, e era — *só podia ser* — uma pessoa esperta demais para ter feito aquilo sem um motivo calculado. E Dewey ainda tomara conhecimento de alguns detalhes que reforçavam sua convicção de que pelo menos um dos assassinos tinha envolvimento emocional com as vítimas, e sentia por elas, ao mesmo tempo que as destruía, uma certa ternura distorcida. De que outra maneira explicar a caixa de colchão?

A questão da caixa de colchão era uma das coisas que mais intrigavam Dewey. Por que os assassinos se teriam dado ao trabalho de trazer a caixa da extremidade oposta da sala do porão e estendê-la no chão em frente à fornalha, se sua intenção não fosse a de dar um certo conforto ao sr. Clutter? — de propiciar-lhe, enquanto ele contemplava a faca cada vez mais próxima, um leito menos duro que o chão de cimento frio? Ao estudar as fotografias das cenas de morte, Dewey tinha percebido outros pormenores que pareciam dar apoio à sua ideia de um assassino que volta e meia era movido por impulsos de consideração. "Ou" — e ele jamais conseguia encontrar a palavra que procurava — "alguém com mania de arrumação. E até delicado. As cobertas. Que tipo de pessoa faria uma coisa dessas — amarrar as duas mulheres da maneira como Bonnie e a garota foram amarradas, e depois puxar as cobertas, *acomodar* as duas, como alguém que fosse lhes dar boa-noite e desejar bons sonhos? Ou então a almofada debaixo da cabeça de Kenyon. Num primeiro momento, eu achei que a almofada podia ter sido posta ali para fazer da cabeça um alvo mais fácil. Mas hoje não, acho que a almofada foi usada pela mesma razão que a caixa do colchão foi aberta no piso — para deixar a vítima mais confortável."

Mas especulações como essas, embora absorvessem Dewey, não o deixavam animado nem com a sensação de que progredia. Era raro um caso ser solucionado por "teorias bem-arrumadas"; ele confiava nos fatos — "descobertos com muito suor e garantidos por juramento". A quantidade de fatos que precisavam obter e filtrar, e a agenda planejada para obtê-los, prometia transpiração abundante, já que acarretava o rastreamento, a investigação, de centenas de pessoas, entre elas todos os ex-empregados da fazenda River Valley, todos os amigos e familiares das vítimas, qualquer pessoa com quem o sr. Clutter tivesse feito negócios, muitos ou poucos — um avanço de tartaruga pelo passado dele. Como Dewey disse à sua equipe, "precisamos continuar até conhecermos os Clutter melhor do que eles próprios se conheciam. Até conseguirmos enxergar a ligação que existe entre o que encontramos na manhã de domingo passado e alguma coisa que talvez tenha acontecido cinco anos atrás. A ligação. Tem de haver alguma ligação".

A mulher de Dewey cochilava, mas acordou quando o sentiu deixar a cama e o ouviu atender ao telefone mais uma vez, e escutou, do quarto ao lado onde dormiam seus filhos, soluços, e um menino chorando. "Paul?" Geralmente, Paul não tinha nem dava problemas — não era de se queixar, nunca. Estava sempre ocupado demais, cavando um túnel no quintal ou treinando para ser "o corredor mais rápido do condado de Finney". Mas na mesa do café naquela manhã o menino tinha caído no choro. E a mãe nem precisava perguntar por quê; sabia que, embora ele só tivesse uma compreensão vaga das razões de toda aquela agitação à sua volta, o menino se sentia ameaçado por aquilo tudo — o telefone que não parava de tocar, os estranhos batendo na porta, os olhos preocupados e cansados de seu pai. Foi consolar Paul. O irmão, três anos mais velho, ajudou. "Paul", disse ele, "se você se acalmar agora amanhã eu ensino você a jogar pôquer."

Dewey estava na cozinha; Marie, que procurava por ele, encontrou-o ali, esperando que o café ficasse pronto, com as fotografias das cenas do crime espalhadas à sua frente na mesa da cozinha — manchas feias que prejudicavam o efeito da bela toalha de linóleo estampada com frutas. (Uma vez ele perguntou se ela queria ver as fotos. Ela declinara, dizendo: "Quero me lembrar de Bonnie da maneira como ela era — e dos outros também".) Ele disse: "Talvez os meninos devessem ficar com a minha mãe". Sua mãe, que era viúva, vivia não longe dali, numa casa que ela achava espaçosa e silenciosa demais; os netos eram sempre bem-vindos. "Só por uns dias. Até que — bem, até que."

"Alvin, você acha que vamos voltar a ter uma vida normal?", perguntou a sra. Dewey.

A vida normal dos dois era a seguinte: os dois trabalhavam, a sra. Dewey como secretária num escritório, e dividiam as tarefas domésticas, revezando-se no fogão e na pia. ("Quando Alvin era xerife, eu sei que alguns dos rapazes mexiam com ele, diziam: 'Olha só! Lá vem o xerife Dewey! Sujeito durão! Com um revólver na cintura! Mas quando ele chega em casa, tira o cinturão e veste o avental!.'") Naquela altura, estavam economizando para construir uma casa na propriedade que Dewey tinha comprado em 1951 — pouco menos de cem hectares alguns quilômetros ao norte de Garden City. Quando o tempo estava bom, e especialmente quando fazia calor e o trigo estava alto e maduro, ele gostava de ir até lá de carro e ficar treinando sacar a arma — atirava em corvos, em latas — ou, em sua imaginação, percorria a casa que esperava possuir, o jardim que pretendia plantar e as árvores que ainda haveria de semear. Estava convencido de que um dia seu oásis de carvalhos e olmos haveria de se erguer naquelas planícies sem sombra: "Um dia. Se Deus quiser".

A fé em Deus e os rituais que cercavam a fé — igreja todo domingo, a oração antes das refeições e antes de dormir — eram uma parte importante da existência de Dewey. "Não entendo como alguém pode sentar-se à mesa sem querer dizer uma bênção", disse certa vez a sra. Dewey. "Às vezes, quando chego em casa do trabalho, estou muito cansada. Mas sempre há café no fogão, e às vezes um bife na geladeira. Os garotos fazem fogo para assar a carne, e conversamos, e cada um conta como foi o dia, e quando o jantar fica pronto eu sei que temos boas razões para estar felizes e agradecidos. E eu digo, obrigada, meu Deus. Não porque seja meu dever — mas porque sinto vontade."

E agora a sra. Dewey perguntou: "Alvin, me responda. Você acha que algum dia vamos voltar a ter uma vida normal?".

Ele começou a responder, mas foi interrompido pelo telefone.

O velho Chevrolet deixou Kansas City no dia 21 de novembro, sábado à noite. Levava bagagem amarrada aos para-choques e presa ao teto; o porta-malas estava tão cheio que não fechava; no banco traseiro, havia dois aparelhos de televisão, um em cima do outro. Os dois passageiros estavam apertados: Dick, que estava ao volante, e Perry, abraçado ao seu violão Gibson, o objeto que ele mais amava. Quanto aos demais pertences de Perry — uma mala de papelão, um rádio portátil Zenith cinza, uma jarra de cinco litros de xarope de *root beer* (temia que sua bebida predileta não existisse no México) e dois caixotes com livros, manuscritos e outras lembranças que conservava (e Dick tinha ficado furioso! Xingou, chutou os caixotes, chamou-os de "duzentos quilos de titica de porco!") —, também estavam acomodados no interior do carro.

Em torno da meia-noite atravessaram a divisa e entraram em Oklahoma. Perry, satisfeito de ter deixado o Kansas, finalmente relaxou. Agora era verdade — estavam a caminho — a caminho, e nunca mais iam voltar — sem arrependimentos, pelo menos no que lhe dizia respeito, porque não deixava nada para trás e ninguém que pudesse se perguntar onde ele tinha desaparecido. O mesmo já não se podia dizer de Dick. Havia as pessoas que ele garantia amar: seus três filhos, sua mãe, seu pai, o irmão — pessoas a quem ele não se atrevera a revelar seus planos ou dizer adeus, embora julgasse que nunca mais tornaria a vê-las — não nesta vida.

MATRIMÔNIO CLUTTER-ENGLISH: EM CERIMÔNIA NO SÁBADO. O título, na página social do *Telegram* de Garden City de 23 de novembro, surpreendeu muitos leitores. Parece que Beverly, a segunda filha sobrevivente do sr. Clutter, tinha se casado com o sr. Vere Edward English, o jovem estudante de biologia de quem estava noiva havia muito tempo. A srta. Clutter usou branco, e o casamento, uma cerimônia completa ("a sra. Leonard Cowan foi a solista, e a sra. Howard Blanchard tocou órgão"), "celebrou-se na Primeira Igreja Metodista" — a igreja em que, três dias antes, a noiva se despedira formalmente dos pais, do irmão e da irmã mais nova. No entanto, segundo o relato do *Telegram*, "Vere e Beverly tinham planejado casar-se na época do Natal. Os convites já estavam impressos e seu pai já reservara a igreja. Devido à tragédia inesperada e à presença de muitos familiares que moram em locais distantes, o jovem casal decidiu realizar o matrimônio no sábado".

Depois do casamento, os parentes dos Clutter se dispersaram. Na segunda-feira, o dia em que o último deles deixou Garden City, o *Telegram* publicou na primeira página uma carta escrita pelo sr. Howard Fox, de Oregon, Illinois, irmão de Bonnie Clutter. A carta, depois de manifestar gratidão aos habitantes da cidade por terem aberto "seus lares e seus corações" para a família enlutada, tomava a feição de um pedido. "Existe muito ressentimento nesta comunidade [Garden City]", escreveu o sr. Fox. "Até ouvi dizerem, em mais de uma ocasião, que o culpado, quando encontrado, deveria ser enforcado na árvore mais próxima. Não devemos nos deixar levar por sentimentos assim. O que aconteceu, aconteceu, e tirar outra vida não mudará os fatos. Devemos perdoar, como Deus nos mandaria fazer. Não está certo guardar esse rancor em nossos corações. O autor desses atos vai achar muito difícil viver consigo mesmo. Só vai encontrar alguma paz de espírito quando comparecer perante Deus para pedir perdão. Não nos coloquemos em seu caminho, mas dediquemos nossas orações a pedir que ele encontre essa paz."

O carro estava estacionado num promontório onde Perry e Dick tinham parado para comer. Era meio-dia. Dick examinou o panorama através de um par de binóculos. Montanhas. Falcões descreviam círculos num céu branco. Uma estrada de terra serpenteava e atravessava em seu caminho um vilarejo branco e empoeirado. Era o segundo dia dos dois no México, e até então ele vinha gostando bastante — inclusive da comida. (No momento, devorava uma *tortilla* fria e gordurosa.) Tinham atravessado a fronteira em Laredo, Texas, na manhã de 23 de novembro, e tinham passado a primeira noite num bordel de San Luís de Potosí. Encontravam-se agora uns trezentos quilômetros ao norte de seu destino seguinte, a Cidade do México.

"Sabe o que eu acho?", perguntou Perry. "Acho que a gente deve ter algum problema. Para ter feito o que a gente fez."

"E a gente fez o quê?"

"Lá."

Dick guardou os binóculos na caixa de couro, um luxuoso receptáculo com as iniciais H. W. C. Ficou irritado. Muito irritado. Por que Perry não conseguia ficar calado? Jesus Cristo, o que adiantava ficar sempre falando daquela coisa? Era muito *irritante*. Especialmente porque os dois tinham mais ou menos combinado não ficar falando naquela maldita coisa. Só esquecer.

"Uma pessoa que faz uma coisa daquelas só pode ter algum problema", disse Perry.

"Me deixe fora dessa, meu querido", disse Dick. "Eu sou normal." E Dick falava sério. Achava-se uma pessoa equilibrada, tão saudável quanto outra qualquer — talvez um pouco mais esperto que a média, e só. Mas Perry — no caso *dele*, na opinião de Dick, devia mesmo haver "algum problema". No mínimo. Na primavera anterior, quando ocupavam a mesma cela na Penitenciária Estadual do Kansas, ele tinha descoberto a maioria das peculiaridades menos conhecidas de Perry: Perry às vezes virava "uma criança", fazia xixi na cama e chorava durante o sono ("Papai, estou procurando você em todo lugar, onde é que você anda?"), e muitas vezes Dick o tinha visto passar "horas e horas sentado, chupando o dedo e lendo aqueles guias fajutos sobre tesouros". O que era um lado; mas havia outros. Alguns aspectos de Perry "metiam medo". Por exemplo, suas mudanças de humor. Ele se enfurecia "mais depressa que dez índios embriagados". E sem dar nenhum aviso. "Ele podia estar pronto para matar você sem que você percebesse olhando para ele ou ouvindo o que ele diz", falou Dick certa vez. Por mais extrema que fosse sua raiva íntima, por fora Perry continuava a dar a impressão de um jovem forte e tranquilo, com os olhos serenos e um tanto sonolentos. Houve um tempo em que Dick achou que pudesse controlar, regular a temperatura dessas febres frias e repentinas que queimavam e gelavam seu amigo. Mas estava enganado, e na tarde em que fez essa descoberta tinha ficado muito desconfiado de Perry, sem saber ao certo o que pensar — além de perceber que devia ter medo dele e de não saber por que não tinha.

"Bem no fundo", continuou Perry, "bem, bem lá no fundo, eu nunca achei que fosse capaz. De fazer uma coisa dessas."

"E o tal preto?", perguntou Dick. Silêncio. Dick percebeu que Perry olhava fixamente para ele. Uma semana antes, em Kansas City, Perry comprara um par de óculos escuros — muito espalhafatosos, com uma armação prateada e lentes espelhadas. Dick não gostava deles; disse a Perry que sentia vergonha de ser visto com "uma pessoa que usasse aquele tipo de coisa". Na verdade, o que o incomodava eram as lentes espelhadas; era desagradável ter os olhos de Perry escondidos por trás do escudo daquelas superfícies escuras e reflexivas.

"Mas um preto", disse Perry. "É diferente."

O comentário, a hesitação com que foi pronunciado, fizeram Dick perguntar: "Mas você matou mesmo? Do jeito que contou?". Era uma pergunta importante, porque seu interesse inicial em Perry, sua avaliação do caráter e das potencialidades de Perry, baseava-se na história que Perry lhe contara sobre a maneira como tinha surrado um negro até matá-lo.

"Claro que sim. Só que — um preto. Não é a mesma coisa." E então Perry disse: "Sabe o que me incomoda? Na outra história?

É que eu não consigo acreditar — que alguém consiga fazer uma coisa dessas sem sofrer as consequências. Eu não sei como pode ser. Fazer o que a gente fez. E conseguir se safar sem sofrer nada. Quer dizer, é isso que me incomoda — não consigo tirar da cabeça que alguma coisa vai acontecer".

Embora frequentasse a igreja na infância, Dick nunca tinha "chegado perto" de acreditar em Deus; nem se deixava perturbar por superstições. Ao contrário de Perry, não acreditava que um espelho quebrado acarretasse sete anos de azar, ou que a lua crescente, vista através de um vidro, fosse um mau presságio. Mas Perry, com suas intuições aguçadas e incômodas, tinha tocado na única dúvida que Dick cultivava. Dick também passava por momentos em que aquela questão ficava dando voltas em sua cabeça: Seria possível — será que eles dois iriam "se dar bem depois de ter feito uma coisa daquelas"? Inesperadamente, ele disse a Perry: "Agora cale a boca!". Depois ligou o motor e, de ré, saiu do promontório. À sua frente, na estrada coberta de poeira, viu um cão trotando ao sol quente.

Montanhas. Falcões descrevendo círculos num céu branco.

Quando Perry perguntou a Dick "Sabe o que eu acho?", sabia que estava dando início a uma conversa de que Dick não ia gostar, conversa que ele próprio, aliás, também gostaria de evitar. Concordava com Dick: Por que ficar falando naquilo? Mas nem sempre conseguia se controlar. Era tomado por ataques de desamparo, por momentos em que "se lembrava de coisas" — de um clarão azulado explodindo num quarto escuro, dos olhos de vidro de um grande urso de brinquedo — e vozes, especialmente algumas palavras, começavam a incomodar sua cabeça: "Oh, não! Por favor! Não! Não! Não! Não! Pare! Oh, por favor, não faça isso, por favor!". E então outros sons retornavam — um dólar de prata rolando pelo assoalho, passos de botas em degraus de madeira, e os sons de respiração, os arquejos, as inalações histéricas de um homem com a traqueia cortada.

Quando Perry dizia "Acho que a gente deve ter algum problema", estava admitindo uma coisa que "detestava admitir". Afinal, era doloroso imaginar que pudesse não ser "perfeito" — especialmente se o problema não fosse responsabilidade dele, mas "talvez alguma coisa de nascença". Era só pensar em sua família e no que tinha acontecido com cada um deles. Sua mãe, uma alcoólatra, tinha morrido sufocada no próprio vômito. Dos filhos dela, dois homens e duas mulheres, só a mais nova, Barbara, tinha começado uma vida normal, casando-se e formando uma família. Fern, a outra filha, tinha pulado da janela de um hotel de San Francisco. (Desde então, Perry tinha "tentado acreditar que ela tinha escorregado", porque ele adorava Fern. Era "uma pessoa tão meiga", tão "artística", uma "ótima dançarina", e também cantava. "Se ela tivesse tido sorte, com a beleza dela, podia ter conseguido alguma coisa, virado alguém." Era triste imaginá-la subindo no parapeito de uma janela e despencando quinze andares.) E havia Jimmy, o mais velho dos meninos — Jimmy, que tinha induzido a mulher ao suicídio e se matara no dia seguinte.

E aí ele ouvira Dick dizer: "Me deixe fora dessa, meu querido. Eu sou normal". Era a piada do ano. Mas era melhor deixar passar. "Bem no fundo", tinha prosseguido Perry, "bem, bem lá no fundo, eu nunca achei que fosse capaz. De fazer uma coisa dessas." E no mesmo instante percebera seu erro: Dick, é claro, iria perguntar: "E o tal preto?". Quando ele contara aquela história a Dick, era porque queria conquistar a amizade dele, queria que Dick o "respeitasse", achasse que era "durão", um tipo tão "másculo" quanto ele achava ser o caso do próprio Dick. E assim, um dia, depois que os dois tinham lido e estavam discutindo um artigo da *Reader's Digest* intitulado "Você é um bom detetive de personalidades?"

("Enquanto espera no gabinete de um dentista ou numa estação ferroviária, tente perceber os sinais nas pessoas à sua volta. Observe a maneira como caminham, por exemplo. Passos com as pernas muito esticadas podem revelar uma personalidade rígida, inflexível; um andar muito largado, uma falta de determinação"), Perry dissera "eu sempre soube julgar a personalidade dos outros, caso contrário já estaria morto. Como se eu não soubesse em quem posso confiar. Nunca dá para saber totalmente, mas em você eu confio, Dick. Você vai ver que sim, porque eu vou me colocar nas suas mãos. Vou contar a você uma coisa que nunca contei a ninguém. Nem mesmo a Willie-Jay. Sobre a vez em que eu apaguei um sujeito". E Perry viu, enquanto continuava, que Dick ficara interessado; estava prestando toda a atenção. "Foi uns anos atrás, no verão. Em Vegas. Eu morava numa pensão velha — que antes tinha sido um puteiro de luxo. Mas agora não tinha mais luxo nenhum — era um prédio que deviam ter demolido dez anos antes; de qualquer maneira, ia acabar desabando por conta própria. Os quartos mais baratos ficavam no sótão, e era lá que eu morava. E esse preto também. Ele se chamava King; estava de passagem. Éramos as duas únicas pessoas que viviam ali — nós dois e um milhão de cucarachas. King não era muito jovem, mas tinha trabalhado na construção de estradas e em outros empregos braçais — era bem forte. Usava óculos, e lia muito. Nunca fechava a porta do quarto. Sempre que eu passava por lá, via-o deitado na cama, totalmente nu. Estava desempregado, disse que tinha guardado um dinheirinho do último trabalho e que queria passar um tempo só deitado na cama, lendo, se abanando e tomando cerveja. Só lia porcaria — revistas em quadrinhos e histórias do Velho Oeste. Era um sujeito legal. Às vezes a gente tomava uma cerveja juntos, e um dia ele me emprestou dez dólares. Eu não tinha razão para fazer nenhum mal a ele. Mas um dia, estávamos sentados ali no sótão, estava quente demais para dormir, e eu disse: 'Vamos lá, King, sair para dar uma volta de carro". Eu tinha um carro antigo sem bancos, envenenado e pintado de prateado que eu chamava de Fantasma de Prata. Saímos para um passeio bem comprido. Até o meio do deserto. Lá estava mais fresco. Parei o carro e tomamos mais umas cervejas. King saiu do carro, e eu fui atrás dele. E ele não viu que eu tinha pegado uma corrente. Uma corrente de bicicleta que eu guardava debaixo do banco. Na verdade, eu nem estava pensando em fazer nada, até que fiz. Bati nele, bem no rosto. Os óculos se quebraram. E continuei batendo. Depois, não senti nada. Deixei ele lá, e nunca mais ouvi falar no assunto. Talvez ele nunca tenha sido achado. Só pelos urubus."

Havia alguma verdade na história. Perry tinha conhecido, nas circunstâncias que contara, um negro chamado King. Mas se o homem estava morto, aquilo nada tinha a ver com Perry; ele jamais levantara a mão contra o sujeito. Pelo que ele sabia, King bem que ainda podia estar deitado em algum lugar, se abanando e tomando cerveja.

"Mas você matou mesmo? Do jeito que contou?", perguntara Dick.

Perry não era um bom mentiroso, nem prolífico; no entanto, quando contava um fato inventado, geralmente se aferrava a ele. "Claro que sim. Só que — um preto. Não é a mesma coisa." E depois disse: "Sabe o que me incomoda? Na outra história? É que eu não consigo acreditar — que alguém consiga fazer uma coisa dessas sem sofrer as consequências". E ele suspeitava que Dick também não acreditasse. Porque Dick devia ser assolado, pelo menos em parte, pelas mesmas apreensões místico-morais de Perry. Por isso: "Agora cale a boca!".

O carro estava em movimento. Trinta metros adiante, um cachorro trotava ao longo da estrada. Dick desviou o carro em sua direção. Era um vira-lata meio morto, esquálido e sarnento, e o impacto, quando o carro atingiu o animal, foi apenas um pouco maior do que teria sido produzido por um passarinho. Mas Dick ficou satisfeito. "Rapaz!", disse ele — e era o que invariavelmente dizia depois de atropelar um cachorro, o que fazia sempre que tinha a oportunidade. "Rapaz! Esse a gente esmagou mesmo!"

Passou o Dia de Ação de Graças, e a estação mais agradável acabou, mas não aquele lindo verão extemporâneo, com sua sequência de dias claros e límpidos. O último dos repórteres de fora da cidade, convencido de que o caso jamais seria esclarecido, foi embora de Garden City. Mas o caso não estava de modo algum encerrado para os moradores do condado de Finney, e menos ainda para os frequentadores do ponto de encontro predileto de Holcomb, o Hartman's Café.

"Desde que esses problemas começaram, mal estamos dando conta de tanta freguesia", disse a sra. Hartman enquanto corria os olhos por seu domínio bem-arrumado, cada palmo do qual ocupado por fazendeiros e empregados rurais cheirando a tabaco e tomando café, sentados, de pé ou apoiados no balcão. "É um punhado de velhotas", acrescentou a prima da sra. Hartman, a sra. Clare, a chefe da agência dos Correios, que por acaso se encontrava no estabelecimento. "Se fosse primavera e eles tivessem trabalho a fazer, não estariam aqui. Mas o trigo já foi colhido, o inverno está quase chegando, e não têm mais nada a fazer além de ficar sentados aqui, metendo medo uns nos outros. Sabe Bill Brown, do *Telegram*? Viu o editorial que ele escreveu? Chamado 'Outro Crime'? Dizia: 'Está na hora de todos serem menos linguarudos'. Porque é outro crime mesmo — ficar contando essas mentiras óbvias. Mas o que é que podia acontecer? É só olhar em volta. Umas cascavéis. Umas pestes. Uns fofoqueiros. Está vendo alguma coisa diferente? Rá! Claro que não!"

Um dos boatos com origem no Hartman's Café envolvia Taylor Jones, um fazendeiro cuja propriedade fica ao lado da fazenda River Valley. Na opinião de boa parte da clientela do café, o sr. Jones e sua família, e não os Clutter, eram os alvos do assassino. "Faz muito sentido", afirmou um dos que defendiam essa opinião. "Taylor Jones é bem mais rico do que Herb Clutter. Vamos supor que quem fez isso seja alguém de fora. Vamos supor que talvez ele tenha sido contratado para matar, e que só tinha instruções sobre o caminho para chegar à casa. Seria bem fácil se enganar — virar para a esquerda em vez da direita — e terminar na casa de Herb, não na de Taylor." A "Teoria Jones" foi muito repetida — especialmente para os próprios Jones, uma família digna e sensata, que se recusou a deixar-se contaminar.

Um balcão, poucas mesas, uma área com uma chapa quente, uma geladeira e um rádio — eis tudo que existe no Hartman's Café. "Mas nossos fregueses gostam assim", diz a proprietária. "Só podiam gostar. Não têm mais nenhum lugar aonde ir, a menos que viajem dez quilômetros numa direção ou vinte e cinco na outra. De qualquer maneira, o lugar é acolhedor, e o café é bom desde que Mabel veio trabalhar aqui" — Mabel é a sra. Helm. "Depois da tragédia, eu disse: 'Mabel, agora que você ficou sem trabalho, por que não vem me ajudar no café? Cozinhar. Servir no balcão'. E foi assim — o único problema é que todo mundo que vem aqui fica enchendo ela de perguntas. Sobre a tragédia. Mas Mabel não é igual à prima Myrt. Ou a mim. É tímida. Além disso, não sabe nada de especial. Não mais que qualquer outra pessoa." No geral, porém, a congregação de Hartman continuava a suspeitar que Mabel Helm sabia de uma ou duas coisas que não contava para ninguém. E, claro, ela de fato sabia. Dewey tinha conversado com ela várias vezes, e pedira que mantivesse em segredo tudo que tinham dito. Especialmente, ela jamais deveria mencionar o rádio que tinha desaparecido ou o relógio encontrado no sapato de Nancy. Razão pela qual ela disse à sra. Archibald William Warren-Browne:

"Qualquer pessoa que leia os jornais sabe tanto quanto eu. Mais até. Porque eu mesma não leio".

Bojuda e atarracada, aos quarenta e poucos anos, inglesa dotada de uma pronúncia quase incoerentemente aristocrática, a sra. Archibald William Warren-Browne não parecia em nada com os demais frequentadores do café, e naquele cenário lembrava um pavão no cercado dos perus. Certa vez, ao explicar a um conhecido por que ela e o marido tinham abandonado "as terras da família no norte da Inglaterra", trocando o lar hereditário — "um priorado lindo e muito alegre" — por uma velha e nada alegre fazenda nas planícies do oeste do Kansas, a sra. Warren-Browne disse: "Os impostos, meu bem. Impostos de transmissão por morte. Enormes, criminosos. Foi o que nos fez deixar a Inglaterra. Saímos um ano atrás. E não nos arrependemos. Nenhum arrependimento. Adoramos este lugar. Adoramos. Apesar de ser muito diferente, é claro, da nossa outra vida. A vida que sempre tivemos. Paris e Roma. Montecarlo. Londres. Às vezes eu me lembro de Londres. Ah, na verdade não sinto muita falta — aquela agitação, nunca se acha um táxi, sempre a preocupação com a aparência. Não mesmo. Adoramos este lugar. Acho que algumas pessoas — as que sabem do nosso passado, da vida que tínhamos — se perguntam se não nos sentimos meio solitários, no meio dos campos de trigo. Pois a nossa ideia era ir realmente para o Oeste. Wyoming ou Nevada — *la vraie chose*. Quem sabe até não encontrávamos algum petróleo. Mas no caminho paramos para visitar uns amigos em Garden City — na verdade, amigos de amigos. E eles foram gentilíssimos. Insistiram para ficarmos um tempo. E nós pensamos que era uma boa ideia, por que não? Por que não arrendar uma terra e começar uma criação? Ou a plantar alguma coisa? E ainda não resolvemos — se vamos criar ou plantar. O doutor Austin perguntou se nós não achávamos este lugar sossegado demais. Na verdade, não. Na verdade, nunca vi tamanho tumulto. Um lugar mais barulhento que um bombardeio aéreo. Apitos de trem. Coiotes. Monstros, urrando a noite inteira. Um tumulto horrendo. E depois dos crimes fiquei mais sensível ainda a isso tudo. Tantas coisas me incomodam. Nossa casa — como range! Veja bem, não estou me queixando. Na verdade, é uma casa bastante bem-arrumada — tem todos os aparelhos modernos — mas como range, e como geme! Depois que escurece, quando o vento começa, aquele vento horrível da pradaria, ela produz os lamentos mais assustadores. Se a pessoa for um pouco nervosa, não consegue deixar de imaginar — bobagens. Meu Deus! Pobre família! Não, não conhecia nenhum deles. Mas uma vez eu *vi* o senhor Clutter. No Prédio Federal".

No início de dezembro, no decorrer de uma única tarde, dois dos fregueses mais constantes do café anunciaram que tinham planos de mudar-se não só do condado de Finney como do estado. O primeiro era um agricultor que trabalhava em parceria para Lester McCoy, conhecido proprietário de terras e empresário do oeste do Kansas. "Tive uma conversa com o senhor McCoy. Tentei contar a ele o que anda acontecendo aqui em Holcomb e nos arredores. Que a gente não consegue dormir. Minha mulher não dorme, e não me deixa dormir. E então eu disse ao senhor McCoy que gosto muito da propriedade dele mas que era melhor ele procurar outra pessoa. Porque vou me mudar. Para o leste do Colorado. Assim talvez eu consiga descansar."

O segundo anúncio foi feito pela sra. Hideo Ashida, que esteve no café com três de seus quatro filhos de bochechas coradas. Alinhou-os junto ao balcão e disse à sra. Hartman: "Dê uma caixa de Cracker Jack para Bruce. Bobby quer uma coca. Bonnie Jean? Eu sei como você está se sentindo, Bonnie Jean, mas peça alguma coisa". Bonnie Jean abanou a cabeça, e a sra. Ashida disse: "Bonnie Jean está meio tristonha. Não quer ficar longe daqui. Da escola. E dos amigos dela".

"Ora, minha filha", disse a sra. Hartman, sorrindo para Bonnie

Jean. "Não é razão para ficar triste assim. Trocar a escola de Holcomb pelo ginásio de Garden City. Tem muito mais meninos —"

Bonnie Jean disse: "A senhora não entendeu. Meu pai vai nos levar embora. Para o Nebraska".

Bess Hartman olhou para a mãe da menina, como se esperasse a negação do que a filha dissera.

"É verdade, Bess", disse a sra. Ashida.

"Não sei o que dizer", disse a sra. Hartman, com a voz cheia de surpresa e indignação, e também desanimada. Os Ashida eram uma parte da comunidade de Holcomb de que todos gostavam — uma família sempre de bom humor, trabalhadora, bons vizinhos, generosos, embora não tivessem muito a dar.

A sra. Ashida disse: "Conversamos muito tempo sobre isso. Hideo acha que podemos conseguir coisa melhor em outro lugar".

"E planejam ir embora quando?"

"Assim que conseguirmos vender. Mas de qualquer maneira não antes do Natal. Por causa de um acordo que fizemos com o dentista. Para o presente de Natal de Hideo. Eu e os meninos vamos dar três dentes de ouro para ele. De presente de Natal."

A sra. Hartman suspirou. "Não sei o que dizer. Só que eu queria que vocês ficassem. Ir embora desse jeito." Tornou a suspirar. "Parece que estamos perdendo todo mundo. De um modo ou de outro."

"E você acha que eu quero ir embora?", perguntou a sra. Ashida. "As pessoas daqui, eu nunca morei num lugar tão bom. Mas Hideo é o homem, e ele acha que podemos conseguir uma propriedade melhor no Nebraska. E eu vou lhe dizer uma coisa, Bess." A sra. Ashida tentou franzir o cenho, mas seu rosto gorducho, redondo e liso não conseguia produzir a expressão. "Eu sempre discutia com ele. Mas uma noite eu disse: 'Está bem, você é que manda, vamos'. Depois do que aconteceu com Herb e a família dele, eu senti que alguma coisa aqui tinha se acabado. Pessoalmente. Para mim. E aí eu parei de discutir, e concordei." Ela enfiou uma das mãos na caixa de Cracker Jack, uma espécie de pipoca doce. "Meu Deus, eu não consigo parar de pensar. Não me sai da cabeça. Eu *gostava* de Herb. Sabe que eu fui uma das últimas pessoas a ver Herb vivo? Foi. Eu e as crianças. Fomos à reunião do 4-S em Garden City e ele nos deu uma carona de volta para casa. A última coisa que eu disse a Herb foi que não conseguia imaginar que ele pudesse ter medo de alguma coisa. Qualquer que fosse a situação, ele daria um jeito de sair dela só na conversa." Pensativa, deu uma mordida num Cracker Jack, tomou um gole da coca de Bobby, depois disse: "É engraçado, mas sabe, Bess, aposto que ele não sentiu medo. Seja o que for que aconteceu. Aposto que até o fim ele não acreditou que fosse acontecer. Porque não podia acontecer. Não com ele".

O sol estava quente. Um barco pequeno estava ancorado em meio ao mar calmo: o *Estrellita*, com quatro pessoas a bordo — Dick, Perry, um jovem mexicano e Otto, um rico alemão de meia-idade.

"Por favor. De novo", pediu Otto, e Perry, dedilhando o violão, cantou com voz rouca uma canção das Smoky Mountains:

No mundo de hoje enquanto vivemos
Há gente que diz o pior que pode de nós,
Mas quando morremos e entramos no caixão
Sempre enfia uns lírios em nossas mãos.
Então me dê as flores enquanto ainda estou vivo...

Uma semana na Cidade do México, e depois ele e Dick tinham seguido de carro para o sul — Cuernavaca, Taxco, Acapulco. E foi em Acapulco, num bar, que conheceram o corpulento Otto com suas pernas peludas. Dick o tinha "fisgado". Mas o cavalheiro, um advogado de Hamburgo em férias, já tinha um "amigo" — um jovem nativo de Acapulco que usava o apelido de Caubói. "Ele se mostrou uma pessoa de confiança", disse Perry certa vez a respeito do Caubói. "Malvado feito a peste, de certa maneira, mas um rapaz bem divertido, que gosta de viver depressa. Dick também gostava dele. Nós nos demos muito bem."

O Caubói tinha arranjado um quarto na casa de um tio para os viajantes tatuados, dedicou-se a melhorar o espanhol de Perry e dividia com eles os lucros da ligação com o turista de Hamburgo, em cuja companhia e à custa de quem todos bebiam, comiam e pagavam mulheres. O pagante achava que seus pesos estavam bem aplicados, nem que apenas para ouvir as piadas de Dick. Todo dia Otto fretava o *Estrellita*, um barco de pesca em alto-mar, e os quatro amigos navegavam pelo litoral. O Caubói comandava o barco; Otto desenhava e pescava; Perry preparava as iscas, divagava, cantava, e às vezes também pescava; Dick não fazia nada — só gemia, queixava-se do balanço do barco, e ficava deitado, intoxicado de sol, como um lagarto fazendo a *siesta*. Mas Perry dizia: "Finalmente conseguimos. Do jeito que deve ser". Ainda assim, sabia que não poderiam continuar muito tempo daquele jeito — que tudo estava destinado a se acabar, na verdade, naquele dia mesmo. No dia seguinte Otto iria voltar para a Alemanha, e Perry e Dick regressariam de carro para a Cidade do México — por insistência de Dick. "Claro, querido", disse ele quando os dois discutiram o assunto. "É ótimo, e isso tudo. Com o sol nas costas. Mas a grana está acabando. E depois que a gente vender o carro, o que vai sobrar?"

A resposta é que sobraria muito pouco, porque já tinham se desfeito de quase todas as coisas adquiridas no dia do festival de emissão de cheques frios em Kansas City — a câmera de filmar, as abotoaduras, os aparelhos de tevê. E também tinham vendido, a um policial da Cidade do México que Dick tinha conhecido, um par de binóculos e um rádio Zenith cinzento. "O que vamos fazer é o seguinte, vamos voltar para a Cidade do México, vender o carro, e talvez eu arranje um emprego numa oficina. De qualquer maneira, vamos conseguir um preço bem melhor. As chances lá são melhores. Meu Deus, bem que eu queria ficar um pouco mais com Inez." Inez era uma prostituta que abordara Dick nos degraus do Palácio de Belas-Artes na Cidade do México (a visita era parte de um passeio em que entraram para agradar a Perry). Tinha dezoito anos, e Dick prometera casar-se com ela. Mas também prometera casar-se com Maria, mulher de cinquenta anos, viúva de um "banqueiro mexicano muito importante". Tinham se conhecido num bar, e no dia seguinte ela lhe pagara o equivalente a sete dólares. "O que você acha?", perguntou Dick a Perry. "A gente vende a caminhonete. Arranja um trabalho. Guarda o dinheiro. E depois vê o que acontece." Como se Perry não soubesse exatamente o que iria acontecer. Vamos supor que conseguissem duzentos ou trezentos pelo velho Chevrolet. Dick, se ele bem conhecia Dick, e ele o conhecia bem — *agora* conhecia — iria gastar tudo na mesma hora em vodca e mulheres.

Enquanto Perry cantava, Otto o desenhava em seu bloco. A semelhança era aceitável, e o desenhista percebeu um aspecto não muito óbvio da expressão do homem sentado — sua malignidade, uma malícia bem-humorada, infantil, que sugeria um cupido malévolo que usasse setas envenenadas. Estava de torso nu. (Perry tinha "vergonha" de tirar as calças, "vergonha" de usar calção de banho, pois tinha medo de que a visão de suas pernas deformadas pudesse deixar as pessoas "com nojo", e assim, apesar de suas fantasias subaquáticas, de todas as suas conversas sobre o mergulho, não entrara na água uma vez sequer.) Otto reproduziu várias das tatuagens que ornamentavam os fortes músculos do peito e dos braços e as mãos do modelo, pequenas e calejadas, embora lembrassem mãos de mulher. O caderno de desenho, que Otto deu a Perry como presente de despedida, continha ainda vários desenhos de Dick — "estudos de nu".

Otto fechou o caderno, Perry pousou o violão, o Caubói levantou a âncora e deu partida no motor. Era hora de voltar. Estavam a dez milhas da costa, e a água estava escurecendo.

Perry chamou Dick para pescar. "Podemos nunca mais ter uma chance", disse ele.

"Chance?"

"De pegar um dos grandes."

"Meu Deus, estou com uma das malditas", respondeu Dick. "Estou me sentindo mal." Com frequência, Dick tinha dores de cabeça intensas como enxaquecas — "as malditas". Achava que eram consequência de seu acidente de carro. "Por favor, querido. Vamos ficar bem quietinhos."

Segundos mais tarde, porém, Dick já tinha esquecido a dor. Estava de pé, gritando de animação. Otto e o Caubói também gritavam. Perry tinha fisgado "um dos grandes". Um marlim de três metros que saltava e mergulhava de volta no mar, corcoveava, descrevia arcos, mergulhava, afundava bastante, esticava a linha, voltava para cima, volteava, caía, afundava, subia. Passou-se uma hora, e mais boa parte de outra, antes que o esportista suado conseguisse puxá-lo para bordo.

Há um velho com uma antiga câmera fotográfica de caixote que passa o tempo perto do porto de Acapulco, e quando o *Estrellita* atracou Otto pediu que tirasse seis fotos de Perry ao lado de sua presa. Tecnicamente, o trabalho do velho fotógrafo deu mau resultado — fotos marrons e cheias de manchas. Mas eram fotografias notáveis, e o que fazia delas fotos notáveis era a expressão de Perry, seu ar de realização absoluta, de beatitude, como se finalmente, a exemplo de um de seus sonhos, um enorme pássaro amarelo o tivesse levado direto para o paraíso.

Numa tarde de dezembro, Paul Helm estava podando o canteiro que valera a Bonnie Clutter a filiação ao Clube de Jardinagem de Garden City. Era uma tarefa triste, porque aquilo lhe lembrava outra tarde em que fizera a mesma coisa. Kenyon o ajudara naquele dia, e tinha sido a última vez que vira Kenyon com vida, ou Nancy, ou qualquer um deles. As semanas que se passaram desde então tinham sido duras para o sr. Helm. Estava com "problemas de saúde" (problemas mais graves do que ele imaginava; só viveria mais quatro meses), e preocupado com várias coisas. Seu emprego, para começar. Duvidava que fosse conservá-lo por muito tempo. Ninguém mais dava a impressão de saber, mas ele tinha percebido que "as meninas", Beverly e Eveanna, estavam decididas a vender a propriedade — muito embora, como ele tinha ouvido um dos rapazes do café dizendo, "ninguém vai querer comprar aquelas terras, enquanto o mistério continuar". Pensar a respeito "não ajudava" — gente de fora por ali, fazendo a colheita na "nossa" terra. O sr. Helm se incomodava com aquilo — em nome de Herb. Aquele lugar, dizia ele, "devia ficar com a família da pessoa". Uma vez Herb lhe dissera: "Espero que sempre haja um Clutter por aqui, e um Helm também". Tinha sido só um ano antes. Meu Deus, o que ele faria se a fazenda fosse vendida? Sentia-se "velho demais para se encaixar em algum outro lugar".

Ainda assim, precisava trabalhar, e queria trabalhar. Não era o tipo de pessoa, dizia sempre, que gostava de tirar os sapatos e ficar sentado ao lado do fogo. Mas ainda assim era verdade que, agora, a fazenda o incomodava; a casa trancada, a égua de Nancy esperando em vão no pasto, o cheiro das maçãs derrubadas pelo vento que apodreciam debaixo das macieiras, e a ausência de vozes — Kenyon chamando Nancy para atender o telefone, Herb assobiando, seu animado "bom dia, Paul". Ele e Herb "se davam muito bem" — nunca tinha havido nenhum problema entre os dois. Por que, então, os homens do xerife continuavam a interrogá-lo? Achavam que ele tinha "algo a esconder"? Talvez ele nunca devesse ter falado dos mexicanos. Ele tinha informado a Al Dewey que em torno das quatro da tarde do sábado, 14 de novembro, o dia dos crimes, uma dupla de mexicanos, um de bigode e o outro com o rosto todo furado, tinha aparecido na River Valley. O sr. Helm tinha visto os dois baterem na porta do "escritório", tinha visto Herb sair e conversar com eles no gramado e, uns dez minutos depois, tinha visto os desconhecidos ir embora andando, "com um ar desanimado". O sr. Helm achou que eles tinham vindo procurar trabalho, e ouviram que não havia emprego. Infelizmente, embora várias vezes ele tivesse sido convocado para contar sua versão dos acontecimentos daquele dia, só tinha falado desse incidente duas semanas depois do crime, porque, como explicou a Dewey, "eu só me lembrei de repente". Mas Dewey, e alguns dos outros investigadores, pareceu não acreditar nessa história, e agiu como se fosse uma balela que ele tivesse inventado para fazê-los seguir uma pista falsa. Preferiam acreditar em Bob Johnson, o corretor de seguros, que tinha passado a tarde inteira reunido com o sr. Clutter no gabinete deste e tinha "certeza absoluta" de que, das duas às seis e dez, tinha sido o único visitante de Herb. O sr. Helm também era categórico: mexicanos, um de bigode, marcas de varíola, quatro da tarde. Herb teria dito aos investigadores que era verdade, e convencido a todos de que ele, Paul Helm, era um homem que "fazia suas orações e ganhava seu pão". Mas Herb estava morto.

Morto. E Bonnie também. A janela do quarto dela dava para o jardim, e de vez em quando, especialmente quando ela estava "passando mal", o sr. Helm a tinha visto passar horas e horas olhando para o jardim, como que enfeitiçada pela paisagem. ("Quando eu era menina", contou ela a uma amiga, "tinha certeza de que as árvores e as flores eram iguais aos bichos ou às pessoas. Que pensavam coisas, que conversavam umas com as outras. E que poderíamos ouvir o que diziam, se tentássemos da maneira certa. Era só uma questão de expulsar todos os outros sons da mente. Ficar muito quieta e prestar muita atenção. Às vezes eu ainda acredito nisso. Mas nunca conseguimos ficar quietos o suficiente...")

Lembrando-se de Bonnie à janela, o sr. Helm olhou para cima, como se esperasse vê-la, um fantasma por trás do vidro. Se a tivesse visto, não teria ficado mais surpreso do que com o que de fato vislumbrou — uma mão puxando a cortina, e um par de olhos. "Mas", como mais tarde ele descreveria, "o sol estava batendo naquele lado da casa" — e fazia o vidro da janela dar a impressão de vacilar, distorcia com seu brilho o que se encontrava do outro lado — e no momento em que o sr. Helm cobriu os olhos com a mão e voltou a olhar, as cortinas estavam fechadas e não havia ninguém à janela. "Meus olhos não são muito bons, e eu me perguntei se não teriam me enganado", lembrou ele. "Mas eu tinha quase certeza de que não. E tinha quase certeza de que não era fantasma nenhum. Porque eu não acredito em fantasmas. Quem podia ser? Espionando por aqui. Onde ninguém mais tem direito de entrar, só a polícia. E como é que tinha entrado? Com tudo trancado, como se o rádio tivesse anunciado uma tempestade. Foi o que eu me perguntei. Mas eu é que não ia querer descobrir — pelo menos não sozinho. Larguei o que estava fazendo e atravessei os campos até Holcomb. Assim que cheguei, liguei para o xerife Robinson. Expliquei que havia alguém fuçando dentro da casa dos Clutter. E eles vieram bem depressa. A polícia estadual. O xerife e os homens dele. Os detetives do KBI. Al Dewey. Assim que formaram um cordão em torno da casa e se prepararam para a ação, a porta da frente se abriu." E saiu uma pessoa que nenhum dos presentes jamais tinha visto — um homem de uns 35 anos, com os olhos opacos, os cabelos desgrenhados, e no cinto um coldre em que havia um revólver calibre 38. "Acho que todo mundo que estava lá pensou a mesma coisa — era ele, o sujeito que tinha matado a família", continuou o sr. Helm. "Ele não se mexeu. Ficou parado. Meio que piscando os olhos. Tomaram a arma dele e começaram a fazer perguntas."

O nome do homem era Adrian — Jonathan Daniel Adrian. Estava a caminho do Novo México, e naquele momento não tinha endereço fixo. Com que finalidade tinha entrado na casa da família Clutter, e como, aliás, tinha conseguido entrar? Ele lhes mostrou o caminho. (Tinha levantado a tampa de um poço e rastejado por um túnel que levava até o porão.) Quanto ao motivo, disse que tinha lido sobre o caso e estava curioso, queria só ver como era o lugar. "E então", segundo a recordação que o sr. Helm guardou do episódio, "alguém perguntou se ele estava indo para o Novo México de carona. Não, disse ele, estava indo no carro dele. Que estava estacionado um pouco mais abaixo, na alameda. Todo mundo foi olhar o carro. E quando encontraram o que havia lá dentro, um dos homens — talvez tenha sido Al Dewey — disse a ele, a esse Jonathan Daniel Adrian: 'Bem, meu senhor, parece que vamos precisar conversar sobre umas coisas'. Porque, dentro do carro, o que encontraram foi uma espingarda calibre 12. E uma faca de caça."

Um quarto de hotel na Cidade do México. No quarto, uma feia penteadeira moderna com um espelho tingido de lavanda, e enfiado num dos cantos do espelho um aviso impresso da Gerência:

SU DÍA TERMINA A LAS 2 P.M.

SEU DIA TERMINA ÀS 2 DA TARDE.

Em outras palavras, os hóspedes deviam deixar seus quartos naquela hora, caso contrário mais uma diária seria cobrada — um luxo que não estava nos planos dos ocupantes atuais. Perguntavam-se apenas se conseguiriam saldar a soma que já deviam. Porque tudo se desenrolara da maneira como Perry tinha profetizado: Dick vendera o carro, e três dias depois o dinheiro, pouco menos de duzentos dólares, tinha acabado quase totalmente. No quarto dia, Dick tinha saído à procura de trabalho honesto, e à noite anunciara a Perry: "É um absurdo! Sabe quanto eles pagam? Sabe qual é o *salário*? De um mecânico *especializado*? Dois dólares por dia. México! Meu querido, para mim chega. Precisamos ir embora daqui. De volta para os Estados Unidos. Não, desta vez eu não quero saber de nada. Diamantes. Tesouros enterrados. Acorda, garoto. Não existem arcas cheias de ouro. Navio afundado. E mesmo que existissem — nem nadar você sabe!". No dia seguinte, depois de tomar um empréstimo em dinheiro da mais rica de suas duas noivas, a viúva do banqueiro, Dick comprou passagens de ônibus que os levariam, via San Diego, até Barstow, na Califórnia. "Depois", disse ele, "a gente continua a pé."

É claro que Perry poderia ter tentado a sorte sozinho, ficado no México, deixado Dick ir para onde bem quisesse. Por que não? Ele sempre tinha sido um "solitário", e sem nenhum "amigo de verdade" (além do "brilhante" Willie-Jay, com seus cabelos grisalhos e seus olhos cinzentos). Mas tinha medo de deixar Dick; pensar no assunto já bastava para deixá-lo "meio enjoado", como se estivesse a ponto de "saltar de um trem a 150 quilômetros por hora". A base de seu medo, ou era o que parecia acreditar, era a certeza supersticiosa recém-adquirida de que "o que tivesse de acontecer não ia acontecer" enquanto ele e Dick "ficassem juntos". E também a severidade do discurso de Dick, a beligerância com que ele proclamara sua opinião até então oculta sobre os sonhos e as fantasias de Perry — tudo isso, sendo a perversidade que é, atraía Perry, e além de feri-lo e deixá-lo chocado também o seduzia, quase fazendo reviver sua fé anterior na dureza, na "total masculinidade", no pragmatismo, no poder de decisão do Dick que antes ele deixara comandá-lo. E assim, desde que o sol tinha raiado naquela manhã gelada da Cidade do México no início de dezembro, Perry percorria o quarto sem aquecimento do hotel, reunia e guardava seus pertences — na ponta dos pés, para não acordar as duas figuras adormecidas na outra cama do quarto: Dick e a mais jovem de suas noivas, Inez.

Com um de seus objetos ele não precisava mais se preocupar. Na última noite que passaram em Acapulco, um ladrão roubara seu violão Gibson — partira com ele de um café à beira-mar onde ele, Otto, Dick e o Caubói se entregavam a despedidas de alto teor alcoólico. E Perry ficou furioso. Sentiu-se, contou mais tarde, "com raiva e deprimido", e explicou: "Quando você tem um violão por muito tempo, como eu tinha aquele, que eu sempre encerava e polia, de que eu tinha adaptado à minha voz, que eu tratava como se fosse uma mulher de quem eu realmente gostasse — ele vai ficando meio sagrado". Mas embora o violão furtado não fosse mais um problema, o resto de seus pertences era. Já que ele e Dick viajariam a pé ou de carona, ficou claro que não poderiam carregar consigo mais do que poucas camisas e meias. O resto de suas roupas precisava ser despachado — e, de fato, Perry já tinha enchido um caixote de papelão (em que enfiou — ao lado de algumas peças de roupa por lavar — dois pares de botas, um com o solado no padrão conhecido como "patas de gato", e outro com solas demarcadas por losangos) que endereçou a si mesmo, posta-restante, em Las Vegas, Nevada.

Mas a questão mais importante, sua fonte de sofrimento, era decidir o que fazer com suas amadas recordações — os dois grandes caixotes pesados de tantos livros, mapas, cartas amareladas, letras de canções, poemas e lembranças menos comuns (suspensórios e um cinto fabricados com couro de cascavéis de Nevada abatidas por ele próprio; um *netsuke* erótico comprado em Kyoto; uma árvore anã petrificada, também trazida do Japão; a pata de um urso do Alasca). A melhor solução, provavelmente — pelo menos a melhor que Perry conseguia imaginar —, era deixar tudo aquilo com "Jesus". O "Jesus" que tinha em mente servia num bar do outro lado da rua do hotel, e era, na opinião de Perry, *muy simpático*, alguém que com certeza lhe devolveria os caixotes assim que pedisse. (Pretendia mandar buscá-los quando enfim encontrasse um "endereço fixo".)

Ainda assim, algumas daquelas coisas eram preciosas demais para correr o risco de perder, de maneira que, enquanto os amantes dormiam e o tempo se aproximava das duas da tarde, Perry folheava antigas cartas, velhas fotografias e recortes de jornal, selecionando os que queria levar com ele. Entre eles, estava uma redação mal datilografada intitulada "A História da Vida do Meu Filho". O autor era o pai de Perry, que num esforço de ajudar seu filho a obter uma liberdade condicional da Penitenciária Estadual do Kansas escrevera o texto no mês de dezembro do ano anterior, enviando-o pelo correio para a Comissão de Liberdade Condicional do Estado do Kansas. Era um documento que Perry tinha lido pelo menos cem vezes, jamais com indiferença:

> INFÂNCIA — Conto da maneira como eu vejo, tanto o bom quanto o ruim. Sim, o nascimento de Perry foi *normal*. Saudável — sim. Sim, eu consegui cuidar direito dele até descobrir que a minha mulher era uma bêbada desavergonhada na época que os meus filhos entraram para a escola. Boa disposição — *sim* e *não*, muito sério, se for maltratado ele nunca esquece. Eu também cumpro a minha palavra e obrigo ele a fazer a mesma coisa. Minha mulher era diferente. A gente morava no campo. Todo mundo da família gosta mesmo é da vida ao ar livre. Ensinei aos meus filhos a Regra de Ouro. Viva & deixe viver e em muitos casos meus filhos denunciavam uns aos outros quando erravam e o culpado sempre confessava, e se apresentava, pronto para apanhar. E prometiam se comportar, e sempre faziam a obrigação depressa e com disposição, para ter mais tempo de brincar. Sempre se lavavam quando acordavam de manhã, vestiam roupas limpas, uma coisa que eu era rigoroso, e também com o mal causado a outras pessoas, e se outras crianças faziam mal a eles eu mandava pararem de brincar com elas. Os nossos filhos

não causavam nenhum problema enquanto estávamos todos juntos. Tudo começou quando a minha mulher quis se mudar para a Cidade e levar uma vida agitada — e fugiu de casa. Eu deixei que ela fosse, e me despedi quando ela pegou o carro e me deixou (foi durante a Depressão). Todos os meus filhos xoravam muito alto. E ela só chingava eles todos dizendo que depois iam voltar correndo para mim. Ficou furiosa e depois disse que ia fazer as crianças me odiarem, o que ela conseguiu, menos *Perry*. Por amor aos meus filhos, depois de vários meses saí procurando, encontrei todos em San Francisco, sem minha mulher saber. Tentei ir ver eles todos na escola. Minha mulher tinha deixado ordens com a professora de não me deixar ver as crianças. Ainda assim eu consegui ver meus filhos brincando no pátio do colégio e fiquei espantado quando eles me disseram que a mãe tinha dito a eles para não falar comigo. Todos, menos *Perry*. Ele era diferente. Ele me abraçou e queria ir embora comigo na mesma hora. Eu disse que *Não*. Mas assim que acabou o horário da escola, ele foi correndo para o escritório do meu advogado, o sr. *Rinso Turco*. Devolvi o garoto para a mãe dele e fui embora da Cidade. Mais tarde Perry me contou que a mãe dele mandou ele encontrar uma nova casa para morar. Enquanto meus filhos moravam com ela, viviam soltos pelas ruas a vontade, e pelo que eu soube Perry arranjou problemas. Eu queria que *ela* me pedisse o divórcio, o que ela só pediu mais ou menos depois de um ano. Estava bebendo e saindo da linha, morando com um homem mais moço. Eu contestei e consegui a plena custódia das crianças. E levei Perry para morar comigo na minha casa. Os outros foram viver em orfanatos, porque eu não tinha como levar eles para a minha casa, já que eles eram mestiços de índio, e o governo tomou conta deles como eu pedi.

Isso foi na época da Depressão. Eu estava numa frente de trabalho ganhando muito pouco. Na época, eu tinha uma terrinha e uma casa pequena. Perry e eu moramos juntos em paz. Eu sentia um peso no coração, porque ainda gostava de todos os meus filhos. E então eu comecei a vagar pelo mundo para esquecer de tudo. Eu ganhava a vida para nós dois. Vendi minha propriedade e eu e ele morávamos num "carro-casa". Perry ia para a escola sempre que dava. Não gostava muito de estudar. Aprende depressa e nunca teve problema com os colegas. Só quando o Valentão da Escola implicou com ele. Ele era baixo e socado, novo na escola, e resolveram mexer com ele. Mas descobriram que ele estava disposto a lutar pelos seus direitos. Foi assim que eu criei meus filhos. Sempre disse a eles para não começarem nenhuma briga, se souber que começaram dou uma surra assim que eu descobrir. Mas se outra pessoa começar a briga, tente ganhar. Uma vez, um garoto do dobro da idade dele, na escola, deu-lhe uma pancada de surpresa. Perry derrubou o garoto e deu-lhe uma bela sova. Eu tinha ensinado a ele alguns truques de luta corpo a corpo. Porque antigamente eu lutava boxe e luta livre. A diretora e todos os alunos da escola assistiram essa briga. A diretora da escola adorava o tal menino maior. E não aguentou ver esse garoto apanhar do meu pequeno Perry. E depois disso Perry virou o Rei dos Colegas da escola. Se algum garoto maior tentava maltratar um menor, Perry resolvia o caso na mesma hora. Até mesmo o tal Valentão passou a ter medo de Perry, e começou a se comportar bem. Mas a diretora não se conformou com isso e veio se queixar comigo de que Perry brigava muito na escola. Eu disse a ela que sabia da história toda e que eu não ia deixar o meu garoto apanhar de outros do dobro do tamanho dele. E também perguntei a ela por que ela deixava o tal Valentão bater nas outras crianças. Disse a ela que Perry tinha o direito de se defender. Nunca era Perry quem começava a briga, e eu disse a ela que ia cuidar do caso. Disse a ela que todos os vizinhos gostavam do meu filho, e os filhos deles. Também disse a ela que ia tirar Perry daquela escola dentro de pouco tempo, e me mudar para outro estado. O que eu acabei fazendo. Perry não é nenhum Anjo, errou muitas vezes, como tantos outros garotos. O certo é certo, e o errado é errado. Eu não aceito coisas erradas. Quem faz coisas erradas precisa pagar *Sem Piedade*, a lei é que manda, agora ele aprendeu.

JUVENTUDE — Perry entrou para a Marinha Mercante durante a segunda guerra. Eu fui para o Alasca, e mais tarde ele veio me encontrar. Eu caçava animais de pelo com armadilhas e Perry trabalhou na Comissão de Estradas do Alasca no primeiro inverno, e depois foi trabalhar na estrada de ferro por um tempo. Não conseguia o trabalho que queria. Sim — ele me dava $ de vez em quando, sempre que tinha algum. E também me mandava trinta dólares por mês quando estava na guerra da Coreia, ficou lá do começo ao fim e teve baixa em Seattle, Wash. Com honras, pelo que eu saiba. Tem jeito para mecânica. Escavadeiras, tratores, pás mecânicas, caminhões pesados de todo tipo, é o que ele gosta. Tem pouca experiência, mas é muito jeitoso. Um pouco descuidado e com mania de correr de motocicleta e carros leves. Mas depois que descobriu o que pode acontecer com quem corre tanto, com as duas pernas Quebradas & a fratura na bacia, agora eu sei que ele anda mais devagar.

RECREAÇÃO — INTERESSES. Sim ele teve várias namoradas, e assim que ele descobria que uma garota tratava ele mal ou enganava, ele largava dela. Nunca foi casado, que eu saiba. Meus problemas com a mãe dele deixaram ele com um certo medo do casamento. Eu sou *Sóbrio*, e até onde eu sei Perry também é uma pessoa que não gosta de gente embriagada. Perry se parece muito comigo. Gosta de Companhia decente — gente que gosta da vida ao ar livre, tanto ele quanto eu, gosta de ficar sozinho e também gosta muito de trabalhar sozinho. Como eu. Eu sou um homem dos sete instrumentos, por assim dizer, domino poucos, como Perry. Eu ensinei a ele como ele pode ganhar a vida trabalhando sozinho como caçador de bichos de pelo, garimpeiro, carpinteiro, lenhador, cavalos etc. Eu sei cozinhar e ele também, não cozinheiro profissional mas sabe fazer comida simples para ele mesmo. Assar pão etc., caçar, e pescar, montar armadilhas, e fazer quase tudo. Como já disse antes, Perry gosta de ser seu próprio Patrão & se lhe dão uma chance de trabalhar numa coisa que ele gosta, é só dizer para ele como quer que seja feito e depois deixar em paz, ele vai fazer um bom trabalho com muito orgulho. Quando ele vê que o Patrão gosta do trabalho dele, é capaz de fazer tudo por ele. Mas é *melhor não enduresser com ele*. Melhor dizer de bons modos como é que quer o trabalho. Ele é muito *sensível*, se ofende por qualquer coisa, como eu. Já deixei muitos empregos & Perry também por causa de Chefes que Perseguem. Perry não estudou muito e nem eu. Só fui até o *segundo ano*. Mas não vão achar que nós não somos *espertos*. Eu aprendi tudo que sei sozinho & Perry também. Nem eu nem ele queremos *emprego de escritório*. Mas trabalhos ao ar livre a gente faz & se não sabe fazer é só mostrar como é que se faz & em dois dias a gente já aprende a fazer o trabalho ou controlar a máquina. Nada de livros. A experiência a gente pega na hora, quando quer trabalhar na coisa. Primeiro de tudo a gente precisa gostar do trabalho. Mas agora ele ficou aleijado e já está quase na meia-idade. Perry sabe que agora ninguém quer contratar ele, ninguém vai querer contratar um aleijado para trabalhar com equipamento pesado, a não ser que seja amigo do capataz. Ele está começando a entender, começando a pensar numa maneira mais fácil de ganhar a vida parecida com a minha. Eu sei que eu tenho *rasão*. Acho também que ele não quer mais correr. Percebo tudo isso nas cartas que ele me escreve: "Cuidado, papai. Não dirija se estiver com sono, melhor parar & descansar no acostamento". É a mesma coisa que antes eu dizia para ele. Agora é ele que me diz. Ele aprendeu.

No meu modo de ver — Perry aprendeu uma lição que nunca vai esquecer. A liberdade é tudo para ele, nunca mais ele vai querer ir parar atrás das grades. Tenho certeza que tenho rasão. Reparei uma diferença muito grande na maneira que ele fala. Está arrependido do erro, é o que ele me diz. Também sei que ele sente vergonha de conhecer gente e sabe que não vai contar que passou um tempo atrás das grades. Pediu para eu não contar aos amigos dele onde ele está. Quando ele me escreveu & me contou que estava atrás das grades, eu disse que isso lhe sirva de lição — que eu achava bom ter acontecido desse jeito, porque podia ter sido pior. Ele podia ter levado um tiro. Também disse a ele para aceitar o tempo que ia passar atrás das grades, foi você mesmo quem quis. Você sabia que era errado. Não criei você para roubar dos outros, então não venha se queixar que a vida é muito dura na prisão. Se comporte bem na prisão. & ele prometeu que ia se comportar. Espero que ele seja um bom prisioneiro. Tenho certeza que nunca mais ninguém vai convencer ele a roubar. *Quem manda é a lei*, ele sabe. E ele adora a liberdade.

O que eu sei é que Perry faz tudo direito quando é bem tratado. Se você tratar ele mal, vai ter de enfrentar uma serra elétrica. Se você for amigo dele, pode entregar qualquer quantia a ele com toda confiança. Ele faz tudo direito, nunca que ia roubar um centavo de um amigo ou de qualquer outra pessoa. Antes disso acontecer. E eu espero sinceramente que ele vai passar o resto da vida como um homem honesto. Ele roubou alguma coisa na Companhia de outros quando era garoto. Pergunte a Perry se eu fui um bom pai para ele e pergunte se a mãe foi boa com ele em San Francisco. Perry sabe o que é certo. Depois de apanhar uma vez, ele aprende. Não é bobo. Sabe que a vida é curta e boa demais para passar mais tempo por trás das grades.

PARENTES. Uma irmã *Bobo* casada, e eu, pai dele, somos os únicos parentes vivos de Perry. Bobo & o marido se sustentam. Tem casa própria & eu estou em forma & ativo cuidando de mim também. Vendi minha cabana no Alasca dois anos atrás. Quero comprar outro lugar próprio para morar no ano que vem. Localizei vários registros de mina & espero encontrar alguma coisa neles. Além de não ter desistido de garimpar, me pediram para escrever um livro sobre entalhe em madeira, e a famosa Cabana dos Caçadores que eu construí no Alasca foi a minha casa e é conhecida por todos os turistas que viajam de carro até Anchorage, e talvez eu escreva mesmo. Vou dividir tudo que tenho com Perry. Quando eu comer ele também come. Enquanto eu viver & quando eu morrer tenho um seguro de vida que vai ser pago a ele para ele poder começar uma VIDA *Nova* quando voltar a liberdade. Se eu não estiver mais vivo.

Essa biografia sempre provocava em Perry um disputado páreo de emoções — à frente a autocomiseração, depois o amor e o ódio emparelhados num primeiro momento, o último finalmente tomando a frente. E a maioria das memórias que ela despertava era indesejada, embora nem todas. Na verdade, a primeira parte de sua vida de que Perry conseguia se lembrar era ótima — um fragmento composto de aplauso e elegância. Ele teria talvez três anos, e estava sentado com as irmãs e seu irmão mais velho na arquibancada de um rodeio ao ar livre; na arena, uma esguia moça cherokee montava num cavalo selvagem, um "bronco", e seus cabelos soltos açoitavam o ar, voando como os de uma dançarina de flamenco. O nome dela era Flo Buckskin, e era uma amazona profissional de rodeio, uma "campeã dos cavalos selvagens". Assim como seu marido, Tex John Smith; foi percorrendo o circuito dos rodeios do Oeste que a bela moça indígena e o belo caubói irlandês se conheceram, se casaram e tiveram os quatro filhos sentados na arquibancada. (E Perry se lembrava de muitos outros espetáculos de rodeio — e via de novo seu pai saltando em meio ao círculo de um laço rodopiante, ou sua mãe, com os braceletes de prata e turquesa sacudindo nos pulsos, executando truques de montaria em velocidade tão enlouquecida que deixava eletrizado seu filho mais novo e fazia as plateias do Texas ao Oregon "aplaudirem de pé".)

Até o quinto ano de Perry, a dupla "Tex & Flo" continuava a trabalhar no circuito de rodeios. Não era uma vida fácil, como Perry relembrou certa vez: "Nós seis enfiados numa velha caminhonete, e às vezes também dormindo nela, vivendo de mingau, bombons e leite condensado. Era leite condensado da marca Hawks Brand, e foi ele que enfraqueceu meus rins — o teor de *açúcar* — e é por isso que eu estou sempre molhando a cama". Ainda assim, não era uma existência muito infeliz, especialmente para um garotinho orgulhoso dos pais, admirando sua competência e coragem — uma vida mais feliz, certamente, que a que viria em seguida. Porque Tex e Flo, tanto um como a outra forçados por lesões a se aposentarem de sua ocupação anterior, instalaram-se perto de Reno, Nevada. Brigavam muito, e Flo "tomou gosto pelo uísque". E então, quando Perry tinha seis anos, ela foi embora para San Francisco e levou os filhos. Exatamente como o pai tinha escrito: "Eu deixei que ela fosse, e me despedi quando ela pegou o carro e me deixou (foi durante a depressão). Todos os meus filhos xoravam muito alto. E ela só chingava eles todos, dizendo que depois iam voltar correndo para mim". E de fato, no decorrer dos três anos seguintes, Perry fugiu várias vezes, à procura do pai perdido, porque perdera também a mãe depois que aprendera a "desprezá-la"; a bebida borrara seus traços, inchara o corpo da jovem cherokee antes esguia, "amargara sua alma", afiara sua língua até ela se tornar insuportável, dissolvera sua autoestima a tal ponto que no geral ela nem perguntava mais o nome dos estivadores, dos condutores de bonde e dos demais homens que ainda aceitavam o que ela oferecia sem cobrar (ela só fazia questão de que antes bebessem com ela, e a tirassem para dançar ao som de uma vitrola de corda).

Consequentemente, como recordou Perry, "eu sempre pensava no meu pai, torcendo para ele vir me buscar, e me lembro, como se fosse agora mesmo, da vez em que eu voltei a vê-lo. De pé no pátio do colégio. E eu me senti como na hora em que o bastão pega na bola de jeito. Di Maggio. Só que meu pai não podia me ajudar. Ele me disse para eu me comportar, me deu um abraço e foi embora. E pouco depois a minha mãe me pôs num orfanato católico. Onde as Viúvas Negras estavam sempre atrás de mim. Me batendo. Porque eu molhava a cama. O que é uma das razões de eu ter tanto horror de freiras. *E* de Deus. *E* da religião. Mas depois eu fui descobrir que existe gente ainda mais malvada. Porque depois de alguns meses eles me expulsaram do orfanato e ela [sua mãe] me botou num lugar ainda pior. Um abrigo para crianças dirigido pelo Exército de Salvação. Eles também me odiavam. Porque eu molhava a cama. E porque era meio índio. Uma das enfermeiras me chamava sempre de 'negro' e dizia que não existia diferença entre os negros e os índios. Oh, meu Deus, ela era uma Desgraçada do Mal! Encarnada. Enchia a banheira de água gelada, me enfiava nela e me segurava lá dentro até eu ficar roxo. Até eu quase me afogar. Mas ela foi descoberta, a vaca. Porque eu peguei pneumonia. Quase morri. Passei dois meses no hospital. Foi quando eu fiquei muito doente que meu pai voltou. Quando eu fiquei bom, ele me levou embora".

Por quase um ano, pai e filho viveram juntos, na casa perto de Reno, e Perry ia à escola. "Completei o terceiro ano", lembrava Perry. "E foi só. Nunca mais estudei. Porque naquele verão meu pai construiu uma espécie de trailer primitivo, que ele chamava de 'carro-casa'. Tinha duas camas e uma pequena cozinha. O fogão era bom. Dava para preparar qualquer coisa. Nós assávamos o nosso próprio pão. E eu costumava fazer conservas — maçãs em compota, ou geleia. De qualquer maneira, passamos os seis anos seguintes viajando pelo país. Nunca ficávamos muito tempo no mesmo lugar. Quando já estávamos fazia tempo demais num lugar, as pessoas começavam a olhar para o meu pai e se comportar como se ele fosse um maluco, e eu detestava aquilo, ficava magoado. Porque eu adorava o meu pai naquela época. Apesar de às vezes ele ser duro comigo. Muito mandão. Mas eu adorava o meu pai naquela época. E sempre ficava contente quando a gente seguia em frente." E foram em frente — para o Wyoming, Idaho, Oregon, e finalmente o Alasca. No Alasca, Tex ensinou o filho a sonhar com ouro, a procurar o metal nos leitos arenosos dos riachos formados pelo degelo, e lá, também, Perry aprendeu a manejar uma arma, esfolar um urso, seguir os rastros de lobos e cervos.

"Meu Deus, como fazia frio", lembrava Perry. "Meu pai e eu dormíamos bem juntinhos, enrolados em cobertores e peles de urso. De manhã cedo, antes de clarear, eu preparava o café da manhã, bolinhos com xarope de milho, carne frita, e saíamos os dois para conseguir alguma coisa. Teria sido ótimo se eu não tivesse crescido; quanto mais eu crescia, menos eu gostava do meu pai. De um lado ele sabia tudo, mas de outro não sabia nada. Meu pai desconhecia partes inteiras de mim. Não me entendia nem um pouco. Que eu tivesse saído tocando gaita da primeira vez que peguei numa, por exemplo. Violão também. Eu tinha um talento natural para a música. Que meu pai não reconhecia. Nem apreciava. E eu também gostava de ler. De aumentar meu vocabulário. De fazer canções. E eu sabia desenhar. Mas ele nunca me estimulou — nem ele nem ninguém. De noite eu costumava ficar acordado — primeiro, tentando controlar a bexiga, e depois, porque não conseguia parar de pensar. Quando fazia frio demais até para respirar, eu começava a pensar no Havaí. Num filme que eu tinha visto. Com Dorothy Lamour. Eu queria ir para lá. Onde estava o sol. E as pessoas só vestiam capim e flores."

Vestindo consideravelmente mais, Perry, numa tarde amena de 1945, em plena guerra, viu-se numa casa de tatuagens de Honolulu, esperando que aplicassem o desenho de uma cobra e uma adaga em seu antebraço esquerdo. Tinha chegado ali pela seguinte rota: uma briga com o pai, uma viagem de carona de Anchorage a Seattle e uma visita ao escritório de recrutamento da Marinha Mercante. "Mas eu nunca teria me alistado se eu soubesse o que precisaria enfrentar", disse Perry certa vez. "Eu não me incomodava com o trabalho, e gostava de ser marinheiro — os portos, e tudo o mais. Mas as bichas do navio não me deixavam em paz. Um garoto de dezesseis anos, e baixinho. Eu era capaz de cuidar de mim, é claro. Mas muitas bichas não são afeminadas, sabia? Já conheci uma bicha que era capaz de jogar uma mesa de bilhar pela janela. E mais o piano. Essas meninas podem criar muito problema, especialmente quando são mais de uma, elas se juntam e vêm para cima de você, se você for só um garoto. Praticamente dá vontade de se matar. Anos mais tarde, quando eu entrei para o Exército — quando fui mandado para a Coreia —, o mesmo problema tornou a acontecer. Eu tinha ficha boa no Exército, ficha limpa; chegaram a me dar a Estrela de Bronze. Mas nunca fui promovido. Depois de quatro anos, e de passar toda a maldita Guerra da Coreia lutando, eu devia ter virado pelo menos cabo. Mas nunca fui promovido. Sabe por quê? Porque o nosso sargento era um deles. E porque eu não me deixava seduzir. Meu Deus, eu detesto essas histórias. Não aguento. Mas — não sei. De algumas bichas eu gostava de verdade. Contanto que não se metessem comigo. O melhor amigo que eu já tive, sensível e inteligente, acabei descobrindo que era bicha."

No intervalo entre deixar a Marinha Mercante e entrar para o Exército, Perry fez as pazes com o pai, que, quando o filho o deixou, viajou até Nevada e depois de volta para o Alasca. Em 1952, no ano em que Perry completou seu serviço militar, o velho estava com planos de encerrar para sempre suas viagens. "Papai estava febril", lembrou Perry. "Escreveu contando que tinha comprado uma terra na beira da estrada perto de Anchorage. Disse que ia construir uma cabana de caça para hospedar turistas. A Pousada do Caçador — era assim que ia se chamar. E ele me pediu para voltar correndo para lá e ajudar a construir a pousada. Achava que ia ganhar uma fortuna. Enquanto eu ainda estava no Exército, servindo em Fort Lewis, Washington, comprei uma motocicleta (o nome deveria ser mortecicleta), e assim que consegui a baixa tomei o rumo do

Alasca. Cheguei até Bellingham. Bem perto da fronteira. Estava chovendo. Minha moto derrapou."

A derrapagem atrasou por um ano seu reencontro com o pai. Seis meses desse ano foram gastos em cirurgias e hospitalização, e o resto ele passou se recuperando na casa da floresta, perto de Bellingham, de um jovem lenhador e pescador índio. "Joe James. Ele e a mulher ficaram meus amigos. Nossa diferença de idade era só de dois ou três anos, mas eles me levaram para a casa deles e me trataram como se eu fosse um dos filhos deles. Ou seja, muito bem, porque eles cuidavam bem dos filhos e gostavam muito deles. Naquela época, tinham quatro; mas depois chegaram a sete. Foram muito bons comigo, Joe e a família. Eu estava de muletas, não podia fazer quase nada. Só podia ficar sentado o dia inteiro. Assim, para arrumar alguma coisa que fazer, para me sentir útil, comecei o que acabou virando uma espécie de escola. Os alunos eram os meninos de Joe, além de alguns amigos deles, e eu dava aulas na sala da casa. Ensinava gaita e violão. Desenho. E caligrafia. Todo mundo sempre disse que a minha letra é muito bonita. E é mesmo, porque uma vez eu comprei um livro sobre o assunto e pratiquei até conseguir escrever do mesmo jeito do livro. E também líamos histórias — as crianças liam, cada uma de uma vez, e eu ia corrigindo durante a leitura. Era divertido, eu gosto de crianças. Crianças *pequenas*. Foi uma época boa. Mas aí chegou a primavera. Doía, mas eu já conseguia andar. E meu pai ainda estava me esperando."

Esperando, mas não sem fazer nada. Quando Perry chegou ao local do projeto de hospedaria de caça, seu pai, sozinho, já tinha terminado as tarefas mais difíceis — tinha limpado o terreno, cortado a madeira necessária, quebrado e transportado carroças cheias de pedras locais. "Mas só começou a construção depois que eu cheguei. Fizemos tudo sozinhos. De vez em quando, com um ajudante índio. Meu pai parecia um doido. Em qualquer situação — tempestades de neve, chuvaradas, ventanias de derrubar as árvores — nós continuávamos trabalhando. No dia em que acabamos o telhado, meu pai dançou uma jiga em cima dele, gritando e rindo. E o lugar ficou excepcional. Podia abrigar vinte pessoas. Com uma lareira imensa na sala de jantar. E um bar. O Totem Pole Cocktail Lounge. Onde eu poderia me apresentar para os clientes. Cantando e coisa e tal. Abrimos para receber hóspedes no final de 1953."

Mas os caçadores esperados não se materializaram, e embora turistas comuns — os poucos que passavam pela estrada — de vez em quando parassem para fotografar a inacreditável rusticidade da Pousada do Caçador, raramente passavam a noite lá. "Durante algum tempo nós nos enganamos. Continuávamos pensando que ainda ia dar certo. Meu pai tentou criar outras atrações. Um Jardim de Memórias. Com um Poço dos Desejos. Espalhou cartazes pela estrada, nos dois sentidos. Mas nada disso produziu nem um centavo. Quando meu pai finalmente se deu conta — quando viu que não adiantava, que nós só tínhamos dado duro e gastado todo o nosso dinheiro — começou a descontar em mim. A me dar ordens. A fazer mesquinharias. A dizer que eu não tinha feito bem a minha parte do trabalho. Mas não foi culpa dele, nem minha. Numa situação como aquela, sem dinheiro e com as reservas acabando, só podíamos ficar nervosos um com o outro. Chegou um momento em que começamos a passar fome. E foi por isso que a gente brigou. O motivo declarado. Por um bolinho. Meu pai tirou um bolinho da minha mão, e disse que eu comia demais, que eu era um desgraçado egoísta e fominha, e que estava na hora de eu ir embora, ele não me queria mais por lá. Continuou falando assim até eu não aguentar mais. Agarrei o pescoço dele com as mãos. As *minhas* mãos — que eu não conseguia controlar. Elas queriam estrangular o velho. Mas meu pai é esperto, já lutou muito. Ele se soltou e saiu correndo para ir pegar a arma. E voltou apontando para mim. E disse: 'Olhe para mim, Perry. Sou a última coisa que você vai ver na vida'. E eu fiquei lá parado. Mas aí ele percebeu que a arma nem estava carregada, e começou a chorar. Sentou e berrava feito uma criança. E então acho que toda a minha raiva passou. Fiquei com pena dele. De nós dois. Mas não adiantava mais — eu não tinha nada a dizer. Saí para dar uma volta. Era abril, mas as matas ainda estavam cobertas de neve funda. Andei quase até o anoitecer. Quando voltei, a cabana estava toda escura e todas as portas estavam trancadas. Tudo que era meu estava atirado na neve. Papai tinha jogado fora. Livros. Roupas. Tudo. E eu deixei tudo caído ali mesmo. Menos o meu violão. Peguei meu violão e saí andando pela estrada. Sem nem um tostão no bolso. Em torno da meia-noite um caminhão parou e me deu uma carona. O motorista me perguntou aonde eu estava indo. E eu respondi: 'Para onde você estiver indo, eu vou também'."

Várias semanas depois, depois de passar algum tempo hospedado com a família James, Perry decidiu qual seria o seu destino — Worcester, Massachusetts, a cidade natal de um "amigo do Exército" que ele achava que poderia recebê-lo bem e ajudá-lo a encontrar "um emprego bem pago". Vários desvios prolongaram a viagem para o leste; ele lavou pratos num restaurante em Omaha, encheu tanques de gasolina num posto de Oklahoma, trabalhou um mês num rancho do Texas. Em julho de 1955, chegou, na viagem para Worcester, a uma pequena cidade do Kansas, Phillipsburg, e lá o "destino", na forma de "más companhias", acabou se manifestando. "O nome dele era Smith", contou Perry. "Como o meu. Nem me lembro do primeiro nome. Era só um sujeito que eu tinha conhecido em algum lugar, e ele tinha um carro, e disse que me daria uma carona até Chicago. De qualquer maneira, quando atravessávamos o Kansas, chegamos a essa cidadezinha, Phillipsburg, e paramos para olhar o mapa. Acho que era um domingo. As lojas fechadas. As ruas quietas. Meu amigo, que Deus o abençoe, olhou em volta e fez uma sugestão." A sugestão era que arrombassem um prédio próximo, a sede da Chandler Sales Company. Perry concordou, os dois entraram nas instalações desertas e roubaram uma boa quantidade de equipamentos de escritório (máquinas de escrever, máquinas de somar). E podia ter ficado nisso se, alguns dias depois, os ladrões não tivessem decidido ignorar um sinal de trânsito na cidade de Saint Joseph, Missouri. "Ainda estava tudo no carro. O guarda que parou a gente queria saber onde a gente tinha arranjado. Foi verificar e, como eles dizem, fomos 'devolvidos' a Phillipsburg, no Kansas. Onde eles têm uma cadeia que é uma belezinha. Para quem gosta de cadeias." Em 48 horas, Perry e seu companheiro de viagem descobriram uma janela aberta, saíram por ela, roubaram um carro e seguiram na direção noroeste até McCook, Nebraska. "Dali a pouco nos separamos, eu e o senhor Smith. Não sei o que foi feito dele. Nós dois entramos para a lista dos procurados do FBI. Mas que eu saiba nunca conseguiram pegar *ele*."

Numa tarde úmida do mês de novembro daquele ano, um ônibus Greyhound depositou Perry em Worcester, uma cidade fabril de Massachusetts com ruas íngremes que mesmo nos melhores dias parecem tristes e hostis. "Encontrei a casa onde o meu amigo devia morar. Meu amigo do Exército, da Coreia. Mas as pessoas que estavam lá me disseram que ele tinha ido embora seis meses antes, e que não sabiam para onde. Uma tristeza, grande decepção, um fim do mundo, tudo isso. Encontrei uma loja de bebidas e comprei uma garrafa de dois litros de vinho vagabundo, voltei para o terminal de ônibus e fiquei lá sentado, tomando meu vinho e me aquecendo. Estava me sentindo até bem quando um sujeito apareceu e me prendeu por vadiagem." A polícia o registrou como "Bob Turner" — um nome que ele tinha adotado por causa da lista do FBI. Passou catorze dias na cadeia, foi multado em dez dólares, e deixou Worcester numa outra tarde triste de novembro. "Fui para Nova York e aluguei um quarto num hotel da Oitava Avenida", contou Perry. "Perto da Rua 42. Finalmente, consegui um emprego noturno. Fazia tudo que fosse preciso numa lojinha de jogos. Bem na 42, perto de uma máquina de comida. Que era onde eu comia — *quando* eu comia. Em mais de três meses, quase nunca saí da área da Broadway. Primeiro, eu não tinha as roupas certas. Só roupas do Oeste — calças jeans e botas. Mas na Rua 42 ninguém liga, tem de tudo — de tudo mesmo. Em toda a minha vida, nunca vi tanta gente esquisita."

Passou todo o inverno naquela área feia e iluminada de néon, com o ar carregado do cheiro de pipoca, cachorros-quentes e refrigerante de sabor laranja. Mas então, numa bela manhã de março, na chegada da primavera, como ele dizia, "dois desgraçados do FBI me acordaram. E me prenderam no hotel. Bang! — fui extraditado de volta para o Kansas. Para Phillipsburg. A mesma cadeia bonitinha. E aí me pregaram na cruz — arrombamento, fuga da prisão, roubo de carro. Peguei de cinco a dez anos. Em Lansing. Depois de algum tempo lá, escrevi para o meu pai. Contei a história para ele. E escrevi para Barbara, minha irmã. Naquela altura, era tudo que me restava. Jimmy tinha se suicidado. Fern, se jogado da janela. Todos mortos, menos meu pai e Barbara".

Havia uma carta de Barbara na pilha de coisas que Perry preferiu não deixar para trás no quarto de hotel da Cidade do México. A carta, escrita com uma letra agradavelmente legível, era datada de 28 de abril de 1958, ocasião em que o destinatário já tinha passado cerca de dois anos na cadeia:

> Querido Irmão Perry,
>
> Recebemos a sua 2ª carta hoje & me desculpe por não escrever antes. O clima aqui, como aí também, está ficando mais quente & talvez eu esteja ficando com alergia mas vou tentar escrever dessa vez. Sua primeira carta me perturbou muito, como você deve ter desconfiado mas não foi por isso que eu não respondi — é verdade, as crianças dão muito trabalho & é difícil arranjar tempo para me sentar e me concentrar numa carta, como eu queria escrever para

você já há algum tempo. Donnie aprendeu a abrir portas e a subir nas cadeiras & outros móveis & estou sempre com medo dele cair.

De vez em quando eu consigo deixar as crianças brincando no pátio — mas sempre preciso sair com eles, porque eles podem se machucar se eu não prestar atenção. Mas nada dura para sempre & eu sei que vou me arrepender quando eles começarem a dar voltas no quarteirão & eu não souber onde eles andam. Algumas estatísticas, se você estiver interessado —

	Altura	Peso	Nº de sapato
Freddie	0,93 m	12,25 kg	25 (estreito)
Baby	0,95 m	13,5 kg	26 (estreito)
Donnie	0,86 m	11,5 kg	23 (largo)

Dá para ver que Donnie é bem grande para 15 meses de idade, & com seus 16 dentes e sua personalidade brilhante — as pessoas não conseguem resistir. Ele usa roupas do mesmo tamanho que Baby e Freddie, mas as calças ainda são compridas demais.

Vou tentar escrever uma carta bem longa, então é provável que tenha muitas interrupções como agora, que é hora do banho de Donnie — Baby & Freddie tomaram banho de manhã porque hoje está fazendo frio e eles ficaram em casa. Volto logo —

Sobre a minha datilografia — Primeiro — não consigo mentir! Não sou datilógrafa. Uso de 1 a 5 dedos & embora eu consiga me virar e ajudar Fred com seus negócios, o que eu levo uma hora fazendo alguém que saiba mesmo deve levar uns 15 min — Sério, não tenho tempo nem a *força de vontade* para aprender profissionalmente. Mas acho maravilhosa a maneira como você insistiu e acabou se tornando um excelente datilógrafo. Acredito que todos nós éramos muito adaptáveis (Jimmy, Fern, você e eu) & todos recebemos a bênção de uma noção básica do artístico — entre outras coisas. Mesmo mamãe e papai eram artísticos.

Sinceramente, eu acho que nenhum de nós pode pôr em ninguém a culpa pelo que fizemos das nossas vidas. Está provado que aos 7 anos a maioria das pessoas chega à *idade da razão* — ou seja, nessa idade, todo mundo *compreende* & *sabe* a diferença entre o certo & o errado. É claro que o ambiente tem um papel muito importante nas nossas vidas, como o Convento na minha & no meu caso eu agradeço essa influência. No caso de Jimmy — ele era o mais forte de todos nós. Eu lembro de como ele trabalhava & ia à escola sem ninguém mandar & era sua própria VONTADE ser alguma coisa na vida. Nunca vamos saber o motivo do que acabou acontecendo, por que ele fez o que fez, mas ainda sofro quando penso nisso. Foi um tamanho desperdício. Mas temos muito pouco controle sobre nossas fraquezas humanas, & isso também se aplica a Fern & a centenas de milhares de outras pessoas, entre elas nós dois — porque *todo mundo* tem suas fraquezas. No nosso caso — não sei qual é a *sua* fraqueza, mas sinto — É NÃO TER VERGONHA DE FICAR COM A CARA SUJA — A VERGONHA VEM QUANDO SE <u>CONTINUA</u> COM A CARA SUJA.

Com toda a franqueza & com amor por você, Perry, porque você é o único dos meus irmãos que está vivo, tio dos meus filhos, não posso dizer que sua atitude em relação ao nosso pai ou à sua prisão seja JUSTA ou saudável. Se você está ficando com raiva — melhor baixar de tom porque eu sei que nenhum de nós aceita bem as críticas & é natural sentir um certo ressentimento pela pessoa que critica, de maneira que estou preparada para uma ou duas coisas — a) Nunca mais ter notícias suas, ou b) uma carta me dizendo exatamente o que você acha de mim.

Espero que eu esteja errada & desejo sinceramente que você pense bastante nesta carta & *tente* ver — como se sente uma outra pessoa. Entenda por favor que eu sei que não sou uma autoridade & não pretendo ser muito inteligente ou instruída, mas acredito que sou um indivíduo normal com poderes racionais & a disposição de viver minha vida de acordo com as leis de Deus & do Homem. Também é verdade que eu "pequei" às vezes, como é normal — porque como eu disse sou humana, & portanto tenho fraquezas humanas, mas a questão, de novo, é que Não há vergonha — em ficar com a cara suja — a vergonha vem quando a gente continua com a cara suja. Ninguém melhor do que eu conhece meus erros e defeitos, e não vou aborrecê-lo mais com eles.

Agora, primeiro, & mais importante — papai *não* é responsável pelos seus erros *nem* por suas boas ações. O que você fez, seja *certo* ou *errado*, foi *você* quem fez. Pelo que eu sei, você viveu a sua vida exatamente da maneira como queria, *sem* levar em conta as circunstâncias ou as pessoas que o amavam — e que podiam ficar magoadas. Não sei se você percebe ou não — mas seu confinamento atual é constrangedor tanto para mim quanto para papai — não por causa do que você fez, mas pelo fato de não ter demonstrado nenhum sinal de arrependimento SINCERO nem sentir *respeito algum* pelas leis, pelas pessoas ou por qualquer coisa. Sua carta dá a entender que a culpa por todos os seus problemas é sempre de outra pessoa, e nunca sua. Eu admito que você é inteligente & seu vocabulário é excelente & acho que você é capaz de fazer qualquer coisa que decida fazer & fazer bem mas o que exatamente você quer fazer & você está disposto a *trabalhar* & fazer um esforço *honesto* para conseguir o que você decidir fazer? Nada de bom vem com facilidade & tenho certeza de que você já ouviu isso muitas vezes mas mais essa vez não vai fazer mal.

Se você quer saber a verdade sobre papai — ele ficou com o coração partido por sua causa. Ele daria qualquer coisa para tirar você daí para ele ter o filho de volta — mas eu acho que ele só iria ficar mais magoado ainda se conseguisse. Ele não está bem e está ficando mais velho &, como se diz, ele não consegue mais "Dar Conta do Recado" como antigamente. Ele errou às vezes & sabe disso mas sempre dividiu tudo que tinha & a vida que levava & tudo mais com você, uma coisa que ele não fez com mais ninguém. Não estou querendo dizer que você deve a ele uma *gratidão infinita* ou a sua própria *vida*, mas você deve a ele RESPEITO E DECÊNCIA. Eu, pessoalmente, sinto orgulho do papai. Tenho por ele amor & respeito como meu pai & lamento que ele tenha escolhido essa vida de Lobo Solitário com o filho. Ele podia estar vivendo conosco e com o nosso afeto, em vez de estar sozinho naquele trailer & triste & solitário & esperando por você, o filho dele. Estou preocupada com ele & quando digo *eu* também estou falando do meu marido porque meu marido respeita o nosso pai. Porque ele é um HOMEM. É verdade que papai não teve muita instrução, mas na escola só aprendemos a reconhecer e soletrar as palavras, mas a *aplicação* dessas palavras à *vida real* é outra coisa que só a VIDA & a EXPERIÊNCIA podem nos trazer. Papai viveu muito & você demonstra sua ignorância quando diz que ele não tem instrução & é incapaz de compreender "o significado científico etc." dos problemas da vida. As mães ainda são as únicas capazes de dar um beijinho e curar um dodói — dê a explicação *científica* disto.

Sinto muito reagir assim, mas tenho que dizer o que sinto. Lamento que isso tenha de ser censurado [pelas autoridades da prisão], & espero sinceramente que esta carta não venha a prejudicar sua futura libertação, mas sinto que você deveria saber & entender a terrível mágoa que causou. Papai é a pessoa importante, porque estou totalmente dedicada à minha família, mas você é o único que papai ama — em suma, a "família" dele. Ele sabe que eu o amo, é claro, mas não temos intimidade, como você sabe.

Sua prisão não é nada de que você possa se orgulhar, e você terá que viver com isso & tentar superar & pode conseguir mas não achando que todo mundo é idiota & sem instrução & incapaz de compreender. Você é um ser humano com *livre-arbítrio*. E por isso está num nível acima dos animais. Mas se você levar a vida sem sentimento e compaixão pelos seus semelhantes — você se comporta como um animal — "olho por olho, dente por dente" & a felicidade & a paz de espírito não se alcançam vivendo dessa maneira.

Em matéria de responsabilidade, ninguém quer muita — mas todo mundo é responsável perante a comunidade em que vive & as leis. Quando chega a hora de assumir a responsabilidade de uma casa e filhos, ou de um negócio, é isso que diferencia os meninos dos Homens — porque você há de entender que o mundo seria uma desgraça se todo mundo dissesse "quero ser um indivíduo, sem responsabilidades, & poder dizer o que penso & fazer o que *eu* quiser". Todos podemos falar & fazer o que quisermos individualmente — *contanto* que essa "liberdade" de Expressão & Ação não cause danos ao nosso semelhante.

Pense nisso, Perry. Você está acima da média em inteligência, mas de alguma forma o seu raciocício é tortuoso. Talvez seja a tensão do encarceramento. Seja como for — lembre-se — você & só você é responsável e depende de você e só de você superar essa passagem da sua vida. Esperando ouvir notícias suas em breve.

Com Amor & Preces,
Sua Irmã & Seu Cunhado
Barbara & Frederick & Família.

Ao conservar essa carta, e ao incluí-la em sua coleção de tesouros particulares, Perry não foi movido pelo afeto. Longe disso. Ele tinha "horror" a Barbara, e poucos dias antes dissera a Dick: "O único arrependimento que eu tenho *de verdade* — é que eu queria que a minha irmã estivesse naquela casa". (Dick tinha dado uma risada, e confessara um desejo semelhante: "Eu penso toda hora que seria ótimo se a minha segunda mulher estivesse lá. Ela e toda a maldita família dela".) Não, ele considerava a carta preciosa apenas porque seu amigo da prisão, o "superinteligente" Willie-Jay, escrevera para ele uma análise "muito sensível" da carta, ocupando duas páginas datilografadas em espaço um, com o título "Impressões que eu recolhi da carta":

IMPRESSÕES QUE EU RECOLHI DA CARTA

1) No começo da carta, ela pretendia que fosse uma demonstração compassiva de princípios cristãos. Ou seja, que em resposta à carta que você mandou, que aparentemente a deixou aborrecida, ela tinha a intenção de virar a outra face esperando dessa forma provocar em você arrependimento pela sua carta anterior e colocar você na defensiva em sua carta seguinte.

No entanto, pouca gente consegue demonstrar com sucesso um princípio ético comum quando sua vontade está contaminada pelo emocional. Sua irmã demonstra essa dificuldade, porque à medida que a carta dela avança sua sensatez dá lugar à raiva — seus pensamentos são claros, lúcidos, produzidos pela inteligência, mas não se trata de uma inteligência impessoal, livre de preconceitos. É um espírito impelido pela reação emocional à memória e à frustração, e assim, por mais sensatas que possam parecer as advertências que ela faz, elas não conseguem inspirar determinação, além da determinação de fazer você retaliar, magoando-a em sua carta seguinte. Iniciando assim um ciclo que só pode culminar em mais raiva e sofrimento.

2) É uma carta tola, mas produzida pela imperfeição humana.

Sua carta para ela, e essa carta, a resposta que ela lhe enviou, fracassaram em seus objetivos. Sua carta foi uma tentativa de explicar a sua visão da vida, pois você é necessariamente afetado por ela. Estava destinada a ser incompreendida, ou entendida muito literalmente, porque as suas ideias se opõem ao convencionalismo. O que poderia ser mais convencional do que uma dona de casa com três filhos, totalmente "dedicada" à sua família???? O que poderia ser mais natural do que ela reagir com ressentimento a uma pessoa inconvencional? Existe bastante hipocrisia no convencionalismo. Qualquer pessoa pensante está consciente desse paradoxo; mas ao lidarmos com pessoas convencionais, é melhor tratá-las como se não fossem hipócritas. Não se trata de falta de fidelidade aos nossos próprios conceitos, mas de uma solução de compromisso, para que você possa continuar a ser um indivíduo sem sofrer a ameaça constante das pressões convencionais. A carta dela fracassou porque ela não conseguiu conceber a profundidade do seu problema — não foi capaz de imaginar as pressões que você sofre vindas do ambiente, da frustração intelectual e de uma tendência cada vez maior ao isolacionismo.

3) Ela acha que:

a) Você tem uma forte inclinação à autocomiseração;

b) Você é calculista demais;

c) Que na verdade você não merece uma carta de 8 páginas escrita em meio a seus deveres de mãe.

4) Na página 3 ela diz: "Sinceramente, eu acho que nenhum de nós pode pôr em ninguém a culpa etc". Falando assim em nome das pessoas que tiveram influência na formação dela. Mas será mesmo verdade? Ela é esposa e mãe. Respeitável e mais ou menos segura. É fácil ignorar a chuva quando estamos de capa. Mas como é que ela iria sentir-se se fosse obrigada a batalhar pela vida nas ruas? Ainda iria perdoar as pessoas do passado dela? Absolutamente não. Nada é mais comum do que sentir que outros têm participação em nossos fracassos, assim como é uma reação comum esquecer os que tiveram participação em nossos sucessos.

5) Sua irmã respeita o seu pai. Também fica aborrecida com o fato de você ter sido preferido. O ciúme dela assume uma forma sutil nessa carta. Nas entrelinhas, ela registra uma pergunta: "Eu amo meu pai e tentei viver de maneira a fazê-lo orgulhar-se de mim como filha. Mas tive de me contentar com as migalhas do afeto dele. Porque é você que ele ama. Por que as coisas são assim?".

Obviamente, ao longo dos anos, seu pai se aproveitou da natureza emocional de sua irmã via correio. Pintou para ela um quadro que justifica a opinião que ela tem dele — um sujeito sem sorte que ainda precisa carregar a cruz de um filho ingrato que ele cobriu de amor e preocupação, sendo em troca tratado de maneira infame por esse filho.

Na página 7 ela diz que lamenta muito que a carta dela vá ser censurada. Mas na verdade não lamenta nada. Fica contente por ela passar pela censura. Subconscientemente, ela escreveu a carta tendo o censor em mente, esperando transmitir a ideia de que a família Smith é, na verdade, um grupo ordeiro: "*Por favor, não nos julguem por Perry*".

Quanto à mãe que faz desaparecer um dodói com um beijo. É uma forma de sarcasmo feminino.

6) Você escreve para ela porque:

a) De certa maneira você gosta dela;

b) Sente necessidade desse contato com o mundo exterior;

c) Você pode usá-la.

Prognóstico: A correspondência entre você e a sua irmã só pode cumprir uma função puramente social. É melhor cuidar de escrever cartas para ela falando de temas ao alcance da sua compreensão. Não revele suas conclusões pessoais. Não a ponha na defensiva e não permita que ela o ponha na defensiva. Respeite a capacidade limitada que ela tem de compreender os seus objetivos, e lembre que ela se ressente de críticas ao seu pai. Seja constante em sua atitude em relação a ela, e não acrescente nada que possa reforçar a impressão que ela tem de que você é fraco, não porque você precise da boa vontade dela, mas porque então vai receber mais outras cartas iguais a essa, e elas *só podem servir para reforçar seus instintos antissociais, já perigosos.*

FIM

À medida que Perry ia separando e selecionando, a pilha de material que considerava importante demais para deixar para trás, ainda que temporariamente, assumia uma altura assustadora. Mas que escolha ele tinha? Não podia correr o risco de perder a Medalha de Bronze que ganhara na Coreia, ou seu diploma do curso secundário (emitido pela Secretaria de Educação do Condado de Leavenworth em consequência de ele ter concluído, na prisão, os estudos que havia muito abandonara). E nem podia se dar ao luxo de perder um envelope de papel pardo recheado de fotografias — basicamente de si próprio e espalhadas no tempo, desde um retrato de garotinho bonito feito quando estava na Marinha Mercante (e nas costas do qual ele escrevera "16 anos de idade. Jovem, despreocupado & inocente") até as fotos recentes de Acapulco. E havia uns cinquenta outros itens que ele decidira que precisava levar, entre eles seus mapas do tesouro, o caderno de desenhos de Otto e dois cadernos grossos, o mais grosso dos quais constituía seu dicionário pessoal, uma miscelânea não ordenada alfabeticamente de palavras que ele julgava "bonitas" ou "úteis", ou pelo menos "dignas de serem decoradas". (Página de amostra: "Tanatoide = mortífero; Omnilíngue = versado em línguas; Sanção = castigo, multa; Néscio = ignorante; Facinoroso = atrozmente perverso; Hagiafobia = medo mórbido de locais & objetos sagrados; Lapidícola = que vive debaixo de pedras, como certos besouros cegos; Dispatia = falta de simpatia, de sentimento de camaradagem; Psilósofo = sujeito que gostaria de se passar por filósofo; Omofagia = consumo de carne crua, ritual de algumas tribos selvagens; Depredar = pilhar, roubar e explorar; Afrodisíaco = droga ou substância semelhante que excita o desejo sexual; Megalodáctilo = que tem dedos anormalmente grandes; Mirtofobia = medo da noite e da escuridão".)

Na capa do segundo caderno, a caligrafia de que ele se orgulhava tanto, uma letra em que abundavam os floreios curvos e femininos, proclama que o conteúdo era o "Diário Particular de Perry Edward Smith" — uma descrição imprecisa, porque não era nem um pouco um diário, e sim um tipo de antologia de fatos obscuros ("A cada quinze anos, Marte fica mais próximo. 1958 é um ano próximo"), poemas e citações literárias ("Nenhum homem é uma ilha"), e trechos de jornais e livros parafraseados ou citados. Por exemplo:

Meus conhecidos são muitos, meus amigos são poucos; os que me conhecem de verdade menos ainda.

Ouvi falar de um novo veneno para ratos no mercado. Extremamente potente, sem cheiro nem sabor, é tão completamente absorvido quando engolido que não deixa vestígios no corpo morto.

Se chamado para fazer um discurso: "Não há nada que me faça lembrar do que eu ia dizer — não acho que tenha havido algum outro momento na minha vida em que tantas pessoas tenham sido diretamente responsáveis por eu me sentir tão, tão satisfeito. É um momento maravilhoso e raro, e estou muito grato. Obrigado!".

Li artigo interessante na edição de Fev. de *Man to Man*: "Abri a Faca Meu Caminho para uma Mina de Diamantes".

"É quase impossível para um homem que preza a liberdade com todas as suas prerrogativas entender o que significa ser privado dessa liberdade" — Dito por Erle Stanley Gardner.

"O que é a vida? É o clarão de um vaga-lume na noite. É a expiração de um búfalo no inverno. É como a pequena sombra que corre pela relva e se perde no crepúsculo." — Dito pelo chefe Crowfoot, chefe da tribo dos Pés-Pretos.

A última entrada vinha em tinta vermelha e decorada com uma moldura de estrelas em tinta verde; o antologista tinha a intenção de enfatizar seu "significado pessoal". "A expiração de um búfalo no inverno" — aquilo evocava com precisão a visão que ele tinha da vida. Por que se preocupar? O que havia para justificar a tensão? O homem não era nada, um vapor, uma sombra absorvida por sombras.

Mas, droga, a gente se preocupa, planeja, preocupa-se com as unhas e o aviso da gerência do hotel: "SU DÍA TERMINA A LAS 2 P.M.".

"Dick? Está me ouvindo?", disse Perry. "Já é quase uma hora."

Dick estava acordado. Na verdade, mais do que isso; ele e Inez estavam fazendo amor. Como se recitasse um rosário, Dick murmurava o tempo todo: "Está bom, meu bem? Está bom?". Mas Inez, fumando um cigarro, permanecia em silêncio. À meia-noite da véspera, quando Dick a tinha trazido para o quarto e dito a Perry que ela ia dormir lá, Perry, embora não aprovasse, tinha concordado, mas se eles imaginavam que aquela conduta o deixava excitado, ou era para ele algo mais que um simples "estorvo", estavam muito enganados. Ainda assim, Perry sentia pena de Inez. Ela era uma "garota burra" — acreditava de fato que Dick pretendia casar-se com ela, e não tinha a menor ideia de que ele estava planejando partir do México naquela mesma tarde.

"Está bom, meu bem? Está bom?"

Perry disse: "Pelo amor de Deus, Dick. Ande depressa, está bem? A diária termina às duas da tarde".

Era sábado, o Natal estava perto, e o tráfego se arrastava pela Main Street. Dewey, preso no trânsito, olhou para as guirlandas de azevinho penduradas acima da rua — festões de folhagem adornados com sinos de papel vermelho — e lembrou que ainda não tinha comprado nenhum presente para sua mulher e seus filhos. Seu espírito vinha rejeitando automaticamente qualquer problema que não tivesse ligação com o caso Clutter. Marie e muitos amigos deles tinham começado a se perguntar se aquela fixação não estava exagerada.

Um amigo próximo, o jovem advogado Clifford R. Hope Jr., tinha-lhe dito com toda a clareza: "Você sabe o que está acontecendo com você, Al? Já percebeu que nunca mais falou de outra coisa?". "Bem", respondeu Dewey, "eu só penso nisso. E sempre existe a possibilidade de, ao falar mais uma vez sobre o caso, eu perceber alguma coisa que não me ocorreu antes. Um ângulo novo. Ou pode ser que *você* perceba. Droga, Cliff, o que você acha que vai acontecer com a minha vida se essa coisa ficar em aberto? Daqui a muitos anos eu ainda vou estar atrás de pistas, e cada vez que houver um homicídio, um caso em qualquer lugar do país que tenha a mais remota semelhança, vou ter que ir até lá, investigar, ver se pode haver alguma conexão. Mas não é só isso. A verdade é que eu hoje me sinto como se conhecesse Herb e a família melhor do que eles próprios se conheciam. É como se os fantasmas deles me assombrassem. E fossem me assombrar para sempre. Até eu descobrir o que aconteceu."

A dedicação de Dewey ao enigma tinha resultado numa desatenção que não era de seu feitio. Naquela manhã mesmo, Marie lhe tinha pedido para por favor, *por favor*, não esquecer de... Mas já não se lembrava do quê, ou só foi se lembrar quando, já livre do tráfego dos compradores e correndo pela Route 50 na direção de Holcomb, passou pela clínica veterinária do dr. I. E. Dale. É *claro*. A mulher tinha pedido para ele não deixar de trazer para casa o gato da família, Courthouse Pete. Pete, um gato tigrado com mais de seis quilos, é um personagem bem conhecido em Garden City, famoso por ser arisco, motivo aliás de sua hospitalização: uma batalha perdida para um cão boxer deixou-o com ferimentos que demandaram pontos e doses de antibiótico. Entregue pelo dr. Dale, Pete acomodou-se no banco dianteiro do carro de seu dono e ronronou até chegar a Holcomb.

O destino do detetive era a fazenda River Valley, mas, com vontade de tomar alguma coisa quente — uma xícara de café —, ele decidiu parar antes no Hartman's Café.

"Olá, bonitão", disse a sra. Hartman. "Deseja alguma coisa?"

"Só café, por favor."

Ela serviu-lhe uma xícara. "Estou enganada ou o senhor perdeu um bocado de peso?"

"Um pouco." Na verdade, nas três semanas anteriores, Dewey tinha perdido quase dez quilos. Seus ternos caíam como se os tivesse emprestado de um amigo mais corpulento, e seu rosto, que raramente sugeria sua profissão, agora nem raramente; poderia ser o de um asceta absorvido por buscas ocultas.

"Como se sente?"

"Muito bem."

"Mas está com *péssima* aparência."

Sem dúvida. Mas não pior que a dos demais membros do grupo do KBI — os agentes Duntz, Church e Nye. Ele estava pelo menos em melhor forma do que Harold Nye, que, embora gripado e febril, continuava a se apresentar diariamente para o trabalho. No total, aqueles quatro homens extenuados tinham verificado setecentas denúncias e rumores. Dewey, por exemplo, passara dois dias exaustivos e perdidos tentando levantar os passos da dupla fantasma, os mexicanos que Paul Helm jurava terem visitado o sr. Clutter na véspera dos crimes.

"Mais uma xícara, Alvin?"

"Acho que não. Obrigado."

Mas ela já tinha pegado a cafeteira. "É por conta da casa, xerife. Pelo que estou vendo, o senhor bem que precisa."

Numa mesa do canto, dois vaqueiros de costeletas jogavam damas. Um deles se levantou e se aproximou do balcão onde Dewey estava sentado. E disse: "É verdade o que andam dizendo?".

"Depende."

"Sobre o sujeito que o senhor pegou? Remexendo a casa dos Clutter? Foi ele o culpado. É o que andam dizendo."

"Acho que andam dizendo muita bobagem, meu velho. Acho mesmo."

Embora a vida pregressa de Jonathan Daniel Adrian, que naquele momento continuava na cadeia do condado acusado de porte ilegal de arma, incluísse um período de confinamento como paciente psiquiátrico no Hospital Estadual de Topeka, os dados reunidos pelos investigadores indicavam que, em relação ao caso Clutter, ele só era culpado de curiosidade inoportuna.

"Mas se ele é o cara errado, por que vocês não encontram logo o cara certo? Minha casa está cheia de mulheres que agora nem ao banheiro vão sozinhas."

Dewey já estava acostumado àquele tipo de queixa; era parte rotineira de sua existência. Engoliu a segunda xícara de café, suspirou e sorriu.

"Não é piada, é verdade. Por que vocês não prendem alguém? É o trabalho de vocês."

"Cale essa boca", disse a sra. Hartman. "Estamos todos no mesmo barco. Alvin está fazendo o melhor que pode."

Dewey piscou o olho para ela. "Isso mesmo. E muito obrigado pelo café."

O vaqueiro esperou até sua presa chegar à porta, e então disparou uma rajada de despedida: "Se o senhor tornar a se candidatar a xerife, pode esquecer o meu voto. Porque não vai conseguir".

"Cale essa boca", repetiu a sra. Hartman.

A fazenda River Valley fica a cerca de um quilômetro e meio do Hartman's Café. Dewey decidiu que iria a pé. Gostava de andar por campos de trigo. Normalmente, uma ou duas vezes por semana ele fazia longas caminhadas por essas terras, pelo adorado trecho de pradaria onde ele sempre planejara construir uma casa, plantar árvores e quem sabe um dia ainda receber seus bisnetos. Aquele era o sonho, mas nos últimos tempos sua mulher avisara que não o compartilhava mais; dissera-lhe que agora ela jamais pensaria em morar sozinha "no meio do campo". E Dewey sabia que, mesmo que conseguisse capturar os assassinos no dia seguinte, Marie não mudaria de ideia — porque uma vez um destino terrível se abatera sobre amigos que viviam numa casa isolada no campo.

É claro que os membros da família Clutter não foram as primeiras vítimas de homicídio no condado de Finney, ou mesmo em Holcomb. Os membros mais velhos da pequena comunidade lembravam um "acontecimento louco" de mais de quarenta anos antes — o Crime dos Hefner. A sra. Sadie Truitt, a septuagenária carteira da localidade, mãe de Clare, a chefe da agência dos Correios, era um especialista no célebre caso: "Agosto, foi agosto de 1920. Quente feito um Hades. Um sujeito chamado Tunif estava trabalhando na fazenda de Finnup. *Walter* Tunif. Tinha um carro, e depois se descobriu que era roubado. Descobriu-se que era um desertor do Exército de Fort Bliss, no Texas. Era um patife, claro, e muita gente desconfiava dele. Uma noite, o xerife — naquela época era Orlie Hefner, que cantava que era uma beleza, só pode fazer parte do Coro Celeste —, uma noite ele foi até a fazenda de Finnup para fazer algumas perguntas diretas a Tunif. 3 de agosto. Quente feito o Hades. No fim das contas, Walter Tunif atirou no xerife, bem no coração. O pobre Orlie já estava morto antes de bater no chão. O demônio que deu o tiro escapou dali num dos cavalos de Finnup, na direção leste, seguindo o rio. A notícia se espalhou, e homens de um raio de muitos quilômetros se juntaram numa patrulha. No meio da manhã seguinte, alcançaram o sujeito; o velho *Walter* Tunif. Ele nem teve a oportunidade de dizer nada. Porque os rapazes estavam muito furiosos. Só mandaram chumbo".

O primeiro contato do próprio Dewey com irregularidades no condado de Finney tinha acontecido em 1947. O incidente está anotado em seus arquivos da seguinte maneira: "John Carlyle Polk, índio da tribo Creek, 32 anos, residente em Muskogee, Oklahoma, assassinou Mary Kay Finley, mulher branca, 40 anos, garçonete residente em Garden City. Polk a golpeou no pescoço com o gargalo quebrado de uma garrafa de cerveja num quarto do Hotel Copeland, Garden City, Kansas, em 9/5/47". Uma descrição sucinta de um caso sem desdobramentos. Dos três outros homicídios que Dewey investigou depois daquele, dois foram igualmente óbvios (uma dupla de trabalhadores da estrada de ferro roubou e matou um fazendeiro idoso, 1/11/52; um marido bêbado surrou e chutou a mulher até matá-la, 17/6/56); mas o terceiro caso, como certa vez foi narrado por Dewey numa conversa, não deixou de apresentar vários toques originais: "Tudo começou no Stevens Park. Onde existe um coreto, e debaixo do coreto um banheiro masculino. Um sujeito chamado Mooney estava passeando pelo parque. Era de algum lugar na Carolina do Norte, um forasteiro de passagem pela cidade. De qualquer maneira, ele foi ao banheiro, e alguém o seguiu — um rapaz das imediações, Wilmer Lee Stebbins, de vinte anos. Mais tarde, Wilmer Lee alegaria que o sr. Mooney lhe sugeriu alguma atividade contrária à natureza. E que foi por esse motivo que ele roubou o sr. Mooney e o deixou inconsciente com um soco, e depois golpeou sua cabeça no chão de cimento, e ao ver que isso não acabou com o homem, ainda enfiou a cabeça do sr. Mooney numa das privadas e deu descarga até afogá-lo. Talvez. Mas não há o que explique inteiramente o comportamento de Wilmer Lee. Primeiro, ele enterrou o corpo alguns quilômetros a nordeste de Garden City. No dia seguinte, desenterrou-o e tornou a enterrá-lo vinte quilômetros na direção oposta. E continuou assim, enterrando e desenterrando o corpo. Wilmer Lee parecia um cachorro com seu osso — não conseguia deixar o sr. Mooney descansar em paz. Finalmente, ele abriu uma cova a mais do que devia; e foi visto por alguém". Antes do mistério dos Clutter, os quatro casos mencionados eram a soma da experiência de Dewey em matéria de homicídio, e comparados com o caso que tinha à sua frente, eram como as rajadas esparsas de vento que antecedem um furacão.

Dewey enfiou a chave na porta da frente da casa dos Clutter. Do lado de dentro, a casa estava quente, a calefação não tinha sido desligada, e os aposentos com o soalho brilhante, cheirando a polidor aromatizado de limão, pareciam apenas temporariamente desocupados; era como se aquele dia fosse domingo e a família pudesse voltar da igreja a qualquer momento. As herdeiras, a sra. English e a sra. Jarchow, tinham retirado um caminhão cheio de roupas e móveis, mas nem assim a atmosfera de casa ainda habitada tinha diminuído. Na sala de estar, uma canção impressa, "Comin' thro' the rye", estava aberta na estante do piano. Na entrada, um chapéu Stetson cinza manchado de suor — de Herb — estava pendurado num cabide. No quarto de Kenyon, no andar de cima, numa prateleira acima da cama, as lentes dos óculos do rapaz morto brilhavam com a luz refletida.

O detetive passava de aposento a aposento. Tinha percorrido a casa muitas vezes; na verdade, ia lá quase todo dia, e, num certo sentido, pode-se dizer que achava aquelas visitas agradáveis, porque a casa, à diferença da sua própria, ou do gabinete do xerife com todo o tumulto, era um lugar tranquilo. Os telefones, com os fios ainda cortados, estavam silenciosos. Sentia-se cercado pelo grande silêncio das pradarias. Podia sentar-se na cadeira de balanço de Herb na sala de estar, balançar-se e pensar. Algumas de suas conclusões eram inabaláveis: acreditava que a morte de Herb Clutter era o principal objetivo do criminoso, por motivo de um ódio psicopatológico ou talvez da combinação de ódio e roubo, e acreditava que os assassinatos tinham sido um trabalho feito com toda a calma, com duas ou mais horas transcorridas entre a chegada dos matadores e a saída. (O legista, o dr. Robert Fenton, relatou uma considerável diferença nas temperaturas dos corpos das vítimas, e, com base nisso, formulara a teoria de que a ordem de execução tinha sido a seguinte: a sra. Clutter, Nancy, Kenyon e o sr. Clutter.) Decorria dessas premissas a convicção de que a família conhecia muito bem os responsáveis por sua destruição.

Durante essa visita, Dewey parou junto a uma janela do andar de cima, sua atenção despertada por uma coisa que via à distância mas não muito longe — um espantalho em meio aos talos do trigo. O espantalho vestia um gorro de caça de homem e um vestido florido de chita desbotado pelo tempo. (Possivelmente um antigo vestido de Bonnie Clutter.) O vento sacudia a saia e fazia o espantalho balançar — dando-lhe a aparência de uma criatura que executasse uma dança estranha no frio campo de dezembro. E de alguma forma aquilo lembrou a Dewey o sonho de Marie. De manhã, num dos últimos dias, ela lhe servira um café da manhã atrapalhado, com açúcar nos ovos e sal no café, e pusera a culpa num "sonho idiota" — mas um sonho que a força da luz do dia não tinha dispersado. "Era tão real, Alvin", contou ela. "Tanto quanto esta cozinha. E era bem aqui. Aqui na cozinha. Eu estava preparando o jantar, e de repente Bonnie entrava pela porta. Estava usando um suéter azul de lã angorá, e estava tão bonita e elegante. E eu disse: 'Oh, Bonnie... Bonnie, querida ... não vejo você desde aqueles acontecimentos terríveis'. Mas ela não respondia, só olhava para mim com aquele jeito acanhado dela, e eu não sabia o que fazer. Naquela situação. E então eu disse: 'Querida, venha ver o que estou fazendo para o jantar de Alvin. Uma panela de *gumbo*. Com camarões e caranguejos frescos. Está quase pronto. Venha aqui, querida, experimente'. Mas ela não aceitava. Só ficava parada perto da porta, olhando para mim. E então — não sei direito como contar, mas ela fechava os olhos, começava a balançar a cabeça, muito devagar, e a torcer as mãos, muito devagar, e a gemer, ou sussurrar. Eu não entendia *o que* ela estava dizendo. Mas eu ficava com o coração partido, nunca senti tanta pena de ninguém, então eu a abraçava. E dizia: 'Por favor, Bonnie! Oh, não fique assim, querida, não fique assim! Se havia alguém preparado para ir se encontrar com Deus, era você, Bonnie'. Mas eu não conseguia consolá-la. Ela sacudia a cabeça, e torcia as mãos, e então eu ouvi o que ela dizia. Ela estava dizendo: 'Ser assassinada. Ser assassinada. Não. Não. Não existe coisa pior. Nada é pior do que isso. Nada'."

Era meio-dia no meio do deserto de Mojave. Perry, sentado numa maleta de palha, tocava gaita. Dick estava de pé ao lado de uma estrada de asfalto preto, a Route 66, os olhos fixos no vazio uniforme como se o fervor de seu olhar pudesse forçar algum motorista a se materializar. Poucos apareceram, e nenhum deles parou para os dois homens que pediam carona. Um motorista de caminhão, indo para Needles, Califórnia, oferecera uma carona, mas Dick tinha recusado. Estavam esperando algum viajante solitário num carro decente, e com dinheiro na carteira — alguém que pudessem roubar, estrangular e largar no deserto.

No deserto, o som quase sempre antecede a imagem. Dick ouviu as fracas vibrações de um carro que vinha na direção deles, ainda invisível. Perry também ouviu; guardou a gaita no bolso, pegou a mala de palha (a única bagagem dos dois, inchada e deformada com o peso dos souvenirs de Perry e mais três camisas, cinco pares de meia branca, uma caixa de aspirina, uma garrafa de tequila, tesouras, um barbeador, e uma lima de unhas; todos os demais pertences dos dois tinham sido penhorados, deixados com o garçom mexicano ou enviados para Las Vegas), e alinhou-se com Dick à beira da estrada. Ficaram olhando. O carro apareceu, e cresceu até se transformar num sedã Dodge azul com um único passageiro, um sujeito magro e careca. Perfeito. Dick levantou a mão e acenou. O Dodge reduziu a velocidade, e Dick dirigiu seu melhor sorriso ao motorista. O carro quase parou, mas não por completo, e o motorista inclinou-se para fora da janela, olhando-os de cima a baixo. A impressão que eles davam era evidentemente assustadora. (Depois de uma viagem de ônibus de cinquenta horas da Cidade do México a Barstow, Califórnia, e de meio dia atravessando o Mojave a pé, os dois eram figuras barbadas, rudes, empoeiradas.) O carro deu um salto à frente e partiu, ganhando velocidade. Dick pôs as mãos em concha em volta da boca e gritou: "Sortudo filho da puta!". Depois começou a rir e pôs a mala no ombro. Nada conseguia irritá-lo de verdade, porque, como mais tarde ele recordaria, ele estava "feliz demais de estar de volta ao bom e velho Estados Unidos". De qualquer maneira, algum outro sujeito noutro carro haveria de passar.

Perry tirou a gaita do bolso (a gaita que possuía desde a véspera, quando a tinha roubado de uma loja de Barstow) e tocou os primeiros compassos do que se transformara na "música de caminhada" dos dois; era uma das músicas prediletas de Perry, e ele ensinara as cinco estrofes a Dick. Ao ritmo da música, e lado a lado, foram caminhando ao longo da estrada, cantando, "*Mine eyes have seen the glory of the coming of the Lord; He is tramping out the vintage where the grapes of wrath are stored*". Suas vozes ásperas e jovens soavam altas em meio ao silêncio do deserto: "*Glory! Glory! Hallelujah! Glory! Glory! Hallelujah!*".*

* Trechos do "Battle hymn of the Republic" [Hino de Batalha da República]. Tradução literal: "Meus olhos viram a glória da chegada do Senhor; Vem espezinhando a vindima onde crescem as vinhas da ira." "Glória, glória, aleluia". (N. T.)

3. Resposta

O nome do jovem era Floyd Wells, ele era baixo e quase não tinha queixo. Havia tentado várias carreiras, como de soldado, vaqueiro, mecânico e ladrão, a última das quais lhe valera uma sentença de três a cinco anos na Penitenciária Estadual do Kansas. Ao anoitecer da terça-feira 17 de novembro de 1959, ele estava deitado em sua cela com um par de fones de ouvido preso à cabeça. Escutava um programa noticioso, mas a voz do locutor e a monotonia dos eventos daquele dia ("O chanceler alemão Konrad Adenauer chegou a Londres hoje para encontros com o primeiro-ministro Harold Macmillan... O presidente Eisenhower discutiu por setenta minutos os problemas espaciais e o orçamento para a exploração do espaço com o doutor T. Keith Glennan") estavam-no fazendo adormecer. Mas sua sonolência desapareceu por completo quando ele ouviu: "Os policiais que investigam a trágica morte de quatro membros da família de Herbert W. Clutter pediram ao público que revele qualquer informação que possa ajudar a esclarecer esse crime horrendo. Clutter, sua mulher e seus dois filhos adolescentes foram encontrados mortos em sua fazenda perto de Garden City no domingo de manhã cedo. Cada um deles tinha sido amarrado, amordaçado e levado um tiro de espingarda calibre 12 na cabeça. Os policiais que estão investigando admitem que não conseguiram descobrir o motivo do crime, classificado por Logan Sanford, diretor do Kansas Bureau of Investigation, como o mais perverso da história do Kansas. Clutter, um proeminente plantador de trigo, nomeado por Eisenhower membro do Conselho Federal de Crédito Agrícola...".

Wells ficou pasmo. Como mais tarde diria a respeito de sua reação, ele "não podia acreditar". Mas tinha boas razões para tanto, pois não só conhecia a família assassinada como também conhecia muito bem os autores do crime.

Tudo começara muito tempo antes — onze anos antes, no outono de 1948, quando Wells tinha dezenove anos. Ele estava "meio que vagando pelo país, pegando os empregos que apareciam", como recordaria. "De um modo ou de outro, eu me vi ali no oeste do Kansas. Perto da divisa com o Colorado. Estava atrás de trabalho e ouvi dizer que talvez precisassem de alguém na fazenda River Valley — era assim que se chamava, a propriedade do senhor Clutter. E era verdade, ele me contratou. Fiquei lá acho que um ano — pelo menos o inverno todo — e fui embora porque estava me sentindo meio indócil. Queria seguir em frente. Não que tivesse brigado com o senhor Clutter. Ele me tratava bem, como tratava todo mundo que trabalhava para ele; por exemplo, se você ficasse sem dinheiro antes do dia do pagamento, ele sempre dava um jeito de lhe arranjar uma nota de dez ou de cinco. Pagava bem, e quando a pessoa merecia ele dava um abono na mesma hora. A verdade é que eu gostava do senhor Clutter. De toda a família. A senhora Clutter e os quatro filhos. Quando eu conheci as crianças, os dois menores, os dois que foram mortos — Nancy e o garotinho de óculos —, eram só bebês, talvez com cinco ou seis anos. As outras duas — uma se chamava Beverly, a outra moça não me lembro o nome dela — já estavam na escola secundária. Uma bela família, muito simpática. Nunca me esqueci deles. Quando eu fui embora de lá, foi em algum momento de 1949. Eu me casei, depois me divorciei, entrei para o Exército, outras coisas aconteceram, o tempo passou, pode-se dizer, e em 1959 — em junho de 1959, dez anos depois da última vez que eu tinha visto o senhor Clutter — fui mandado para Lansing. Porque tinha arrombado uma loja de artigos elétricos. Eletrodomésticos. A minha ideia era roubar uns cortadores de grama elétricos. Não para vender: eu queria começar um negócio de aluguel de cortadores de grama. Assim, eu podia ter um negócio sempre funcionando, e só meu. Claro que não deu certo — e eu peguei de três a cinco. Se não tivesse sido preso, nunca teria conhecido Dick, e talvez o senhor Clutter não estivesse enterrado. Mas foi assim. Assim. E eu conheci Dick.

"Ele foi o primeiro sujeito com quem eu dividi uma cela. Passamos acho que um mês na mesma cela. Junho e parte de julho. Ele estava acabando de cumprir uma três-a-cinco — e a condicional ia sair em agosto. Falava muito do que planejava fazer depois de sair. Achava que talvez fosse para Nevada, para uma cidade perto das bases de mísseis, queria comprar um uniforme e passar por oficial da Força Aérea. Assim, podia arrumar um jeito de lavar regularmente dinheiro falso. Foi uma das ideias que ele me contou. (Nunca achei que a ideia fosse grande coisa. Ele era esperto, não vou negar, mas não tinha *a menor cara* de oficial. Quanto mais da Força Aérea.) Outras vezes, ele falava desse amigo dele. Perry. Um meio-índio que tinha dividido uma cela com ele. E dos grandes golpes que ele e Perry iam dar quando voltassem a se encontrar. Nunca estive com ele — Perry. Nunca vi. Ele já tinha ido embora de Lansing, tinha conseguido condicional. Mas Dick sempre dizia que, se aparecesse a chance de algum grande golpe, ele podia confiar em Perry Smith para ser seu parceiro.

"Não me lembro exatamente da primeira vez que falei do

senhor Clutter. Deve ter sido numa conversa sobre emprego, sobre os vários trabalhos que tínhamos feito. Dick era mecânico de automóveis, com alguma prática, e isso era quase tudo que ele tinha feito. Só uma vez ele conseguiu um emprego de motorista de ambulância de hospital. Vivia se gabando dessa história. Das enfermeiras, e de tudo que fazia com elas na parte de trás da ambulância. De qualquer maneira, contei a ele como eu tinha trabalhado um ano numa imensa plantação de trigo no oeste do Kansas. Para o senhor Clutter. Ele quis saber se o senhor Clutter era rico. Era, eu disse. Era, sim. E contei que o sr. Clutter uma vez me disse que já tinha desembolsado 10 mil dólares em uma semana. Quer dizer, que às vezes tinha de gastar 10 mil dólares por semana para tocar os negócios dele. Depois disso, Dick nunca mais parou de perguntar sobre a família. Quantos eram? Que idade os filhos deviam ter hoje? Como exatamente se chegava à fazenda? Como era a planta? O senhor Clutter tinha um cofre em casa? Não vou negar — eu disse a ele que sim. Porque eu tinha a impressão de me lembrar de uma espécie de armário, ou cofre, ou alguma coisa, bem atrás da mesa na sala que o senhor Clutter usava como escritório. Daí, Dick começou a dizer que ia matar o senhor Clutter. Disse que ele e Perry iam lá roubar tudo, e que depois iam matar todas as testemunhas — os Clutter e mais qualquer pessoa que estivesse por lá. Descreveu para mim mais de dez vezes como ia ser, de que maneira ele e Perry iam amarrar as pessoas e atirar em cada uma delas. Eu disse: 'Dick, você nunca vai conseguir se safar'. Mas, com toda a honestidade, não posso dizer que eu tenha tentado convencê-lo a mudar de ideia. Porque eu jamais acreditei, nem por um minuto, que ele tivesse mesmo a intenção de fazer isso. Achei que era conversa fiada. Do tipo que se ouve muito em Lansing. O tipo de coisa que se ouve o tempo todo: o que os caras vão fazer depois de sair — os assaltos, os roubos, e assim por diante. Quase sempre é conversa fiada. Ninguém leva a sério. Foi por isso que, quando ouvi o que eu ouvi no rádio — mal pude acreditar. Ainda assim, aconteceu. Exatamente do jeito que Dick dizia."

Era essa a história de Floyd Wells, embora ele ainda estivesse longe de contá-la. Tinha medo de fazê-lo, porque se os outros presos soubessem que ele andava contando histórias para o diretor, a vida dele, como dizia, "não valeria um coiote morto". Passou-se uma semana. Ele ouvia sempre o rádio, acompanhava as notícias dos jornais — e numa delas leu que um jornal do Kansas, o *News* de Hutchinson, oferecia uma recompensa de mil dólares por qualquer informação que pudesse levar à captura da pessoa ou das pessoas culpadas do massacre da família Clutter. Um artigo interessante: quase inspirou Wells a falar. Mas ele ainda sentia muito medo, e não apenas dos outros presos. Também havia o risco de que as autoridades o acusassem de cumplicidade. Afinal, tinha sido ele quem levara Dick até a porta da família Clutter; sem dúvida, podiam dizer que ele sabia das intenções de Dick. De qualquer ponto de vista, sua situação era curiosa, e suas desculpas, questionáveis. Assim, preferiu não dizer nada, e mais dez dias se passaram. Dezembro sucedeu a novembro, e os responsáveis pela investigação do caso continuavam, segundo as notícias cada vez mais breves dos jornais (os noticiários das rádios tinham parado de mencionar o caso), tão desconcertados, tão sem pistas concretas, quanto na própria manhã da descoberta trágica.

Mas *ele* sabia. A uma certa altura, torturado pela necessidade de "contar a alguém", confidenciou a história a outro preso. "Um amigo pessoal. Católico. Muito religioso. Ele me perguntou: 'O que você vai fazer, Floyd?'. E eu respondi, bem, que não sabia direito — o que ele achava que eu devia fazer? Por ele, eu devia procurar as pessoas do jornal. Disse que não achava bom eu carregar uma coisa daquelas no meu espírito. E disse que dava para falar com eles sem que ninguém lá de dentro soubesse quem tinha contado. Prometeu dar um jeito. No dia seguinte, falou com o subdiretor —

disse que eu queria ser 'chamado'. Disse ao subdiretor que, se ele me chamasse para o gabinete dele com algum pretexto, talvez eu pudesse contar quem tinha matado a família Clutter. Claro que o subdiretor mandou me chamar. Fiquei com medo, mas me lembrei do senhor Clutter, que ele nunca tinha me feito mal nenhum, de como no Natal ele tinha me dado uma bolsinha com uma nota de cinquenta dólares dentro. E falei com o subdiretor. Depois contei para o diretor também. E enquanto ainda estava sentado lá, no gabinete do diretor Hand, ele pegou o telefone —"

A pessoa para quem o diretor Hand ligou era Logan Sanford. Sanford escutou, desligou, deu várias ordens e em seguida fez uma ligação para Alvin Dewey. Naquela noite, quando Dewey saiu de seu gabinete no prédio do tribunal em Garden City, levou consigo para casa um envelope de papel pardo.

Quando Dewey chegou em casa, Marie estava na cozinha preparando o jantar. Assim que ele apareceu, ela começou uma queixa interminável sobre os problemas domésticos. O gato da família tinha atacado o cocker spaniel que vivia do outro lado da rua, e agora parecia que um dos olhos do spaniel tinha sido seriamente afetado. E Paul, o filho deles de nove anos, tinha caído de uma árvore. Era um milagre ainda estar vivo. E o de doze anos, que tinha o mesmo nome de Dewey, tinha decidido queimar o lixo no quintal, mas dera início a um incêndio que ameaçara os vizinhos. Alguém — ela não sabia quem — tinha chegado a chamar o Corpo de Bombeiros.

Enquanto sua mulher descrevia aqueles episódios infelizes, Dewey teve tempo de servir-se de duas xícaras de café. De repente, Marie parou no meio de uma frase e ficou olhando para o marido. Ele estava corado, e ela percebia que estava muito animado. E disse: "Alvin. Oh, querido. Boas notícias?". Sem dizer nada, ele entregou a ela o envelope de papel pardo. Ela estava com as mãos molhadas; enxugou-as, sentou-se à mesa da cozinha, tomou um gole de café, abriu o envelope e tirou de dentro as fotografias de um jovem louro e de outro rapaz de cabelos escuros e pele escura — fotos de fichas policiais. Duas fichas semicodificadas acompanhavam as fotos. A do homem de cabelos claros dizia o seguinte:

> Hickock, Richard Eugene, (br) 28. KBI 97093; FBI 859273. Ant. end: Edgerton, Kansas. Nascimento 6/6/31. Cidade natal: Kansas City, Kans. Altura: 1,78 m. Peso: 79 k. Cabelos: Louros. Olhos: Azuis. Compleição: Robusta. Rosto: Avermelhado. Ocup.: Pintor de carros. Crime: Fals. & Fraude & Cheques sem Fundo. Condicional: 13/8/59, So.K.C.K.

A segunda ficha dizia:

> Smith, Perry Edward, (br) 27-59. Natural: Nevada. Altura: 1,54 m. Peso: 70 k. Cabelos: Cast. esc. Crime: Arrombamento. Preso: (em branco). Por: (em branco). Disposição: Enviado para KSP 13-3-56 de Phillips Co. 5-10 anos. Recl.: 14-3-56. Condicional: 6-7-59.

Marie examinou as fotografias de Smith, de frente e de perfil: um rosto arrogante, mas não de todo, porque apresentava um certo refinamente peculiar; os lábios e o nariz pareciam bem-feitos, e ela achou os olhos, de expressão úmida e sonhadora, bastante bonitos — na verdade, pareciam os olhos de um ator, sensíveis. Sensíveis, e algo mais: "malvados". Embora não tão maus, não tão declaradamente "criminosos", como os olhos de Hickock, Richard Eugene. Marie, hipnotizada pelos olhos de Hickock, lembrou-se de um incidente de sua infância — de um gato-do-mato que certa vez viu preso numa armadilha, e de como, embora ela quisesse soltá-lo, os olhos do animal, irradiando dor e ódio, tinham neutralizado sua piedade, deixando-a cheia de terror. "Quem são estes dois?", perguntou Marie.

Dewey contou-lhe a história de Floyd Wells e ao final disse: "Engraçado. Nas últimas três semanas, foi nisso que nós nos concentramos. Investigar todos os homens que já trabalharam na casa de Clutter. Agora, parece que foi pura sorte. Mas mais alguns dias e íamos acabar chegando a esse Wells. Descobrir que ele estava na prisão. E aí descobriríamos a verdade".

"Talvez não seja verdade", disse Marie. Dewey e os dezoito homens que trabalhavam com ele já tinham seguido centenas de pistas até darem em nada, e ela queria preveni-lo para que ele não tivesse mais uma decepção, pois estava preocupada com sua saúde. Seu estado de espírito estava ruim; tinha emagrecido demais; e vinha fumando três maços de cigarro por dia.

"Não. Talvez não", disse Dewey. "Mas desta vez estou com a sensação de que achamos."

Seu tom a deixou impressionada; ela tornou a contemplar os rostos na mesa da cozinha. "Imagine", disse ela, apoiando o dedo no retrato de frente do jovem louro. "Imagine só esses olhos. Se aproximando de você." Então ela tornou a enfiar as fotos no envelope. "Eu preferia que você não tivesse me mostrado."

Mais tarde naquela mesma noite, outra mulher, em outra cozinha, pôs de lado uma meia que estava cerzindo, tirou os óculos de aro de plástico e, fixando os olhos num visitante, disse: "Espero que o senhor o encontre, senhor Nye. Pelo bem dele. Temos dois filhos, e ele é um dos dois, o nosso primogênito. Nós o amamos. Mas... Oh, eu percebi. Percebi que ele não teria ido embora. Correndo. Sem dizer nada a ninguém — nem ao pai nem ao irmão. A menos que estivesse complicado de novo. Por que ele faz essas coisas? Por quê?". Ela olhou para o outro lado da sala, onde havia uma figura magra curvada numa cadeira de balanço — Walter Hickock, seu marido e pai de Richard Eugene. Era um homem com os olhos desbotados e vencidos, e mãos ásperas; quando falava, sua voz dava a impressão de só ser usada muito raramente.

"Meu garoto não tinha nada errado, senhor Nye", disse o sr. Hickock. "Era um ótimo atleta — sempre no primeiro time da escola. Basquete! Beisebol! Futebol americano! Dick era sempre o melhor do time. E muito bom aluno também, com notas máximas em várias matérias. História. Desenho mecânico. Depois que ele terminou a escola secundária — em junho de 1949 — queria entrar para uma faculdade. Estudar engenharia. Mas não pudemos. O dinheiro não dava. A gente nunca teve dinheiro. Esta propriedade aqui tem só pouco menos de dezoito hectares — mal dá para colher o que comer. Acho que Dick ficou frustrado de não ir para a faculdade. O primeiro emprego dele foi na Santa Fe Railways, em Kansas City. Ganhava 75 dólares por semana. Achou que aquilo já dava para se casar, e ele e Carol se casaram. Ela tinha acabado de completar dezesseis anos; ele próprio mal tinha feito dezenove. Nunca achei que aquilo fosse dar em boa coisa. E não deu mesmo."

A sra. Hickock, uma mulher corpulenta cujo rosto macio e redondo não trazia as marcas de sua vida inteira de trabalho duro, discordou dele. "Três garotinhos maravilhosos, os nossos netos — foi nisso que deu. E Carol é uma moça ótima. A culpa não foi dela."

O sr. Hickock prosseguiu. "Ele e Carol alugaram uma casa de bom tamanho, compraram um bom carro — estavam sempre endividados. Se bem que pouco depois Dick começou a ganhar mais como motorista de ambulância. Mais tarde, foi contratado pela Markl Buick Company, uma empresa grande de Kansas City. Mecânico e pintor de carros. Mas ele e Carol gastavam além da conta, continuavam a comprar coisas que não tinham como pagar, e Dick começou a passar cheques sem fundo. Ainda acho que o motivo para ele ter começado a fazer esse tipo de coisa teve a ver com a batida. Ele sofreu uma concussão na cabeça numa batida de carro. Depois disso, virou outra pessoa. Jogando, passando cheques sem fundo. Antes ele nunca tinha feito coisas assim. E foi mais ou menos nessa época que ele começou uma história com essa outra moça. Por quem ele se divorciou de Carol, e que foi a segunda mulher dele."

A sra. Hickock disse: "Dick não pôde fazer nada. Você se lembra como Margaret Edna era apaixonada por ele".

"Então se uma mulher gosta de você quer dizer que você é obrigado a ficar com ela?", perguntou o sr. Hickock. "Senhor Nye, eu imagino que o senhor deve saber tanto quanto nós. Por que o nosso garoto foi para a prisão. Trancado por dezessete meses, e tudo que tinha feito foi pegar emprestado um rifle de caça. Da casa de um vizinho daqui. Ele não tinha a menor intenção de roubar, não quero nem saber o que as pessoas dizem. E foi a perdição dele. Quando ele saiu de Lansing, era um desconhecido para mim. Não dava mais para conversar com ele. O mundo inteiro estava contra Dick Hickock — é o que achava. Mesmo a segunda mulher desistiu — pediu divórcio quando ele estava na prisão. Ainda assim, ultimamente, ele dava a impressão de estar se acalmando. Trabalhava para a oficina de Bob Sands, em Olathe. Morava aqui com a gente, ia dormir cedo, sem violar a condicional de jeito nenhum. Vou lhe dizer, senhor Nye, não me sobra muito tempo, estou com câncer, e Dick sabia — pelo menos, sabia que eu estava doente — e menos de um mês atrás, antes de ir embora, ele me disse: 'Pai, você foi um pai muito bom para mim. Nunca mais vou fazer nada que deixe você magoado'. E estava sendo sincero. Aquele rapaz tem muita coisa boa dentro dele. Se o senhor visse ele jogando num campo de futebol, se visse ele brincando com os filhos, não ia duvidar de mim. Deus, talvez Deus pudesse me dizer, porque eu não sei o que aconteceu."

A mulher dele disse: "Mas eu sei", recomeçou a cerzir, e foi obrigada a parar por causa das lágrimas. "Aquele amigo dele. Foi isso que aconteceu."

O visitante, o agente do KBI Harold Nye, tomava notas numa caderneta de taquigrafia — uma caderneta já bem cheia com os resultados de um longo dia empregado em verificar as acusações feitas por Floyd Wells. Até ali, os fatos colhidos corroboravam a história de Wells de maneira muito convincente. Em 20 de novembro, o suspeito Richard Eugene Hickock tinha feito compras em Kansas City, durante as quais tinha passado não menos do que sete cheques sem fundo. Nye tinha entrevistado todas as vítimas — vendedores de câmeras e equipamento de rádio e televisão, o proprietário de uma joalheria, o vendedor de uma loja de roupas — e em todos os casos, sempre que mostrara às testemunhas as fotos de Hickock e Perry Edward Smith, o primeiro tinha sido identificado como o autor dos cheques espúrios, e o segundo como seu cúmplice "silencioso". (Um vendedor enganado disse: "Ele [Hickock] fazia tudo. Falava muito bem, muito convincente. O outro — achei que podia ser um estrangeiro, talvez mexicano — nem chegou a abrir a boca".)

Em seguida, Nye tinha seguido de carro até a região suburbana de Olathe, onde entrevistara o último empregador de Hickock, Bob Sands, o proprietário da funilaria. "Sim, ele trabalhava aqui", respondeu o sr. Sands. "De agosto até — bem, nunca mais o vi depois do dia 19 de novembro, ou era 20? Foi embora sem me dar nenhum aviso. Simplesmente partiu — não sei para onde, nem o pai dele. Surpreso? Bem, sim. Fiquei surpreso. Eu me dava muito bem com ele. Dick é assim bastante jeitoso, sabe. Pode ser muito simpático. De vez em quando ele passava na minha casa. Na verdade, uma semana antes de ele ir embora, convidamos umas pessoas, um grupo pequeno, e Dick trouxe o amigo dele que estava aqui de visita, um rapaz de Nevada — Perry Smith, o nome dele. Tocava violão muito bem. Tocou violão e cantou algumas músicas, e ele e Dick divertiram todo mundo com um número de levantamento de peso. Perry Smith é um sujeito baixinho, mais ou menos um metro e sessenta, mas deve conseguir levantar um cavalo. Não, não pareciam nervosos, nenhum dos dois. Acho que estavam se divertindo. O dia exato? Claro que lembro. Dia 13. Sexta-feira, 13 de novembro."

De lá, Nye seguiu de carro na direção norte por estradas locais precárias. Quando se aproximava da propriedade dos Hickock, parou em várias casas próximas; dizia que não sabia o caminho, mas na verdade queria fazer perguntas sobre o suspeito. E a mulher de um dos agricultores disse: "Dick Hickock! Não venha me falar de Dick Hickock! Se eu já encontrei o demônio, foi ele! Roubar? Era capaz de roubar as moedas dos olhos de um morto! Já a mãe dele, Eunice, é uma boa mulher. Com um coração do tamanho de um celeiro. O pai também. Os dois gente simples e honesta. Dick podia ter ido para a cadeia muito mais vezes, só que ninguém aqui queria dar queixa. Por respeito aos pais dele".

A noite já tinha caído quando Nye bateu à porta da casa de fazenda de quatro aposentos, acinzentada pela exposição ao tempo. Era como se uma visita como aquela fosse esperada. O sr. Hickock convidou o detetive a entrar na cozinha, e a sra. Hickock ofereceu-lhe café. Talvez, se soubessem o verdadeiro significado de sua presença, teriam recebido o visitante de forma menos generosa, mais reservada. Mas não sabiam, e durante as horas em que os três conversaram, o nome Clutter jamais foi mencionado, nem a palavra homicídio. Os pais aceitaram o que Nye lhes deu a entender — que estava à procura do filho deles só por violação da condicional e estelionato.

"Dick chegou com ele [Perry] aqui em casa numa noite, e disse que era um amigo que tinha acabado de descer do ônibus de Las Vegas, e que ele queria saber se o rapaz podia dormir aqui, passar um tempo aqui em casa", disse a sra. Hickock. "Não, senhor. Não quisemos ele aqui. Bastou olhar uma vez para ver quem ele era.

Com aquele perfume. E aquele cabelo oleoso. Era claro como o dia onde eles dois tinham se conhecido. De acordo com os termos da condicional, ele não podia conviver com ninguém que tivesse conhecido lá [em Lansing]. Avisei Dick, mas ele não quis me ouvir. Encontrou um quarto para o amigo no Hotel Olathe, em Olathe, e depois disso passava com ele todos os minutos que podia. Uma vez eles saíram numa viagem de fim de semana. Senhor Nye, tenho certeza que foi Perry Smith quem fez Dick passar aqueles cheques."

Nye fechou o caderno e guardou a caneta no bolso, bem como as duas mãos, porque elas tremiam por antecipação. "E essa viagem de fim de semana. Aonde eles foram?"

"Fort Scott", disse o sr. Hickock, citando uma cidade do Kansas com história militar. "Pelo que eu entendi, Perry Smith tem uma irmã que mora em Fort Scott. E parece que ela estava com um dinheiro que era dele. Eles falaram de uma soma de mil e quinhentos dólares. E foi por isso que ele veio ao Kansas, para pegar o dinheiro que a irmã estava guardando. E Dick foi com ele de carro até lá, para ajudar. Foi uma viagem de um dia para o outro. Ele voltou um pouco antes do meio-dia de domingo. A tempo do almoço de domingo."

"Entendi", disse Nye. "Uma viagem de um dia para o outro. Quer dizer que eles saíram daqui em algum momento do sábado. No sábado 14 de novembro?"

O velho concordou.

"E voltaram no domingo, 15 de novembro?"

"Domingo ao meio-dia."

Nye ponderou a aritmética envolvida, e sentiu-se encorajado pela conclusão a que chegou: num espaço de tempo de vinte ou 24 horas, os suspeitos podiam perfeitamente ter feito uma viagem de ida e volta de bem mais de 1200 quilômetros e, durante o trajeto, assassinar quatro pessoas.

"Senhor Hickock", disse Nye. "No domingo, quando o seu filho chegou em casa, estava sozinho? Ou Perry Smith estava com ele?"

"Não, ele estava sozinho. Disse que tinha deixado Perry no Hotel Olathe."

Nye, cuja voz é normalmente cortante, anasalada e naturalmente intimidadora, estava tentando produzir um tom ameno, um estilo desconcertante, de vendedor persuasivo. "E o senhor lembra — alguma coisa nos modos dele lhe pareceu incomum? Diferente?"

"Dele quem?"

"Seu filho."

"Quando?"

"Quando ele voltou de Fort Scott."

O sr. Hickock ficou ruminando. E depois disse: "Parecia o mesmo de sempre. Assim que ele entrou, nós nos sentamos para almoçar. Ele estava com muita fome, e já começou a encher o prato antes de eu terminar a oração. Eu reparei, e disse: 'Dick, você está comendo o mais depressa que o seu braço aguenta. Não está querendo deixar nada para nós?'. Claro que ele sempre comeu muito. Picles. Ele é capaz de comer uma banheira inteira de picles".

"E depois do almoço, o que ele fez?"

"Dormiu", disse o sr. Hickock, e deu a impressão de ter ficado um tanto desconcertado com sua própria resposta. "Adormeceu na mesma hora. E acho que foi mesmo uma coisa meio fora do comum. Todo mundo se juntou para ver um jogo de basquete. Na televisão. Eu e Dick e o nosso outro filho, David. Mas dali a pouco Dick estava roncando feito uma serra elétrica, e eu disse ao irmão dele: 'Meu Deus, nunca achei que um dia veria Dick dormir na hora de um jogo de basquete'. Mas dormiu. Do começo ao fim do jogo. Só acordou para comer um jantar frio, e logo depois foi para a cama."

A sra. Hickock trocou a linha da agulha de cerzir; o marido balançou na cadeira e sugou um cachimbo apagado. Os olhos treinados do detetive percorreram o aposento desarrumado e humilde.

Num canto, havia uma arma apoiada na parede; ele já tinha notado. Levantando-se e estendendo a mão para ela, ele perguntou: "O senhor caça sempre, senhor Hickock?".

"Esta arma é dele. Do Dick. Ele e David costumam sair de vez em quando. Quase sempre atrás de coelhos."

Era uma espingarda Savage, Modelo 300, calibre 12; uma cena com faisões em voo, delicadamente gravada, ornamentava o cabo.

"Dick tem esta arma desde quando?"

A pergunta despertou a sra. Hickock. "A espingarda custou mais de cem dólares. Dick comprou a crédito, e agora a loja não aceita a devolução, apesar de ter menos de um mês que foi comprada e de só ter sido usada uma vez — no início de novembro, quando ele e David foram até Grinnell caçar faisão. Ele usou os nossos nomes para comprar a espingarda — o pai deixou — e agora nós somos responsáveis pelos pagamentos, e só de pensar em Walter, doente como está, e em todas as coisas que a gente precisa, e em tudo que nos falta..." Ela prendeu o fôlego, como se tentasse conter uma crise de soluços. "Tem certeza que não quer um café, senhor Nye? Não dá trabalho nenhum."

O detetive apoiou a arma na parede, abrindo mão dela, muito embora tivesse certeza de que era a arma que tinha matado a família Clutter. "Obrigado, mas já está tarde, e eu preciso voltar a Topeka", disse ele. E então, consultando o caderno: "Vamos repassar, para ver se eu anotei direito. Perry Smith chegou ao Kansas na quinta-feira 12 de novembro. Seu filho disse que essa pessoa tinha vindo pegar uma soma de dinheiro de uma irmã que morava em Fort Scott. No sábado, os dois foram de carro até Fort Scott, onde ficaram de um dia para o outro — na casa da irmã, eu imagino?".

O sr. Hickock disse: "Não. Não conseguiram encontrar. Parece que ela se mudou".

Nye sorriu. "Mesmo assim, ficaram a noite inteira fora. E durante a semana seguinte — ou seja, do dia 15 ao dia 21 — Dick continuava a ver seu amigo Perry Smith, mas além disso, até onde o senhor e a senhora saibam, mantinha uma rotina normal: continuava morando em casa e ia trabalhar todo dia. No dia 21 ele desapareceu, e Perry Smith também. E desde então não tiveram mais notícia dele? E não escreveu?"

"Ele está com medo de escrever", disse a sra. Hickock. "Envergonhado e com medo."

"Envergonhado?"

"Do que ele fez. De como ele nos magoou de novo. E com medo porque acha que não vamos perdoar. Como sempre perdoamos. E vamos perdoar de novo. Tem filhos, senhor Nye?"

Ele assentiu com a cabeça.

"Então o senhor sabe como é."

"Mais uma coisa. A senhora tem alguma ideia, qualquer ideia, do lugar para onde o seu filho pode ter ido?"

"Abra um mapa", disse o sr. Hickock. "E aponte o dedo — pode ser lá."

Era fim de tarde, e o motorista do carro, um caixeiro-viajante que será aqui conhecido como sr. Bell, estava cansado. Ansiava por parar e dormir um pouco. No entanto, estava a apenas uns 150 quilômetros do seu destino — Omaha, Nebraska, a sede do grande frigorífico para o qual trabalhava. Uma das regras da empresa proibia os vendedores de dar carona, mas o sr. Bell costumava desobedecer, especialmente quando estava entediado e sonolento, de maneira que, quando viu os dois jovens à beira da estrada, freou imediatamente.

Eles lhe pareceram "rapazes decentes". O mais alto dos dois, um sujeito magro com cabelo louro-sujo, cortado à escovinha, tinha um sorriso cativante e modos educados, e seu companheiro, o baixinho, com uma gaita na mão direita e, na esquerda, uma mala de palha cheia demais, parecia um sujeito "razoável", tímido mas simpático. De qualquer maneira, o sr. Bell, totalmente alheio às intenções de seus passageiros, que eram estrangulá-lo com um cinto e abandoná-lo, sem carro, sem dinheiro e sem vida, escondido numa sepultura rasa na pradaria, ficou feliz por ter conseguido companhia, gente para conversar e mantê-lo acordado até chegar a Omaha.

Apresentou-se e em seguida perguntou-lhes como se chamavam. O jovem afável com quem dividia o assento dianteiro disse que seu nome era Dick. "E ele é Perry", disse ele, piscando o olho para Perry, sentado bem atrás do motorista.

"Posso levar vocês até Omaha."

Dick disse: "Obrigado. É para Omaha mesmo que estamos indo. Queremos ver se arrumamos trabalho".

Que tipo de trabalho estavam procurando? O vendedor achava que talvez pudesse ajudar.

Dick disse: "Sou um pintor de carros de primeira classe. Mecânico também. Estou acostumado a ganhar dinheiro. Meu amigo e eu estamos voltando do México. Nossa ideia era morar por lá. Mas eles pagam muito mal. Nada que sirva para sustentar um homem branco".

Ah, o México. O sr. Bell explicou que tinha passado a lua de mel em Cuernavaca. "Nós sempre quisemos voltar. Mas é difícil viajar com cinco filhos."

Perry, como mais tarde lembraria, pensou, Cinco filhos — que tristeza. E ouvindo a tagarelice pretensiosa de Dick, ouvindo-o descrever suas "conquistas amorosas" mexicanas, pensou em como aquilo era "estranho", "egomaníaco". Imagine só, fazer tanto esforço para impressionar um sujeito que ia matar, um homem que já não estaria vivo dali a dez minutos — não se o plano que ele e Dick tinham traçado desse certo. E por que não haveria de dar? A situação era ideal, exatamente a que eles esperavam havia três dias, tempo que levou para viajarem de carona da Califórnia até Nevada, e para atravessarem Nevada e Wyoming até o Nebraska. Até então, porém, ainda não tinham encontrado uma vítima adequada. O sr. Bell era o primeiro viajante solitário de aparência próspera a lhes oferecer carona. Os outros motoristas que pararam ou eram motoristas de caminhão ou eram soldados — e, uma das vezes, uma dupla de boxeadores negros num Cadillac cor de lavanda. Mas o sr. Bell era perfeito. Perry apalpou um bolso interno da jaqueta de couro que usava. O bolso estava inchado com um frasco de aspirina Bayer e uma pedra irregular do tamanho de um punho envolta num lenço amarelo de algodão, do tipo usado pelos caubóis. Desafivelou o cinto, um cinto navajo, com fivela de prata e incrustado de contas de turquesa; tirou-o, dobrou-o, abriu-o sobre os joelhos. Ficou esperando. Olhava a pradaria do Nebraska passar pela janela e mexia na gaita — inventou uma melodia, que tocou, e ficou esperando que Dick pronunciasse o sinal combinado: "Perry, me passe um fósforo". Nesse momento, Dick deveria agarrar o volante, enquanto Perry, brandindo sua pedra envolta no lenço, atingia a cabeça do vendedor — "abria a cabeça dele". Mais tarde, à beira de alguma estrada sem movimento, eles fariam uso do cinto com as contas azul-celeste.

Enquanto isso, Dick e o condenado trocavam piadas obscenas. O riso dos dois irritava Perry; implicou especialmente com as gargalhadas do sr. Bell — latidos altos muito parecidos com o riso de Tex John Smith, o pai de Perry. A lembrança do riso do pai o deixou mais tenso ainda; a cabeça lhe doía, os joelhos incomodavam. Mascou três comprimidos de aspirina e engoliu-os a seco. Meu Deus! Pensou que ia vomitar, ou desmaiar; tinha certeza de que isso iria acontecer caso Dick continuasse a adiar "a festa" por muito mais tempo. O dia estava escurecendo, a estrada era reta, sem casas nem seres humanos à vista — só a terra desnudada pelo inverno, escura como ferro. Agora era a hora, *agora*. Olhou fixo para Dick, tentando comunicar o que tinha percebido, e alguns sinais — o tremor de uma pálpebra, um bigode de gotas de suor — lhe disseram que Dick já tinha chegado à mesma conclusão.

Ainda assim, quando Dick falou em seguida, foi só para contar mais uma piada. "O que é, o que é? Qual é a semelhança entre uma ida ao banheiro e uma viagem ao cemitério?" Sorriu. "Desiste?"

"Desisto."

"Quando chega a hora, não tem jeito!"

O sr. Bell começou a latir.

"Perry, me passe um fósforo."

Mas assim que Perry levantou a mão, e a pedra estava a ponto de descer, ocorreu uma coisa extraordinária — que Perry mais tarde chamaria de "um maldito milagre". O milagre foi o súbito aparecimento de um terceiro carona, um soldado negro, para quem o caridoso motorista parou. "Essa é boa", disse ele enquanto seu salvador corria para o carro. "Quando chega a hora, não tem jeito!"

16 de dezembro de 1959, Las Vegas, Nevada. O tempo e o clima tinham removido a primeira e a última letras — um R e um S — da palavra ROOMS (quartos), cunhando assim um termo meio assustador: OOM. A palavra, esmaecida na placa retorcida pelo sol, parecia apropriada para descrever o lugar anunciado, que era, como Harold Nye escreveu em seu relatório oficial ao KBI, "gasto e triste, o tipo mais ordinário de hotel ou pensão". Continuava o relatório: "Até poucos anos atrás (segundo informações fornecidas pela polícia de Las Vegas), era um dos maiores prostíbulos do Oeste. Depois disso, um incêndio destruíra o prédio principal e a parte restante foi convertida numa pensão barata". A única mobília da "recepção" era um cacto de dois metros de altura e um balcão improvisado; também estava deserto. O detetive bateu palmas.

Finalmente, uma voz de mulher, ainda que não muito feminina, gritou: "Estou indo", mas cinco minutos se passaram antes que ela aparecesse. Usava um roupão manchado e sandálias douradas de salto alto. Seus cabelos amarelados estavam presos em rolinhos. Seu rosto era largo, musculoso, maquiado, empoado. Trazia uma lata de cerveja Miller High Life; cheirava a cerveja, a tabaco e esmalte de unhas recém-aplicado. Tinha 74 anos de idade, mas na opinião de Nye "parecia mais jovem — talvez uns dez minutos mais jovem". Ficou olhando para ele, seu terno marrom bem cortado, seu chapéu marrom com a aba dobrada. Quando ele lhe mostrou o distintivo, ela achou graça; separou os lábios, e Nye pôde vislumbrar duas fileiras de dentes falsos. "Ahn. Foi o que eu imaginei", disse ela. "Tudo bem. Pode falar."

Ele lhe entregou uma fotografia de Richard Hickock. "Conhece?"

Um grunhido negativo.

"Ou este aqui?"

E ela disse: "Este, sim. Já se hospedou aqui várias vezes. Mas não está. Saiu há mais ou menos um mês. Quer ver o registro?".

Nye apoiou-se no balcão e viu as unhas compridas e pintadas da gerente percorrerem a página de nomes escritos a lápis. Las Vegas era o primeiro de três lugares que seus chefes queriam que ele visitasse. Todos tinham sido escolhidos por sua ligação com a história de Perry Smith. Os dois outros eram Reno, onde achavam que o pai de Smith morava, e San Francisco, cidade onde vivia a irmã de Smith, que aqui será conhecida como sra. Frederic Johnson. Embora Nye planejasse entrevistar esses parentes, ou qualquer outra pessoa que pudesse conhecer o paradeiro do suspeito, seu objetivo principal era obter a ajuda das agências locais da lei. Ao chegar a Las Vegas, por exemplo, tinha discutido o caso Clutter com o tenente B. J. Handlon, chefe da divisão de detetives do Departamento de Polícia de Las Vegas. O tenente escrevera um memorando com ordens para que todo o pessoal da polícia entrasse em alerta à procura de Hickock e Smith: "Procurados no Kansas por violação de condicional, usando possivelmente um Chevrolet 1949 com placa do Kansas JO-58269. É provável que estejam armados e devem ser considerados perigosos". Além disso, Handlon designara um detetive para ajudar Nye a "correr as casas de prego"; como disse, eram sempre "muitas numa cidade de jogadores". Juntos, Nye e o detetive de Las Vegas tinham verificado todos os recibos de penhores emitidos no mês anterior. Especificamente, Nye tinha a esperança de encontrar o rádio portátil Zenith que se acreditava ter sido roubado da casa dos Clutter na noite do crime, mas não teve sorte. Um dos donos de casa de penhores, porém, lembrava-se de Smith ("Faz uns bons dez anos que ele começou a aparecer por aqui"), e conseguiu encontrar o recibo de uma pele de urso penhorada na primeira semana de novembro. Foi nesse recibo que Nye encontrou o endereço da pensão.

"Registrado em 30 de outubro", disse a proprietária. "Foi embora no dia 11 de novembro." Nye examinou a assinatura de Smith. E ficou surpreso com os enfeites, com o maneirismo de suas curvas e adornos — uma reação que a proprietária parece ter adivinhado, porque comentou. "Pois é. E precisava ouvir como ele fala. Palavras complicadas, ditas com uma voz rouca, meio sussurrada. Uma figura. O que ele fez — um pé-rapado jeitosinho feito esse?"

"Violação de condicional."

"Ah. O senhor veio do Kansas para cuidar de um caso de condicional. Eu sou só uma loura tonta. Acredito. Mas não contaria a mesma história para ninguém que tivesse o cabelo castanho." Ergueu a lata de cerveja, esvaziou-a, e em seguida rolou pensativa a lata entre as mãos varicosas e sardentas. "Seja o que for, não deve ser nada muito grande. Não pode ser. Eu nunca vi um homem sem conseguir adivinhar o número que ele calça. Esse sujeito é só um pé-rapado. Um pé-rapado que tentou me levar na conversa para deixar de pagar a última semana que passou aqui." E ela riu, possivelmente do absurdo daquela pretensão.

O detetive perguntou quanto custava o quarto de Smith.

"O preço normal. Nove dólares por semana. E mais um depósito de cinquenta centavos pela chave. Em dinheiro. E sempre adiantado."

"E enquanto ele estava aqui, o que fazia? Tem amigos?", perguntou Nye.

"E você acha que eu fico de olho em cada pé de chinelo que entra aqui?", retorquiu a proprietária. "Vagabundos. Malandros. Não me interessam. Eu tenho uma filha casada com um figurão." E depois disse: "Não, ele não tem amigos. Pelo menos nunca vi Perry com ninguém em especial. Dessa última vez que ficou aqui, passava quase todo dia mexendo no carro dele. Estacionado ali na frente. Um Ford velho. Parecia fabricado antes dele nascer. Ele pintou o carro. Pintou a capota de preto e o resto de prateado. Depois escreveu 'Vendo' no para-brisa. Um dia eu ouvi um otário parar e oferecer quarenta pratas — pelo menos quarenta mais do que o carro valia. Mas ele disse que não podia aceitar menos de noventa. Disse que precisava do dinheiro para uma passagem de ônibus. Pouco antes de ir embora, ouvi dizer que um sujeito de cor tinha comprado o carro".

"Ele disse que precisava do dinheiro para uma passagem de ônibus. A senhora não sabe para onde ele queria ir?"

Ela franziu os lábios, prendeu um cigarro entre eles, mas seus olhos não se afastavam de Nye. "Fale claro. Algum dinheiro em jogo? Uma recompensa?" Ficou esperando uma resposta; quando não obteve nenhuma, deu a impressão de avaliar as probabilidades e decidir em favor de prosseguir. "Porque eu tenho a impressão de que ele não pretendia ficar muito tempo no lugar para onde ia. Que ele estava pensando em voltar para cá. Eu meio que ando esperando ele aparecer um dia desses." Ela acenou com a cabeça para o interior do estabelecimento. "Venha aqui, eu mostro por quê."

Escadas. Corredores cinzentos. Nye farejou os cheiros, identificando cada um: desinfetante de privada, álcool, cigarros apagados. Atrás de uma porta, um hóspede embriagado gemia e cantava, entregue à alegria ou à dor. "Pare com isso, Dutch! Se não parar, eu te ponho no olho da rua!", gritou a mulher. "Aqui", disse ela a Nye, conduzindo-o até um depósito escuro. Acendeu uma luz. "Ali. Aquela caixa. Ele me perguntou se eu podia guardar até ele voltar."

Era um caixote de papelão, desembrulhado mas amarrado com um cordão. Uma declaração, uma advertência mais ou menos no espírito das maldições egípcias, estava riscada a lápis de cera no topo do caixote: "*Cuidado!* Propriedade de Perry E. Smith! *Cuidado!*". Nye desatou o cordão; o nó, constatou infeliz, não era igual ao nó de meia-volta que os assassinos tinham usado para amarrar a família Clutter. Abriu as abas. Uma barata emergiu, e a proprietária pisou nela, esmagando-a debaixo do salto da sandália de couro dourada. "Veja só!", disse ela enquanto ele extraía com cuidado e examinava vagarosamente os pertences de Smith. "O ladrãozinho. Esta toalha é *minha*." Além da toalha, o meticuloso Nye enumerou em seu caderno: "Um travesseiro sujo, 'Lembrança de Honolulu'; um cobertor cor-de-rosa de criança; um par de calças cáqui; uma frigideira de alumínio com uma pá de virar panquecas". Entre outros artigos estranhos, havia um caderno grosso com fotografias recortadas de revistas de musculação (estudos suados de levantadores de peso levantando pesos) e, dentro de uma caixa de sapatos, uma coleção de remédios: líquidos e pós contra afta, e também uma quantidade impressionante de aspirina — pelo menos doze frascos, vários deles vazios.

"Lixo", disse a proprietária. "Nada que preste."

Verdade, eram coisas sem valor até mesmo para um detetive faminto por pistas. Ainda assim, Nye ficou satifeito por vê-las; cada artigo — os paliativos para gengivas feridas, o travesseiro gorduroso de Honolulu — deu-lhe uma impressão mais clara do dono e de sua vida solitária e pobre.

No dia seguinte, em Reno, enquanto preparava suas anotações oficiais, Nye escreveu o seguinte: "Às nove da manhã, o agente que assina este relatório entrou em contato com o sr. Bill Driscoll, principal investigador criminal do gabinete do xerife do condado de Washoe, em Reno, Nevada. Depois de ouvir um relato das circunstâncias do presente caso, o sr. Driscoll recebeu fotografias, impressões digitais e mandados de prisão contra Hickock e Smith. Foram feitos pedidos de detenção dos dois indivíduos, bem como do automóvel. Às 10h30, o agente que assina este relatório fez contato com o sargento Abe Feroah, da divisão de detetives do Departamento de Polícia de Reno, Nevada. O sargento Feroah e este agente percorreram os arquivos da polícia. Nem o nome de Smith nem o de Hickock apareceram no arquivo de registro de contraventores. Uma verificação dos arquivos e recibos de penhores não produziu nenhuma informação sobre o rádio desaparecido. Um pedido permanente foi acrescentado a esses arquivos, para o caso de o rádio ser penhorado em Reno. O detetive que cuida da área das casas de penhores levou fotografias de Smith e Hickock a todos os estabelecimentos desse tipo da cidade, e também esteve pessoalmente em cada um deles em busca do rádio. As casas de penhores identificaram Smith como sendo conhecido, mas foram incapazes de fornecer mais informações".

Assim se passara a manhã. À tarde, Nye pôs-se à procura de Tex John Smith. Mas em sua primeira parada, a agência dos Correios, um funcionário no guichê de entregas lhe disse que não precisava procurar mais — não em Nevada — porque "o indivíduo" tinha ido embora no mês de agosto do ano interior, e agora vivia nas proximidades de Circle City, no Alasca. Era para lá, pelo menos, que toda a sua correspondência era encaminhada.

"Deus do céu! Essa é difícil", disse o funcionário em resposta ao pedido de Nye, de uma descrição do Smith pai. "O cara parece que saiu de um livro. Diz que se chama Lobo Solitário. Uma parte da correspondência dele vem endereçada assim — o Lobo Solitário. Não recebe muitas cartas, mas pilhas de catálogos e folhetos de propaganda. O senhor não ia acreditar na quantidade de gente que escreve pedindo essas coisas — só para receber correspondência, deve ser. A idade? Acho que uns sessenta. Sempre se veste à moda do Oeste — botas de caubói e um imenso chapéu de abas largas. Ele me disse que trabalhava em rodeios. Já conversei bastante com ele. Ele passava por aqui quase todo dia nos últimos anos. De vez em quando ele desaparecia, sumia por mais ou menos um mês — e sempre dizia que tinha ido garimpar. Um dia, em agosto passado, um rapaz apareceu no meu guichê e disse que estava procurando o pai dele, Tex John Smith, se eu sabia onde podia encontrar. Não parecia muito com o pai; o Lobo tem os lábios finos e cara de irlandês, e o rapaz era quase índio puro — cabelo preto como graxa de sapato, olhos pretos também. Mas no dia seguinte o Lobo entrou aqui e confirmou; disse que o filho tinha acabado de deixar o Exército e que eles dois iam juntos para o Alasca. Ele já andou pelo Alasca. Acho que chegou a ser dono de um hotel por lá, ou uma espécie de pousada para caçadores. Disse que achava que ia ficar lá uns dois anos. Não, nunca mais vi, nem ele nem o filho."

A família Johnson era recém-chegada àquela comunidade de San Francisco — um projeto imobiliário para famílias de classe média de renda média, no alto das montanhas ao norte da cidade. Na tarde de 18 de dezembro de 1959, a jovem sra. Johnson esperava convidados; três mulheres da vizinhança iam passar lá para tomar um café, comer bolo e talvez jogar cartas. A anfitriã estava tensa; era a primeira vez que receberia convidados na casa nova. Agora, enquanto esperava a campainha tocar, fez uma última caminhada de inspeção, parando para livrar-se de um fiapo ou modificar um arranjo de Natal. A casa, como as demais na rua íngreme da encosta, era uma casa convencional de subúrbio, agradável e comum. A sra. Johnson a adorava; estava apaixonada pelos lambris de madeira de sequoia, pelos carpetes de parede a parede, pelas janelas panorâmicas que a casa tinha na frente e nos fundos, pela vista que se descortinava da janela dos fundos — colinas, um vale, depois o céu e o mar. E estava orgulhosa do pequeno jardim de trás; seu marido — por profissão corretor de seguros, por vocação carpinteiro — construíra em volta dele uma cerca de madeira branca, e dentro dela uma casa para o cão da família, e uma caixa de areia e balanços para as crianças. Naquele exato momento, todos os quatro — o cachorro, os dois garotinhos e a menina — estavam brincando no jardim debaixo de um céu sereno; ela esperava que eles ficassem sossegados no jardim até as visitas irem embora. Quando a campainha tocou e a sra. Johnson foi até a porta, estava usando o vestido que em sua opinião lhe caía melhor, um vestido amarelo de malha que se ajustava à sua silhueta e realçava o brilho claro, cor de chá, de sua coloração cherokee, além do negrume de seus cabelos curtos. Abriu a porta e preparou-se para receber as três vizinhas; em vez disso, encontrou dois desconhecidos — homens que tocaram a aba dos chapéus com os dedos e abriram as carteiras recheadas com distintivos. "Senhora Johnson?", disse um deles. "Meu nome é Nye. Este é o inspetor Guthrie. Estamos trabalhando com a polícia de San Francisco, e acabamos de receber um despacho do Kansas relacionado com seu irmão, Perry Edward Smith. Parece que ele não tem se apresentado ao responsável pela condicional, e queríamos saber se a senhora poderia nos dizer algo sobre o paradeiro dele."

A sra. Johnson não ficou perturbada — e decididamente nada surpresa — de ouvir que a polícia estava mais uma vez interessada nas atividades de seu irmão. O que a incomodou foi a ideia de suas convidadas chegarem e a encontrarem sendo interrogada por dois detetives. E ela disse: “Não. Nada. Há quatro anos eu não vejo Perry”.

“A questão é séria, senhora Johnson”, disse Nye. “Gostaríamos de conversar a respeito.”

Tendo-se rendido, tendo-os convidado a entrar e oferecido café (que foi aceito), a sra. Johnson disse: “Faz quatro anos que eu não vejo Perry. E não ouço falar dele desde que conseguiu a condicional. No verão passado, quando ele saiu da prisão, visitou meu pai em Reno. Numa carta, meu pai me contou que voltaria ao Alasca e levaria Perry com ele. Depois escreveu de novo, acho que em setembro, e furioso. Ele e Perry tinham brigado e decidido seguir um para cada lado antes de chegarem à divisa. Perry voltou; meu pai seguiu sozinho para o Alasca”.

“E depois disso não lhe escreveu mais?”

“Não.”

“Então é possível que seu irmão tenha ido ao encontro dele nos últimos tempos, no mês passado.”

“Não sei. Nem quero saber.”

“Aborrecida?”

“Com Perry? Estou. Tenho medo dele.”

“Mas enquanto ele estava em Lansing a senhora escrevia sempre para ele. Pelo menos foi o que nos contaram as autoridades do Kansas”, disse Nye. O segundo homem, o inspetor Guthrie, parecia satisfazer-se com uma posição secundária.

“Eu queria ajudar. Esperava poder mudar algumas ideias dele. Agora eu sei que não adiantaria. Os direitos das outras pessoas não significam nada para Perry. Ele não respeita ninguém.”

“E amigos? Sabe de algum amigo que ele possa ter procurado?”

“Joe James”, disse ela, e explicou que James era um jovem lenhador e pescador índio que vivia na floresta perto de Bellingham, no estado de Washington. Não, ela não conhecia James pessoalmente, mas sabia que ele e a família eram pessoas generosas que tinham tratado Perry bem no passado. O único amigo ou amiga de Perry que ela conheceu era uma jovem que tinha aparecido na casa dos Johnson, em junho de 1955, com uma carta de Perry em que ele a apresentava como sua mulher. "Ele dizia que estava com problemas, e perguntava se eu podia tomar conta da mulher até ele conseguir buscá-la. A menina parecia ter uns vinte anos; depois descobri que tinha catorze. E é claro que não era casada com ninguém. Mas num primeiro momento eu caí na história. Fiquei com pena dela, e pedi que ela ficasse conosco. E ela ficou, mas por pouco tempo. Menos de uma semana. E quando foi embora, levou as nossas malas e tudo que cabia nelas — a maioria das minhas roupas e a maioria das roupas do meu marido, os talheres, até mesmo o relógio da cozinha."

"Quando isso aconteceu, onde a senhora morava?"

"Em Denver."

"A senhora já morou em Fort Scott, no Kansas?"

"Nunca. Nunca estive no Kansas."

"A senhora tem alguma irmã em Fort Scott?"

"Minha irmã morreu. Minha única irmã."

Nye sorriu. E disse: "A senhora compreende, senhora Johnson, que estamos contando com a possibilidade de que seu irmão tente entrar em contato com a senhora. Que escreva, ou ligue. Ou venha vê-la".

"Espero que não. Na verdade, ele nem sabe que nós nos mudamos. Acha que eu ainda estou em Denver. Por favor, se o senhor o encontrar, não dê meu endereço. Eu tenho medo."

"Quando a senhora diz isso, é porque acha que ele pode lhe fazer mal? Fisicamente?"

Ela refletiu e, incapaz de decidir, disse que não sabia. "Mas eu tenho medo dele. Sempre tive. Ele pode dar a *impressão* de ser caloroso e compassivo. Gentil. Chora com tanta facilidade. Às vezes fica comovido com música, e quando era pequeno às vezes chorava quando achava o pôr do sol bonito. Ou a lua. Ah, ele engana muito. Faz a gente sentir pena dele —"

A campainha tocou. A relutância da sra. Johnson em atender a porta transmitiu seu dilema, e Nye (que mais tarde escreveria a respeito dela: "Ao longo de toda a entrevista, ela manteve a compostura e a graça. Uma pessoa de caráter excepcional") estendeu a mão para apanhar seu chapéu marrom. "Desculpe tê-la incomodado, senhora Johnson. Mas se ouvir notícias de Perry, espero que tenha o bom senso de nos avisar. Chame o inspetor Guthrie."

Depois da partida dos detetives, a compostura que tanto impressionara Nye cedeu; instalou-se nela um desespero bem conhecido. Ela resistiu, adiou seu pleno impacto até o final da tarde e a partida das visitas, até já ter alimentado e banhado as crianças e ter ouvido suas orações noturnas. E então a tristeza, como a névoa marinha noturna que cobria as luzes da rua, fechou-se em torno dela. Ela dissera que tinha medo de Perry, e tinha, mas seria apenas de Perry que tinha medo, ou antes de uma configuração de que ele fazia parte — os destinos terríveis que pareciam reservados para os quatro filhos de Florence Buckskin e Tex John Smith? O mais velho, o irmão de que ela mais gostava, tinha-se matado com um tiro; Fern caíra, ou se jogara, de uma janela; e Perry era dado à violência, um criminoso. Assim, num certo sentido, era ela a única sobrevivente; e o que a atormentava era a ideia de que, com o tempo, ela também acabaria vencida: enlouqueceria, ou contrairia uma doença incurável, ou perderia num incêndio tudo que valorizava — o lar, o marido, as crianças.

Seu marido estava fora, numa viagem de negócios, e quando ela ficava sozinha jamais pensava em beber. Mas naquela noite preparou uma bebida forte, depois se deitou no sofá da sala, com um álbum de fotografias pousado nos joelhos.

Uma foto de seu pai dominava a primeira página — um retrato

de estúdio tirado em 1922, o ano de seu casamento com a jovem indígena amazona de rodeio, a srta. Florence Buckskin. Era uma fotografia que invariavelmente arrebatava a sra. Johnson. Aquela foto a ajudava a compreender por que, apesar de serem tão incompatíveis, sua mãe tinha se casado com seu pai. O jovem no retrato exalava um vigor viril. Tudo nele — a atrevida inclinação de sua cabeça com os cabelos ruivos, o olho esquerdo meio fechado (como se estivesse fazendo pontaria em algum alvo), o pequeno lenço colorido amarrado em torno do pescoço — era extremamente atraente. No final das contas, a atitude da sra. Johnson em relação ao pai era ambivalente, mas havia um aspecto dele que ela sempre respeitara — sua força. Ela sabia bem o quanto as outras pessoas podiam achá-lo excêntrico; ela também, aliás. Ainda assim, ele era "um homem de verdade". Fazia coisas, fazia coisas com facilidade. Sabia fazer uma árvore cair exatamente onde queria. Era capaz de esfolar um urso, consertar um relógio, construir uma casa, assar um bolo, cerzir uma meia, ou pegar uma truta com um alfinete recurvado e um pedaço de barbante. Certa vez, tinha sobrevivido a um inverno inteiro sozinho no interior do Alasca.

Sozinho: na opinião da sra. Johnson, era assim que homens como ele deviam viver. Esposas, filhos, uma vida contida, não são para eles.

Virou algumas páginas de instantâneos da infância — fotos tiradas em Utah, Nevada, Idaho e Oregon. As carreiras de "Tex & Flo" nos rodeios estavam encerradas, e a família, morando numa velha caminhonete, corria o país à procura de trabalho, coisa difícil de encontrar em 1933. "A família de Tex John Smith colhendo amoras no Oregon em 1933" era a legenda debaixo de um instantâneo de quatro crianças descalças portando macacões e expressões mal-humoradas, todas igualmente exaustas. Amoras, ou pão dormido molhado em leite condensado, era muitas vezes tudo o que havia para comer. Barbara Johnson lembrou que certa vez a família tinha passado semanas comendo bananas podres e que, por isso, Perry tinha ficado com cólicas; passara a noite toda berrando, enquanto Bobo, como Barbara era chamada, chorava, com medo de que ele estivesse morrendo.

Bobo era três anos mais velha do que Perry, e o adorava; ele foi seu único brinquedo, uma boneca que ela esfregava, penteava, beijava e às vezes espancava. Eis uma foto dos dois juntos, tomando banho nus num riacho do Colorado, de água cristalina, o irmão um cupido barrigudo e muito queimado de sol, agarrando a mão da irmã e rindo, como se a correnteza contivesse dedos fantasmas que lhe faziam cócegas. Em outra foto (a sra. Johnson não tinha certeza, mas achava que devia ter sido tirada num rancho distante de Nevada onde a família estava quando uma batalha final entre os pais, um confronto aterrorizante em que chicotes, água fervente e lampiões de querosene foram usados como armas, tinha posto fim ao casamento), ela e Perry aparecem montados num pônei, com as cabeças encostadas, os rostos se tocando; atrás deles, montanhas secas ardem.

Mais tarde, quando as crianças e a mãe foram morar em San Francisco, o amor de Bobo pelo garotinho foi enfraquecendo até quase desaparecer. Ele não era mais o bebezinho dela, mas um bicho do mato, um ladrão, um assaltante. Sua primeira detenção registrada data de 27 de outubro de 1938 — em seu oitavo aniversário. Finalmente, depois de várias temporadas de confinamento em instituições e em centros de detenção de menores, foi devolvido à custódia do pai, e muitos anos se passaram antes de Bobo tornar a vê-lo, exceto em fotografias que Tex John às vezes enviava para os outros filhos — fotos que, coladas acima de legendas em tinta branca, eram parte do conteúdo daquele álbum. Lá estavam "Perry, Papai, e seu Cão Esquimó", "Perry e Papai Garimpando Ouro", "Perry Caçando Ursos no Alasca". Nesta última, ele aparecia como um rapaz de quinze anos envolto em peles e calçando sapatos de neve em meio a árvores pesadas de tanta neve, com um rifle debaixo do braço; o rosto estava contraído e os olhos eram tristes e muito cansados, e a sra. Johnson, olhando para a foto, lembrou-se de uma "cena" que Perry certa vez fizera quando a tinha visitado em Denver. Na verdade, tinha sido a última vez que ela o vira — a primavera de 1955. Estavam falando da infância dele com Tex John, e de repente Perry, que tinha bebido muito, empurrou-a contra a parede e a segurou naquela posição. "Eu era o escravo dele", disse Perry. "Só isso. Alguém que ele podia fazer trabalhar até cair, sem nunca pagar um tostão. Não, Bobo, eu estou falando. Cale a boca, ou eu te jogo no rio. É como o dia em que eu estava atravessando uma ponte no Japão, e tinha um sujeito lá, um sujeito que eu nunca tinha visto. Eu peguei o cara e o joguei no rio.

"Por favor, Bobo. Por favor, escute. Você acha que eu *gosto* de mim? Ah, o homem que eu podia ter sido! Mas aquele desgraçado não me deu a menor chance. Não me deixava ir à escola. Eu sei, eu sei, eu me comportei bem mal. Mas houve um momento em que eu *supliquei* para ir à escola. Eu sou muito inteligente. Se te interessa saber. Sou brilhante e muito talentoso. Mas ignorante, porque ele não queria que eu aprendesse nada, só a trabalhar para ele. Burro. Analfabeto. Era assim que ele queria que eu fosse. Para eu nunca poder fugir dele. Mas você, Bobo. *Você* foi para a escola. Você, Jimmy e Fern. Todos vocês se instruíram. Todos, menos eu. E eu detesto vocês, vocês todos — Papai e todo mundo."

Como se a vida do outro irmão e das irmãs tivesse sido um mar de rosas! Pode ser, se era isso que significava ficar limpando o vômito da mãe embriagada, nunca ter uma roupa boa para usar ou o que comer. Ainda assim, é verdade, os três tinham terminado o curso secundário. Jimmy, na verdade, tinha se formado como o melhor aluno da turma — uma honra que só devia à sua força de vontade. E era por isso, sentia Barbara Johnson, que seu suicídio era tão intolerável. Caráter forte, coragem, perseverança — parece que nenhum desses fatores foi determinante no destino dos filhos de Tex John. Todos enfrentaram uma sina contra a qual a virtude não servia de defesa. Não que Perry fosse virtuoso, nem Fern. Quando Fern tinha catorze anos, mudou de nome e passou o resto de sua curta vida tentando justificar a troca para Joy, "Alegria". Era uma garota muito dada, a "queridinha de todo mundo" — um pouco demais, porque tinha uma queda por homens, embora jamais tivesse muita sorte com eles. De algum modo, o tipo de homem de que ela gostava sempre a deixava mal. Sua mãe morrera num coma alcoólico, e ela tinha medo de beber — mas ainda assim bebia. Antes dos vinte anos, Fern-Joy já começava o dia com uma garrafa de cerveja. E então, numa noite de verão, caiu da janela de um quarto de hotel. Ao cair, bateu na marquise de um cinema, e depois ainda foi atropelada por um táxi. No alto, no quarto vazio, a polícia encontrou seus sapatos, uma bolsa sem dinheiro e uma garrafa de uísque vazia.

Era possível entender e perdoar Fern, mas Jimmy foi uma história diferente. A sra. Johnson estava olhando para uma foto dele em que aparecia vestido de marinheiro; na guerra, tinha servido na Marinha. Magro, um pálido jovem navegante com um rosto comprido de uma santidade um tanto melancólica, tinha um braço passado em volta da cintura da moça com quem tinha se casado. Infelizmente, na opinião da sra. Johnson, pois não tinham nada em comum — o sério Jimmy e aquela adolescente seguidora da Frota de San Diego, cujas contas de vidro refletiam um sol que havia muito se pusera. No entanto, o que Jimmy sentia por ela ia além do amor normal; era uma paixão — uma paixão em parte patológica. Quanto à moça, ela deve ter-se apaixonado por ele, e completamente, caso contrário não teria feito o que fez. Se pelo menos Jimmy tivesse acreditado nisso! Ou fosse capaz de acreditar. Mas o ciúme o aprisionava. Vivia mortificado por imaginar os homens com quem ela dormira antes do casamento; estava convencido, além disso, de que ela continuava promíscua — de que toda vez que ele partia, ou mesmo passava o dia longe dela, ela o traía com uma multidão de amantes cuja existência ele exigia incansavelmente que ela admitisse. Então um dia ela encostou o cano de uma espingarda bem entre os olhos e apertou o gatilho com o dedo do pé. Quando Jimmy a encontrou, não chamou a polícia. Pegou-a e a pôs na cama, e ficou deitado ao lado dela. Mais ou menos em torno do amanhecer do dia seguinte, recarregou a arma e se matou.

Em frente à fotografia de Jimmy e de sua mulher, havia uma foto de Perry de uniforme. Fora recortada de um jornal, e vinha acompanhada de um parágrafo de texto: "Quartel-General, Exército dos Estados Unidos, Alasca. O soldado Perry E. Smith, de 23 anos, o primeiro veterano do Exército a combater na Coreia de volta à area de Anchorage, no Alasca, é recebido pelo capitão Mason, relações-públicas, ao chegar à Base da Força Aérea em Elmendorf. Smith serviu 15 meses na 24ª Divisão como engenheiro de combate. Sua viagem de Seattle a Anchorage foi-lhe oferecida pela Pacific Northern Airlines. A srta. Lynn Marquis, aeromoça, sorri aprovando a acolhida. (Foto Oficial do Exército dos EUA)". O capitão Mason, com a mão estendida, está olhando para o soldado Smith, mas o soldado Smith está olhando para a câmera. Em sua expressão a sra. Johnson via, ou imaginava ver, não gratidão, mas arrogância e, em lugar do orgulho, uma presunção imensa. Não era impossível acreditar que ele tivesse encontrado um homem numa ponte e jogado o homem no rio. Claro que sim. Ela jamais duvidara daquela história.

Fechou o álbum e ligou a televisão, mas não se acalmou. E se ele viesse? Os detetives a tinham encontrado, por que Perry não podia descobrir onde ela morava? Ele que não contasse com a ajuda dela; ela não o deixaria nem mesmo entrar. A porta da frente estava trancada, mas não a porta do jardim. O jardim estava branco de nevoeiro; podia ser uma reunião de espíritos: mamãe, Jimmy e

Fern. Quando a sra. Johnson trancou a porta, não pensava só nos vivos, mas também nos mortos.

Uma tempestade. Chuva. Em quantidade. Dick saiu correndo. Perry correu também, mas não conseguia correr tão depressa; suas pernas eram mais curtas, e estava carregando a mala. Dick conseguiu chegar a um abrigo — um celeiro perto da estrada — muito antes dele. Quando deixaram Omaha, depois de uma noite passada num dormitório do Exército de Salvação, um motorista de caminhão lhes dera carona até Iowa. Nas últimas horas, porém, eles estavam a pé. A chuva caiu quando eles estavam 25 quilômetros ao norte de uma cidade de Iowa chamada Tenville Junction.

O celeiro estava escuro.

"Dick?", disse Perry.

"Aqui", respondeu Dick. Estava deitado numa cama de feno.

Perry, encharcado e tremendo de frio, deitou-se ao lado dele. "Estou com tanto frio", disse ele, enterrando-se no feno. "Estou com tanto frio que não ia ligar nem um pouco se isso tudo pegasse fogo e me queimasse vivo." E também estava com fome. Faminto. Na noite anterior tinham jantado tigelas de sopa do Exército de Salvação, e hoje só tinham comido uns tabletes de chocolate e chiclete que Dick roubara do balcão de uma loja. "Ainda tem chocolate?", perguntou Perry.

Não, mas ainda tinham um pacotinho de goma de mascar, que dividiram ao meio, e depois se acomodaram para mascar, cada um dos dois enfiando na boca duas barras e meia de chiclete de menta, o sabor favorito de Dick (Perry preferia de frutas). O problema era dinheiro. A total falta de recursos levara Dick a decidir que a próxima providência dos dois seria o que Perry considerava uma "ideia de maluco" — voltar a Kansas City. Quando Dick falara da primeira vez naquela volta, Perry respondeu que ele estava precisando procurar um médico. Agora, encostados um no outro em meio à escuridão fria, escutando a chuva gelada e escura, retomaram a discussão, Perry mais uma vez apontando os perigos de um movimento como aquele, porque certamente a essa altura Dick já seria procurado por violação de condicional — "no mínimo". Mas Dick estava convencido. Kansas City, tornou a insistir, era o único lugar onde ele podia ter certeza de conseguir "passar um bocado de cheques. Eu sei que a gente precisa tomar cuidado. Eu sei que eles devem estar procurando a gente. Por causa dos cheques que a gente passou antes. Mas a gente pode andar depressa. Um dia — e pronto. Se a gente conseguir bastante, talvez possa ir para a Flórida. Passar o Natal em Miami — ficar lá até o fim do inverno, se gostar". Mas Perry mastigou seu chiclete, estremeceu e ficou em silêncio. Dick disse: "O que foi, querido? Aquela outra história? Por que você não consegue esquecer? Nunca fizeram a ligação. Nem nunca vão fazer".

Perry disse: "Você pode estar enganado. E se estiver, isso significa ser mandado para o Canto". Até então nenhum dos dois tinha falado da pena máxima no estado de Kansas — a forca, ou a morte no "Canto", como os internos da Penitenciária Estadual do Kansas chamavam o barracão que abrigava o equipamento necessário para enforcar um homem.

Dick disse: "Muito engraçado. Você me mata de tanto rir". Riscou um fósforo, com a intenção de fumar um cigarro, mas uma coisa que avistou à luz da chama o fez levantar-se e atravessar o celeiro até uma cocheira. Dentro da cocheira havia um carro estacionado, um Chevrolet 1956 duas portas preto e branco. A chave estava na ignição.

Dewey estava determinado a esconder da "população civil" o conhecimento de qualquer grande novidade no caso Clutter — tão determinado que decidiu recorrer à confiança dos dois arautos profissionais de Garden City: Bill Brown, editor do *Telegram* de Garden City, e Robert Wells, diretor da estação de rádio local, a KIUL. Ao descrever-lhes a situação, Dewey enfatizou seus motivos para considerar que manter segredo era coisa da maior importância. "Lembrem-se, existe a possibilidade de que esses homens sejam inocentes."

Era uma possibilidade que não podia ser simplesmente afastada. O informante, Floyd Wells, podia perfeitamente ter inventado aquela história; essas fabulações ocorriam com frequência por parte de prisioneiros que esperavam assim conquistar boa vontade ou atrair a atenção das autoridades. No entanto, mesmo que cada palavra que ele dissera fosse verdade, Dewey e seus colaboradores ainda não tinham desenterrado nenhum indício sólido em apoio ao que ele contara — ao menos nada aceitável num tribunal. O que tinham descoberto que não podia ser interpretado como uma coincidência plausível, ainda que excepcional? Só porque Smith fora até o Kansas visitar seu amigo Hickock, só porque Hickock possuía uma arma do mesmo calibre usado para cometer o crime, e só porque os suspeitos tinham mencionado um álibi falso para explicar seu paradeiro na noite de 14 de novembro, eles não eram necessariamente os autores da chacina. "Mas estamos convencidos de que sim. Todos nós. Se não achássemos, não teríamos dado o alarme em dezessete estados, do Arkansas ao Oregon. Mas lembrem-se do seguinte: podemos levar anos para pegar os dois. Podem estar separados. Ou deixado o país. Há uma chance de que tenham ido para o Alasca — não é difícil desaparecer no Alasca. Quanto mais tempo eles ficarem em liberdade, mais difícil será acusá-los. Francamente, da maneira que as coisas vão, já está bem difícil acusar os dois. Podemos até pegar os dois filhos da puta amanhã, sem conseguir provar coisa nenhuma."

Não era exagero de Dewey. Além das duas pegadas de botas,

uma com um padrão de losango e a outra com um padrão do tipo conhecido como "pata de gato", os matadores não tinham deixado nenhuma pista. E já que pareciam tão cuidadosos, sem dúvida deviam ter-se livrado daquelas botas havia muito tempo. E do rádio também — supondo que tenham sido eles que o tinham roubado, o que Dewey ainda hesitava em concluir, pois aquilo lhe parecia "ridiculamente inconsistente", dada a importância do crime e a evidente esperteza dos criminosos, e julgava "inconcebível" que aqueles homens tivessem entrado na casa em busca de um cofre cheio de dinheiro e então, ao não encontrá-lo, tivessem achado que era o caso de massacrar toda a família por talvez alguns dólares e um rádio portátil. "Sem uma confissão, nunca vamos conseguir condená-los", dizia ele. "É o que eu acho. E é por isso que precisamos tomar todo o cuidado. Eles acham que se safaram. E nós não queremos que achem que não. Quanto mais seguros eles se sentirem, mais cedo conseguiremos pegá-los."

Mas segredos são uma coisa incomum numa cidade do tamanho de Garden City. Qualquer pessoa que visitasse o gabinete do xerife, três salas mal mobiliadas e superlotadas no terceiro andar do prédio do tribunal do condado, seria capaz de detectar uma atmosfera estranha, quase sinistra. A pressa, o zumbido raivoso das semanas anteriores, tinha desaparecido; um silêncio trêmulo tomara conta do local. A sra. Richardson, secretária do gabinete e uma pessoa muito terra a terra, tinha adquirido da noite para o dia toda uma série de maneirismos sussurrantes e um andar na ponta dos pés, e os homens a quem atendia, o xerife e seus auxiliares, Dewey e a equipe importada de agentes do KBI, andavam em silêncio, conversando em voz baixa. Era como se, a exemplo de caçadores escondidos numa floresta, tivessem medo de que qualquer som ou movimento brusco pudesse espantar os animais que se aproximavam.

As pessoas falam. O Trail Room do Hotel Warren, uma cafeteria que os homens de negócios de Garden City tratam como se fosse um clube privativo, era uma caverna tomada por rumores e murmúrios especulativos. Um cidadão eminente, dizia-se, estaria a ponto de ser preso. Ou já se tinha descoberto que aquele crime fora obra de assassinos contratados por inimigos da Associação de Triticultores do Kansas, uma organização progressista em que o sr. Clutter tivera um papel importante. Das muitas histórias que circulavam, a mais próxima da verdade era a contada pelo dono de uma importante agência de automóveis (que se recusava a revelar sua fonte): "Parece que tem um sujeito que trabalhou para Herb lá por 47 ou 48. Um empregado comum da fazenda. Parece que ele foi preso, na penitenciária do estado, e que lá começou a pensar em como Herb era rico. Assim, mais ou menos um mês atrás, quando foi solto, a primeira coisa que fez foi vir para cá para roubar e matar aquelas pessoas".

Mas dez quilômetros a oeste dali, na localidade de Holcomb, ninguém ouvia falar de emoções iminentes, antes de mais nada porque já fazia algum tempo que a tragédia dos Clutter tinha sido um assunto banido dos principais dispensários de mexericos da comunidade — a agência dos Correios e o Hartman's Café. "Não quero ouvir nem mais uma palavra", explicou a sra. Hartman. "E disse para eles, não dá para continuar assim. Desconfiando de todo mundo, pondo medo nos outros. Por mim, se você quiser falar do assunto, pode falar, mas fora do meu estabelecimento." Myrt Clare tinha tomado uma posição quase igualmente vigorosa. "As pessoas entram aqui para comprar um selo de cinco centavos e acham que podem passar as três horas e trinta e três minutos seguintes revirando a história dos Clutter pelo avesso. Descendo o malho em outras pessoas. Umas cascavéis, é isso que elas são. Não tenho tempo de ficar escutando essa lenga-lenga. Estou ocupada — sou uma representante do governo dos Estados Unidos. De qualquer maneira, é uma coisa mórbida. Al Dewey e esses agentes metidos a coisa de Topeka e de Kansas City — até parece que são muito espertos. Mas não conheço ninguém que ainda ache que eles têm chance de pegar o culpado. Então, acho que a coisa certa a fazer é calar a boca. A gente só vive até morrer, e não interessa *como* a gente morre; quem morre, morre. Então por que ficar carregando esse saco de gatos só porque cortaram o pescoço de Herb Clutter? De qualquer maneira, é uma coisa mórbida. Sabe Polly Stringer, da escola? Polly Stringer esteve aqui hoje de manhã. Disse que só agora, depois de mais de um mês, só agora os filhos dela começaram a se acalmar. E eu pensei: e se eles prenderem alguém? Se prenderem, pode ser alguém que todo mundo aqui conheça. E isso ia pôr lenha na fogueira, botar a água para ferver bem na hora em que já estava começando a esfriar. Se quer saber a minha opinião, a emoção já passou da conta."

Era cedo, antes das nove horas, e Perry foi o primeiro freguês da Washateria, uma lavanderia autosserviço. Abriu sua mala de palha inchada, extraiu dela um bolo de meias e camisas (algumas dele, outras de Dick), atirou-o numa das máquinas de lavar e enfiou na fenda uma rodela de chumbo — uma das muitas que tinha comprado no México.

Perry conhecia bem aquele tipo de estabelecimento, tendo sido seu cliente assíduo, e com gosto, pois geralmente achava "muito relaxante" ficar sentado em silêncio e assistir à roupa suja ficar limpa. Mas não dessa vez. Estava preocupado demais. A despeito de todos os seus avisos, Dick tinha levado a melhor. E lá estavam eles, de volta a Kansas City — sem um tostão, e ainda por cima com um carro roubado! Tinham feito o Chevrolet de Iowa correr a noite inteira, sob chuva grossa, e parado duas vezes para roubar gasolina, as duas vezes de veículos estacionados nas ruas desertas de pequenas cidades adormecidas. (Era tarefa de Perry, um trabalho em que se considerava "o máximo. Meu cartão de crédito para atravessar o país de ponta a ponta é um pedacinho de mangueira de borracha".) Chegando a Kansas City ao final do dia, os viajantes primeiro foram até o aeroporto, onde no banheiro masculino tomaram banho, barbearam-se e escovaram os dentes; duas horas mais tarde, depois de uma sesta no saguão do aeroporto, voltaram para a cidade. Foi então que Dick deixou o parceiro na lavanderia, prometendo voltar para buscá-lo dentro de uma hora.

Quando a roupa suja ficou limpa e seca, Perry rearrumou a mala. Já passava das dez horas. Dick, supostamente em algum lugar passando cheques frios, estava atrasado. Perry sentou-se para esperar, e escolheu um banco em que, ao alcance de seu braço, estava uma bolsa de mulher — o que o tentava a deixar a mão insinuar-se nela como uma cobra. Mas a aparência da dona da bolsa, a mais corpulenta de várias mulheres que usavam as máquinas da lavanderia, convenceu-o a desistir. Tempos atrás, quando era um menino largado em San Francisco, ele e um garoto chinês (Tommy Chan? Tommy Lee?) trabalhavam juntos roubando bolsas. Perry achava graça — e ficava animado — quando recordava algumas de suas façanhas. "Uma vez nós atacamos uma senhora velha, bem velha mesmo, e Tommy agarrou a bolsa dela. Só que ela não soltava, parecia um tigre. Quanto mais a gente puxava de um lado, mais ela puxava do outro. Então ela me viu, e disse: 'Me ajude! Me ajude!'. E eu respondi: 'Porra, madame, estou ajudando *ele*!' — e dei-lhe um encontrão. Ela caiu estendida. E só conseguimos noventa centavos — me lembro exatamente. Fomos a um restaurante chinês e comemos até cair."

As coisas não mudaram muito. Perry estava vinte e tantos anos mais velho e uns cinquenta quilos mais pesado, mas ainda assim sua situação material não tinha melhorado nem um pouco. Ele ainda era (incrível, uma pessoa com a inteligência, os talentos que ele tinha) um moleque que dependia, por assim dizer, de cada níquel roubado.

O relógio da parede volta e meia atraía seu olhar. Às dez e meia ele começou a ficar preocupado; às onze suas pernas latejavam de dor, o que nele era sempre um sinal da proximidade do pânico. Mastigou uma aspirina, e tentou bloquear — pelo menos atenuar um pouco — a procissão nítida em sua mente, um desfile de visões terríveis: Dick nas garras da lei, preso talvez enquanto preenchia um cheque falso, ou por ter cometido alguma irregularidade de trânsito (e flagrado dirigindo um carro roubado). Era muito provável que naquela mesma hora Dick estivesse sentado no meio de um círculo de detetives. E que não estivessem discutindo coisas triviais — como cheques sem fundo ou carros roubados. O assunto devia ser homicídio, porque de algum modo já tinha sido feita a ligação que Dick estava tão seguro de que ninguém jamais faria. E naquele exato momento um carro cheio de policiais de Kansas City devia estar a caminho da lavanderia.

Mas não, ele imaginava além da conta. Dick jamais faria uma coisa daquelas — contar tudo à polícia. Bastava lembrar quantas vezes tinha ouvido Dick dizer: "Podem me bater até cansar, nunca vou confessar nada". Claro que Dick era um fanfarrão; sua dureza, como Perry acabara sabendo depois de algum tempo, só aparecia em situações nas quais ele estava por cima. Mas de repente, com muita gratidão, ocorreu-lhe uma razão menos desesperadora para a ausência prolongada de Dick. Ele tinha ido visitar os pais. Era uma ideia arriscada, mas Dick "adorava" os dois, ou pelo menos era o que sempre dizia, e na noite anterior, durante a longa viagem na chuva, ele dissera a Perry: "Bem que eu gostaria de ver meus velhos. Eles nunca iam falar. Quer dizer, nunca iriam contar ao oficial da condicional — nada que nos criasse problemas. Mas eu estou com vergonha. Estou com medo do que a minha mãe pode dizer. Sobre os cheques. E sobre a gente ter ido embora como foi.

Mas eu queria ligar para a casa deles, saber como eles estão". Entretanto, era impossível, porque a casa dos Hickock não tinha telefone; de outro modo, Perry teria ligado para saber se Dick estava por lá.

Mais alguns minutos e ele voltou a se convencer de que Dick tinha sido preso. As dores em suas pernas pioraram, transmitiram-se para o resto do corpo, e os cheiros da lavanderia, o vapor, tudo aquilo o deixou nauseado e o fez sair correndo pela porta. Ficou de pé no meio-fio, vomitando como "um bêbado com engulhos". Kansas City! Mas ele sabia que Kansas City era um lugar azarado, e tinha *implorado* a Dick que não fossem para lá! Agora, talvez agora mesmo, Dick devia estar muito arrependido de não ter concordado. Mas e ele, "só com uns tostões e um monte de rodelas de chumbo no bolso"? Aonde poderia ir? Quem poderia ajudá-lo? Bobo? Imagine só! Já o marido dela, podia ser que sim. Se dependesse só de Fred Johnson, ele teria garantido um emprego para Perry depois que este saísse da prisão, ajudando-o a obter a condicional. Mas Bobo não tinha deixado: disse que aquilo podia lhes trazer problemas, e talvez até algum perigo. E então escrevera a Perry dizendo exatamente isso. Algum dia ela ainda iria pagar por aquilo, e ele iria se divertir um pouco com ela — conversar com ela, falar sobre os seus talentos, explicar em detalhe as coisas que era capaz de fazer com pessoas como ela, pessoas respeitáveis, pessoas seguras e acomodadas, exatamente como Bobo. Sim, seria bom fazê-la saber o quanto ele podia ser perigoso, e ficar observando os olhos dela. Aquilo bem que merecia uma viagem a Denver. E era o que ele iria fazer — dar um pulo em Denver e visitar os Johnson. Fred Johnson podia financiar um novo começo para a vida dele; só assim poderia se livrar do cunhado.

E então Dick se aproximou dele no meio-fio. "Ei, Perry", disse. "Está doente?"

O som da voz de Dick foi como a injeção de algum narcótico poderoso, uma droga que, invadindo suas veias, produziu um delírio de sensações conflitantes: tensão e alívio, fúria e afeto. Avançou para Dick com os punhos cerrados. "Seu filho da puta."

Dick sorriu e disse: "Venha. Vamos comer de novo".

Mas precisava dar explicações — além de pedir desculpas — e, sentado diante de uma tigela de chili no seu restaurante predileto de Kansas City, o Eagle Buffet, Dick as produziu. "Sinto muito, querido. Eu sabia que você ia ficar nervoso. Achando que eu tinha arrumado encrenca. Mas eu estava numa maré de tanta sorte que achei que não podia interromper." E explicou que, depois de ter deixado Perry na lavanderia, tinha ido até a Markl Buick Company, a firma onde trabalhara no passado, a fim de encontrar placas de carro para substituir as perigosas placas de Iowa do Chevrolet abduzido. "Ninguém me viu entrar nem sair. A Markl costumava comprar e vender muitos carros usados. E não deu outra, no pátio dos fundos tinha um De Soto arrebentado com placas do Kansas." E onde é que elas estavam agora? "No nosso carrinho, camarada."

Depois de fazer a troca, Dick jogara as placas de Iowa no reservatório municipal. Depois tinha parado num posto de gasolina onde trabalhava um conhecido, um ex-colega de turma chamado Steve, e convencera Steve a trocar um cheque de cinquenta dólares, coisa que nunca tinha feito antes — "roubar de um amigo". Bom, nunca mais ele haveria de ver Steve. Estava "zarpando" de Kansas City naquela noite mesmo, e dessa vez para sempre mesmo. Então por que não tosquiar alguns velhos conhecidos? Com essa ideia em mente, tinha visitado outro ex-colega de turma, empregado da farmácia, e aquela visita fizera o montante acumulado subir para 75 dólares. "E hoje à tarde ainda vamos aumentar a bolada para pelo menos duzentos. Fiz uma lista dos lugares que a gente pode atacar. Seis ou sete, a começar por aqui mesmo", disse ele, referindo-se ao Eagle Buffet, onde todo mundo — tanto o garçom que atendia no balcão quanto os que serviam as mesas — o conhecia e gostava dele, e o chamava pelo apelido de Picles (em homenagem à iguaria que ele mais apreciava). "E depois a Flórida. Que tal, querido? Não prometi a você que íamos passar o Natal em Miami? Igual a todos os milionários?"

Dewey e seu colega, o agente do KBI Clarence Duntz, esperavam uma mesa livre no Trail Room. Ao examinar a galeria habitual de rostos da hora do almoço — homens de negócios de corpo flácido e fazendeiros com a aparência rústica reforçada pelo sol —, Dewey registrou a presença de alguns conhecidos: o legista do condado, o dr. Fenton; o gerente do Warren, Tom Mahar; Harrison Smith, que concorrera a procurador do condado no ano anterior e perdera a eleição para Duane West; e também Herbert W. Clutter, proprietário da fazenda River Valley e membro da mesma turma de Dewey na escola dominical. Mas *espere um pouco!* Herb Clutter não estava morto? E Dewey não tinha ido a seu enterro? Pois ainda assim lá estava ele, sentado no reservado circular do canto do Trail Room, seus olhos castanhos brilhando, seu belo rosto com o queixo quadrado e o ar cordato intocado pela morte. Mas Herb não estava sozinho. Dividia a mesa com dois jovens, e Dewey, quando os reconheceu, cutucou o agente Duntz.

"Olhe ali."

"Onde?"

"No canto."

"Essa não."

Hickock e Smith! O reconhecimento, entretanto, foi recíproco. Os dois rapazes perceberam o perigo. Mergulharam com os pés para a frente pela janela de vidro reforçado do Trail Room, e com Duntz e Dewey pulando atrás deles saíram correndo pela Main Street, passando pela Joalheria Palmer, pela Drogaria Norris, pelo Garden Café, depois dobraram a esquina e desceram até a estação, e aí começaram a entrar e sair, numa perseguição quase infantil, numa verdadeira congregação de imensos silos brancos de armazenagem de cereais. Dewey puxou a pistola, e Duntz também, mas quando faziam pontaria ocorreu uma intervenção sobrenatural. Abrupta e misteriosamente (até parecia um sonho!) todos eles começaram a nadar — os perseguidores e os perseguidos — atravessando a braçadas a imensa extensão de água que a Câmara de Comércio de Garden City alegava ser a "Maior Piscina GRATUITA do Mundo". À medida que os detetives se aproximavam de suas presas, porém, a cena (Como foi que aconteceu? Será que ele estava sonhando?) se encerrava e ressurgia em outra paisagem: o cemitério de Valley View, aquela ilha cinzenta e verde de túmulos, árvores e caminhos ladeados de flores: aquele oásis repousante, verde e tranquilo que se oferecia em meio às luminosas planícies de trigais ao norte da cidade, como a sombra fresca de uma nuvem. Mas Duntz tinha desaparecido, e Dewey estava sozinho atrás dos dois procurados. Embora não conseguisse vê-los, estava certo de que estavam escondidos em meio aos mortos, acocorados por trás de alguma lápide, talvez do próprio pai dele: "Alvin Adams Dewey, 6 de setembro de 1879 — 26 de janeiro de 1948". Com a arma na mão, avançou agachado pelas aleias solenes até que, ouvindo risadas e seguindo o som, viu que Hickock e Smith não estavam escondidos, mas sim de pé sobre o túmulo coletivo ainda sem pedra tumular onde Herb, Bonnie, Nancy e Kenyon tinham sido enterrados, com as pernas afastadas, as mãos na cintura, as cabeças para trás, rindo. Dewey disparou... de novo... e mais uma vez... E nenhum dos dois caiu, embora tivessem sido atingidos três vezes no coração; simplesmente foram ficando mais e mais transparentes, cada vez menos visíveis até se evaporarem, embora as risadas altas continuassem crescendo até Dewey decidir afastar-se correndo delas, tomado por um desespero tão intenso que o despertou.

Quando acordou, sentia-se como um menino febril e assustado de dez anos de idade; seus cabelos estavam encharcados, sua camisa empapada de suor frio e grudada no corpo. A sala — uma das salas do gabinete do xerife, em que se trancava para não adormecer em sua mesa de trabalho — estava na penumbra. Prestando atenção, conseguia escutar o toque do telefone da sra. Richardson na sala ao lado. Mas ela não estava lá para atender; a sala estava fechada. Na saída, passou com uma indiferença estudada pelo telefone que tocava, e depois hesitou. Podia ser Marie, ligando para saber se ele ainda estava no trabalho e se devia esperá-lo para jantar.

"O senhor A. A. Dewey, por favor. Ligação de Kansas City."

"Aqui é o senhor Dewey."

"Pode falar, Kansas City. O senhor Dewey está na linha."

"Al? É o Irmão Nye."

"Pode falar, Irmão."

"Prepare-se para notícias importantes."

"Estou pronto."

"Os nossos amigos estão aqui. Bem aqui em Kansas City."

"Como é que você sabe?"

"Bem, eles não estão fazendo muito esforço para guardar segredo. Hickock está passando cheques sem fundo por toda a cidade. Usando o próprio nome."

"O próprio nome? Então deve estar planejando ir embora logo — ou isso ou está se sentindo muito seguro de si. E Smith, ainda está com ele?"

"Ah, estão juntinhos. Mas num outro carro. Um Chevrolet 56 — preto e branco, duas portas."

"Placas do Kansas?"

"Placas do Kansas. E Al — estamos com sorte! Compraram uma televisão, sabe? Hickock pagou com um cheque. E quando estavam indo embora, o sujeito teve o bom senso de anotar a placa do carro. No verso do cheque. Licença 16212 do condado de Johnson."

"Você checou o registro?"

"Adivinhe."

"É um carro roubado."

"É evidente. Mas as placas foram trocadas. Os nossos amigos tiraram as placas de um De Soto acidentado numa oficina de Kansas City."

"Sabe quando?"

"Ontem de manhã. O chefe [Logan Sanford] já divulgou um alerta com o novo número da placa e uma descrição do carro."

"E a propriedade dos Hickock? Se os dois ainda estão na área, mais cedo ou mais tarde vão acabar passando por lá."

"Não se preocupe. Estamos vigiando. Al — "

"Estou aqui."

"Era o presente de Natal que eu queria. É tudo o que eu queria. Acabar com essa história. Pôr um ponto-final e dormir até o Ano-Novo. Um presente e tanto, não acha?"

"Espero que você consiga."

"Espero que nós dois consigamos."

Depois do telefonema, enquanto atravessava a praça do tribunal à luz do crepúsculo, arrastando pensativo os pés em meio a montículos secos de folhas que não tinham sido varridas, Dewey se perguntou a que se deveria aquela falta de entusiasmo. Agora que ele sabia que os suspeitos não estavam perdidos para sempre no Alasca, no México ou em Timbuktu, agora que a captura podia ocorrer a qualquer momento — por que ele não sentia a animação que deveria sentir? A culpa era do sonho, pois a atmosfera de abatimento que ele produzira tinha persistido, fazendo-o duvidar das afirmações de Nye — num certo sentido, pôr em questão sua veracidade. Não acreditava que Hickock e Smith pudessem ser presos em Kansas City. Eles eram invulneráveis.

Em Miami Beach, 335 Ocean Drive é o endereço do Hotel Somerset, um prédio pequeno e quadrado mais ou menos pintado de branco, com muitos toques em lavanda, entre eles uma placa que diz "HÁ VAGAS — DIÁRIAS BARATAS — INSTALAÇÕES DE PRAIA — SEMPRE UMA BRISA DO MAR". É um de uma série de pequenos hotéis de concreto e estuque que se estendem ao longo de uma rua branca e triste. Em dezembro de 1959, as "instalações de praia" do Somerset consistiam em duas barracas de praia enfiadas numa tira de areia nos fundos do hotel. Uma das barracas, cor-de-rosa, trazia as palavras "Servimos Sorvete Valentine". No começo da tarde do dia de Natal, um quarteto de mulheres se reunia à sua sombra e em torno dela, ouvindo a serenata de um rádio de pilha. A segunda barraca, azul e trazendo a ordem "Bronzeie-se com Coppertone", abrigava Dick e Perry, que já estavam no Somerset havia cinco dias, num quarto duplo que lhes custava dezoito dólares por semana.

Perry disse: "Você não me desejou Feliz Natal".

"Feliz Natal, querido. E Próspero Ano-Novo."

Dick estava de calção, mas Perry, como em Acapulco, recusava-se a expor suas pernas — temia que a visão delas pudesse "ofender" outros frequentadores da praia — e portanto estava sentado na areia totalmente vestido, inclusive de meias e sapatos. Ainda assim, até que estava satisfeito, e quando Dick se levantou e começou a fazer alguns exercícios — paradas de mão, destinadas a impressionar as senhoras abrigadas pela barraca cor-de-rosa — concentrou-se na leitura do *Herald* de Miami. No meio do jornal deparou-se com uma reportagem que absorveu totalmente sua atenção. Falava de homicídios, da chacina de uma família da Flórida, o sr. e a sra. Clifford Walker, seu filho de quatro anos de idade e sua filha de dois. Cada uma das vítimas, embora não tivessem sido amarradas nem amordaçadas, tinha levado um tiro de uma arma calibre 22 na cabeça. O crime, sem pistas e aparentemente sem motivo, ocorrera na noite de sábado, 19 de dezembro, na residência dos Walker, uma fazenda de criação de gado não muito longe de Tallahassee.

Perry interrompeu a demonstração atlética de Dick para ler a história em voz alta, e disse: “Aonde é que você foi na noite de sábado?”.

“Tallahassee?”

“Estou perguntando.”

Dick concentrou-se. Na noite de quinta-feira, revezando-se ao volante, eles tinham deixado o Kansas, atravessado o Missouri, chegado ao Arkansas e cruzado as montanhas Ozark para chegar à Louisiana, onde o alternador queimado os obrigou a parar no início da manhã de sexta-feira. (Um alternador de segunda mão, comprado em Shreveport, custara-lhes 22,50 dólares.) Passaram aquela noite estacionados à beira da estrada em algum ponto perto da divisa Alabama—Flórida. A jornada do dia seguinte, um avanço sem pressa, incluíra várias atrações turísticas — visitas a uma fazenda de crocodilos e a um criadouro de cascavéis, um passeio num barco de fundo de vidro por um lago cristalino em meio aos pântanos, um almoço tardio, longo e caro à base de lagosta num restaurante de frutos do mar à beira da estrada. Um dia delicioso! Mas os dois estavam exaustos quando chegaram a Tallahassee, e decidiram passar a noite lá. “Isso mesmo, Tallahassee”, confirmou Dick.

“Incrível!” Perry tornou a percorrer o artigo. “Sabe o que não me espantaria? Se isso tivesse sido feito por algum louco. Um maluco que tenha lido a história do que aconteceu em Kansas.”

Dick, que não estava disposto a ouvir Perry “perder tempo com aquele assunto”, encolheu os ombros, sorriu e foi trotando até a beira da água, onde vagou algum tempo pela areia molhada, parando aqui e ali para colher uma conchinha. Quando garoto, tinha sentido tanta inveja — tanto ódio — do filho de um vizinho que tinha voltado de uma temporada na costa do Golfo com uma caixa cheia de conchas que as roubara e espatifara uma a uma com um martelo. A inveja era um sentimento constante; o Inimigo era qualquer um que ele quisesse ser ou que possuísse algo que ele quisesse ter.

Por exemplo, o sujeito que ele tinha visto na piscina do Hotel Fontainebleau. A quilômetros de distância, envoltas num véu estival de reverberação e nevoeiro de beira-mar, ele podia ver as torres dos hotéis claros e caros — o Fontainebleau, o Eden Roc, o Roney Plaza. No segundo dia que passaram em Miami, ele sugerira a Perry que invadissem um daqueles redutos do prazer. "Talvez pegar umas ricaças", dissera ele. Perry se mostrara muito relutante; achava que iriam atrair a atenção geral devido às suas calças de brim cáqui e suas camisetas. Na verdade, porém, a visita que fizeram às suntuosas dependências do Fontainebleau passou despercebida, entre os homens que caminhavam de bermudas de seda pura listrada e as mulheres que envergavam maiôs e, ao mesmo tempo, estolas de visom. Os invasores mataram tempo no saguão, passearam pelos jardins, sentaram-se à beira da piscina. Foi lá que Dick viu o tal sujeito, que devia ter a mesma idade que ele — entre 28 e trinta anos. Podia ser "um jogador, um advogado ou talvez um gângster de Chicago". Fosse o que fosse, dava a impressão de ter familiaridade com as glórias do dinheiro e do poder. Uma loura que lembrava Marilyn Monroe o estava untando de óleo de bronzear, e a mão dele, preguiçosa e cheia de anéis, se estendera para pegar um copo de suco de laranja gelado. Era a ele, Dick, que aquilo tudo deveria pertencer, mas ele nunca chegaria a ter tanto. Por que aquele filho da puta podia ter tudo, e ele nada? Por que aquele "desgraçado cheio da grana" é que tinha tanta sorte? Com uma faca na mão, ele, Dick, era poderoso. Desgraçados endinheirados como aquele precisavam tomar cuidado, porque ele podia pegar a faca, "abrir cada um deles e deixar um pouco daquela sorte se derramar pelo chão". Mas o dia de Dick estava estragado. A loura linda esfregando óleo de bronzear tinha acabado com seu prazer. E disse a Perry: "Vamos embora desta merda".

Uma garota de uns doze anos desenhava agora figuras na areia, traçando rostos imensos e rudimentares com uma varinha. Dick, fazendo de conta que admirava suas obras, ofereceu-lhe as conchas que tinha recolhido. "Podem servir de olhos", disse ele. A criança aceitou a oferta, e Dick sorriu e piscou para ela em resposta. Lamentava o tipo de sentimento que ela lhe despertava, porque seu interesse sexual em crianças do sexo feminino era um defeito que lhe causava uma "vergonha sincera" — um segredo que jamais confessara a ninguém e esperava que ninguém descobrisse (embora soubesse que Perry tinha razões para desconfiar), porque os outros poderiam achar que ele não era "normal". E ele tinha a certeza de ser isto, uma pessoa "normal". Seduzir meninas pubescentes, como ele já fizera "oito ou nove" vezes nos anos anteriores, não era prova em contrário, porque a verdade é que a maioria dos homens tinha aquele mesmo tipo de desejo. Ele pegou a mão da menina e disse: "Você é a minha garotinha. A minha namoradinha". Mas ela protestou. A mão dela debateu-se na dele como um peixe preso no anzol, e ele reconheceu nos olhos dela a mesma expressão chocada que já encontrara em incidentes anteriores de sua carreira. Largou a mão, deu uma risada, e disse: "Estou só brincando. Você não gosta de brincar?".

Perry, ainda deitado sob a barraca azul, tinha observado a cena e percebido de imediato qual era a pretensão de Dick, o que o fazia desprezá-lo; não tinha "o menor respeito por gente incapaz de se controlar sexualmente", especialmente quando a falta de controle envolvia o que ele chamava de "perversidade" — "molestar crianças", "coisas de veado", estupro. E achava que tinha deixado clara sua posição para Dick; na verdade, eles já tinham quase brigado alguns dias antes quando ele impedira Dick de estuprar uma jovem aterrorizada. De qualquer modo, não pretendia voltar a ter aquele tipo de confronto. Ficou aliviado quando viu a criança sair andando e afastar-se de Dick.

Havia canções natalinas no ar; vinham do rádio das quatro mulheres e formavam uma combinação estranha com o sol quente de Miami e os gritos das gaivotas belicosas, nunca totalmente quietas. "Oh, vamos adorá-l'O, Oh, vamos adorá-l'O": um coro de catedral, um canto emocionado que levou Perry às lágrimas — que se recusaram a parar, mesmo depois do fim da música. E como não era incomum sempre que era tomado por aqueles sentimentos, viu-se pensando numa possibilidade que sempre exercera sobre ele um "fascínio tremendo": o suicídio. Quando criança, muitas vezes pensara em se matar, mas eram devaneios levianos provocados por um desejo de punir seu pai, sua mãe e outros inimigos. A partir da juventude, porém, a ideia de pôr fim à própria vida fora perdendo pouco a pouco a qualidade fantasiosa. Ele não podia esquecer que tinha sido aquela a "solução" de Jimmy, e de Fern também. E ultimamente aquilo lhe parecia não apenas uma alternativa, mas o tipo de morte que o aguardava.

De qualquer maneira, não achava que ainda tivesse "muitas razões para viver". Ilhas tropicais e ouro enterrado, mergulhos profundos em mares de um azul luminoso em busca de tesouros naufragados — esses sonhos tinham-se acabado. E também não restara nada de "Perry O'Parsons", o nome que inventara para o cantor-sensação do palco e da tela em que, meio a sério, um dia esperara se transformar. Perry O'Parsons morrera sem jamais ter nascido. O que mais podia esperar da vida? Ele e Dick estavam participando de "uma corrida sem linha de chegada" — era assim que ele pensava. E agora, ao cabo de menos de uma semana em Miami, já precisavam recomeçar a longa jornada. Dick, que trabalhara um único dia na oficina ABC, por 65 centavos a hora, lhe dissera: "Miami é pior ainda do que o México. Sessenta e cinco centavos! Eu não. Sou branco". Por isso, no dia seguinte, com apenas 27 dólares sobrando do dinheiro que tinham conseguido em

Kansas City, partiam novamente no rumo oeste, para o Texas, para Nevada — "nenhum lugar específico".

Dick, que tinha entrado no mar, voltou. Caiu, molhado e sem fôlego, de bruços na areia grudenta.

"Como estava a água?"

"Maravilhosa."

A proximidade entre o Natal e o aniversário de Nancy Clutter, que vinha logo depois do Ano-Novo, sempre criara problemas para seu namorado, Bobby Rupp. Era um desafio para a imaginação do rapaz pensar em dois presentes adequados tão perto um do outro. Mas cada ano, com o dinheiro que ganhava trabalhando durante o verão na plantação de beterraba de seu pai, sempre fazia o melhor possível, e na manhã de Natal sempre correra para a casa dos Clutter com um embrulho que suas irmãs o tinham ajudado a fazer, e que ele esperava viesse a surpreender Nancy e deixá-la encantada. No ano anterior, ele lhe dera um pequeno medalhão de ouro em forma de coração. Neste ano, prevenido como sempre, vinha hesitando entre os perfumes importados à venda na Drogaria Norris e um par de botas de montaria. Mas Nancy tinha morrido.

Na manhã de Natal, em vez de sair correndo para a fazenda River Valley, ficou em casa, e mais tarde compartilhou com a família a esplêndida ceia de Natal que sua mãe passara uma semana inteira preparando. Todos — seus pais e cada um de seus sete irmãos e irmãs — o vinham tratando com muita delicadeza desde a tragédia. Ainda assim, na hora das refeições repetiam-lhe vezes sem conta que precisava comer, por favor. Ninguém entendia que ele estava de fato doente, que o sofrimento o deixara assim, que a dor traçara à sua volta um círculo de que ele não tinha como sair e em que os outros não tinham como ingressar — com a possível exceção de Sue. Antes da morte de Nancy ele não gostava muito de Sue, nunca se sentia inteiramente à vontade com ela. Ela era diferente demais — levava a sério coisas que nem mesmo as garotas deviam levar muito a sério: pinturas, poemas, a música que tocava no piano. E, é claro, sentia ciúme dela; a posição que ela ocupava na estima de Nancy, embora de outra ordem, era pelo menos equivalente à dele. E foi por isso que ela foi capaz de compreender sua perda. Sem Sue, sem a presença quase constante dela, como ele poderia ter suportado aquela avalanche de choques — o próprio crime, suas entrevistas com o sr. Dewey, a ironia terrível de por algum tempo ter sido o principal suspeito?

E depois, ao final de quase um mês, aquela amizade dissipou-se. Bobby passou a aparecer com menos frequência para ficar sentado na pequena e acolhedora sala dos Kidwell, e cada vez que aparecia Sue dava a impressão de não considerá-lo muito bem-vindo. O problema é que um acabava obrigando o outro a prolongar o luto e a lembrar de coisas que, na verdade, desejavam esquecer. Às vezes Bobby conseguia: quando jogava basquete ou dirigia seu carro pelas estradas de terra a 120 por hora, ou quando, como parte de um programa atlético que se impusera (sua ambição era ser instrutor de ginástica em alguma escola secundária), fazia longas corridas a velocidade moderada através de campos planos e amarelos. E agora, depois de ajudar a tirar todos os pratos festivos da mesa do jantar, foi isso que ele decidiu fazer — vestir um agasalho e sair para correr.

O tempo estava notável. Mesmo para o oeste do Kansas, famoso pela longevidade de seus veranicos, aquele parecia excessivo — ar seco, sol atrevido, céu azul. Os fazendeiros otimistas previam um "inverno aberto" — uma estação tão amena que o gado poderia manter-se no pasto do começo ao fim. Invernos assim são raros, mas Bobby lembrava-se de um deles — no ano em que começara a namorar Nancy. Os dois tinham doze anos, e depois das aulas ele costumava carregar a sacola dos livros dela pelo quilômetro e meio que separava a escola de Holcomb da sede da fazenda do pai dela. Muitas vezes, quando o dia estava quente e ensolarado, paravam pelo caminho e ficavam algum tempo sentados à beira do rio, um braço barrento e vagaroso, com muitas curvas, do Arkansas.

Certa vez, Nancy lhe disse: "Num verão, quando fomos ao Colorado, eu vi onde nasce o rio Arkansas. O lugar exato. Mas não dá para acreditar. Que era o nosso rio. Não é da mesma cor, é limpo como água de beber. E rápido. E cheio de pedras. Redemoinhos. Papai pegou uma truta". Tinha ficado com Bobby, aquela memória que ela tinha da nascente do rio, e desde a morte dela... Bem, ele não sabia como explicar, mas sempre que ele olhava para o rio o curso d'água se transformava por um minuto, e o que ele via não era um rio barrento estendendo-se em curvas pelas planícies do Kansas, mas o que Nancy lhe descrevera — uma torrente no Colorado, um riacho gelado e cristalino descendo rápido de um vale em meio às montanhas. Era assim que Nancy era: como um riacho de águas jovens — alegre e cheia de energia.

Geralmente, porém, os invernos do oeste do Kansas são aprisionantes, e a geada nos campos e os ventos cortantes costumam alterar o clima bem antes do Natal. Alguns anos antes, a neve começara a cair na véspera de Natal e continuara caindo, e quando Bobby partira para a propriedade dos Clutter na manhã seguinte, uma caminhada de cinco quilômetros, precisara atravessar neve profunda. Mas valeu a pena, porque embora tenha ficado vermelho e com o corpo dormente, a acolhida que teve o degelou por completo. Nancy ficou espantada e orgulhosa, e a mãe dela, quase sempre tão tímida e distante, o abraçara e beijara, insistindo para que se enrolasse numa manta e se sentasse junto à lareira da sala de estar. Enquanto as mulheres trabalhavam na cozinha, ele, Kenyon e o sr. Clutter tinham ficado sentados junto ao fogo abrindo amêndoas e nozes, e o sr. Clutter disse que aquilo lhe lembrava um outro Natal, quando ele tinha a idade de Kenyon: "Éramos sete. Minha mãe, meu pai, as duas meninas e nós três, os rapazes. Morávamos numa fazenda bem distante da cidade. Por isso, o costume era sairmos todos juntos para fazer as compras de Natal — numa só viagem, e todos ao mesmo tempo. No ano de que estou me lembrando, na manhã em que devíamos ir, a neve estava alta como a de hoje, mais alta ainda, e não parava de cair — cada floco do tamanho de um pires. Parecia que íamos ficar presos pela neve até o Natal, sem nenhum presente debaixo da árvore. Mamãe e as meninas ficaram muito tristes. E então eu tive uma ideia". Ia selar o mais peludo dos cavalos de tiro, ir montado nele até a cidade e fazer as compras para todos. Todos lhe entregaram o dinheiro que tinham guardado para o Natal e a lista das coisas que queriam que ele comprasse: quatro metros de chita, uma bola de futebol americano, uma almofada de alfinetes, munição de espingarda de caça — um sortimento de encomendas que ele levou até a noite para comprar. Quando voltava para casa, com as compras em segurança dentro de um saco de lona, ficou grato por seu pai tê-lo obrigado a levar um lampião, e grato, também, pelo fato de o arreio de seu cavalo ser ornado com chocalhos, porque o tilintar das sinetas e a luz oscilante da lamparina de querosene eram um conforto para ele.

"A viagem de ida tinha sido fácil, nada de complicado. Mas agora a estrada tinha desaparecido, além de todos os marcos do caminho." A terra e o ar — tudo era neve. O cavalo, enterrado nela até as ancas, escorregou de lado. "Deixei cair o lampião. Ficamos perdidos na noite. Era uma questão de tempo adormecer e congelar. Fiquei com medo, sim. Mas rezei. E senti a presença de Deus..." Cães uivaram. Ele seguiu o ruído até avistar as janelas da casa de uma fazenda vizinha. "Eu devia ter passado a noite lá mesmo. Mas pensei na minha família — imaginei minha mãe aos prantos, papai e os rapazes começando uma busca, e segui em frente. Assim, claro, não fiquei muito feliz quando por fim cheguei e encontrei a casa às escuras. As portas trancadas. Todo mundo tinha ido dormir e simplesmente esquecido de mim. Nenhum deles entendeu por que eu fiquei tão decepcionado. Papai disse: 'Todo mundo achou que você ia passar a noite na cidade. Francamente, garoto! Quem podia pensar que você ia ter a insensatez de voltar para casa no meio dessa nevasca?'."

O cheiro de sidra de maçãs apodrecendo. Macieiras e pereiras, pessegueiros e cerejeiras: o pomar do sr. Clutter, o tão apreciado conjunto de árvores frutíferas que ele plantara. Bobby, correndo sem pensar, não tivera a intenção de vir para cá, ou a nenhum outro ponto da fazenda River Valley. Tinha sido uma coisa inexplicável, e ele começou a dar meia-volta, mas tornou a virar e seguiu em direção à casa — branca, sólida e espaçosa. Sempre ficara impressionado com ela, e gostava de pensar que sua namorada morava ali. Mas agora que não tinha mais a atenção dedicada de seu finado proprietário os primeiros filetes das teias de aranha do abandono começavam a aparecer. Um ancinho abandonado enferrujava na entrada da casa; o gramado estava queimado e irregular. Naquele domingo fatídico, quando o xerife chamara ambulâncias para remover a família assassinada, elas tinham atravessado a grama para chegar à porta da frente, e as marcas dos pneus ainda estavam visíveis.

A casa do empregado também estava vazia; ele tinha encontrado um novo lar, mais perto de Holcomb, para sua família — e ninguém se surpreendeu, porque naqueles dias, embora o tempo estivesse claro, a casa dos Clutter parecia sempre cercada de sombras, e silenciosa e imóvel demais. Mas no momento em que Bobby passou por um celeiro de armazenamento e, depois dele, por um curral, ouviu o barulho de uma cauda de cavalo. Era Babe, a montaria de Nancy, a obediente velha égua malhada com a crina alourada e os olhos roxo-escuros que lembravam magníficos botões de amor-perfeito. Agarrando a crina do animal, Bobby esfregou o rosto no pescoço de Babe — um gesto que Nancy costumava fazer. E Babe relinchou. No domingo anterior, da última vez que ele visitara a família Kidwell, a mãe de Sue tinha falado de Babe. A sra. Kidwell, uma mulher fantasiosa, estava de pé junto a uma janela olhando enquanto o crepúsculo tingia a paisagem, a pradaria que se espalhava em todas as direções. E sem mais razão, dissera: "Susan? Sabe o que eu vejo toda hora? Nancy. Montada em Babe. Vindo para cá".

Perry foi o primeiro a vê-los — duas pessoas pedindo carona, um garoto e um velho, cada um com uma trouxa nas mãos e, apesar do tempo ventoso, um vento texano insistente e penetrante, vestiam apenas um macacão e uma camisa fina de brim. "Vamos dar uma carona a eles", disse Perry. Dick hesitou; não tinha objeção a atender quem pedisse carona, contanto que dessem a impressão de poderem pagar pelo transporte — no mínimo "pagar por uns litrinhos de gasolina". Mas Perry, o velho e pequeno Perry de bom coração, sempre insistia com Dick para darem carona para as pessoas mais desgraçadas e miseráveis. Finalmente Dick concordou, e parou o carro.

O garoto — um moleque forte e falante, com olhos espertos, de uns doze anos — demonstrou uma gratidão exuberante, mas o velho, cujo rosto era enrugado e amarelo, instalou-se fragilmente no banco traseiro e lá se encolheu em silêncio. O garoto disse: "Ficamos muito agradecidos. Johnny já estava quase caindo. Não conseguimos mais carona desde Galveston".

Perry e Dick tinham deixado aquela cidade portuária uma hora antes, depois de lá passar toda a manhã à procura de trabalho como marinheiros em várias companhias de navegação. Uma das empresas ofereceu-lhes emprego imediato num navio-tanque destinado ao Brasil, e, na verdade, os dois estariam agora a caminho caso seu futuro empregador não tivessem descoberto que nenhum dos dois tinha inscrição no sindicato nem um passaporte. Estranhamente, a decepção de Dick foi superior à de Perry: "O Brasil! É lá que estão construindo uma nova capital. A partir do zero. Imagine só, chegar a um lugar numa altura destas! Qualquer imbecil pode fazer fortuna".

"Aonde vocês estão indo?", perguntou Perry ao garoto.

"Sweetwater."

"Onde fica Sweetwater?"

"Em algum lugar, nesta direção. No Texas. Johnny, aqui, é meu avô. E uma irmã dele mora em Sweetwater. Quer dizer, Deus queira que ainda more. Achamos que ela morava em Jasper, no Texas. Mas quando chegamos a Jasper, as pessoas nos contaram que ela e a família tinham se mudado para Galveston. Mas ela não estava em Galveston — e uma mulher de lá disse que ela tinha ido para Sweetwater. Confio em Deus para que a gente consiga encontrar ela, Johnny", disse ele, esfregando as mãos do velho, como que para descongelá-las, "está ouvindo, Johnny? Estamos viajando num belo Chevrolet quentinho — modelo 56".

O velho tossiu, virou ligeiramente a cabeça, abriu e fechou os olhos e tornou a tossir.

Dick disse: "Escute aqui. Qual é o problema dele?".

"É a mudança", respondeu o garoto. "E tudo que nós já andamos. Estamos andando desde antes do Natal. Acho que já percorremos quase todo o Texas." Com a voz mais natural, e enquanto continuava a massagear as mãos do velho, o garoto contou-lhes que até o começo daquela viagem ele, o avô e uma tia moravam sozinhos numa fazenda perto de Shreveport, Louisiana. Pouco tempo antes, a tia morrera. "Johnny está mal há um ano, e a minha tia precisava fazer todo o serviço. Só comigo para ajudar. E nós estávamos rachando lenha. Rachando um toco. Bem no meio, minha tia disse que estava cansada. Já viram um cavalo se estirar no chão e simplesmente não levantar mais? Eu já. E foi assim que a minha tia fez." Poucos dias antes do Natal, o homem de quem seu avô tinha arrendado a fazenda "pôs a gente para fora", continuou o garoto. "Foi assim que a gente saiu de viagem para o Texas. Procurando a senhora Jackson. Nunca vi ela, mas é irmã do mesmo sangue de Johnny. E alguém precisa cuidar da gente. Pelo menos dele. Ele não aguenta muito mais. Ontem à noite a gente ainda pegou chuva."

O carro parou. Perry perguntou a Dick por que ele tinha parado.

"O homem está muito doente", respondeu Dick.

"E então? Você quer fazer o quê? Pôr o velho para fora?"

"Use a cabeça. Só desta vez."

"Você é um desgraçado mesmo."

"E se ele morrer?"

O garoto disse: "Ele não vai morrer. A gente já chegou até aqui, agora ele vai esperar".

Dick insistiu. "E se ele morrer? Pense no que pode acontecer. As perguntas."

"Francamente, estou me lixando. Você quer pôr os dois para fora? Então pode pôr." Perry olhou para o inválido, ainda sonolento, aturdido, surdo, e depois olhou para o garoto, que devolveu seu olhar com calma, sem pedir, sem suplicar, e Perry lembrou-se dele mesmo com aquela idade, de suas viagens com um velho. "Pode pôr. Pode pôr os dois para fora. Mas eu também vou descer com eles."

"Está bem. Está bem. Está bem. Mas não se esqueça", disse Dick. "A culpa é sua, porra."

Dick engatou a marcha. De repente, quando o carro tornou a andar, o garoto gritou: "Pare!". Saltando do carro, saiu correndo pela beira da estrada, abaixou-se, tornou a abaixar-se, e recolheu uma, duas, três, quatro garrafas vazias de coca-cola, correu de volta e entrou no carro, satisfeito e sorridente. "Essas garrafas valem muito dinheiro", disse ele a Dick. "Se o senhor dirigir mais devagar, eu garanto que consigo recolher bastante dinheiro para nós. É com isso que eu e Johnny temos comido. Dinheiro da devolução de casco."

Dick achou graça, mas também ficou interessado, e da próxima vez que o garoto mandou que parasse obedeceu na mesma hora. As ordens vinham com tanta frequência que eles levaram uma hora para percorrer menos de dez quilômetros, mas valeu a pena. O garoto era um "autêntico gênio" para localizar, em meio às pedras e ao mato da beira da estrada, e em meio ao brilho castanho das garrafas de cerveja jogadas fora, os borrões verdes que antes tinham contido 7-Up ou Canada Dry. Em pouco tempo, Perry também desenvolveu um jeito para localizar garrafas. Primeiro se limitava a indicar ao garoto onde ficavam seus achados; achava indigno sair correndo pela beira da estrada catando ele próprio os cascos vazios. Era "uma bobagem", "coisa de criança". Ainda assim, a brincadeira foi gerando um frenesi de caça ao tesouro, e logo ele também sucumbiu ao jogo, àquele fervor para encontrar cascos que pudessem ser trocados por dinheiro. Dick também, mas Dick levava tudo a sério. Por mais maluca que parecesse, aquela era talvez uma forma de ganhar dinheiro — ou, pelo menos, alguns trocados. Deus sabia que ele e Perry bem que estavam precisando; seus pecúlios combinados somavam, naquele momento, menos de cinco dólares.

Agora, os três — Dick, o garoto e Perry — corriam para fora do carro e, sem nenhuma vergonha, embora amigavelmente, competiam entre si. Numa ocasião, Dick localizou um esconderijo cheio de garrafas de vinho e uísque ao pé de um barranco, e ficou muito desapontado ao saber que seu achado não tinha valor. "Não pagam nada pelos cascos de bebida forte", informou o garoto. "E mesmo algumas das cervejas não valem nada. Geralmente eu nem me incomodo com elas. Só procuro as coisas garantidas. Dr. Pepper. Pepsi. Coca. White Rock. Nehi."

Dick disse: "Como você se chama?".

"Bill", respondeu o garoto.

"Bill, você sabe um bocado de coisas."

Caiu a noite, e os caçadores foram obrigados a desistir — por causa da escuridão e da falta de espaço, porque já tinham reunido o máximo de garrafas que o carro podia conter. O porta-malas estava cheio, o assento traseiro parecia uma lixeira reluzente; despercebido, esquecido até mesmo pelo neto, o velho doente estava quase sepultado debaixo da carga móvel que tilintava com perigo.

Dick disse: "Ia ser engraçado se a gente batesse agora".

Muitas luzes anunciavam o New Motel, que se revelou, à aproximação dos viajantes, um conjunto impressionante composto de bangalôs, uma garagem, um restaurante e um grande bar. Assumindo o comando, o garoto disse a Dick: "Pare aqui. Talvez a gente consiga vender as garrafas. Mas deixe eu falar. Eu tenho experiência. Às vezes eles tentam tapear você". Perry não conseguia imaginar "ninguém esperto o bastante para tapear aquele garoto", contaria mais tarde. "Ele não sentia a menor vergonha de entrar lá carregando todas aquelas garrafas. Eu nunca teria conseguido, ia ficar muito envergonhado. Mas as pessoas do motel foram simpáticas; só ficaram rindo. No fim das contas, aquelas garrafas valiam doze dólares e sessenta centavos."

O garoto dividiu o dinheiro, ficando com metade e entregando o resto aos sócios, e disse: "Sabem o quê? Vou comer bem com Johnny. Vocês não estão com fome?".

Como sempre, Dick estava faminto. E depois de tanta atividade, até Perry estava esfomeado. Como contaria mais tarde: "Carregamos o velho para o restaurante e sentamos ele numa mesa. Ele ficou exatamente do mesmo jeito — comatoso. E não disse nada. Mas você precisava ver como ele comeu. O garoto pediu panquecas para ele; disse que eram o prato preferido de Johnny. E eu garanto que ele deve ter comido umas trinta panquecas. Com mais ou menos um quilo de manteiga e um litro de xarope de milho. O garoto também comeu direitinho. Só pediu batatas fritas e sorvete, mas numa quantidade imensa. Eu me pergunto se não passou mal depois".

Durante o jantar, Dick, que tinha consultado um mapa, anunciou que Sweetwater ficava uns duzentos quilômetros a oeste do caminho que pretendia seguir — o caminho que o levaria a Nevada através do Novo México e do Arizona — até Las Vegas. Embora fosse verdade, ficou claro para Perry que Dick queria mesmo era livrar-se do garoto e do velho. O objetivo de Dick também ficou óbvio para o garoto, mas ele foi educado e disse: "Não se preocupe com a gente. Aqui devem passar muitos carros. A gente arranja uma carona".

O garoto foi andando com eles até o carro, deixando o velho a devorar mais uma pilha de panquecas. Trocou apertos de mão com Dick e com Perry, desejou-lhes um feliz Ano-Novo, e ficou acenando no escuro enquanto se afastavam.

A noite da quarta-feira 30 de dezembro foi memorável na casa do agente A. A. Dewey. Rememorando-a mais tarde, sua mulher diria: "Alvin estava cantando no banho, 'The yellow rose of Texas'. As crianças estavam vendo televisão. E eu estava arrumando a mesa para o jantar. Um bufê. Sou de Nova Orleans; adoro cozinhar e receber, e minha mãe tinha acabado de nos mandar uma caixa cheia de abacates, feijão-fradinho, e mais — ah, um monte de coisas ótimas. Então resolvi: Vamos fazer um jantar, convidar alguns amigos, os Murray, e mais Cliff e Dodie Hope. Alvin não queria, mas eu estava decidida. Meu Deus! Aquele caso podia durar para sempre, e ele mal tinha tirado um minuto de folga desde que tinha começado. Bem, eu estava arrumando a mesa, e por isso quando ouvi o telefone pedi a um dos meninos que atendesse — Paul. Paul disse que era para o pai, e eu falei: 'Diga que ele está no banho', mas Paul respondeu que achava que não era o caso, porque era o senhor Sanford, ligando de Topeka. O chefe de Alvin. Alvin atendeu enrolado numa toalha. Fiquei tão furiosa — pingando pela casa toda. Mas quando eu fui buscar um esfregão eu vi uma coisa ainda pior — o gato, aquele pateta do Pete, em cima da mesa da cozinha, devorando a salada de siri. Com o meu recheio de abacate.

"E de repente Alvin tinha me agarrado, estava me abraçando, e eu disse: 'Alvin Dewey, você ficou maluco?'. Brincadeira tem hora, mas o homem estava totalmente encharcado, estragando meu vestido, e eu já estava arrumada para receber as visitas. É claro que, quando eu entendi por que ele estava me abraçando, eu o abracei de volta. O senhor pode imaginar o que significou para Alvin saber que aqueles dois homens tinham sido presos. Em Las Vegas. Disse que precisava partir imediatamente para Vegas, e eu lhe perguntei se não seria melhor ele vestir alguma coisa antes, e Alvin, ele estava tão agitado, disse: 'Meu Deus, querida, parece que estraguei a sua festa!'. E eu respondi que não podia imaginar um modo melhor de estragar a festa — aquilo significava que dali a poucos dias talvez já estivéssemos levando uma vida normal. Alvin riu — e foi uma beleza ouvir o riso dele. As duas semanas anteriores tinham sido as piores de todas. Porque uma semana antes do Natal os dois sujeitos tinham aparecido em Kansas City — tinham chegado e partido sem ser capturados — e eu nunca tinha visto Alvin tão deprimido, afora uma vez em que o pequeno Alvin foi para o hospital com encefalite e achávamos que podíamos perdê-lo. Mas não quero falar disso.

"De qualquer maneira, fiz um café para ele e levei até o quarto, onde ele já devia estar se vestindo. Mas nada. Estava sentado na borda da cama com a cabeça apoiada nas mãos, como se estivesse com dor de cabeça. Não tinha posto nem mesmo um pé de meia. E eu disse: 'O que você está querendo, pegar uma pneumonia?'. E ele me olhou e respondeu: 'Marie, escute, tem de ser eles, só pode ser eles, é a única solução'. Alvin é engraçado. Foi como a primeira vez que ele concorreu a xerife do condado de Finney. Na noite da eleição, quando quase todos os votos já tinham sido contados e estava claro que ele tinha vencido, ele dizia — fiquei com vontade de estrangulá-lo — e continuou dizendo: 'Bom, só vamos ter certeza depois da contagem do último voto.'

"E então eu disse a ele: 'Escute aqui, Alvin, não vai começar com essa história. É claro que foram eles'. E ele: 'Mas e as provas? Não temos como provar que os dois sequer puseram os pés na casa da família Clutter!'. Mas eu achava que era justamente isso que ele podia provar: as pegadas — não foram justamente pegadas as únicas coisas que esses animais deixaram? E Alvin respondeu: 'Sim, e até parece que elas vão servir de muita coisa — a menos que os dois por acaso continuem usando as mesmas botas que deixaram as marcas. As pegadas, por si sós, não valem um tostão furado'. E eu disse: 'Tudo bem, querido, tome seu café e eu ajudo você a arrumar a mala'. Às vezes o melhor é não discutir com Alvin. Do jeito que ele insistia, quase me convenceu de que Hickock e Smith eram inocentes, e que se não fossem inocentes nunca iam confessar, e que se não confessassem nunca poderiam ser condenados — as provas eram circunstanciais demais. Mas o que incomodava mais a ele — ele tinha medo de que a história viesse à tona, de que os dois homens soubessem da verdade antes que o KBI tivesse a oportunidade de interrogá-los. Até ali, eles acreditavam que estavam sendo presos por violação da condicional. Pela emissão de cheques sem fundos. E Alvin achava que era muito importante que eles continuassem achando que era só isso. E disse: 'O nome Clutter precisa ser usado como um martelo, como um golpe inesperado'.

"Paul — mandei Paul até o varal para pegar umas meias de Alvin —, Paul voltou e ficou por lá vendo eu arrumar a mala do pai. Queria saber por que Alvin precisava viajar. Alvin levantou o garoto nos braços. E disse: 'Você consegue guardar um segredo, Pauly?'.

Não que ele precisasse perguntar. Os dois garotos sabem muito bem que nunca devem dizer nada sobre o trabalho de Alvin — os fragmentos de histórias que sempre ouvem pela casa. E então ele disse: 'Pauly, lembra dos dois sujeitos que a gente anda procurando? Pois agora a gente sabe onde eles estão, o seu pai vai lá pegar os dois e trazer aqui para Garden City'. Mas Paul implorou a ele: 'Não, papai, não traga eles para cá'. Ficou com medo — qualquer garoto de nove anos também ficaria. Alvin deu-lhe um beijo. E disse: 'Tudo bem, Pauly, não vamos deixar eles machucarem ninguém. Nunca mais eles vão machucar ninguém'."

Às cinco daquela tarde, uns vinte minutos depois que o Chevrolet roubado deixou o deserto de Nevada e entrou em Las Vegas, a longa viagem chegou ao seu final. Mas não antes de Perry fazer uma visita à agência dos Correios de Las Vegas, onde retirou um pacote endereçado a si mesmo aos cuidados do Serviço de Entregas — o caixote grande de papelão que tinha remetido do México, protegido por um seguro no valor de cem dólares, soma que excedia quase absurdamente o valor do conteúdo da caixa, que eram calças leves, calças de brim, camisas usadas, roupas de baixo e dois pares de botinas com fivelas de metal. Esperando por Perry do lado de fora da agência dos Correios, Dick estava de excelente humor; tinha tomado uma decisão que a seu ver erradicaria todas as dificuldades presentes e abriria para ele um caminho novo, ao fim do qual haveria um novo arco-íris. A decisão envolvia representar o papel de oficial da Força Aérea. Era um projeto que havia muito ele achava fascinante, e Las Vegas era o lugar ideal para pô-lo em prática. Já tinha escolhido a patente e o nome do oficial, tomado de empréstimo de um velho conhecido, o então diretor da Penitenciária Estadual do Kansas: Tracy Hand. Encarnando o capitão Tracy Hand, muito elegante em seu uniforme sob medida,

Dick tinha a intenção de "limpar o *Strip*", a rua de Las Vegas onde ficam os cassinos que nunca fecham. Tanto os pequenos quanto os grandes, como o Sands e o Stardust — pretendia dar o golpe em todos, distribuindo pelo caminho "um monte de papel colorido". Assinando cheques sem valor praticamente sem parar, esperava levantar 3, ou talvez 4 mil dólares num período de 24 horas. Isso era metade do plano; a segunda metade era: Adeus, Perry. Dick estava farto dele — da gaita, das dores e das doenças, das superstições, daqueles olhos femininos e chorosos, daquela voz sussurrante e enjoada. Desconfiado, moralista, despeitado, parecia uma mulher de quem precisava se livrar. E só havia um modo de fazê-lo: não dizer nada — simplesmente dar o fora.

Absorto em seus planos, Dick não percebeu um carro de polícia passar por ele, reduzir a velocidade, fazer um reconhecimento. Nem Perry, ao descer os degraus da agência dos Correios com a caixa mexicana equilibrada num dos ombros, percebeu o carro de polícia e os dois policiais que o ocupavam.

Os policiais Ocie Pigford e Francis Macauley levavam na cabeça várias páginas de informações memorizadas, inclusive a descrição de um Chevrolet 1956 preto e branco com a placa JO-16212, do Kansas. Nem Perry nem Dick viram o carro da polícia segui-los quando se afastaram da agência dos Correios, e com Dick dirigindo e Perry mostrando o caminho, percorreram cinco quarteirões no rumo norte, viraram à esquerda, depois à direita, andaram mais uns quinhentos metros e pararam em frente a uma palmeira moribunda e a uma placa castigada pelo tempo de que toda a caligrafia tinha desaparecido, exceto três letras: "OOM".

"É aqui?", perguntou Dick.

Perry, enquanto o carro de polícia encostava ao lado deles, fez que sim com a cabeça.

A Divisão de Detetives da Cadeia da Cidade de Las Vegas contém duas salas de interrogatório — aposentos de três metros por três e meio com iluminação fluorescente, paredes e teto forrados de isolante acústico. Em cada uma das salas, além de um ventilador, de uma mesa de metal e de cadeiras dobráveis também de metal, há microfones camuflados, gravadores escondidos e, encaixado na porta, um espelho de uma face para observação. No sábado, segundo dia de 1960, aquelas duas salas estavam reservadas para as duas da tarde — a hora que os quatro detetives do Kansas tinham escolhido para seu primeiro confronto com Hickock e Smith.

Pouco antes do momento previsto, o quarteto de agentes do KBI — Harold Nye, Roy Church, Alvin Dewey e Clarence Duntz — reuniu-se no corredor do lado de fora das salas de interrogatório. Nye estava com febre. "Uma parte era gripe. Mas a maior parte era pura agitação", informaria ele mais tarde a um jornalista. "Àquela altura, eu já estava esperando em Las Vegas havia dois dias — tinha tomado o primeiro avião depois que a notícia da prisão chegara ao nosso quartel-general em Topeka. O resto da equipe, Al, Roy e Clarence, chegou de carro — e por sinal fizeram uma viagem péssima. O tempo estava horrível. Passaram a véspera do Ano-Novo isolados pela neve num motel em Albuquerque. Vou lhe dizer, quando eles finalmente chegaram a Las Vegas, estavam ansiosos por um bom uísque e por boas notícias. E eu tinha as duas coisas prontas. Os nossos rapazes já tinham assinado as autorizações para serem extraditados de um estado para outro. Melhor ainda: tínhamos achado as botas, os dois pares, e as solas — a que tinha o padrão "pata de gato" e a que tinha o padrão de losangos — combinavam perfeitamente com as fotografias em tamanho real das pegadas encontradas na casa da família Clutter. As botas estavam num caixote de coisas que os dois tinham acabado de pegar na agência dos Correios pouco antes de a cortina se fechar. Como eu disse a Al Dewey, imagine se a gente pega os dois cinco minutos antes!

"Mesmo assim, o nosso caso ainda era bastante duvidoso — e qualquer advogado podia acabar com ele. Mas eu me lembro, enquanto conversávamos no corredor — eu me lembro de que estava febril e muito nervoso, mas *confiante*. Todos estavam; todos sentiam que estávamos à beira da verdade. O meu trabalho, meu e de Church, era pressionar Hickock. Smith ia ficar com Al e com o Velho Duntz. Até ali eu não tinha visto os suspeitos — só tinha examinado os pertences deles e preparado as autorizações para extradição. Nunca tinha posto meus olhos em Hickock até ele ser trazido para a sala de interrogatório. Tinha imaginado um sujeito maior. Mais forte. E não um garoto magrelo. Ele tinha 28 anos, mas parecia um garoto. Faminto — um saco de ossos. Estava usando uma camisa azul, calças de algodão cáqui, meias brancas e sapatos pretos. Trocamos um aperto de mãos; a mão dele estava mais seca do que a minha. Limpo, educado, boa voz, boa dicção, um sujeito que parecia decente, com um sorriso que desarmava — e no começo ele sorriu bastante.

"Eu disse: 'Senhor Hickock, meu nome é Harold Nye, e este é o senhor Roy Church. Somos agentes especiais do Kansas Bureau of Investigation, e viemos até aqui para discutir a violação da sua condicional. É claro que o senhor não é obrigado a responder nossas perguntas, e tudo o que o senhor disser pode ser usado como prova contra o senhor. O senhor tem direito a um advogado. Não vamos usar força, nem ameaças, nem lhe faremos promessas'. Ele estava calmíssimo."

"Eu conheço o protocolo", disse Dick. "Já fui interrogado antes."

"Então, senhor Hickock."

"Dick."

"Dick, queremos conversar com você sobre as suas atividades desde que conseguiu a liberdade condicional. Que nós saibamos, você passou cheques sem fundo na área de Kansas City em pelo menos duas ocasiões."

"É. Passei alguns."

"Pode nos dar uma lista?"

O prisioneiro, com orgulho evidente de seu único autêntico talento, uma memória brilhante, recitou os nomes e endereços de vinte lojas, cafés e oficinas de Kansas City, rememorando corretamente a "compra" feita em cada um e o valor do cheque que tinha passado.

"Fiquei curioso, Dick. Como é que essas pessoas aceitam os seus cheques? Queria saber qual é o seu segredo."

"O segredo é o seguinte: as pessoas são burras."

Roy Church disse: "Muito bem, Dick. Muito engraçado. Mas, só por enquanto, vamos esquecer os cheques". Embora sua voz desse a impressão de vir de uma garganta revestida de cerdas de javali, e suas mãos fossem calejadas a ponto de esmurrar paredes de pedra (na verdade, seu truque favorito), muita gente já confundiu Church com um homenzinho gentil, um tio calvo e de bochechas rosadas. "Dick", disse ele, "e se você contasse um pouco para nós a história da sua família?"

O prisioneiro começou a rememorar. Certa vez, quando tinha nove ou dez anos, seu pai adoecera. "Era febre de coelho", e a doença durou vários meses, durante os quais a família precisara contar com a assistência da igreja e a caridade dos vizinhos — "se não fosse por isso, a gente teria morrido de fome". Além desse episódio, sua infância tinha sido boa. "Nunca tivemos muito dinheiro, mas nunca ficamos totalmente na miséria", disse Hickock. "Sempre tínhamos roupas limpas e comida na mesa. Meu pai era muito severo. Só ficava satisfeito quando me via fazendo alguma tarefa. Mas a gente se dava bem — nenhuma discussão séria. Meus pais também nunca discutiam. Não me lembro de nenhuma briga entre eles. Ela é maravilhosa, a minha mãe. Meu pai também é um bom sujeito. Acho que eles fizeram por mim o melhor que podiam." Escola? Bem, ele achava que poderia ter sido um aluno acima da média se tivesse dedicado aos livros uma fração do tempo que tinha "desperdiçado" com os esportes. "Beisebol. Futebol americano. Eu era de todos os times. Depois da escola secundária, poderia ter ido para a faculdade com uma bolsa para jogar futebol. Queria estudar engenharia, mas mesmo com uma bolsa esses cursos custam muito caro. Não sei, me pareceu mais seguro arrumar um emprego."

Antes de seu 21º aniversário, Hickock já tinha trabalhado como guarda-linha de estrada de ferro, motorista de ambulância, pintor de carros e mecânico de oficina; e também se casara com uma garota de dezesseis anos. "Carol. O pai dela era pastor. Era totalmente contra mim. Disse que eu era um joão-ninguém. Criou todos os problemas possíveis. Mas eu era doido por Carol. Ainda sou. Aquela é uma princesa de verdade. Só que — entende, nós tivemos três filhos. Meninos. E éramos jovens demais para ter três filhos. Talvez se a gente não tivesse se endividado tanto. Se pelo menos eu tivesse conseguido ganhar mais dinheiro. Eu bem que tentei."

Tentou o jogo, e depois começou a falsificar cheques e a fazer experiências com outras formas de roubo e furto. Em 1958, foi condenado no tribunal do condado de Johnson por arrombamento de uma casa, e sentenciado a cinco anos na Penitenciária Estadual do Kansas. Àquela altura, Carol o tinha deixado e ele ficara noivo de outra menina de dezesseis anos. "Muito malvada. Ela e toda a família. Ela se divorciou de mim quando eu estava preso. Não me queixo. Em agosto do ano passado, quando eu saí da cadeia, achei que tinha a chance de começar de novo. Arrumei um emprego em Olathe, fui morar com a minha família, e ficava em casa toda noite. Estava indo muito bem —"

"Até o dia 20 de novembro", disse Nye, e Hickock deu a impressão de não ter entendido. "O dia em que você parou de ir muito bem e começou a passar cheques sem fundos. Por quê?"

Hickock suspirou e disse: "Essa história daria um livro". E então, fumando um cigarro filado de Nye e aceso pelo gentil Church, ele disse: "Perry — meu amigo Perry Smith — tinha conseguido a condicional na primavera. Mais tarde, quando eu saí, ele me mandou uma carta, com carimbo do Idaho. Escreveu me lembrando de um negócio que a gente costumava discutir. No México. A ideia era ir até Acapulco, um desses lugares, comprar um barco de pesca e tomar conta do negócio nós mesmos — levar turistas para pescar em alto-mar".

Nye disse: "E o barco? Como é que vocês planejavam pagar?".

"Eu chego lá", disse Hickock. "Perry me escreveu contando que tinha uma irmã que morava em Fort Scott. E que ela estava guardando bastante dinheiro para ele. Vários milhares de dólares. Dinheiro que o pai devia a ele da venda de alguma propriedade no Alasca. Disse que estava vindo para o Kansas buscar a grana."

"E depois vocês iam usar o dinheiro para comprar o barco."

"Correto."

"Mas não deu certo."

"O que aconteceu foi que Perry apareceu mais ou menos um mês mais tarde. Eu fui me encontrar com ele no terminal de ônibus de Kansas City —"

"Quando?", perguntou Church. "Que dia da semana?"

"Uma quinta-feira."

"E quando vocês dois foram a Fort Scott?"

"No sábado."

"Dia 14 de novembro."

Os olhos de Hickock cintilaram de surpresa. Dava para ver que ele estava se perguntando por que Church tinha tanta certeza daquela data; e de imediato — porque ainda era cedo demais para despertar suspeitas — o detetive disse: "A que horas vocês partiram para Fort Scott?".

"Naquela tarde. Demos um jeito no meu carro, e depois comemos chili no West Side Café. Deve ter sido lá pelas três."

"Em torno das três. E a irmã de Perry Smith estava esperando vocês?"

"Não, porque Perry tinha perdido o endereço dela. E ela não tinha telefone."

"Então como é que vocês achavam que iam encontrá-la?"

"Perguntando na agência dos Correios."

"E vocês perguntaram?"

"Perry perguntou. E disseram que ela tinha se mudado. Para o Oregon, pelo menos era o que achavam. Mas não tinha deixado o endereço novo."

"Deve ter sido um choque. Depois de contar com todo esse dinheiro."

Hickock concordou. "Porque — nós tínhamos resolvido que íamos mesmo para o México. Se não, eu nunca teria passado aqueles cheques. Mas eu esperava... Escutem aqui; estou falando a verdade. Achei que quando a gente chegasse no México e começasse a ganhar dinheiro, eu poderia cobrir. Os cheques."

Nye tomou a iniciativa. "Só um minuto, Dick." Nye é um sujeito baixo, de pavio curto, que tem dificuldade de moderar seu vigor agressivo, seu talento para a linguagem franca e contundente. "Eu queria saber um pouco mais sobre a viagem de vocês a Fort Scott", disse ele, com voz mansa. "Quando vocês descobriram que a irmã de Smith não morava mais lá, o que vocês fizeram?"

"Demos uma volta. Tomamos uma cerveja. E voltamos."

"Quer dizer que você foi para casa?"

"Não. Fomos para Kansas City. Paramos no Drive-In Zesto. Comemos uns hambúrgueres. Demos uma passada na Cherry Row."

Nem Nye nem Church sabiam o que era a Cherry Row.

E Hickock explicou: "Estão brincando? Todos os policiais de Kansas conhecem". Quando os detetives insistiram em alegar ignorância, ele explicou que era um trecho de parque onde se podiam encontrar "principalmente meretrizes", e acrescentou: "mas também algumas amadoras. Enfermeiras. Secretárias. Já tive muita sorte por lá".

"E nessa noite em particular, teve sorte?"

"Do tipo errado. Acabamos com uma dupla de marafonas."

"Nomes?"

"Mildred. A outra, a que ficou com Perry, acho que se chamava Joan."

"Pode descrever as duas?"

"Talvez fossem irmãs. As duas louras. Cheias de corpo. Não me lembro muito bem. Nós tínhamos comprado uma garrafa de Orange Blossom pronta para tomar — refrigernte sabor laranja com vodca — e eu estava meio alto. Demos uns goles para as meninas e partimos com elas para o Fun Haven. Imagino que os senhores nunca tenham ouvido falar do Fun Haven."

Não tinham.

Hickock sorriu e encolheu os ombros. "Fica na estrada de Blue Ridge. Uns doze quilômetros ao sul de Kansas City. É uma boate mas também um motel. A chave para um quarto custa dez dólares."

Continuando, ele descreveu o quarto em que, segundo ele, os quatro tinham passado a noite: duas camas de solteiro, um velho calendário da coca-cola, um rádio que só funcionava se o freguês depositasse uma moeda de 25 centavos. Sua tranquilidade, sua minúcia, a apresentação segura de detalhes verificáveis deixaram Nye impressionado — embora, é claro, o rapaz estivesse mentindo. Será que não? Fosse devido à gripe, à febre ou a alguma queda abrupta de confiança, Nye transpirou um suor gelado.

“Na manhã seguinte, acordamos e descobrimos que as duas tinham nos enrolado e dado o fora”, disse Hickock. “De mim não tomaram muito. Mas Perry perdeu a carteira, com quarenta ou cinquenta dólares.”

“E o que vocês fizeram?”

“Nada podia ser feito.”

“Podiam ter avisado a polícia.”

“Ah, francamente. Deixe disso. Avisar a polícia. Para sua informação, o sujeito em liberdade condicional não pode beber. Nem se encontrar com outro ex-presidiário —”

“Tudo bem, Dick. É domingo. Dia 15 de novembro. Conte para nós o que você fez nesse dia, a partir do momento em que foi embora do Fun Haven.”

“Bem, tomamos café da manhã numa parada de caminhão perto de Happy Hill. Depois fomos até Olathe, e eu deixei Perry no hotel onde ele estava instalado. Acho que deve ter sido lá pelas onze. Depois, fui para casa e almocei com a família. O mesmo de todo domingo. Fiquei vendo tevê — um jogo de basquete, ou talvez futebol. Estava muito cansado.”

“E quando tornou a se encontrar com Perry Smith?”

“Na segunda-feira. Ele passou pelo lugar onde eu trabalhava. A oficina de Bob Sands.”

“E sobre o que vocês conversaram? Sobre o México?”

“A gente ainda achava a ideia boa, mesmo sem ter conseguido o dinheiro para fazer tudo o que pretendia — abrir um negócio por lá. A gente queria ir, e o risco parecia valer a pena.”

“Valer uma pena de mais alguns anos em Lansing?”

“Ninguém nem pensou nisso. A gente achava que nunca mais ia voltar a passar pelo Kansas.”

Nye, que vinha tomando notas num caderno, disse: “No dia seguinte ao dia em que passou os cheques — o dia 21 — você e seu amigo Smith desapareceram. Agora, Dick, por favor, descreva todos os seus movimentos entre esse momento e a hora em que vocês foram presos aqui em Las Vegas. Só uma ideia geral".

Hickock assobiou e revirou os olhos. "Caramba!", disse ele, e então, reunindo seu talento para aquilo que parecia ser uma memória total, começou um relato da longa viagem — os aproximadamente 15 mil quilômetros que ele e Smith tinham percorrido nas seis semanas anteriores. Falou por uma hora e 25 minutos — das duas e cinquenta às quatro e quinze — e mencionou, enquanto Nye tentava relacioná-los, estradas e hotéis, motéis, rios, cidades e localidades, uma enxurrada de nomes entrelaçados: Apache, El Paso, Corpus Christi, Santillo, San Luis de Potosí, Acapulco, San Diego, Dallas, Omaha, Sweetwater, Stillwater, Tenville Junction, Tallahassee, Needles, Miami, Hotel Nuevo Waldorf, Hotel Somerset, Hotel Simone, Motel Arrowhead, Motel Cherokee, e muito, muito mais. Deu-lhes o nome do mexicano a quem vendera seu velho Chevrolet 1949, e confessou que tinha roubado um carro de modelo mais recente em Iowa. Descreveu pessoas que ele e o comparsa tinham conhecido: uma viúva mexicana, rica e sensual; Otto, um "milionário" alemão; uma dupla "chique" de boxeadores negros num Cadillac "muito chique" cor de lavanda; o prorietário cego de um criadouro de cascavéis na Flórida; um velho moribundo e seu neto; e outros. E quando acabou encostou-se na cadeira, com os braços cruzados e um sorriso de satisfação, como se esperasse elogios pelo humor, a clareza e a sinceridade de sua narrativa de viagem.

Mas Nye, tentando pegar todos os detalhes do relato, corria com a pena pelo papel, e Church, batendo preguiçosamente com o punho fechado na palma aberta da outra mão, não dizia nada — até que de repente disse: "Acho que você sabe por que estamos aqui".

A boca de Hickock contraiu-se — e sua postura também.

"Acho que você sabe que não íamos fazer toda essa viagem

até Nevada só para bater papo com uma dupla de estelionatários baratos."

Nye tinha fechado o caderno. Ele também olhou fixamente para o preso, e observou que um aglomerado de veias tinha surgido em sua têmpora esquerda.

"Você acha, Dick?"

"O quê?"

"Que íamos fazer essa viagem toda só para falar de um monte de cheques sem fundo?"

"Não vejo outro motivo."

Nye desenhou um punhal na capa do seu caderno. Enquanto desenhava, disse: "Diga uma coisa, Dick. Você já ouviu falar no caso do assassinato da família Clutter?". Em resposta ao quê, escreveria ele mais tarde num relatório formal do interrogatório, "O suspeito apresentou uma reação intensa e visível. Ficou pálido. Seus olhos sofreram um espasmo".

Hickock disse: "Epa, calma. Nada disso. Eu não sou assassino".

"A pergunta que eu fiz", lembrou-lhe Church, "foi se você tinha *ouvido falar* dos assassinatos."

"Pode ser que eu tenha lido sobre o caso", disse Hickock. "Um crime pavoroso. Hediondo. Covarde."

"E quase perfeito", disse Nye. "Mas você cometeu dois erros, Dick. O primeiro: deixou uma testemunha. Uma testemunha viva. Que ainda pode depor no tribunal. Que pode ser chamada para depor e contar ao júri como Richard Hickock e Perry Smith amarraram, amordaçaram e massacraram quatro pessoas indefesas."

O rosto de Hickock ruborizou-se com a cor que voltava. "Uma testemunha viva! Não pode ser!"

"Não pode porque você achou que tinha se livrado de todas?"

"Eu disse calma! Ninguém pode me ligar com nenhum assassinato. Cheques sem fundo. Um roubo aqui ou ali. Mas eu não sou assassino."

"Então por quê", perguntou Nye em tom exaltado, "você está mentindo para nós?"

"Eu só disse a verdade."

"Aqui e ali. Mas não o tempo todo. Por exemplo, que tal a tarde de sábado, 14 de novembro? Você diz que foi de carro até Fort Scott."

"Isso."

"E que quando chegou lá foi à agência dos Correios."

"Isso."

"Para conseguir o endereço da irmã de Perry Smith."

"Justamente."

Nye levantou-se. Deu a volta até postar-se atrás da cadeira de Hickock, e apoiando-se nas costas da cadeira inclinou-se como que para sussurrar no ouvido do preso. "Perry Smith não tem nenhuma irmã morando em Fort Scott", disse ele. "Nunca teve. E nas tardes de sábado a agência dos Correios de Fort Scott está sempre fechada." E então disse: "Pense bem, Dick. Por enquanto é só. Conversamos com você mais tarde".

Depois que Hickock saiu, Nye e Church atravessaram o corredor, e olhando pela janela de observação colocada na porta da sala de interrogatório, assistiram à inquirição de Perry Smith — uma cena que podiam ver mas não ouvir. Nye, que via Smith pela primeira vez, ficou fascinado com seus pés — com o fato de suas pernas serem tão curtas que seus pés, pequenos como os de uma criança, não chegavam a alcançar o chão. A cabeça de Smith — com o cabelo escorrido de índio, a mistura índio-irlandesa de pele escura e traços atrevidos — lembrou-lhe a bela irmã do suspeito, a interessante sra. Johnson. Mas aquele menino-homem troncudo e deformado não era bonito; a ponta rosada de sua língua dardejava, lembrando a língua de um lagarto. Estava fumando um cigarro, e pela regularidade de suas tragadas Nye deduziu que ainda estava "virgem" — ou seja, que ainda não tinha sido informado da verdadeira finalidade daquela entrevista.

***

Nye tinha razão. Porque Dewey e Duntz, profissionais pacientes, tinham aos poucos conduzido a história de vida de Perry para as sete semanas anteriores, e em seguida reduzido esse espaço de tempo a uma recapitulação concentrada do fim de semana crucial — entre o meio-dia de sábado e o meio-dia de domingo, 14 e 15 de novembro. Agora, depois de três horas preparando o terreno, não estavam longe de chegar ao que interessava.

Dewey disse: "Perry, vamos recapitular. Quando você recebeu a condicional, disseram que nunca mais poderia voltar ao Kansas".

"O Estado do Girassol. Chorei até me acabar."

"E se você ficou assim, por que voltou? Devia ter um motivo muito forte."

"Já disse. Para ver a minha irmã. Pegar o dinheiro que ela estava guardando para mim."

"Ah, sim. A irmã que você e Hickock tentaram encontrar em Fort Scott. Perry, qual é a distância entre Fort Scott e Kansas City?"

Smith sacudiu a cabeça. Ele não sabia.

"Bem, quanto tempo vocês levaram para chegar lá de carro?"

Nenhuma resposta.

"Uma hora? Duas? Três? Quatro?"

O prisioneiro respondeu que não se lembrava.

"Claro que não. Porque você nunca esteve em Fort Scott em toda a sua vida."

Até então, nenhum dos dois detetives tinha desmentido qualquer outra parte do depoimento de Smith. Ele se remexeu na cadeira; com a ponta da língua, umedeceu os lábios.

"O fato é que nada do que você nos contou é verdade. Você nunca esteve em Fort Scott. Vocês dois nunca pegaram as duas meninas e nunca levaram as duas para motel nenhum —"

"Levamos, sim. Sério."

"Quais eram os nomes delas?"

"Não perguntei."

"Você e Hickock passaram a noite com essas mulheres e nem perguntaram o nome delas?"

"Eram prostitutas."

"Diga qual era o nome do motel."

"Pergunte a Dick. Ele deve saber. Eu nunca me lembro dessas coisas."

Dewey se dirigiu a seu colega. "Clarence, acho que chegou a hora de darmos um jeito no Perry."

Duntz inclinou-se para a frente. É um peso-pesado com a agilidade espontânea de um peso-galo, mas seus olhos são preguiçosos e semicerrados. Fala com um jeito arrastado; cada palavra, enunciada com relutância e emoldurada pelo sotaque arrastado da região de criação de gado, leva muito tempo sendo pronunciada. "Sim, senhor", disse ele. "Está na hora."

"Preste atenção, Perry. Porque o senhor Duntz vai lhe dizer onde é que vocês realmente estiveram naquela noite de sábado. Onde é que vocês estiveram e o que andaram fazendo."

Duntz disse: "Vocês estavam matando a família Clutter".

Smith engoliu em seco. Começou a esfregar os joelhos.

"Vocês estavam em Holcomb, Kansas. Na casa do senhor Herbert W. Clutter. E antes de sair da casa, vocês mataram todo mundo que havia lá."

"Nunca. Eu nunca."

"Nunca o quê?"

"Nunca conheci ninguém com esse nome. Clutter."

Dewey disse que ele era um mentiroso, e então, puxando uma carta que numa reunião anterior os detetives tinham concordado em usar fechada, disse a ele: "Temos uma testemunha viva, Perry. Alguém que vocês não viram".

Um minuto inteiro se passou, e Dewey exultou com o silêncio

de Smith, porque um homem inocente perguntaria de imediato quem era essa testemunha, quem eram esses tais de Clutter, e por que eles achavam que ele tinha matado essas pessoas — no mínimo, diria *alguma coisa*. Mas Smith só ficou lá sentado em silêncio, apertando os joelhos.

"E então, Perry?"

"Tem uma aspirina? Ficaram com a minha aspirina."

"Está se sentindo mal?"

"As minhas pernas."

Eram cinco e meia. Dewey, intencionalmente brusco, encerrou a entrevista. "Vamos recomeçar amanhã", disse ele. "Aliás, sabe que dia é amanhã? O aniversário de Nancy Clutter. O dia em que ela faria dezessete anos."

"Ela faria dezessete anos." Perry, sem ter conseguido pregar o olho quando o dia amanheceu, perguntou-se (lembraria mais tarde) se seria de fato o aniversário da garota, e concluiu que não, que era só mais um modo de tentar quebrar as resistências dele, como aquela mentira sobre uma testemunha — "uma testemunha viva". Não podia ser. Ou será que eles estavam querendo dizer — Se pelo menos ele pudesse falar com Dick! Mas ele e Dick estavam separados. Dick estava trancado numa cela em outro andar. "Preste atenção, Perry. Porque o senhor Duntz vai lhe dizer onde é que vocês realmente estiveram..." A meio caminho do interrogatório, depois que começara a perceber o número de alusões a um determinado fim de semana de novembro, ele se preparara para o que sabia que estava vindo, mas quando veio, quando o caubói imenso com a voz sonolenta tinha dito: "Vocês estavam matando a família Clutter" — bem, ele quase morrera. Deve ter perdido uns cinco quilos em dois segundos. Graças a Deus não tinha deixado que eles percebessem. Pelo menos esperava que não. E Dick? Possivelmente, tinham feito a mesma coisa com ele. Dick era esperto, um ator convincente, mas as "tripas" dele não eram de confiança, ele entrava em pânico com muita facilidade. Mesmo assim, e por mais que tivessem feito pressão sobre ele, Perry tinha certeza de que Dick iria aguentar. A não ser que quisesse ser enforcado. "E antes de vocês saírem da casa mataram todo mundo que havia lá." Ele não ficaria espantado se todo ex-presidiário do Kansas tivesse ouvido aquela mesma acusação. Deviam ter interrogado centenas de homens, e sem dúvida acusado dúzias deles; ele e Dick eram só dois a mais. Por outro lado — bem, será que o Kansas mandaria quatro agentes especiais a 1500 quilômetros de distância só para recolher dois bandidos sem importância que tinham violado a condicional? Talvez eles tivessem de algum modo tropeçado em alguma coisa, em alguém — "uma testemunha viva". Mas era impossível. A menos que — ele daria um braço, uma perna para conversar com Dick por cinco minutos que fosse.

E Dick, sem conseguir dormir numa cela no andar abaixo, estava (mais tarde relembraria) igualmente ansioso para trocar ideias com Perry — descobrir o que o desgraçado tinha dito a eles. Deus do céu, não dava para confiar nem que ele se lembrasse do esboço do álibi do Fun Haven — muito embora eles tivessem conversado a respeito muitas vezes. E quando os desgraçados o tinham ameaçado com uma testemunha! Dez contra um que o baixinho tinha achado que eles falavam de uma testemunha *ocular*. Mas ele, Dick, tinha percebido imediatamente que a tal testemunha só podia ser uma pessoa: Floyd Wells, seu velho amigo e ex-companheiro de cela. Nas últimas semanas de sua sentença, Dick tinha pensado em esfaquear Floyd — apunhalá-lo no coração com um estoque feito à mão — e que imbecil tinha sido de não levar esse plano a cabo. Além de Perry, Floyd Wells era o único ser humano que podia associar os nomes Hickock e Clutter. Floyd, com seus ombros caídos e seu queixo recuado — Dick achara que ele ficaria com medo. O filho da puta devia estar atrás de alguma recompensa bacana — a liberdade condicional, dinheiro, ou as duas coisas. Mas o inferno ia congelar antes que ele conseguisse. Porque a denúncia de um prisioneiro não era prova. Provas eram impressões digitais, pegadas, testemunhas, uma confissão. Se tudo o que aqueles caubóis tinham era só uma história contada por Floyd Wells, ele não tinha muito com que se preocupar. Aliás, pensando bem, Perry era pelo menos duas vezes mais perigoso do que Floyd. Perry, se perdesse a coragem e abrisse a boca, podia mandar os dois para a forca. E de repente ele viu a verdade: era *Perry* que ele devia ter silenciado. Em alguma estrada nas montanhas do México. Ou quando caminhavam pelo deserto de Mojave. Por que aquilo nunca lhe tinha ocorrido antes? Porque agora, agora era tarde demais.

Finalmente, às três e cinco daquela tarde, Smith admitiu a falsidade da história da viagem a Fort Scott. "Foi uma história que Dick contou para a família dele. Para poder passar a noite fora. Beber. O pai de Dick vigiava tudo o que ele fazia — com medo de ele violar a condicional. Daí inventamos essa desculpa sobre a minha irmã. Só para acalmar o senhor Hickock." Fora isso, repetiu a mesma história vezes sem conta, e Duntz e Dewey, por mais que o corrigissem e o acusassem de mentir, não conseguiram fazê-lo mudar seu relato — a não ser para acrescentar novos detalhes. Os nomes das prostitutas, lembrou ele, eram Mildred e Jane (ou Joan). "Elas nos roubaram", lembrou ainda. "Foram embora com o nosso dinheiro enquanto a gente dormia." E embora até mesmo Duntz tivesse desistido de sua pose — desfazendo-se, junto com o paletó e a gravata, de sua enigmática e sonolenta dignidade —, o suspeito continuava a transmitir uma impressão de satisfação e serenidade; recusava-se a ceder. Nunca tinha ouvido falar da família Clutter, nem de Holcomb, nem mesmo de Garden City.

Do outro lado do corredor, na sala repleta de fumaça de cigarro onde Hickock era submetido a seu segundo interrogatório, Church e Nye aplicavam metodicamente uma estratégia mais tortuosa. Nenhum dos dois, ao longo de toda a entrevista, que até então já se estendia por quase três horas, falou em assassinato — uma omissão que mantinha o prisioneiro tenso e na expectativa. Falavam de todo o resto: a filosofia religiosa de Hickock ("Sei que existe inferno. Já estive lá. E talvez também exista um céu. Muita gente rica acha que sim"); sua história sexual ("Sempre me comportei de um modo cem por cento normal"); e, mais uma vez, a história de sua hégira de um lado a outro do país ("A única razão de nós termos continuado a viajar assim é que estávamos procurando emprego. Mas não conseguimos achar nenhum trabalho decente. Passei um dia trabalhando na escavação de um fosso..."). Mas o que estava no centro de interesse eram as coisas que não eram ditas — motivo, os detetives estavam convencidos, da crescente tensão de Hickock. A uma certa altura, ele fechou os olhos e tocou as pálpebras com as pontas trêmulas dos dedos. E Church disse: "Algum problema?".

"Dor de cabeça. Tenho umas de rachar."

Então Nye disse: "Olhe para mim, Dick". Hickock obedeceu, com uma expressão que o detetive interpretou como um pedido para que falasse logo, para que fizesse logo as acusações, e deixasse o prisioneiro escapar para o santuário da negação invariável. "Quando discutimos o assunto ontem, você talvez se lembre de que eu disse que o assassinato da família Clutter tinha sido um crime quase perfeito. Os assassinos só cometeram dois erros. O primeiro foi terem deixado uma testemunha. O segundo — bem, vou lhe mostrar." Levantando-se, pegou num canto uma caixa e uma pasta, que tinha trazido para a sala no início do interrogatório. Da pasta, tirou uma foto ampliada. "Isto", disse ele, deixando a foto na mesa, "é uma reprodução em tamanho real de certas pegadas encontradas em torno do corpo do senhor Clutter". "E estas" —

abriu a caixa — "são as botas que produziram as pegadas. As suas botas, Dick." Hickock olhou, e desviou os olhos. Apoiou os cotovelos nos joelhos e segurou a cabeça com as mãos. "E Smith", disse Nye, "foi ainda mais descuidado. Pegamos as botas dele também, e elas se encaixam perfeitamente em outras pegadas. Dessa vez, sangrentas."

Church fechou o cerco. "Vou lhe dizer o que vai acontecer com você, Hickock", disse ele. "Você vai ser levado de volta para o Kansas. E vai ser acusado de quatro homicídios em primeiro grau. Primeiro: que no dia 15 de novembro de 1959, ou quase, um certo Richard Eugene Hickock, ilegalmente, com malícia, por vontade própria, com deliberação e premeditação, e enquanto perpetrava o crime de roubo, matou e tirou a vida de Herbert W. Clutter. Segundo: que no dia 15 de novembro de 1959, ou quase, o mesmo Richard Eugene Hickock, ilegalmente —"

E Hickock disse: "Foi Perry Smith que matou a família Clutter". Ergueu a cabeça, e endireitou lentamente o corpo na cadeira, como um lutador nocauteado que se esforça para reerguer-se. "Foi Perry. Não consegui fazer ele parar. Ele matou todo mundo."

A chefe da agência dos Correios, Myrtle Clare, aproveitando a pausa para o cafezinho no Hartman's Café, queixou-se do volume baixo do rádio do bar. "Aumente", pediu ela.

O rádio estava sintonizado na estação de Garden City, a KIUL. E ela ouviu as palavras: "... depois de fazer sua dramática confissão, Hickock saiu da sala de interrogatório e desmaiou no corredor. Os agentes do KBI o ampararam quando ia caindo no chão. Os agentes afirmaram que Hickock tinha dito que ele e Smith invadiram a residência dos Clutter esperando encontrar um cofre contendo pelo menos dez mil dólares. Mas não havia cofre algum, e por isso eles amarraram a família e mataram todos a tiros, um por um. Smith não confirmou nem desmentiu ter participado do crime. Quando lhe disseram que Hickock tinha assinado uma confissão, Smith disse: 'Quero ler o depoimento do meu amigo'. Mas seu pedido foi recusado. Os policiais recusaram-se a revelar se foi Hickock ou Smith quem fez os disparos que mataram os membros da família. Enfatizaram que a confissão foi apenas a versão de Hickock. Os agentes do KBI, acompanhando os dois homens em sua viagem de volta ao Kansas, já deixaram Las Vegas de carro. Espera-se que o grupo chegue a Garden City na noite de quarta-feira. Enquanto isso, o procurador do condado, Duane West...".

"Um por um", disse a sra. Hartman. "Imagine só. Não admira que o verme tenha desmaiado."

Outras pessoas presentes no café — a sra. Clare, Mabel Helm e um jovem e rude fazendeiro que tinha parado para comprar um rolo do tabaco de mascar Brown's Mule — trocaram murmúrios. A sra. Helm enxugou os olhos com um guardanapo de papel. "Não vou ouvir", disse ela. "Não quero. Não vou."

"... notícias de uma solução do caso foram recebidas com poucas reações na cidade de Holcomb, a menos de um quilômetro da residência da família Clutter. De maneira geral, os membros da comunidade de 270 habitantes manifestaram alívio..."

O jovem fazendeiro urrou. "Alívio! Ontem à noite, depois de ouvir a notícia na tevê, sabem o que a minha mulher fez? Chorou feito um bebê."

"Shhhh", disse a sra. Clare. "Estão falando de mim."

"... e a agente dos Correios de Holcomb, a senhora Myrtle Clare, disse que os moradores estão satisfeitos porque o caso foi solucionado, mas que alguns deles ainda acham que mais gente pode estar envolvida. Disse que muitas pessoas ainda deixam suas portas trancadas e as armas carregadas..."

A sra. Hartman riu. "Oh, *Myrt*!", disse ela. "A quem você disse isso?"

"A um repórter do *Telegram*."

Os homens que ela conhece, muitos deles, tratam a sra. Clare como se ela fosse outro homem. O fazendeiro deu-lhe um tapa nas costas e disse: "Caramba, Myrt. Essa não. Não vá me dizer que você ainda acha que um de nós — alguém daqui — teve alguma coisa a ver com essa história".

Mas isso, claro, era exatamente o que a sra. Clare achava, e embora geralmente fosse a única a sustentar suas opiniões, dessa vez não estava sem companhia, porque a maioria dos habitantes de Holcomb, depois de passar sete semanas em meio aos boatos mais doentios e à desconfiança generalizada, dava a impressão de ter ficado decepcionada quando lhes disseram que o assassino não era nenhum deles. De fato, uma facção bastante numerosa recusava-se a aceitar o fato de que dois desconhecidos, dois ladrões de fora, fossem os únicos responsáveis. Como disse a sra. Clare: "Talvez tenham sido eles, esses dois. Mas alguma outra coisa deve haver. É só esperar. Um dia eles ainda vão chegar ao fundo dessa história, e quando chegarem vão encontrar quem está por trás disso. A pessoa que queria Clutter fora do caminho. O *mandante*".

A sra. Hartman suspirou. Esperava que Myrt não tivesse razão. E a sra. Helm disse: "O que eu espero é que deixem esses dois bem trancados. Não vou ficar muito tranquila sabendo que eles estão na vizinhança".

"Ah, acho que a senhora não precisa se preocupar", disse o jovem fazendeiro. "Agora, esses dois rapazes estão com muito mais medo de nós do que nós deles."

Numa autoestrada do Arizona, uma caravana composta de dois carros atravessa a região de arbustos de artemísia — a região planaltina das *mesas* com seus falcões e cascavéis e os imensos penedos vermelhos. Dewey dirige o carro da frente, Perry Smith está sentado a seu lado, e Duntz está instalado no banco traseiro.

Smith viaja algemado, e suas algemas estão presas por uma corrente curta a um cinto de segurança — um arranjo que restringe de tal modo seus movimentos que ele não consegue fumar sem ajuda. Quando quer um cigarro, Dewey precisa acendê-lo para ele e colocá-lo entre seus lábios, uma tarefa que o detetive acha "repulsiva", porque lhe parece uma coisa tão íntima — o tipo de gesto que ele costumava fazer no tempo em que ainda namorava sua mulher.

No geral, o prisioneiro consegue ignorar seus captores e as tentativas esporádicas de fazê-lo falar repetindo para ele partes da confissão de uma hora de Hickock, que tinham gravado em fita: "Ele diz que tentou impedir você, Perry. Mas que não conseguia. Disse que ficou com medo de que você atirasse nele também", e "Sim, senhor, Perry. Quer dizer que foi tudo culpa sua. Hickock disse que, por ele, não é capaz de fazer mal nem às pulgas de um cachorro". E nada disso — externamente, pelo menos — deixa Smith agitado. Ele continua a contemplar o cenário, a ler os outdoors com anúncios em versos de loção pós-barba, a contar as carcaças de coiotes mortos a tiros que enfeitam as cercas das fazendas.

Dewey, sem antecipar nenhuma resposta excepcional, insiste: "Hickock falou que você nasceu para matar. Disse que você nem sente nada especial. Contou que uma vez, em Las Vegas, você foi atrás de um negro com uma corrente de bicicleta. E bateu nele até matar. Só por diversão".

Para surpresa de Dewey, o prisioneiro arqueja audivelmente. Torce o corpo no banco do carro até conseguir enxergar, pelo vidro traseiro, o segundo carro da caravana, e seu interior: "Garoto metido a durão!". Virando-se novamente para a frente, fixa os olhos na tira escura da estrada que corta o deserto. "Achei que era um truque. Não estava acreditando no que me diziam. Que Dick tinha falado. Garoto metido a durão! Ah, um modelo de rapaz. Nunca seria capaz de fazer mal às pulgas de um cachorro. Só de atropelar o cachorro de uma vez." Cospe. "Nunca matei negro nenhum."

Duntz concorda com ele; depois de ter estudado os arquivos dos homicídios sem solução em Las Vegas, sabe que Smith é inocente dessa acusação em particular. "Nunca matei negro nenhum. Mas *ele* achava que sim. Eu sempre soube que, se nós fôssemos presos um dia, se Dick realmente abrisse a boca, e resolvesse contar tudo que sabe — sabia que ele ia contar essa história do negro." Torna a cuspir. "Quer dizer que Dick ficou com medo de mim? Engraçado. Muito engraçado mesmo. O que ele não sabe é que eu quase atirei nele."

Dewey acende dois cigarros, um para si próprio, outro para o prisioneiro. "Conte para nós, Perry."

Smith fuma algum tempo de olhos fechados e explica: "Estou pensando. Quero me lembrar exatamente de como aconteceu". Faz uma longa pausa. "Bem, tudo começou com uma carta que eu recebi enquanto estava em Buhl, Idaho. Em setembro ou outubro. A carta era de Dick, e me dizia que ele sabia de um trabalho fácil. O golpe perfeito. Eu não respondi, mas ele tornou a me escrever, me chamando para voltar ao Kansas e ser parceiro dele. Não me disse que tipo de golpe era. Só que era 'uma coisa fácil e certa'. Acontece que, por acaso, eu tinha outro motivo para querer passar pelo Kansas mais ou menos na mesma época. Um assunto pessoal que eu prefiro não contar — não tem nada a ver com essa história. Só que, se não fosse por isso, eu não teria voltado para lá. Mas voltei. E Dick foi me pegar no terminal de ônibus de Kansas City. Fomos até a fazenda, a casa dos pais dele. Mas eles não queriam que eu ficasse lá. Sou muito sensível; geralmente eu sei o que as pessoas estão sentindo.

"Como você, por exemplo." Fala de Dewey, mas não olha para ele. "Você detesta botar o cigarro na minha boca. Para você é um problema. Por mim tudo bem, eu não me incomodo. Assim como eu não me incomodei com a mãe de Dick. Na verdade, até que ela é uma pessoa muito gentil. Mas ela sabia quem eu era — um amigo da prisão — e não queria que eu ficasse na casa dela. Meu Deus, fiquei muito feliz de sair de lá e ir para um hotel. Dick escolheu para mim um hotel em Olathe. Compramos umas cervejas e levamos para o quarto, e foi aí que Dick me deu uma ideia do que estava planejando. Disse que depois que eu tinha ido embora de Lansing ele tinha ficado na mesma cela com uma pessoa que tinha trabalhado para um rico fazendeiro de trigo do oeste do Kansas, o senhor Clutter. Dick desenhou para mim um diagrama da casa dos Clutter. Sabia onde ficava tudo — as portas, os corredores, os quartos. Disse que uma das salas do andar térreo era usada como escritório, e que no escritório tinha um cofre — um cofre de parede. Disse que o senhor Clutter precisava ter um cofre porque sempre mantinha à mão grandes somas em dinheiro vivo. Nunca menos de dez mil dólares. O plano era roubar o cofre, e se alguém nos visse — quem visse a gente tinha de morrer. Dick deve ter dito um milhão de vezes: 'Sem testemunhas'."

Dewey pergunta: "Quantas testemunhas ele achava que podia haver? Quer dizer, quantas pessoas ele esperava encontrar na casa?".

"Era o que eu queria saber. Mas ele não tinha certeza. Pelo menos quatro. Talvez seis. E era possível que a família tivesse hóspedes. Ele achava que devíamos estar prontos para cuidar de até uma dúzia de pessoas."

Dewey geme, Duntz assobia, e Smith, com um sorriso desbotado, acrescenta. "Pois é. Eu também. Achei que era um certo exagero. Doze pessoas. Mas Dick disse que era um trabalho fácil. E falou: 'Vamos entrar e cobrir aquelas paredes com o cabelo deles'. Eu estava de um jeito que me deixei levar. Mas também — para ser honesto — eu tinha fé em Dick; ele me parecia uma pessoa muito prática, do tipo másculo, e eu queria o dinheiro tanto quanto ele. Queria pegar o dinheiro e ir para o México. Mas estava torcendo para a gente não precisar de violência. Eu achava que a gente podia evitar, usando máscaras. Discutimos muito sobre isso. A caminho de lá, de Holcomb, eu queria parar e comprar meias de seda preta, para usar na cabeça. Mas Dick achava que mesmo com uma meia cobrindo a cabeça ele poderia ser identificado. Por causa daquele olho torto. Mesmo assim, quando nós chegamos a Emporia —"

Duntz diz: "Espere aí, Perry. Você está indo depressa demais. Volte para Olathe. Que horas vocês saíram de lá?".

"Uma, uma e meia. Saímos logo depois do almoço e fomos até Emporia. Lá nós compramos luvas de borracha e um rolo de cordão. A faca e a espingarda, a munição — Dick tinha trazido tudo de casa. Mas não queria procurar meias de seda preta. E virou uma discussão bem grande. Ainda perto de Emporia, passamos por um hospital católico e eu convenci Dick a parar, entrar e tentar comprar meias pretas das freiras. Eu sabia que as freiras sempre usam essas meias. Mas ele só fingiu que perguntava. Voltou e disse que elas não queriam vender. Eu sabia que ele não tinha perguntado, e ele confessou; disse que achava péssima ideia — as freiras iam achar que ele era maluco. E então não paramos mais até chegar em Great Bend. Foi lá que a gente comprou a fita adesiva. E também jantamos lá; comemos muito. Fiquei com sono e dormi. Quando acordei, tínhamos acabado de entrar em Garden City. Parecia uma cidade fantasma. Paramos para botar gasolina num posto —"

Dewey pergunta se ele lembra qual.

"Acho que era um posto Phillips 66."

"A que horas?"

"Em torno da meia-noite. Dick disse que eram mais ou menos dez quilômetros até Holcomb. E passou o resto da viagem falando sozinho, dizendo que tinha de ser por ali, ou por aqui — de acordo com as instruções que ele tinha decorado. Eu mal percebi quando a gente passou por Holcomb, é uma cidade tão pequena. Atravessamos os trilhos do trem. E de repente Dick disse: 'É aqui, só pode ser aqui'. Era o acesso de uma entrada particular, ladeada de árvores. Diminuímos a velocidade e desligamos os faróis. Não precisávamos deles. Por causa da lua. Nada mais no céu — nem uma nuvem, nada. Só aquela lua cheia. Parecia dia claro, e quando entramos na estrada Dick disse: 'Olha só o tamanho da plantação! Os silos! A casa! Não vai me dizer que esse cara não é cheio da grana'. Mas eu não gostei do jeitão da casa, da atmosfera; era um pouco impressionante *demais*. Estacionamos na sombra de uma árvore. Enquanto estávamos sentados lá, acenderam uma luz — não na casa principal, mas numa casa a uns cem metros para a esquerda. Dick disse que era a casa do empregado; ele sabia por causa do diagrama. Mas disse que ficava muito mais perto da casa de Clutter do que devia ficar. E então a luz se apagou. Senhor Dewey — a testemunha de que o senhor falou. Era dele que estava falando — o empregado?"

"Não. Ele não ouviu nada. Mas a mulher dele estava cuidando de um bebê doente. Ele contou que eles acordaram várias vezes durante a noite."

"Um bebê doente. Bem que eu me perguntei. Enquanto ainda estávamos sentados lá, aconteceu de novo — uma luz que se acendeu e apagou. E isso me deixou com medo. Eu disse a Dick que preferia desistir. Se ele estava decidido a seguir em frente, ia ter de fazer tudo sozinho. Ele ligou o carro, íamos embora, e eu pensei, Louvado seja Deus. Sempre confiei nas minhas intuições; já salvaram a minha vida mais de uma vez. Mas a meio caminho do fim da estrada Dick parou. Estava furioso. Eu entendi o que ele estava pensando: Armei esse grande golpe, fizemos toda essa viagem, e agora esse baixinho covarde quer desistir de tudo. E ele disse: 'Talvez você ache que eu não tenho coragem de fazer tudo sozinho. Mas eu vou mostrar para você quem tem coragem'. Tínhamos um pouco de bebida no carro. Cada um de nós tomou um gole grande, e eu disse a ele: 'Certo, Dick. Estou com você'. E então voltamos. Estacionamos no mesmo lugar de antes. Na sombra de uma árvore. Dick calçou as luvas; eu já tinha posto as minhas. Ele levou a faca e uma lanterna. Eu levei a espingarda. A casa parecia imensa à luz da lua. Parecia vazia. Eu me lembro de ter tido a esperança de que não tivesse ninguém em casa — ”

Dewey diz: “Mas vocês viram um cachorro?”.

“Não.”

“A família tinha um cachorro velho que tinha medo de armas. Nós não entendemos por que ele não latiu. Talvez ele tenha visto a arma e fugido.”

“Eu não vi nada nem ninguém. Foi por isso que não acreditei. Nessa história de testemunha ocular.”

“Testemunha *ocular*, não. Só testemunha. Uma pessoa que deu um depoimento ligando você e Hickock ao caso.”

“Ah. Já sei. Já sei. Ele. E Dick sempre dizendo que ele não tinha coragem. Rá!”

Duntz, que não queria perder o fio, lembra a ele: “Hickock estava com a faca. Você com a arma. Como foi que vocês entraram na casa?”.

“A porta estava destrancada. Uma porta lateral. Que dava para o escritório do senhor Clutter. E aí ficamos esperando no escuro. Ouvindo. Mas o único som era o do vento. Estava ventando bastante do lado de fora. Sacudia as árvores, e dava para ouvir as folhas agitadas. A única janela tinha uma veneziana, mas ainda assim a luz da lua entrava. Fechei a veneziana, e Dick acendeu a lanterna. Vimos a mesa. O cofre devia ficar na parede bem atrás da mesa, mas não encontramos nada. Era uma parede de lambris, e estava coberta de livros e mapas emoldurados, e eu vi, numa das prateleiras, um ótimo par de binóculos. Decidi que ia levá-los comigo quando saísse de lá.”

“E levou?”, pergunta Dewey, porque ninguém tinha dado falta do binóculo.

Smith faz que sim com a cabeça. “Vendemos no México.”

“Desculpe. Pode continuar.”

“Bem, quando não encontramos o cofre, Dick apagou a lanterna e, no escuro, saímos do escritório para uma sala, uma sala de estar. Dick me perguntou baixinho se eu não conseguia andar fazendo menos barulho. Mas ele fazia, no mínimo, tanto barulho quanto eu. Cada passo da gente era o maior estardalhaço. Chegamos a uma sala e uma porta, e Dick, lembrando do diagrama, disse que era um quarto. Acendeu a lanterna e abriu a porta. Um homem disse: 'Querida?'. Estava dormindo, piscou os olhos e perguntou: 'É você, querida?'. Dick perguntou: 'O senhor é o senhor Clutter?'. Agora ele estava bem acordado; sentou-se na cama e disse: 'Quem é? O que está querendo?'. E Dick respondeu, muito educado, como se nós fôssemos dois vendedores de porta em porta: 'Queremos falar com o senhor. No seu escritório, por favor'. E o senhor Clutter, de pés descalços, só de pijama, foi conosco até o escritório e acendemos as luzes de lá.

"Até então ele não tinha conseguido ver nenhum de nós dois muito bem. Acho que quando viu ficou chocado. Dick disse: 'Só queremos que o senhor nos mostre onde fica o cofre'. Mas o senhor Clutter disse: 'Que cofre?'. Que não tinha cofre nenhum. E na mesma hora eu vi que era verdade. Ele tinha uma cara desse tipo. Dava para saber que o que ele estava dizendo era verdade. Mas Dick começou a gritar com ele: 'Não mente para mim, seu filho da puta! Eu sei muito bem que você tem um cofre!'. A minha impressão é que ninguém nunca tinha falado desse jeito com o senhor Clutter. Mas ele olhou bem nos olhos de Dick e disse a ele, com toda a calma — que sentia muito mas não tinha cofre nenhum. Dick encostou a ponta da faca no peito dele e disse: 'Ou mostra onde fica o cofre ou vai sentir muito mais'. Mas o senhor Clutter — dava para ver que ele estava com medo, mas continuava com a voz calma e firme — continuou a negar que tivesse um cofre.

"Em algum momento, eu dei um jeito no telefone. O que fica no escritório. Arranquei os fios. E perguntei ao senhor Clutter se ele tinha mais algum telefone na casa. Ele respondeu que sim, na cozinha. Então peguei a lanterna e fui até a cozinha — que ficava bem longe do escritório. Quando encontrei o aparelho, tirei o fone do gancho e cortei o fio com um alicate. E então, quando estava voltando, escutei um barulho. Um rangido no piso do andar de cima. Parei ao pé da escada que subia para o segundo andar. Estava escuro, e eu não tive coragem de acender a lanterna. Mas eu sabia que tinha alguém ali. No alto da escada, uma silhueta destacada contra uma janela. Uma figura. Mas depois ela sumiu."

Dewey imagina que deve ter sido Nancy. Ele tinha muitas vezes especulado, com base no relógio de ouro que tinham encontrado enfiado no bico de um sapato no armário, que Nancy tinha acordado, ouvido pessoas na casa, achado que deviam ser ladrões, e tido o cuidado de esconder o relógio, seu pertence mais valioso.

"Pelo que eu sabia, podia ser até alguém armado. Mas Dick nem quis saber o que eu achava. Estava totalmente concentrado no papel de garoto durão. Dando ordens ao senhor Clutter. Agora ele tinha levado o senhor Clutter de volta para o quarto. Estava contando o dinheiro na carteira do senhor Clutter. Eram mais ou menos trinta dólares. Ele jogou a carteira na cama e disse a ele: 'Você tem mais dinheiro em casa do que isso. Um sujeito rico feito você. Vivendo numa casa dessas'. O senhor Clutter disse que era todo o dinheiro que tinha, e explicou que sempre pagava tudo com cheque. E propôs fazer um cheque para nós. Dick explodiu — 'Que tipo de mongoloide você acha que eu sou?' — e eu achei que Dick ia bater nele, e por isso eu disse: 'Dick. Escute. Tem alguém acordado no andar de cima'. O senhor Clutter disse que as únicas pessoas no andar de cima eram a mulher, um filho e uma filha. Dick quis saber se a mulher tinha algum dinheiro, e o senhor Clutter respondeu que, se tinha, devia ser muito pouco, uns trocados, e ele pediu — de um jeito bem humilde — que a gente não perturbasse a mulher, porque ela era doente, estava mal havia muito tempo. Mas Dick fez questão de subir. E mandou o senhor Clutter mostrar o caminho.

"No pé das escadas, o senhor Clutter acendeu a luz que iluminava o corredor do andar de cima, e quando estávamos subindo ele disse: 'Eu não sei por que vocês querem fazer isso. Eu nunca fiz mal a vocês. Nunca vi nenhum dos dois na vida'. E foi aí que Dick disse a ele: 'Cala a boca! Quando a gente quiser que você fale, a gente manda'. Não tinha ninguém no corredor do andar de cima, e todas as portas estavam fechadas. O senhor Clutter mostrou os quartos onde o rapaz e a menina deviam estar dormindo, e então abriu a porta do quarto da mulher. Acendeu um abajur ao lado da cama e disse a ela: 'Tudo bem, querida. Não fique com medo. Esses rapazes só querem algum dinheiro'. Ela era uma mulher muito magra e frágil, usando uma comprida camisola branca. Assim que ela abriu os olhos, começou a chorar. E disse ao marido: 'Mas querido, eu não tenho dinheiro nenhum'. Ele estava segurando a mão dela, dando palmadinhas. E disse: 'Calma, querida, não chore. Não precisa ficar com medo. Eu dei a eles todo o dinheiro que tinha, mas eles querem mais. Eles acham que a gente tem um cofre escondido em algum lugar da casa. Eu disse que não é verdade'. Dick levantou a mão, como se fosse dar-lhe uma bofetada na boca. E disse: 'Eu não mandei você calar a boca?'. E a senhora Clutter disse: 'Mas o meu marido está dizendo a verdade, juro por Deus. Não temos cofre nenhum'. E Dick respondeu: 'Eu sei muito bem que tem um cofre nesta casa. E só saio daqui depois de encontrar, podem ter certeza'. E então ele perguntou onde ela guardava a bolsa. A bolsa estava numa das gavetas da cômoda. Dick revirou a bolsa do avesso. Só encontrou umas moedas e mais um ou dois dólares. Eu fiz um sinal para ele vir até o corredor. Queria conversar sobre a situação. Daí nós saímos do quarto, e eu disse — "

Duntz o interrompe para perguntar se o sr. e a sra. Clutter podiam escutar a conversa.

"Não. Nós ficamos bem do outro lado da porta, para poder ficar de olho neles. Mas conversamos falando bem baixinho. Eu disse a Dick: 'Eles estão falando a verdade. Quem mentiu foi o seu amigo Floyd Wells. Não tem cofre nenhum, vamos dar o fora daqui'. Mas Dick ficou envergonhado demais para admitir. Disse que só ia acreditar depois de revistar a casa inteira. Disse que o certo era amarrar todo mundo, e aí procurar com toda a calma. Não dava para discutir com ele, estava tão agitado com a glória de ter todo mundo à sua mercê. Era isso que o deixava tão animado. Tinha um banheiro ao lado do quarto da senhora Clutter. A ideia era trancar os pais no banheiro, acordar os filhos e mandar os dois para lá, depois ir trazendo um por um e amarrar em lugares diferentes da casa. E então, disse Dick, depois que a gente encontrasse o cofre, cortava a garganta deles, um de cada vez. Não dava para atirar — ia fazer barulho demais."

Perry franze as sobrancelhas e esfrega os joelhos com as mãos algemadas. "Deixe eu pensar um pouco. Porque em algum momento as coisas começaram a ficar meio complicadas. Já lembrei. Isso. Isso, eu peguei uma cadeira no corredor e pus no banheiro. Para a senhora Clutter poder ficar sentada. Porque ele tinha dito que ela era doente. Quando trancamos os dois, a senhora Clutter estava chorando e disse: 'Por favor, não machuquem ninguém. Por favor, não machuquem meus filhos'. E o marido estava com os braços em volta dela, dizendo mais ou menos: 'Querida, esses homens não vão fazer mal a ninguém. Eles só querem dinheiro'.

"Fomos até o quarto do rapaz. Ele estava acordado. Deitado na cama como se estivesse assustado demais para se mexer. Dick disse a ele para se levantar, mas ele não fez nada, ou fez devagar demais, e Dick deu-lhe um soco, puxou o rapaz para fora da cama, e eu disse: 'Não precisa bater nele, Dick'. E eu disse ao rapaz — ele estava só de camiseta — para vestir as calças. Ele vestiu uma calça jeans azul, e assim que a gente acabou de trancar o menino no banheiro a menina apareceu — saiu do quarto dela. Estava totalmente vestida, como se já tivesse acordado havia muito tempo.

Quer dizer, estava de meias e chinelos, e de quimono, e o cabelo dela estava preso por um lenço. Ela estava tentando sorrir. E disse: 'Minha nossa, o que é isso? Uma piada?'. Mas acho que ela não estava acreditando que fosse uma piada. Não depois que Dick abriu a porta do banheiro e a empurrou para dentro..."

Dewey visualiza o quadro: a família cativa, humilhada e assustada, mas sem nenhuma premonição de seu destino. Herb *não podia* ter desconfiado, ou então teria lutado. Ele era um homem gentil, mas forte e nem um pouco covarde. Herb, seu amigo Alvin Dewey tinha certeza, teria lutado até a morte para defender as vidas de Bonnie e de seus filhos.

"Dick ficou de vigia do lado de fora do banheiro enquanto eu fazia um reconhecimento. Revistei o quarto da menina, e encontrei uma bolsinha — parecia uma bolsa de boneca. Dentro tinha um dólar de prata. Deixei a moeda cair, e ela saiu rolando pelo chão, foi parar debaixo de uma poltrona. Precisei me ajoelhar. E eu me sentia como se estivesse fora do meu corpo. E me visse dentro de um filme maluco. Fiquei enojado. Fiquei com asco. Dick, toda aquela conversa sobre o cofre do cara rico, e eu lá, me arrastando no chão, para roubar um dólar de prata de uma menina. Um dólar. E eu arrastando a barriga no chão para pegar."

Perry aperta os joelhos, pede aspirina aos detetives, agradece a Duntz pelo comprimido, que mastiga, e recomeça a falar. "Mas é assim que acontece. A pessoa pega o que pode. Eu revistei o quarto do rapaz também. Nem um tostão. Mas tinha um rádio portátil pequeno, e resolvi pegar. Depois me lembrei do binóculo que eu tinha visto no escritório do senhor Clutter, e desci para ir buscar. Levei o binóculo e o rádio para o carro. Estava frio, e o vento gelado me fez bem. A lua estava tão clara que dava para ver a quilômetros de distância. E eu pensei, por que não vou embora? Podia ir andando até a estrada, pegar uma carona. Eu não queria voltar para dentro daquela casa de maneira nenhuma. Mas mesmo assim — como é que eu posso explicar? Parecia que eu não estava tomando parte naquilo. Era como se eu estivesse lendo uma história. E eu precisava saber o que mais ia acontecer. Como é que ia acabar. E então eu voltei. E então, deixe eu ver — ah, sim, foi quando amarramos todo mundo. Primeiro o senhor Clutter. Dissemos para ele sair do banheiro, e eu amarrei as mãos dele. Depois fui andando com ele até o porão —"

Dewey pergunta: "Sozinho e desarmado?".

"Eu estava com a faca."

Dewey diz: "Mas Dick ficou de guarda no andar de cima?".

"Para os outros ficarem quietos. Mas eu não precisava de ajuda. Trabalhei com cordas a vida inteira."

Dewey perguntou: "Você estava com a lanterna ou acendeu as luzes do porão?".

"As luzes. O porão era dividido em duas partes. Uma parecia uma sala de jogos. Eu levei o senhor Clutter para a outra, a sala da fornalha. Vi uma caixa grande de papelão encostada na parede. Uma caixa de colchão. Achei que não precisava mandar que ele deitasse no chão frio, e por isso puxei a caixa do colchão, abri e mandei que ele se deitasse."

O motorista, pelo espelho retrovisor, olha para seu colega, atrai sua atenção, e Duntz faz um aceno de leve, como que lhe prestando uma homenagem. Dewey tinha argumentado o tempo todo que a caixa tinha sido aberta no chão para o *conforto* do sr. Clutter, e levando em conta outros sinais semelhantes, outras indicações fragmentárias de uma piedade irônica e errática, o detetive tinha conjeturado que pelo menos um dos assassinos não era totalmente desprovido de compaixão.

"Amarrei os pés dele, e depois amarrei as mãos aos pés. Perguntei a ele se estava apertado demais, e ele disse que não, mas pediu por favor que deixássemos a mulher dele em paz. Não era preciso amarrá-la — ela não ia berrar nem tentar correr para fora da casa. Disse que ela estava doente fazia muitos anos, e que só agora estava começando a melhorar um pouco, mas que uma coisa como aquela podia provocar uma recaída. Eu sei que não é coisa para se rir, mas eu não consegui deixar de rir — ele falando de uma 'recaída'.

"Depois, eu trouxe o garoto para baixo. Primeiro deixei ele junto com o pai. Amarrei as mãos dele num cano de vapor que passava no alto. Depois eu percebi que não era muito seguro. Ele podia dar um jeito de se soltar e desamarrar o pai, ou vice-versa. Cortei a corda dele e levei para a sala de jogos, onde tinha um sofá com um jeito confortável. Amarrei os pés dele ao pé do sofá, amarrei as mãos dele, depois passei a corda num laço em volta do pescoço; se ele começasse a se debater, ia sufocar. A certa altura, pus a faca em cima de uma arca — era uma arca de cedro recém-envernizada; o porão inteiro cheirava a verniz — e ele me pediu para não pôr a faca ali. A arca era um presente de casamento que ele tinha feito para alguém. Uma irmã, acho que foi o que ele disse. Quando eu estava saindo, ele teve um acesso de tosse, e eu pus uma almofada por baixo da cabeça dele. Então apaguei as luzes —"

E Dewey perguntou: "Mas você não tinha tapado a boca deles com fita?".

"Não. Isso só foi mais tarde, depois que eu amarrei as duas mulheres nos quartos delas. A senhora Clutter ainda estava chorando, e ao mesmo tempo me perguntava como era o Dick. Ela não confiava nele, mas disse que sentia que eu era um jovem decente. Eu *sei* que você é decente, foi assim que ela falou, e ela me fez prometer que eu não ia deixar Dick machucar ninguém. Acho que ela estava preocupada mesmo era com a filha. E eu próprio também estava preocupado com isso. Eu desconfiava que Dick estava planejando alguma coisa, alguma coisa que eu não iria aceitar. Pois assim que eu acabei de amarrar a senhora Clutter, descobri que ele já tinha levado a menina para o quarto dela. Ela estava deitada, e ele sentado na beira na cama, conversando com ela. Parei com aquilo; disse a ele para ir procurar o cofre enquanto eu amarrava a garota. Depois que ele saiu, amarrei os pés dela juntos e amarrei as mãos dela por trás das costas. Depois puxei a colcha, e deixei a garota toda coberta, só com a cabeça para fora. Tinha uma espreguiçadeira perto da cama, e eu resolvi descansar um pouco; minhas pernas estavam pegando fogo — de tanto subir escadas e me ajoelhar. Eu perguntei se ela tinha namorado. Ela respondeu que sim. Nancy estava tentando agir de maneira espontânea e amigável. Gostei dela. Era muito simpática. Uma garota muito bonita, e nada mimada ou coisa do tipo. Ela me falou bastante sobre a vida dela. Sobre a escola, e que ela ia para uma universidade, estudar música e arte. E de cavalos. Ela disse que, depois de dançar, a coisa que ela mais gostava era galopar num cavalo, e então eu contei a ela que minha mãe tinha sido uma amazona de rodeio.

"E nós falamos sobre Dick; eu queria saber o que ele tinha dito a ela. Parece que ela tinha perguntado por que ele fazia aquele tipo de coisa. Roubar as pessoas. E então ele tinha contado uma história de fazer chorar — disse que tinha sido criado num orfanato, que ninguém nunca tinha gostado dele, e que o único parente que ele tinha era uma irmã que morava com homens sem ser casada com eles. E o tempo todo, enquanto eu conversava com ela, ouvia aquele maluco andando pelo andar de baixo, procurando o cofre. Olhando atrás dos quadros. Batendo nas paredes. Tap tap tap. Feito um pica-pau enlouquecido. Quando ele voltou, só de sacanagem eu perguntei se ele tinha achado o cofre. Claro que não, mas ele me disse que tinha encontrado mais uma bolsa na cozinha. Com sete dólares."

Duntz pergunta: "E quando você amordaçou todo mundo?".

"Bem nessa hora. Comecei com a senhora Clutter. Pedi a Dick que me ajudasse — porque eu não queria deixá-lo sozinho com a garota. Cortei a fita em tiras compridas, e Dick enrolou as tiras em volta da cabeça da senhora Clutter como se estivesse enrolando uma múmia. E ele perguntou a ela: 'Por que você fica chorando? Ninguém vai machucar a senhora', e apagou o abajur da cabeceira e disse: 'Boa noite, senhora Clutter. Vá dormir'. Depois ele me disse, quando estávamos no corredor indo para o quarto de Nancy: 'Eu vou arrombar aquela garota'. E eu disse: 'Pode até ser. Mas primeiro vai ter de me matar'. Ele me olhou com um ar de surpresa. E disse: 'Qual é o problema? Você também pode meter nela depois'. Mas isso é uma coisa que eu desprezo. Uma pessoa que não consegue se controlar sexualmente. Meu Deus, eu detesto esse tipo de coisa. E eu disse a ele à queima-roupa: 'Deixe a moça em paz. Senão, vai ter de passar por cima de mim'. Ele ficou furioso, mas percebeu que não era hora de começar uma briga daquele tipo. E então me disse: 'Está certo, querido. Se é assim que você quer'. E por isso a gente nem sequer amordaçou a menina. Apagamos a luz do corredor e descemos para o porão."

Perry hesita. Quer fazer uma pergunta, mas acaba formulando a frase como uma afirmativa: "Aposto que ele nunca disse nada sobre a ideia de estuprar a garota".

Dewey admite que sim, mas acrescenta que, a não ser pela versão aparentemente retocada de sua própria conduta, a história de Hickock coincide com a de Smith. Alguns detalhes divergem, os diálogos não são idênticos, mas na essência os dois relatos — até ali, pelo menos — corroboram um ao outro.

"Talvez. Mas eu sabia que ele não tinha falado da garota. Aposto a minha camisa."

Duntz diz: "Perry, estou acompanhando a questão das luzes. E pelos meus cálculos, quando você apagou a luz de cima, a casa ficou completamente no escuro".

"Foi. E não acendemos mais luz nenhuma. Só a lanterna. Dick estava carregando a lanterna quando fomos amordaçar o senhor Clutter e o rapaz. Pouco antes de eu fechar sua boca com a fita, o senhor Clutter me perguntou — e foram as últimas palavras dele — queria saber como estava a mulher, se ela estava bem, e eu disse que sim, que ela estava indo dormir, e disse a ele que dali a pouco o dia ia amanhecer, e que de manhã alguém ia encontrar todos eles, e então aquilo tudo, eu, Dick e o resto, ia parecer um sonho. E eu não estava querendo enganá-lo. Eu não queria fazer mal àquele homem. Achei que era um senhor simpático. Que falava manso. E era assim que eu pensava até a hora em que cortei o pescoço dele.

"Espere. Não foi exatamente assim que aconteceu." Perry faz uma careta. Esfrega as pernas; as algemas chacoalham. "Depois, depois que fechamos a boca deles com fita, Dick e eu fomos para um canto. Para conversar. Vocês precisam lembrar que entre a gente o clima tinha ficado pesado. Naquele momento, só de lembrar que um dia eu tinha admirado Dick, tinha achado graça naquela gabolice, meu estômago se revirava. E eu disse: 'E então, Dick, está arrependido?'. Ele não respondeu. E eu disse: 'Se a gente deixar essa gente viva, isso não vai ficar por pouco. Vamos pegar dez anos, no mínimo'. E nem assim ele disse alguma coisa. Ele estava com a faca. Eu pedi a faca, ele me entregou, e eu disse: 'Muito bem, Dick, está na hora'. Mas não era o que eu queria. O que eu queria era forçar Dick a desistir do blefe, a admitir que era um mentiroso e um covarde. Era uma coisa entre mim e Dick. Eu me ajoelhei ao lado do senhor Clutter, e só a dor de me ajoelhar — e me lembrei daquele maldito dólar. Um dólar de prata. A vergonha. O asco. E *eles* tinham me dito para eu nunca voltar para o Kansas. Mas só fui entender o que eu tinha feito quando ouvi aquele som. Parecia alguém se afogando. Gritando debaixo d'água. Entreguei a faca a Dick. E disse: 'Você acaba com ele. Vai se sentir melhor'. Dick tentou — ou fingiu que tentava. Mas o senhor Clutter tinha a força de dez homens — e já estava se livrando das cordas, tinha conseguido soltar as mãos. Dick entrou em pânico. Dick queria sair correndo dali. Mas eu não deixei ele ir embora. O homem ia morrer de qualquer jeito, eu sei, mas eu não podia deixar ele lá naquele estado. Pedi a Dick que segurasse a lanterna bem focalizada. E então eu fiz pontaria com a espingarda. E a sala explodiu. Um clarão azul. E ficou cheia de fumaça. Meu Deus, eu nunca vou entender como as pessoas não ouviram aquele barulho num raio de trinta quilômetros."

Os ouvidos de Dewey ficam tinindo com o disparo — um tinido que quase o deixa surdo para a corredeira sussurrante da voz baixa de Smith. Mas a voz continua, disparando uma verdadeira fuzilaria de sons e imagens. Hickock procurando a cápsula deflagrada; correndo, correndo, e a cabeça de Kenyon num círculo de luz, o murmúrio de súplicas abafadas, e depois Hickock catando novamente o cartucho usado; o quarto de Nancy, Nancy escutando o som das botas nos degraus de madeira, o rangido dos degraus enquanto eles subiam para o quarto dela. Os olhos de Nancy, Nancy observando o foco da lanterna à procura do alvo ("Ela disse: 'Oh, não! Ah, por favor. Não! Não! Não! Não! Por favor, não! Por favor!'. Entreguei a arma a Dick. Disse a ele que já tinha feito tudo o que podia. Ele fez pontaria, e ela virou o rosto para a parede."); o corredor escuro, os assassinos se dirigindo apressados para a última porta. Talvez, tendo escutado tudo aquilo, Bonnie tenha recebido bem a aproximação apressada dos dois.

"A última cápsula foi uma merda para achar. Dick precisou se enfiar debaixo da cama. E então fechamos a porta do quarto da senhora Clutter e descemos para o escritório. Ficamos esperando lá, igual à hora em que chegamos. Olhamos pela veneziana para ver se o empregado estava rondando, ou se alguma outra pessoa tinha ouvido os tiros. Mas estava tudo na mesma — silêncio. Só o vento — e Dick resfolegando como se estivesse sendo perseguido por lobos. Naqueles últimos segundos antes de corrermos para o carro e sairmos dali, pensei em atirar em Dick. Ele tinha dito o tempo todo, tinha martelado: *Nada de testemunhas*. E eu pensei, *Ele* é uma testemunha. Mas não sei o que me fez parar. Deus sabe que eu devia ter dado um tiro nele. E matado o desgraçado. Para depois entrar no carro e viajar até me perder no México."

Silêncio. Por quase vinte quilômetros, os três homens não dizem mais nada.

A dor e um cansaço profundo estavam por trás do silêncio de Dewey. Ele tivera a ambição de saber "exatamente o que tinha acontecido na casa naquela noite". Agora tinha ouvido aquela história duas vezes, e as duas versões eram muito parecidas — a única discrepância séria era que Hickock atribuía as quatro mortes a Smith, enquanto Smith alegava que Hickock tinha matado as duas mulheres. Mas as confissões, embora respondessem às perguntas de "como" e "por quê", não satisfaziam sua noção de propósito racional. O crime era um acidente psicológico, virtualmente um ato impessoal; para as vítimas, era o mesmo que terem sido mortas por um raio. Com uma única diferença: tinham vivido um terror prolongado, tinham sofrido. E Dewey era incapaz de esquecer seus tormentos. Ainda assim, achou possível olhar para o homem sentado a seu lado sem raiva — e até com certa dose de compaixão — porque a vida de Perry Smith nunca tinha sido um mar de rosas, e sim uma caminhada lamentável, feia e solitária em busca de uma ilusão atrás da outra. A compaixão de Dewey, porém, não era profunda o bastante para acomodar o perdão ou a misericórdia. Ele esperava ver Perry e o comparsa enforcados — lado a lado.

Duntz pergunta a Smith: "No fim das contas, quanto dinheiro vocês conseguiram na casa dos Clutter?".

"Entre quarenta e cinquenta dólares."

Entre os animais de Garden City há dois gatos cinzentos que estão sempre juntos — dois vira-latas magros e sujos, com hábitos estranhos e engenhosos. Seu principal ritual diário se realiza ao cair da noite. Primeiro descem trotando toda a extensão da Main

Street, parando para examinar os radiadores dos carros estacionados, especialmente os parados à frente dos dois hotéis da cidade, o Windsor e o Warren, porque esses carros, geralmente de propriedade de viajantes vindos de lugares distantes, muitas vezes recolhem o que aquelas criaturas ossudas e metódicas procuram: aves abatidas — corvos, chapins e pardais que ousaram voar no caminho dos motoristas. Usando suas patas como se fossem instrumentos cirúrgicos, os gatos extraem dos radiadores cada partícula emplumada. Tendo percorrido a Main Street, dobram invariavelmente na esquina da Main com a Grant, e depois avançam até a Courthouse Square, a praça do tribunal, outro de seus territórios de caça — e muito promissor na tarde de quarta-feira 6 de janeiro, porque a área está coalhada dos veículos do condado de Finney que trouxeram para a cidade parte da multidão que ocupa a praça.

A aglomeração começou a formar-se às quatro, hora que o procurador do condado apontara como o provável horário de chegada de Hickock e Smith. Desde o anúncio da confissão de Hickock, na noite de domingo, jornalistas de todos os estilos se tinham reunido em Garden City: representantes das maiores agências de notícias, fotógrafos, cinegrafistas de cinejornais e da televisão, repórteres de Missouri, Nebraska, Oklahoma, Texas e, é claro, de todos os principais jornais do Kansas — no total uns vinte ou 25 homens. Muitos deles já esperavam havia três dias sem muito que fazer além de entrevistar o frentista James Spor, que depois de ver as fotos publicadas dos acusados tinha identificado os dois como os fregueses para os quais vendera três dólares e seis centavos de gasolina na noite da tragédia de Holcomb.

Era a volta de Hickock e Smith que esses espectadores profissionais tinham vindo registrar, e o capitão Gerald Murray, da Polícia Rodoviária, reservara-lhes amplo espaço na calçada diante dos degraus do tribunal — os degraus que os prisioneiros precisariam subir a caminho da cadeia do condado, uma instituição que ocupa o andar mais alto da estrutura de quatro andares revestida de pedra. Um repórter, Richard Parr, do *Star* de Kansas City, obtivera um exemplar do *Sun* de Las Vegas datado de segunda-feira. A manchete do jornal provocou muitas risadas: POSSÍVEIS LINCHADORES À ESPERA DOS SUSPEITOS DE CHACINA. O capitão Murray observou: "Acho que o clima aqui não é exatamente esse".

De fato, a congregação da praça podia estar à espera de um desfile, ou de um comício político. Alunos da escola secundária, entre eles ex-colegas de Nancy e Kenyon Clutter, entoavam gritos de torcida organizada, faziam bolas de chiclete, devoravam cachorros-quentes com refrigerante. Mães acalmavam o choro de bebês assustados. Homens andavam de um lado para o outro com crianças empoleiradas nos ombros. Os escoteiros estavam presentes — uma tropa inteira. E todas as sócias de um clube feminino de bridge chegaram em massa. O sr. J. P. (Jap) Adams, presidente do comitê local de Veteranos, apareceu, envergando uma roupa de tweed de corte tão estranho que um amigo gritou: "Ei, Jap! Por que você está usando roupas de mulher?" — pois o sr. Adams, em sua pressa de chegar à cena, tinha vestido sem querer o casaco de sua secretária. Um agitado repórter de rádio entrevistava diversos habitantes locais, perguntando-lhes qual seria, na opinião deles, a punição correta para "os autores de uma tamanha desgraça", e enquanto a maioria de seus entrevistados respondia com simples interjeições, um estudante respondeu: "Acho que deviam ficar trancados na mesma cela pelo resto da vida. Sem receber nenhuma visita. Só sentados lá, olhando um para o outro até morrer". E um sujeito baixinho, forte e meio gago, disse: "Acredito na pena capital. É como diz a Bíblia — olho por olho. E mesmo assim vão ficar faltando dois pares!".

Enquanto o sol durou, o dia foi seco e quente — um clima de outubro em pleno mês de janeiro. Mas quando o sol se pôs, quando as sombras das gigantescas árvores da praça se encontraram e se combinaram numa só, o frio, além da escuridão, tirou o ânimo da massa. E reduziu bastante seu número; em torno das seis horas, menos de trezentas pessoas ainda se encontravam lá. Os jornalistas, amaldiçoando o atraso, batiam os pés e esfregavam as orelhas geladas com as mãos descobertas e enregeladas de frio. De repente, ergueu-se um murmúrio no lado sul da praça. Os carros estavam chegando.

Embora nenhum dos jornalistas estivesse esperando violência, vários previram que haveria muitos insultos. Mas quando a multidão viu os assassinos, com sua escolta de policiais rodoviários de casaco azul, ficou em silêncio, como se espantada de constatar que os dois tinham forma humana. Os homens algemados, com o rosto pálido e piscando os olhos cegamente, apareciam em clarões à luz de flashes e refletores. Os cinegrafistas, perseguindo os prisioneiros e os policiais para dentro do tribunal e pelos três andares que subiram de escada, fotografaram a porta da cadeia do condado fechando à sua frente.

Ninguém continuou na praça, nem a imprensa, nem os moradores da cidade. Salas aquecidas e refeições quentes os esperavam, e enquanto iam embora às pressas, deixando a praça fria para os dois gatos cinzentos, o outono milagroso também partia, e a primeira neve do ano começava a cair.

4. O Canto

A austeridade institucional coexiste com uma alegre domesticidade no quarto andar do prédio do tribunal do condado de Finney. A presença da cadeia do condado é a responsável pela primeira qualidade, enquanto a chamada Residência do Xerife, um agradável apartamento separado da cadeia por portas de aço e um curto corredor, responde pela segunda.

Em janeiro de 1960, a Residência do Xerife não era ocupada exatamente pelo xerife, Earl Robinson, mas pelo subxerife e sua mulher, Wendle e Josephine (Josie) Meier. Os Meier, casados havia mais de vinte anos, eram muito parecidos: altos, com sobras de força e peso, mãos largas, rostos quadrados, calmos e gentis — mais especialmente a sra. Meier, mulher prática e direta que ainda assim parece iluminada por uma serenidade mística. Na qualidade de ajudante do subxerife, trabalha muito; das cinco da manhã, quando começa o dia lendo um capítulo da Bíblia, às dez da noite, quando vai dormir, ela cozinha e costura para os presos, remenda e lava suas roupas, cuida esplendidamente do marido e do apartamento de cinco aposentos que ocupam, com sua mistura *gemütlich* de banquetas estofadas, poltronas fofas e cortinas de renda de cor creme nas janelas. O casal Meier tem uma única filha, casada e moradora de Kansas City, de maneira que vive só — ou, como diz com mais precisão a sra. Meier: "Sós, sem contar com quem estiver ocupando a cela das mulheres".

A cadeia contém seis celas; a sexta, reservada para as ocasionais prisioneiras, é na realidade um aposento isolado situado dentro da Residência do Xerife — na verdade, anexa à cozinha do casal. "Mas", diz Josie Meier, "não me atrapalha em nada. Eu gosto de ter companhia. De alguém para conversar enquanto trabalho na cozinha. Eu fico com pena de quase todas essas mulheres. Só deram o azar de se meterem em encrenca. É claro que Hickock e Smith são uma outra história. Que eu saiba, Perry Smith foi o primeiro homem a ficar na cela das mulheres. É que o xerife queria deixar ele e Hickock bem longe um do outro até o fim do julgamento. Na tarde em que trouxeram os dois, eu preparei seis tortas de maçã, assei pão e fiquei o tempo todo acompanhando os acontecimentos da praça. A janela da minha cozinha dá para a praça; é a melhor vista do lugar. Eu não sei dizer quanta gente era, mas vou arriscar que eram várias centenas esperando para ver os rapazes que mataram a família Clutter. Eu mesma não conhecia nenhum dos Clutter, mas por tudo que eu tinha ouvido deles acho que devem ter sido boas pessoas. O que aconteceu com eles é difícil de perdoar, e eu sei que Wendle estava preocupado com a maneira como a multidão ia reagir quando visse Hickock e Smith. Estava com medo de que alguém tentasse acabar com eles. Então eu estava com o coração na boca quando vi os carros chegando, e vi os repórteres, todos os jornalistas correndo e empurrando; mas já estava ficando escuro, eram mais de seis da tarde, e fazia muito frio — mais da metade da multidão tinha desistido e ido para casa. Os que ficaram não disseram nada. Só ficaram olhando.

"Mais tarde, quando trouxeram os rapazes aqui para cima, o primeiro que eu vi foi Hickock. Estava usando calças claras de verão e só uma camisa de pano. É surpreendente ele não ter pegado pneumonia, com o frio que fazia. Mas de qualquer modo ele estava com cara de doente. Branco feito um fantasma. Deve ter sido uma experiência terrível — ser encarado por uma multidão de desconhecidos, ter de andar no meio deles, todos sabendo quem você é e o que você fez. E então trouxeram Smith. Eu tinha preparado o jantar para servir para os dois nas celas, sopa quente, café, sanduíches e torta. Geralmente, só damos comida aos presos duas vezes por dia. Café da manhã às sete e meia, e às quatro e meia a refeição principal. Mas eu não queria que esses dois fossem dormir de estômago vazio; achei que já deviam estar se sentindo bem mal sem precisar disso. Mas quando fui levar o jantar para Smith, numa bandeja, ele disse que não estava com fome. Estava olhando pela janela da cela das mulheres. De pé, de costas para mim. A janela tem a mesma vista da minha cozinha: as árvores, a praça e os telhados das casas. Eu disse a ele: 'Prove só a sopa, é de legumes e não é de lata. Fui eu que fiz. A torta também'. Depois de uma hora eu voltei para buscar a bandeja e ele não tinha tocado em nada. Ainda estava na janela. Parecia que não tinha se mexido. Estava nevando, e eu me lembro de ter dito que era a primeira neve do ano, e que até então o outono tinha sido longo, e muito bonito. E agora a neve tinha chegado. Então eu perguntei se ele gostava de algum prato em especial; se ele quisesse, eu podia tentar preparar para ele no dia seguinte. Ele se virou e me encarou. Desconfiado, como se eu pudesse estar zombando dele. Então ele disse alguma coisa sobre um filme — ele falava tão baixo, quase sussurrando. Queria saber se eu tinha visto um filme. Esqueci o nome, mas de qualquer modo eu não tinha visto: nunca gostei muito de cinema. Ele disse que era uma história dos tempos da Bíblia, e que numa cena um homem era jogado de uma varanda, atirado em cima de uma multidão de homens e mulheres, que em seguida o despedaçavam. E disse que foi nisso que ele tinha pensado quando viu toda aquela gente na praça. O sujeito sendo despedaçado. E a ideia de que talvez fosse isso que iam fazer com ele. Disse que tinha sentido tanto medo que ainda estava com dor de estômago. E que era por isso que não conseguia comer. É claro que ele estava enganado, e eu disse a ele — ninguém ia machucar eles dois, apesar do que eles tinham feito; as pessoas daqui não são assim.

"A gente conversou um pouco, e ele estava muito acanhado, mas depois de um tempo ele disse: 'Uma coisa que eu gosto muito é arroz à moda espanhola'.* Então eu prometi que ia fazer, ele me deu uma espécie de sorriso, e eu vi — ele não era o pior jovem que eu já tinha visto. Naquela noite, depois de ir para a cama, foi o que eu disse para o meu marido. Mas Wendle nem respondeu. Wendle foi um dos primeiros a chegar à cena do crime depois que o xerife foi chamado. E me disse que só queria que eu tivesse passado pela casa da família Clutter quando encontraram os corpos. Aí sim eu poderia avaliar quanto o senhor Smith era *gentil*. Ele e o amigo dele, Hickock. Disse que eles eram o tipo de gente capaz de arrancar o coração de uma pessoa sem nem piscar um olho. E não havia como negar — não com quatro mortos. Fiquei deitada sem conseguir dormir, pensando se algum dos dois se incomodava com aquilo — com a ideia daquelas quatro sepulturas."

Um mês se passou, e mais outro, e quase todo dia nevava. A neve embranquecia os campos dourados de trigo, amontoava-se nas ruas da cidade, abafava os ruídos.

* O *Spanish Rice* é um prato comum no Oeste e Sudoeste dos Estados Unidos, e consiste basicamente em arroz preparado com tomate, cebola, alho e pimentão. Outros ingredientes encontrados em muitas receitas são queijo e bacon. (N. T.)

Os galhos mais altos de um olmo carregado de neve roçavam a janela da cela das mulheres. Esquilos viviam naquela árvore, e depois de semanas esforçando-se para atrair os animais com as migalhas que sobravam de seu desjejum Perry conseguiu fazer um deles deixar um galho e vir para o peitoril da janela, e depois até as grades. Era um esquilo macho com pelo cor de acaju. Perry deu-lhe o nome de Red, e Red logo se instalou na cela, aparentemente satisfeito de compartilhar o cativeiro do amigo. Perry ensinou-lhe vários truques: brincar com uma bolinha de papel, pedir comida, empoleirar-se no seu ombro. Tudo aquilo ajudava a passar o tempo, mas ainda sobravam longas horas que o prisioneiro precisava preencher. Não podia ler os jornais, e ficava entediado com as revistas que a sra. Meier lhe emprestava: velhos números das revistas femininas *Good Housekeeping* e *McCall's*. Mas arranjava coisas para fazer: lixar as unhas, poli-las até ficarem brilhantes e rosadas; pentear e pentear seus cabelos encharcados de loção e perfume; escovar os dentes três a quatro vezes por dia; barbear-se e tomar banho quase com a mesma frequência. E ainda mantinha a cela, que continha uma privada, um chuveiro, um catre, uma cadeira e uma mesa, tão limpa quanto a sua pessoa. Orgulhava-se de um elogio que a sra. Meier lhe fizera. "Olhe só!", ela tinha dito, apontando para sua cama. "Olhe esse cobertor! Tão esticado que, se você jogar uma moeda, ela quica." Mas era à mesa que ele passava a maior parte de seu tempo de vigília; era lá que fazia as refeições, era lá que se sentava quando esboçava retratos de Red, desenhava flores e o rosto de Jesus, e os rostos e torsos de mulheres imaginárias; e era lá, em folhas baratas de papel pautado, que fazia anotações diárias das ocorrências rotineiras.

Quinta-feira, 7 de janeiro. Dewey veio. Trouxe um pacote de cigarros. E também cópias datilografadas do Depoimento para eu assinar. Recusei.

O "Depoimento", um documento de 78 páginas que ele tinha ditado para o estenógrafo do tribunal do condado de Finney, tornava a contar o que ele já tinha admitido para Alvin Dewey e Clarence Duntz. Dewey, falando de seu encontro com Perry Smith naquele dia em particular, lembrou que tinha ficado muito surpreso quando Perry se recusou a assinar o depoimento. "Não era importante: eu sempre poderia depor no tribunal sobre a confissão oral que ele fizera a mim e a Duntz. E é claro que Hickock nos tinha dado uma confissão assinada ainda em Las Vegas — aquela em que acusava Smith de ter cometido os quatro homicídios. Mas eu fiquei curioso, e perguntei a Perry por que ele tinha mudado de ideia. E ele disse: 'Tudo no meu depoimento está correto, menos dois detalhes. Se o senhor me deixar corrigir esses dois detalhes, eu assino'. Eu tinha uma ideia de quais eram os detalhes. Porque a única diferença séria entre a história dele e a de Hickock era que ele negava ter sido o único responsável pela execução dos quatro Clutter. Até então, ele jurava que Hickock tinha matado Nancy e sua mãe.

"E eu tinha razão! — era isso mesmo que ele pretendia fazer: admitir que Hickock tinha dito a verdade, e que tinha sido ele, Perry Smith, quem matara toda a família a tiros. Disse que tinha mentido a respeito porque, em suas palavras: 'Eu queria castigar Dick por ele ter sido tão covarde. Contando tudo daquele jeito'. E o motivo pelo qual tinha decidido corrigir o depoimento não era porque de uma hora para a outra tivesse ficado com pena de Hickock. De acordo com ele, só o fazia por consideração para com os pais de Hickock — disse que tinha pena da mãe de Dick. 'Ela é uma pessoa muito doce. Pode ser um consolo para ela saber que Dick não puxou o gatilho. Nada daquilo teria acontecido sem ele, de certa maneira foi quase tudo culpa dele, mas ainda assim quem matou todos eles fui eu.' Mas eu não sabia ao certo se acreditava. Não ao ponto de permitir que ele alterasse o depoimento. Como eu disse, nós não dependíamos de uma confissão formal de Smith para provar o que queríamos. Com ou sem aquele depoimento, tínhamos elementos suficientes para enforcá-los umas dez vezes."

Entre os elementos que contribuíam para a confiança de Dewey estava a recuperação do rádio e do binóculo que os assassinos tinham roubado da casa dos Clutter e em seguida vendido na Cidade do México (onde, depois de ter voado até lá com essa finalidade, o agente do KBI Harold Nye localizara os objetos numa casa de penhores). Além disso, Smith, enquanto ditava seu depoimento, revelara onde se encontravam outros indícios em potencial. "Fomos para a estrada e rumamos para leste", disse ele, ao descrever o que ele e Hickock haviam feito depois de fugirem da cena do crime. "Corremos muito, Dick dirigindo. Acho que nós dois estávamos muito nervosos. Eu estava. Muito nervoso e ao mesmo tempo muito aliviado. Não conseguíamos parar de rir, nenhum dos dois; de repente, tudo dava a impressão de ser muito engraçado — não sei por quê, só sei que parecia. Mas a arma estava pingando sangue, e as minhas roupas estavam manchadas; tinha sangue até no meu cabelo. Então pegamos uma estrada de terra, e andamos pelo menos uns doze quilômetros até chegarmos a um lugar no meio da pradaria. Dava para ouvir o uivo dos coiotes. Fumamos um cigarro, e Dick não parava de fazer piadas sobre o que tinha acontecido. Saí do carro, puxei um pouco de água do radiador e lavei o sangue do cano da espingarda. Depois cavei um buraco raso no chão com a faca de caça de Dick, a mesma que eu tinha usado no senhor Clutter, e enterrei as cápsulas vazias e o que tinha sobrado da corda de náilon e da fita adesiva. Depois disso andamos até chegar à estrada U.S. 83, e seguimos para o leste na direção de Kansas City e Olathe. Quando estava quase amanhecendo, Dick parou num desses lugares de piquenique: o que eles chamam de área de descanso — onde fizeram aquelas churrasqueiras. Acendemos uma fogueira e queimamos várias coisas. As luvas que a gente tinha usado e a minha camisa. Dick disse que daria tudo para ter um boi inteiro para assar; disse que nunca sentira tanta fome na vida. Era quase meio-dia quando chegamos de volta a Olathe. Dick me deixou no meu hotel, e foi para casa para o almoço de domingo com a família. E levou a faca com ele. E a arma também."

Agentes do KBI, mandados para a casa de Hickock, encontraram a faca dentro de uma caixa de apetrechos de pesca e a espingarda ainda encostada casualmente a uma parede da cozinha. (O pai de Hickock, que se recusava a acreditar que seu "garoto" pudesse ter tomado parte num "crime tão horrível", afirmava com certeza que a arma não tinha saído de sua casa depois da primeira semana de novembro, e que portanto não poderia ter sido a arma do crime.) Quanto às cápsulas vazias, a corda e a fita, foram recuperadas com a ajuda de Virgil Pietz, um encarregado da manutenção das estradas do condado, que, usando uma motoniveladora na área indicada por Perry Smith, escavou a terra centímetro a centímetro até descobrir os artigos indicados. Assim, as últimas pontas soltas foram atadas; o KBI tinha conduzido um inquérito produzindo provas impecáveis, pois os testes demonstraram que aquelas cápsulas tinham sido deflagradas pela arma de Hickock, e os restos de corda e fita eram idênticos aos materiais usados para prender e silenciar as vítimas.

Segunda-feira, 11 de janeiro. Tenho um advogado, o sr. Fleming. Velho de gravata vermelha.

Informado pelos acusados de que eles não tinham recursos para contratar representantes legais, o tribunal, na pessoa do juiz Roland H. Tate, indicou para sua defesa dois advogados locais, o sr. Arthur Fleming e o sr. Harrison Smith. Fleming, de 71 anos, ex-prefeito de Garden City, um homem de baixa estatura que procura realçar sua aparência nada sensacional com gravatas muito chamativas, tentou resistir à nomeação. "Não desejo prestar esse serviço", disse ele ao juiz. "Mas se o tribunal julgar adequado nomear-me, é claro que não terei escolha." O advogado de Hickock, Harrison

Smith, de 45 anos, 1,80 metro de altura, jogador de golfe, membro de alto grau da Confraria dos Alces, aceitou a tarefa com uma graça resignada: "Alguém precisa fazê-lo. E farei o que estiver ao meu alcance. Embora duvide muito que isso vá me tornar muito querido nestas redondezas".

Sexta-feira, 15 de janeiro. A sra. Meier ouvindo rádio na cozinha e ouvi um homem dizendo que o procurador do condado irá pedir a Pena de Morte. "Os ricos nunca são enforcados. Só os pobres e sem amigos."

Ao fazer seu anúncio, o procurador do condado, Duane West, um jovem ambicioso e corpulento de 28 anos que parecia ter quarenta, e às vezes cinquenta, declarou aos jornalistas: "Se o caso for julgado por um tribunal do júri, pedirei ao júri que, ao considerá-los culpados, sentencie os dois à pena de morte. Se os acusados abrirem mão do direito ao julgamento por um júri e se declararem culpados perante o juiz, pedirei ao juiz que os condene à pena de morte. Foi uma questão que eu sabia que seria chamado a decidir, e minha decisão não foi tomada de maneira leviana. Acho que, devido à violência do crime e da aparente falta de compaixão para com as vítimas, a única maneira de assegurar que o povo estará absolutamente protegido é condenar os acusados à pena de morte. E isso especialmente porque no Kansas não existe a prisão perpétua sem possibilidade de condicional. As pessoas sentenciadas à prisão perpétua só cumprem, em média, menos de quinze anos de detenção".

Quarta-feira, 20 de janeiro. Pedi um teste de detector de mentiras nessa história do Walker.

Um caso como o assassinato da família Clutter, e outros crimes dessa ordem de grandeza, sempre desperta o interesse de agentes da lei em toda parte, especialmente os investigadores sobrecarregados de casos sem solução, mas similares, porque sempre é possível que a solução para um mistério acabe solucionando outro. Entre os muitos policiais interessados nos fatos ocorridos em Garden City estava o xerife do condado de Sarasota, na Flórida, onde fica Osprey, um lugarejo de pescadores não muito distante de Tampa, e cenário, pouco mais de um mês depois da chacina dos Clutter, do homicídio quádruplo numa fazenda de gado isolada sobre o qual Smith tinha lido uma notícia num jornal de Miami no dia de Natal. As vítimas eram novamente quatro membros de uma família: um jovem casal, o sr. e a sra. Clifford Walker, e seus dois filhos, um menino e uma menina, todos executados com um tiro de rifle na cabeça. Uma vez que os assassinos dos Clutter tinham passado a noite de 19 de dezembro, a data do crime, num hotel de Tallahassee, o xerife de Osprey, que não tinha nenhuma outra pista sobre o crime, estava compreensivelmente ansioso para interrogar os dois homens e submetê-los a um teste de polígrafo. Hickock concordou em submeter-se, assim como Smith, o qual declarou às autoridades do Kansas: "Eu observei àquela altura, e disse a Dick, que apostava que o autor do crime devia ser alguém que tinha lido sobre o que acontecera aqui no Kansas. Algum maluco". Os resultados do teste, para grande tristeza do xerife de Osprey, bem como de Alvin Dewey, que não acredita em coincidências excepcionais, foram decisivamente negativos. O assassino da família Walker continua desconhecido.

Domingo, 31 de janeiro. O pai de Dick veio visitar Dick. Cumprimentei quando ele passou [pela porta da cela] *mas ele continuou andando. Pode ser que não tenha escutado. Soube pela sra. M* [Meier] *que a sra. H* [Hickock] *não veio porque estava passando mal. Neva muito. Sonhei ontem à noite que estava no Alasca com papai — acordei numa poça de urina fria!!!*

O sr. Hickock passou três horas com o filho. Depois, caminhou pela neve até a estação de Garden City, um homem alquebrado pelo trabalho, curvado e emagrecido pelo câncer que o mataria dali a poucos meses. Na estação, enquanto esperava o trem que o levaria para casa, falou com um repórter: "Eu vi Dick, sim. Tivemos uma longa conversa. E posso garantir que não é nada do que as pessoas andam dizendo. Ou do que sai nos jornais. Os rapazes não chegaram àquela casa planejando violência. Não o meu garoto. Ele pode ter um lado ruim, mas não é tão mau assim. A culpa toda é de Smitty. Dick me disse que ele nem sabia o que ia acontecer quando Smitty atacou o homem [o sr. Clutter] e cortou o pescoço dele. Dick nem estava no mesmo lugar que eles. Só entrou correndo quando ouviu os dois lutando. Dick estava com a espingarda, e o que ele me contou foi assim: 'Smitty pegou a minha espingarda e estourou a cabeça do homem'. E me disse: 'Papai, eu devia ter tomado a espingarda de volta e dado um tiro no Smitty. Antes dele matar o resto da família. Se eu tivesse feito isso, ia estar bem melhor do que eu estou agora'. E eu também acho. Do jeito que está, da maneira como as pessoas sentem, ele não tem a menor chance. Vão enforcar os dois". "E", acrescentou ele, com o cansaço e a derrota cintilando em seus olhos, "ter o filho enforcado, saber que ele vai ser enforcado, é a pior coisa que pode acontecer a um homem."

Nem o pai nem a irmã de Perry Smith escreveram para ele ou vieram vê-lo. Acreditava-se que Tex John Smith estivesse à procura de ouro em algum ponto do Alasca — embora vários policiais, apesar de grandes esforços, não tivessem conseguido localizá-lo. A irmã tinha dito a investigadores que tinha medo do irmão, e pedira que por favor não dessem a ele seu endereço atual. (Quando informado disso, Smith deu um leve sorriso e disse: "Queria que ela estivesse na casa naquela noite. Que linda cena!".)

Além do esquilo, além do casal Meier e de consultas ocasionais com seu advogado, o sr. Fleming, Perry estava sempre sozinho. Sentia falta de Dick. *Penso muito em Dick*, escreveu um dia em seu diário improvisado. Desde que tinham sido presos, não podiam mais comunicar-se, e aquilo, além da liberdade, era o que ele mais desejava — falar com Dick, estar novamente com ele. Dick não era o "sujeito firme" que ele antes imaginava: "pragmático", "viril", "um rapaz forte de verdade"; tinha-se revelado "muito fraco e superficial", "um covarde". Ainda assim, de todos que existiam no mundo, era a pessoa de quem ele estava mais próximo naquele momento, porque pertenciam pelo menos à mesma espécie, eram irmãos da raça de Caim; separado dele, Perry sentia-se "totalmente sozinho. Como alguém coberto de feridas. Alguém de quem só um maluco poderia se aproximar".

Mas então, num dia de meados de fevereiro, Perry recebeu uma carta. Trazia o carimbo de Reading, Massachusetts, e dizia o seguinte:

> Caro Perry, fiquei triste ao saber do problema que você está atravessando e resolvi escrever e dizer que me lembro de você e que gostaria de ajudar da maneira que eu puder. Se você não se lembrar do meu nome, Don Cullivan, estou mandando uma fotografia tirada mais ou menos na época em que nos conhecemos. Quando eu li sobre você nos jornais há pouco tempo, fiquei espantado e depois comecei a pensar naqueles tempos em que conheci você. Apesar de nunca termos sido amigos muito próximos, eu me lembro com muito mais clareza de você do que da maioria dos outros sujeitos que conheci no Exército. Deve ter sido no outono de 1951 que você foi transferido para a 761ª Companhia de Engenharia de Equipamento Leve, em Fort Lewis, Washington. Você era baixo (não sou muito mais alto), de constituição sólida, com cabelos pretos, pele morena e tinha um sorriso no rosto quase o tempo todo. Como você tinha morado no Alasca, muitos de nós chamavam você de "Esquimó". Uma das minhas primeiras memórias de você foi numa inspeção da Companhia em que os baús de todos os soldados foram abertos para inspeção. Eu me lembro de que todos os baús estavam em ordem, até mesmo o seu, só que a parte de dentro da tampa do seu

baú estava coberta de retratos de garotas. O resto de nós teve certeza de que você estava encrencado. Mas o oficial que estava fazendo a inspeção nem parou, e quando acabou e ele deixou aquilo passar todo mundo deve ter achado que você tinha sido muito corajoso. Lembro que você jogava bilhar bastante bem e ainda consigo ver claramente você na mesa de bilhar do salão de jogos da Companhia. Você era um dos melhores motoristas de caminhão da unidade. Lembra os exercícios de campo? Numa viagem que fizemos no inverno eu lembro que cada um de nós foi indicado para dirigir um caminhão até o fim do exercício. Na nossa unidade, os caminhões do Exército não tinham aquecimento e fazia muito frio nas cabines. Lembro que você abriu um buraco no piso do seu caminhão para deixar o calor do motor entrar na cabine. Lembro disso muito bem porque fiquei impressionado, já que a "mutilação" de propriedades do Exército era um crime cujo castigo era severo. É claro que eu ainda era verde no Exército e tinha medo de desobedecer a qualquer regra, mas lembro que você achou graça (e ficou aquecido) enquanto eu me preocupava (e congelava). Lembro que você comprou uma motocicleta, e tenho uma vaga lembrança de você ter tido algum problema com ela — perseguido pela polícia? — acidente? Seja o que for, foi a primeira vez que eu percebi o seu lado selvagem. Algumas das minhas lembranças podem estar erradas; isso foi há mais de oito anos e eu só convivi com você por um período de uns oito meses. Mas pelo que eu me lembro nós nos dávamos muito bem e eu gostava bastante de você. Você estava sempre alegre, era sempre atrevido, você fazia bem o seu trabalho no Exército, e eu não me lembro de você reclamando de nada. Claro que você dava a impressão de ser bem descontrolado, mas eu nunca fiquei sabendo de muita coisa a respeito. Mas agora você está com problemas sérios. Eu tento imaginar como você deve ser agora. O que você pensa. Quando eu li o que você tinha feito fiquei muito chocado. De verdade. Deixei o jornal de lado e fui cuidar de outra coisa. Mas toda hora voltava a pensar em você.

Não me conformei em simplesmente esquecer. Eu sou, ou tento ser, bastante religioso (católico). Nem sempre fui. Eu costumava me deixar levar sem refletir muito sobre a única coisa importante que existe. Nunca pensava na morte ou na possibilidade de uma vida além desta. Estava ocupado demais: carro, faculdade, encontros etc. Mas meu irmão mais novo morreu de leucemia quando tinha só dezessete anos. Ele sabia que estava morrendo e depois eu sempre me perguntava no que ele teria pensado. E agora estou pensando em você, e me pergunto no que você tem pensado. Eu não sabia o que dizer ao meu irmão nas últimas semanas antes da morte dele. Mas agora eu sei o que dizer. E é por isto que estou lhe escrevendo: porque foi Deus quem fez você, assim como me fez, e Ele ama você tanto quanto me ama, e pelo que podemos saber da vontade de Deus o que aconteceu com você podia ter acontecido comigo. Seu amigo, Don Cullivan.

O nome não lhe dizia nada, mas Perry reconheceu de imediato o rosto na fotografia de um jovem soldado de cabelos à escovinha e olhos redondos e muito honestos. Leu a carta muitas vezes; e embora as alusões religiosas não o tenham convencido ("Eu já tentei acreditar, mas não acredito, não consigo, e não adianta nada fingir"), ficou muito emocionado com ela. Era alguém que lhe oferecia ajuda, um homem são e respeitável que o conhecera e gostara dele, um homem que assinava como *amigo*. Com gratidão, e muita pressa, Perry começou uma resposta: "Caro Don, Claro que me lembro de Don Cullivan...".

A cela de Hickock não tinha janela; ficava de frente para um corredor largo e outras celas. Mas ele não estava isolado, tinha com quem falar, um rodízio abundante de bêbados, falsários, espancadores de mulheres e vagabundos mexicanos; e Dick, com sua conversa ligeira de vigarista, suas histórias de proezas sexuais e suas piadas divertidas, era muito popular entre os presos (embora um deles destoasse dos outros — um velho que sempre sibilava para ele: "Assassino! Assassino!", e que uma vez o ensopou com um balde de água suja).

Por fora, Hickock dava a todos a impressão de ser um jovem especialmente desprovido de problemas. Quando não estava conversando ou dormindo, ficava deitado em seu catre fumando ou mascando chicletes e lendo revistas esportivas ou romances baratos de mistério. Por vezes, simplesmente deitava, ficava assobiando velhas canções ("You must have been a beautiful baby", "Shuffle off to Buffalo") e olhava fixo para a lâmpada nua, acesa noite e dia no teto de sua cela. Detestava a vigilância monótona daquela lâmpada; ela perturbava seu sono e, para piorar, punha em risco o sucesso de um projeto particular — a fuga. Pois o prisioneiro não estava tão despreocupado quanto aparentava, nem tão resignado; pretendia tomar todas as medidas possíveis para evitar a corda no pescoço. Convencido de que o resultado de qualquer julgamento só poderia ser aquele — ainda mais de um julgamento realizado no estado do Kansas —, tinha resolvido "cair fora da cadeia. Arrumar um carro e sair levantando poeira". Mas primeiro precisava arranjar uma arma; e vinha fabricando uma havia semanas: um "estoque", um instrumento muito parecido com um furador de gelo — algo capaz de encaixar-se mortalmente entre as omoplatas do subxerife Meier. Os componentes da arma, um toco de madeira que servia de cabo e um pedaço de fio metálico rígido, eram originalmente partes de uma escova de limpar privada que ele tinha confiscado, desmontado e escondido debaixo do colchão. Tarde da noite, quando os únicos sons que se ouviam eram os roncos, a tosse e os apitos fúnebres dos trens da Santa Fe que passavam pela cidade apagada, ele afiava o arame no piso de concreto da cela. E enquanto trabalhava não parava de planejar.

Uma vez, no primeiro inverno depois de terminar a escola secundária, Hickock viajou de carona pelo Kansas e pelo Colorado: "Foi quando eu estava procurando emprego. Eu estava num caminhão, e eu e o motorista começamos uma discussão, sem ter exatamente um motivo exato, mas ele me bateu. E me pôs para fora do caminhão. E me deixou lá. Bem no alto das Montanhas Rochosas. Estava meio nevando, e eu precisei andar quilômetros, com o nariz sangrando feito quinze porcos. E então cheguei a um lugar com muitas cabanas, numa encosta cheia de árvores. Cabanas de férias de verão, todas trancadas e vazias naquela época do ano. Arrombei uma delas. Estava cheia de lenha e de latas de comida, e tinha até uísque. Passei mais de uma semana lá, e foi uma das melhores épocas da minha vida. Apesar de o meu nariz doer muito, e de os meus olhos terem ficado roxos e depois verdes e amarelos. E sempre que a neve parava o sol saía. Você nunca viu um céu igual. Parecido com o do México. Se no México fizesse frio. Eu olhei nas outras cabanas e encontrei presuntos defumados, um rádio e um rifle. Era uma beleza. O dia inteiro andando com uma arma. Pegando aquele sol. Eu me sentia muito bem. Como Tarzan. Toda noite eu comia feijão com presunto frito, me enrolava num cobertor perto do fogo e adormecia ouvindo música no rádio. Ninguém chegava perto daquele lugar. Aposto que eu podia ter ficado até a primavera". E se a fuga desse certo, era aquele o caminho que Dick tinha escolhido — seguir para as montanhas do Colorado, e encontrar uma cabana onde pudesse ficar escondido até a primavera (sozinho, é claro; o futuro de Perry não era problema dele). O projeto de férias tão idílicas só fazia reforçar a dedicação com que amolava seu fio de metal, dando-lhe um gume de estilete.

Quinta-feira, 10 de março. O xerife fez uma busca. Revistou todas as celas e encontrou um estoque debaixo do colchão de D. O que será que ele estava planejando (risos)?

Não que Perry de fato achasse que o caso era motivo para risos, porque Dick, de posse de uma arma perigosa, poderia ter um papel decisivo nos planos que ele próprio vinha formulando. À medida que as semanas iam passando, ele se familiarizava com a vida na Courthouse Square, seus frequentadores costumeiros e seus respectivos hábitos. Os gatos, por exemplo: os dois vira-latas magros e cinzentos que apareciam todo fim de tarde e vasculhavam a praça, parando para examinar os carros estacionados nos arredores — um comportamento que ele achava enigmático até a sra. Meier explicar-lhe que os gatos estavam à procura de aves mortas presas no radiador dos carros. A partir daí, começou a achar penoso observar o trajeto daqueles animais: "Porque passei a maior parte da minha vida fazendo o que eles fazem. Ou o equivalente".

E havia um homem que atraíra especialmente a atenção de Perry, um cavalheiro ereto e robusto com cabelos que pareciam um capacete grisalho e branco; seu rosto, muito cheio, de queixo firme, tinha um ar rabugento quando em repouso, a boca curvada para baixo, os olhos baixos como que perdidos num devaneio sem alegria — um retrato perfeito da austeridade. No entanto, essa impressão era em parte incorreta, pois de vez em quando o preso o surpreendia fazendo uma pausa para conversar com outros homens, brincar e rir com eles, e nesses momentos ele transmitia uma impressão despreocupada, jovial e generosa: "O tipo de pessoa que vê o lado humano das coisas" — um atributo importante, porque aquele homem era Roland H. Tate, juiz do 32º Distrito Judicial, o magistrado que deveria presidir o julgamento do estado do Kansas contra Smith e Hickock. Tate, como Perry logo viria a saber, era um nome antigo e temido no oeste do Kansas. O juiz era rico, criava cavalos, possuía muitas terras, e diziam que sua mulher era muito bonita. Era pai de dois filhos, mas o mais novo tinha morrido, uma tragédia que afetara profundamente seus pais e os levara a adotar um garotinho que tinha aparecido no tribunal como criança abandonada e sem lar. "Ele me parece um sujeito de coração mole", disse Perry certa vez à sra. Meier. "Talvez ele nos dê uma chance."

Mas no fundo não era o que Perry achava; ele acreditava no que tinha escrito para Don Cullivan, com quem agora se correspondia regularmente: seu crime era "imperdoável", e ele estava na expectativa de "subir aqueles treze degraus". No entanto, não se sentia totalmente sem esperança, porque ele também planejava uma fuga. Dependia de uma dupla de jovens que muitas vezes surpreendera olhando para ele. Um era ruivo, o outro moreno. Às vezes, de pé na praça, debaixo da árvore que chegava até a janela da cela, eles sorriam e faziam sinais para ele — ou pelo menos era o que ele imaginava. Nada jamais tinha sido dito, e sempre, ao cabo de mais ou menos um minuto, eles iam embora. Mas o prisioneiro se convencera de que aqueles dois jovens, motivados possivelmente por um desejo de aventura, tinham a intenção de ajudá-lo a fugir. Assim, desenhou um mapa da praça, assinalando os pontos onde um "carro de fuga" poderia ser estacionado da maneira mais vantajosa. Debaixo do mapa, ele escreveu: *Preciso de uma lâmina de serra de metal de cinco polegadas. E mais nada. Mas vocês sabem quais são as consequências se forem pegos?* (*Acenem com a cabeça se a resposta for sim.*) *Pode significar muito tempo na prisão. Ou podem ser mortos. E tudo por uma pessoa que vocês nem conhecem. PENSEM MUITO BEM!! Sério! Além disso, como eu vou saber se posso confiar em vocês? Como eu posso saber se não é um truque para me atrair para fora e me matar a tiros? E Hickock? Qualquer preparativo precisa levar Hickock em consideração.*

Perry guardou esse documento em sua mesa, dobrado e pronto para ser atirado da janela da próxima vez que os jovens aparecessem. Mas eles não voltaram; ele nunca mais os viu. Finalmente, ele se perguntou se por acaso não os teria inventado (a ideia de que ele "pudesse não ser normal, talvez louco" o perturbava "mesmo quando eu era pequeno, e minhas irmãs riam porque eu gostava da luz da lua. Para me esconder nas sombras e ficar olhando a lua"). Fossem fantasmas ou não, parou de pensar nos dois rapazes. Um outro método de fuga, o suicídio, substituiu os dois em suas cismas; e apesar das precauções do carcereiro (nada de espelhos, cinto, gravata ou cadarços de sapato), imaginara um modo de matar-se. Porque também em sua cela havia uma lâmpada que ardia eternamente, mas à diferença de Hickock, ele tinha uma vassoura, e pressionando a escova da vassoura contra a lâmpada conseguia desenroscá-la. Uma noite, sonhou que desenroscava e quebrava a lâmpada, cortando os pulsos e os tornozelos com o vidro quebrado. "Senti toda a respiração e toda a luz me deixando", disse ele, numa descrição subsequente de suas sensações. "As paredes da cela caíam, o céu descia, eu via o grande pássaro amarelo."

Ao longo de toda a sua vida — na infância, quando era tratado com malvadeza e mesquinharia, na juventude delinquente, no tempo de prisioneiro —, o pássaro amarelo, imenso e com uma cabeça de papagaio, sempre aparecia voando nos sonhos de Perry, um anjo vingador que atacava seus inimigos ou, como agora, dava um jeito de salvá-lo em momentos de perigo mortal. "Ele me levantava, eu tinha o peso de um camundongo, e nós subíamos, cada vez mais. Eu via a praça lá embaixo, homens correndo, gritando, o xerife atirando em nós, todos furiosos porque eu estava livre, voando, estava melhor do que qualquer um *deles*."

O início do julgamento foi marcado para o dia 22 de março de 1960. Nas semanas que antecederam essa data, os advogados de defesa consultavam os acusados com frequência. A conveniencia de pedir a mudança de lugar do julgamento foi discutida, mas como o idoso sr. Fleming disse a seu cliente: "Não interessa em qual ponto do Kansas o julgamento vai se realizar. O sentimento é o mesmo em todo o estado. E talvez seja melhor ser julgado em Garden City. É uma comunidade religiosa. Onze mil habitantes, e 22 igrejas. E a maioria dos padres e pastores se opõe à pena capital, eles dizem que é uma coisa imoral e anticristã; até mesmo o reverendo Cowan, que era pastor dos Clutter e amigo íntimo da família, vem pregando contra a pena de morte nesse caso. Lembre-se, o máximo que podemos esperar é salvar as vidas de vocês. Acho que aqui a chance vai ser a mesma que em qualquer outro lugar".

Logo depois do indiciamento original de Smith e Hickock, seus advogados compareceram perante o juiz Tate para encaminhar uma moção pedindo um exame psiquiátrico completo dos acusados. Especificamente, pediam ao tribunal que permitisse que o hospital estadual de Larned, Kansas, uma instituição de tratamento mental com instalações de segurança máxima, custodiasse os prisioneiros com a finalidade de determinar se algum deles ou ambos eram "insanos, cretinos ou idiotas, incapazes de compreender sua posição e de ajudar em sua defesa".

Larned fica cerca de 150 quilômetros a leste de Garden City; o advogado de Hickock, Harrison Smith, informou ao tribunal que tinha ido até lá de carro na véspera e conversado com vários membros da equipe do hospital: "Não temos psiquiatras qualificados na nossa comunidade. Na verdade, Larned é o único lugar num raio de 350 quilômetros onde podemos encontrar homens assim — médicos treinados para fazer avaliações psiquiátricas sérias. É uma coisa que toma tempo. De quatro a oito semanas. Mas as pessoas com quem discuti a questão disseram que se dispunham a começar o trabalho de imediato; e, é claro, tratando-se de uma instituição do estado, não haveria custo algum para o tribunal".

Quem se opôs a esse plano foi o advogado assistente da procuradoria, Logan Green, o qual, convencido de que "insanidade temporária" era a linha de defesa que seus antagonistas tentariam apresentar no julgamento que se aproximava, temia que o resultado final da proposta fosse, como previu em conversas particulares, a convocação para o banco das testemunhas de um "bando de psiquiatras" simpáticos aos acusados ("Essa gente está sempre chorando pelos assassinos. Nunca pensam nas vítimas"). Baixo, belicoso, nascido no Kentucky, Green começou lembrando ao tribunal que a lei do Kansas, no que se refere à sanidade mental, aderia à chamada Regra de M'Naghten, um conceito havia muito importado da Grã-Bretanha segundo o qual bastava ao acusado saber qual era a natureza de seus atos, ter consciência de que eram errados, para ser considerado mentalmente competente e responsável por suas ações. Além do mais, argumentou Green, não havia nada nos estatutos do Kansas que indicasse que os médicos escolhidos para avaliar a condição mental de um acusado precisassem ser de uma especialidade determinada: "Médicos comuns. Médicos com prática de clínica geral. É só o que a lei exige. Todo ano temos audiências de sanidade neste condado com a finalidade de julgar a internação de pessoas em instituições. Jamais chamamos alguém de Larned ou de outras instituições psiquiátricas de qualquer tipo. Os nossos médicos locais sempre cuidaram da matéria. Não é muito complicado descobrir se um homem é louco, um cretino ou um idiota... É totalmente desnecessário, uma perda de tempo, mandar os acusados para Larned".

Retrucando, o advogado Harrison Smith sugeriu que a situação em foco era "muito mais grave que uma simples audiência sobre sanidade no tribunal de sucessões. Há duas vidas em jogo. Qualquer que tenha sido seu crime, estes homens têm o direito de ser examinados por pessoas com o treinamento adequado e a experiência necessária. A psiquiatria", acrescentou ele, argumentando com o juiz em termos bem diretos, "amadureceu muito nos últimos vinte anos. Os tribunais federais procuram manter-se em dia com essa ciência, no que ela se relaciona com as pessoas acusadas de crimes. Parece-me que temos uma oportunidade de ouro de mostrar-nos à altura dos novos conceitos desse campo".

Foi uma oportunidade que o juiz preferiu deixar passar, pois como um colega magistrado certa vez assinalou: "Tate é o que se pode chamar de um advogado de manual, ele jamais faz experiências, sempre segue o texto à risca"; mas o mesmo crítico também disse a seu respeito: "Se eu fosse inocente, ele é o primeiro homem que eu gostaria de ver presidindo o meu julgamento; se eu fosse culpado, o último". O juiz Tate não negou a moção por completo; na verdade, fez exatamente o que a lei exigia ao nomear uma comissão de três médicos de Garden City e pedir-lhes que pronunciassem um veredicto sobre a capacidade mental dos prisioneiros. (No devido tempo, a junta médica examinou os acusados e, ao final de mais ou menos uma hora de conversa investigativa, anunciou que nenhum dos dois sofria de distúrbio mental algum. Quando lhe contaram o diagnóstico, Perry Smith disse: "Como eles iriam saber? Só queriam se distrair. Ficar sabendo dos detalhes sórdidos diretamente dos lábios terríveis do assassino. Ah, os olhos deles brilhavam". O advogado de Hickock também ficou irritado; voltou a viajar até o hospital estadual de Larned, onde pediu os serviços gratuitos de um psiquiatra que se dispusesse a ir até Garden City entrevistar os acusados. O único homem que se ofereceu, o dr. W. Mitchell Jones, era de extrema competência; com menos de trinta anos, especialista sofisticado em psicologia criminal e em criminosos loucos que trabalhara e estudara na Europa e nos Estados Unidos, concordou em examinar Smith e Hickock e, caso os resultados permitissem, testemunhar em favor deles.)

Na manhã de 14 de março, os advogados de defesa compareceram mais uma vez perante o juiz Tate, nessa ocasião para pedir que o julgamento, previsto para dali a oito dias, fosse adiado. Dois motivos foram apresentados, o primeiro que "uma testemunha muito importante", o pai de Hickock, estava doente demais no momento para depor. O segundo era uma questão mais sutil. Ao longo da semana anterior, um cartaz em letras grandes tinha começado a aparecer nas vitrines das lojas da cidade, e em bancos, restaurantes e na estação ferroviária; dizia o seguinte: VENDA EM LEILÃO DOS BENS DE H. W. CLUTTER * 21 DE MARÇO DE 1960 * NA RESIDÊNCIA CLUTTER. "Eu sei", disse Harrison Smith, dirigindo-se ao juiz, "que é quase impossível demonstrar que tenha havido má-fé. Mas esta venda, um leilão dos bens da vítima, vai ocorrer daqui a uma semana — em outras palavras, na véspera do dia marcado para o início do julgamento. Não quero afirmar que isso vá ser prejudicial aos acusados. Mas esses cartazes, associados aos anúncios nos jornais e aos anúncios no rádio, serão um lembrete constante a todos os cidadãos desta comunidade, dentre os quais 150 foram convocados como candidatos a jurados."

Mas o juiz Tate não ficou impressionado. E indeferiu a moção sem comentário.

No início do ano, o vizinho japonês do sr. Clutter, Hideo Ashida, tinha leiloado seu equipamento agrícola e mudado para o Nebraska. O leilão de Ashida, que foi considerado um sucesso, tinha atraído pouco menos de cem compradores. Pouco mais de 5 mil compareceram ao leilão de Clutter. Os cidadãos de Holcomb já esperavam uma frequência fora do comum — o Círculo de Senhoras da Igreja Comunitária de Holcomb converteu um dos celeiros de Clutter num refeitório estocado com duzentas tortas feitas em casa, cem quilos de carne de hambúrguer e cinquenta quilos de presunto fatiado — mas ninguém estava preparado para a maior plateia de leilão de toda a história do oeste do Kansas. Carros convergiram para Holcomb de metade dos condados do estado, e ainda de Oklahoma, Colorado, Texas e Nebraska. Chegavam colados um atrás do outro pela estrada que levava à fazenda River Valley.

Era a primeira vez que se permitia ao público visitar a residência da família Clutter desde a descoberta dos crimes, uma circunstância que explicava a presença de talvez um terço da imensa congregação — os que só tinham vindo por curiosidade. E é claro que o clima também ajudou, porque em meados de março as grandes neves do inverno já tinham derretido, e a terra por baixo dela, completamente congelada, emergia hectare após hectare como uma lama de afundar até os tornozelos; os agricultores não podem fazer muita coisa enquanto a terra não seca um pouco, e endurece. "A terra está tão molhada!", disse a sra. Bill Ramsey, mulher de um fazendeiro. "Não dá mesmo para trabalhar. E a gente achou que o melhor era vir até aqui participar do leilão." Na verdade, fazia um dia lindo. Primaveril. Embora a lama fosse abundante, o sol, depois de muito tempo encoberto pela neve e pelas nuvens, parecia um objeto recém-fabricado, e as árvores — o pomar do sr. Clutter com suas pereiras e macieiras, os olmos sombreando a entrada — estavam ligeiramente cobertas por uma fina camada verde. O belo gramado que cercava a casa também tinha acabado de readquirir sua cor verde, e os invasores que o pisavam, mulheres ansiosas para ver mais de perto a casa desabitada, atravessavam a grama e olhavam pelas janelas como se esperassem, mas temessem vislumbrar na escuridão além das cortinas de estampa florida, aparições amedrontadoras.

Aos gritos, o leiloeiro anunciava as qualidades de suas mercadorias — tratores, caminhonetes, carrinhos de mão, barris de pregos, marretas e tábuas sem uso, baldes de leite, ferros de marcar, cavalos, ferraduras, tudo o que era necessário para administrar uma fazenda, de cordas e arreios a parasiticidas para carneiros e banheiras de latão. Tinha sido a possibilidade de comprar aqueles artigos a preços muito baixos que atraíra a maior parte dos presentes. Mas as mãos dos compradores se erguiam timidamente — mãos calejadas pelo trabalho, receosas de lançar mão de um dinheiro ganho duramente; ainda assim nada ficou por vender, houve até quem quisesse comprar um molho de chaves enferrujadas, e um jovem caubói envergando botas de couro amarelo-claro comprou a Carreta dos Coiotes do jovem Kenyon Clutter, o veículo roubado que o rapaz morto usava para caçar coiotes e persegui-los nas noites de lua cheia.

Os contrarregras, os homens que traziam e levavam os artigos menores até o pódio do leiloeiro, eram Paul Helm, Vic Irsik e Alfred Stoecklein, todos antigos empregados da fazenda, ainda leais ao falecido Herbert W. Clutter. Ajudar na venda de seus pertences era o serviço final, pois hoje era o último dia deles na fazenda River Valley; a propriedade tinha sido arrendada a um fazendeiro de Oklahoma, e a partir de então eram desconhecidos que iriam morar e trabalhar ali. À medida que o leilão avançava os bens do sr. Clutter iam aos poucos desaparecendo; Paul Helm, recordando o enterro da família chacinada, disse: "Parece um segundo funeral".

A última coisa a ser vendida foi o conteúdo do curral de animais, principalmente cavalos, inclusive a égua de Nancy, a grande e gorda Babe, já muito além da juventude. Era fim de tarde, as aulas tinham acabado, e muitos colegas de Nancy estavam entre os espectadores quando começaram os lances pelos cavalos; Susan Kidwell estava lá. Sue, que tinha adotado outro dos animais órfãos de Nancy, um gato, queria poder dar um lar a Babe, porque adorava a velha égua e sabia o quanto Nancy a amava. As duas garotas muitas vezes tinham saído juntas montadas no amplo dorso de Babe, trotando através dos campos de trigo em tardes quentes de verão até o rio, onde a égua entrava na água e nadava contra a corrente até, como Sue uma vez descreveu, "nós três ficarmos mortas de frio". Mas Sue não tinha lugar onde pudesse guardar um cavalo.

"Estou ouvindo cinquenta... sessenta e cinco... setenta...": os lances foram baixos, parecia que ninguém queria Babe, e o homem que a comprou, um agricultor menonita que pretendia usá-la para puxar o arado, pagou 75 dólares. Enquanto ele a conduzia para fora do curral, Sue Kidwell saiu correndo; ergueu a mão como que para acenar um adeus, mas em vez disso tapou a boca com ela.

O *Telegram* de Garden City, na véspera do início do julgamento, publicou o seguinte editorial: "Alguns podem achar que os olhos de toda a nação estarão voltados para Garden City durante esse julgamento sensacional. Mas não estarão. A pouco mais de cem quilômetros daqui, no Colorado, são poucas as pessoas que sabem do caso — além de se lembrarem de que alguns membros de uma família importante foram assassinados. Este é um triste comentário sobre o estado da criminalidade em nosso país. Desde que os quatro membros da família Clutter foram mortos no outono passado, vários homicídios múltiplos do mesmo tipo ocorreram em diversos pontos dos Estados Unidos. Só nos últimos dias antes desse julgamento, pelo menos três casos de assassinatos em massa chegaram às manchetes dos jornais. Em consequência, esse crime e esse julgamento são apenas mais um de muitos casos parecidos sobre os quais as pessoas leram e depois esqueceram...".

Embora os olhos do país não estivessem voltados para eles, o comportamento dos principais participantes do evento, do estenógrafo do tribunal ao próprio juiz, demonstrava uma clara preocupação com a compostura na manhã da primeira sessão. Os quatro advogados envergavam ternos novos; os sapatos novos do procurador do condado, com seus pés imensos, rangiam e guinchavam a cada passo. Hickock, também, estava elegantemente trajado com roupas trazidas por seus pais: calças bem cortadas de sarja azul, camisa branca, gravata estreita azul-marinho. Só Perry Smith, que não possuía nem paletó nem gravata, destoava dos outros. Usando uma camisa de colarinho aberto (emprestada pelo sr. Meier) e jeans com as bainhas dobradas, dava uma impressão tão solitária e deslocada como uma gaivota num campo de trigo.

O recinto do tribunal, uma câmara despretensiosa situada no terceiro andar do tribunal do condado de Finney, tem paredes brancas opacas e móveis de madeira escura envernizada. Os bancos dos espectadores comportam talvez 160 pessoas. Na manhã de terça-feira, 22 de março, estavam ocupados exclusivamente pelos candidatos a jurado residentes no condado de Finney, todos homens, dentre os quais um júri seria selecionado. Não eram muitos os cidadãos convocados que pareciam ansiosos para servir (um dos jurados em potencial, conversando com outro, disse: "Não podem me chamar. Eu não escuto bem". Ao que o seu amigo, depois de refletir um pouco, respondeu com malícia: "Pensando bem, a minha audição também não é muito boa"), e todos achavam que a escolha do júri levaria vários dias. No fim das contas, porém, o processo estava concluído ao cabo de quatro horas; além disso, o júri, inclusive dois membros suplentes, foi todo tirado dos primeiros 44 candidatos. Sete foram recusados pela defesa e três dispensados a pedido da acusação; vinte outros foram dispensados ou porque se opunham à pena capital ou porque admitiram já ter formado uma opinião firme em relação à culpa dos réus.

Os catorze homens finalmente escolhidos eram meia dúzia de agricultores, um farmacêutico, um gerente de creche, um empregado de aeroporto, um perfurador de poços, dois vendedores, um maquinista e o gerente do Ray's Bowling Alley, um boliche da cidade. Todos tinham família (vários tinham cinco ou mais filhos) e eram seriamente filiados a alguma igreja local. Durante o exame *voir dire*,* quatro deles

* *Voir dire:* expressão latina que, no direito anglo-saxão, dá nome ao procedimento de seleção de jurados e testemunhas de um julgamento. (N. E.)

declararam ao tribunal que tinham um conhecimento pessoal, mas não íntimo, do sr. Clutter; interrogados sobre o assunto, porém, todos disseram que essa circunstância não poderia prejudicar sua capacidade de chegar a um veredicto imparcial. O empregado do aeroporto, um homem de meia-idade chamado N. L. Dunnan, disse, quando lhe perguntaram sua opinião sobre a pena capital: "Normalmente sou contra. Mas neste caso, não" — declaração que, para alguns que a ouviram, pareceu claramente indicativa de prejulgamento. Ainda assim, foi aceito como jurado.

Os acusados observaram o processo do *voir dire* sem prestar atenção. No dia anterior, o dr. Jones, o psiquiatra que se tinha oferecido para examiná-los, entrevistara cada um separadamente por cerca de duas horas; ao fim das entrevistas, sugerira que ambos escrevessem para ele um relato autobiográfico, e foi a composição desses depoimentos que ocupou os acusados durante as horas empregadas na seleção do júri. Sentados nas pontas opostas da mesa de seus advogados, Hickock trabalhava com uma caneta e Smith com um lápis.

Smith escreveu:

> Meu nome é Perry Edward Smith e nasci no dia 27 de outubro de 1928 em Huntington, condado de Elko, Nevada, situado no meio dos cafundós, por assim dizer. Lembro que em 1929 minha família foi até Juneau, no Alasca. Em minha família havia meu irmão Tex Jr. (mais tarde ele mudou o nome para James porque achava o nome "Tex" ridículo & acredito também que ele odiasse meu pai na juventude — por obra da minha mãe). Minha irmã Fern (ela também mudou o nome — para Joy). Minha irmã Barbara. E eu... Em Juneau, meu pai fabricava bebida clandestina. Acredito que foi nessa época que minha mãe conheceu o álcool. Mamãe & Papai começaram a brigar. Eu me lembro de minha mãe "recebendo" marinheiros um dia que meu pai não estava em casa.

Quando ele chegou tiveram uma briga, e meu pai, depois de uma luta violenta, pôs os marinheiros para fora & em seguida começou a bater na minha mãe. Fiquei muito assustado, na verdade todos nós, as crianças, ficamos aterrorizados. Chorando. Fiquei com medo porque eu achei que meu pai ia me bater, e também porque ele estava batendo na minha mãe. Eu não entendia por que ele estava batendo nela, mas eu sentia que ela devia ter feito alguma coisa muito errada... A coisa seguinte de que eu me lembro vagamente é de morar em Fort Bragg, Califórnia. Meu irmão tinha ganhado de presente uma espingarda de ar comprimido. Acertou um beija-flor, e depois ficou muito arrependido. Eu pedi para ele me deixar atirar com a espingarda. Ele me empurrou, dizendo que eu era pequeno demais. Fiquei com tanta raiva que comecei a chorar. Depois que eu parei de chorar, voltei a ficar com raiva, e de noite, quando a espingarda de ar comprimido estava encostada na cadeira em que o meu irmão estava sentado, eu peguei a espingarda, encostei no ouvido do meu irmão & berrei BANG! Meu pai (ou minha mãe) me bateu e me mandou pedir desculpas. Meu irmão costumava atirar no cavalo branco imenso de um vizinho que sempre passava pela nossa casa a caminho da cidade. O vizinho pegou meu irmão e eu escondidos nas moitas e levou nós dois para ver Papai & levamos uma surra & meu pai tirou a espingardinha do meu irmão & eu fiquei *feliz* quando ele perdeu a arma!... É mais ou menos tudo que eu lembro de Fort Bragg (Ah! Nós, as crianças, costumávamos pular do alto de um guindaste de feno, segurando um guarda-chuva, numa pilha de feno no chão)... Minha lembrança seguinte é de vários anos depois, quando estávamos morando na Califórnia? Em Nevada? Lembro de um episódio odioso entre a minha mãe e um negro. Nós dormíamos numa varanda durante o verão. Uma das nossas camas ficava bem debaixo do quarto da minha mãe e do meu pai. E nós, todas as crianças, tínhamos olhado bem pela cortina meio aberta e visto o que estava acontecendo. Meu Pai tinha contratado um negro (Sam) para fazer serviços variados na fazenda, ou rancho, enquanto ele fazia outra coisa na estrada. Ele costumava chegar sempre no fim da tarde ou já de noite na caminhonete Modelo A que ele tinha. Eu não me lembro da ordem dos acontecimentos, mas acho que meu Pai tinha descoberto ou desconfiado do que estava acontecendo. Terminou numa separação entre Mamãe & Papai & Mamãe levou as crianças para San Francisco. Fugiu com a caminhonete de Papai & todas as muitas lembranças que ele tinha trazido do Alasca. Deve ter sido em 1935 (?)... Em San Francisco eu estava sempre arrumando encrenca. Comecei a andar com uma turma, todos mais velhos do que eu. Minha mãe estava sempre bêbada, nunca capaz de cuidar de nós ou nos dar o que precisávamos. Eu vivia solto & selvagem feito um coiote. Não tinha regras nem disciplina, ninguém para me mostrar o que era certo e o que era errado. Eu entrava & saía quando queria — até meu primeiro encontro com a lei. Entrei & saí de muitos reformatórios muitas vezes, por fugir de casa & roubar. Lembro de um lugar para onde me mandaram. Eu tinha os rins fracos & molhava a cama toda noite. Era muito humilhante, mas eu não conseguia me controlar. Eu apanhava muito da chefe do abrigo, que me xingava e zombava de mim na frente de todos os garotos. Ela aparecia a qualquer hora da noite para ver se eu tinha molhado a cama. Arrancava as cobertas & me batia furiosamente com um cinto bem largo de couro preto — me puxava para fora da cama pelos cabelos & me arrastava até o banheiro & me atirava na banheira & abria a água fria & me mandava tomar banho e lavar os lençóis. Toda noite era um pesadelo. Mais tarde ela achava muito engraçado passar algum tipo de pomada no meu pênis. Era quase insuportável. Ardia horrivelmente. Mais tarde ela foi demitida do emprego. Mas isso não mudou o que eu acho dela & o que eu gostaria de ter feito a ela & a todas as pessoas que riam de mim.

E então, como o dr. Jones lhe disse que precisava receber os relatos ainda naquela tarde, Smith pulou para o início da adolescência e os anos que ele e o pai tinham passado juntos, os dois vagando por todo o Oeste, garimpando, caçando com armadilhas, fazendo trabalhos diversos:

> Eu adorava meu pai, mas tinha vezes em que o amor e a afeição que eu sentia por ele se esvaziavam do meu coração como água derramada. Sempre que ele não tentava compreender meus problemas. Que não me dava consideração & voz & responsabilidade. Eu precisava me afastar dele. Quando eu tinha dezesseis anos eu me alistei na Marinha Mercante. Em 1948 entrei para o Exército — o oficial do recrutamento me deu uma chance e melhorou o resultado do meu teste. A partir desse momento eu comecei a perceber como a instrução era importante. E isso só aumentou o ódio e a amargura que eu sentia pelos outros. Comecei a me meter em brigas. Joguei um policial japonês na água do alto de uma ponte. Fui submetido a corte marcial por ter destruído um café japonês. E fui novamente julgado por uma corte marcial em Kyoto, no Japão, por ter roubado um táxi japonês. Fiquei quase quatro anos no Exército. Tive muitos acessos de raiva durante meu tempo de serviço no Japão & na Coreia. Fiquei 15 meses na Coreia, depois entrei no rodízio e fui mandado de volta para os Estados Unidos — e recebi um reconhecimento especial por ter sido o primeiro veterano da Guerra da Coreia a voltar para o território do Alasca. Muita festa, foto no jornal, viagem de avião paga para o Alasca, toda a cerimônia... Terminei meu serviço militar em Fort Lewis, Washington.

O lápis de Smith corria quase indecifravelmente enquanto ele tentava alcançar a história mais recente: o acidente de motocicleta que o deixara aleijado, o arrombamento em Phillipsburg, Kansas, que levara à sua primeira sentença de prisão:

> ... fui condenado de 5 a 10 anos por roubo, arrombamento e fuga da prisão. Acho que fui tratado de maneira muito injusta. Fiquei muito amargo enquanto estava na prisão. Assim que fui solto estava planejando ir para o Alasca com meu pai — não fui — trabalhei por algum tempo em Nevada e Idaho — fui a Las Vegas e continuei até o Kansas onde entrei na situação em que estou hoje. Não dá tempo para mais nada.

Assinou seu nome, e acrescentou um P. S.:

> Gostaria de tornar a conversar com o senhor. Há muitas coisas que eu não disse e que poderiam interessá-lo. Sempre me senti muito bem perto de pessoas com uma finalidade e a dedicação de perseguir essa meta. Senti a mesma coisa pelo senhor na sua presença.

Hickock não escreveu com a mesma intensidade de seu companheiro. Parava a todo momento para acompanhar o interrogatório de um dos candidatos a jurado, ou para examinar os rostos à sua volta — especialmente, e com um desprazer claro, o rosto forte do procurador do condado, Duane West, que tinha a mesma idade que ele, 28 anos. Mas seu depoimento, escrito com uma letra estilizada que parecia uma chuva oblíqua, chegou ao fim antes que o tribunal encerrasse seus trabalhos naquele dia:

> Vou tentar contar tudo que puder sobre mim mesmo, embora a maior parte do começo da minha vida seja bem vaga para mim — até mais ou menos o meu décimo aniversário. Meu tempo de escola foi mais ou menos parecido com o de outros garotos da mesma idade. Tive as minhas brigas, as minhas garotas e as outras coisas que acontecem com todo garoto enquanto cresce. A vida na minha casa também era normal, mas como eu disse antes quase nunca me deixavam sair do meu quintal e ir visitar meus amigos. Meu pai sempre foi muito

rígido conosco [o irmão e ele próprio] em relação a isso. E eu também precisava ajudar muito o meu pai em casa... Só me lembro de uma discussão entre o meu pai e a minha mãe, e não deu em nada. Não sei sobre o que foi. ... Uma vez meu pai me comprou uma bicicleta, e acho que eu me senti o garoto mais orgulhoso da cidade. Era uma bicicleta de mulher, mas ele transformou em bicicleta de homem. Ele pintou tudo e parecia novinha. Mas eu tinha muitos brinquedos quando era pequeno, muitos para a condição financeira dos meus pais. Sempre fomos o que se pode chamar de semipobres. Nunca na miséria, mas várias vezes à beira de ficar miseráveis. Meu pai trabalhava muito e fazia o melhor possível para nos sustentar. Minha mãe também sempre trabalhou muito. A casa estava sempre arrumada, e sempre tínhamos muita roupa limpa. Lembro que meu pai costumava usar aqueles bonés antigos, de copa chata, e ele me obrigava a usar também, e eu não gostava... No ginásio eu lia bem, tinha notas acima da média nos primeiros dois anos. Mas aí comecei a piorar um pouco. Arrumei uma namorada. Ela era uma garota ótima, e eu nunca tentei tocar nela em lugar nenhum, só beijar. Foi um namoro totalmente limpo... Na escola eu participava de todos os esportes, e recebi nove medalhas ao todo. Basquete, futebol americano, atletismo e beisebol. O último ano foi o melhor. Nunca tive namorada firme, só ficava ciscando. Foi aí que tive minha primeira relação com uma garota. É claro que eu dizia aos outros que tinha muitas garotas... Recebi ofertas de duas faculdades para ir jogar lá, mas nunca fui. Depois que me formei no secundário fui trabalhar na estrada de ferro Santa Fe, e fiquei até o inverno do ano seguinte, quando fui demitido. Na primavera seguinte consegui um emprego na Roark Motor Company. Já estava trabalhando lá fazia uns quatro meses quando tive um acidente com um carro da companhia. Fiquei no hospital vários dias com ferimentos sérios na cabeça. Naquele estado eu não podia trabalhar, de maneira que passei a maior parte do inverno desempregado. Enquanto isso, tinha conhecido uma garota e estava apaixonado. O pai dela era pastor batista e não gostava que ela saísse comigo. Em julho nós nos casamos. O pai dela ficou louco até saber que ela estava grávida. Mas ainda assim ele nunca me desejou boa sorte e isso sempre me perturbou. Depois que nos casamos, eu fui trabalhar num posto de gasolina perto de Kansas City. Trabalhava das oito da noite às oito da manhã. Às vezes minha mulher ficava comigo a noite inteira — tinha medo de eu não conseguir ficar acordado, e por isso vinha me ajudar. Então recebi uma oferta para ir trabalhar na Perry Pontiac, que eu aceitei. Era muito satisfatória, mas eu não ganhava muito — 75 dólares por semana. Eu me dava bem com os outros empregados, e meu patrão gostava de mim. Trabalhei lá cinco anos... O tempo em que eu trabalhava lá foi o início de algumas das coisas mais baixas que eu já fiz na vida.

Aqui Hickock revela suas tendências à pedofilia, e depois de descrever várias experiências, escreveu:

Eu sei que é errado. Mas naquela época eu nem pensava se era certo ou errado. E roubar era a mesma coisa. Parece que era um impulso. Uma coisa que eu não lhe contei sobre o caso dos Clutter é o seguinte. Antes de entrar na casa, eu sabia que tinha uma garota lá. Acho que o meu principal motivo para ir até lá não era roubar, mas violentar a garota. Porque eu pensava muito nisso. E é por isso que eu não queria desistir depois que começamos. Mesmo quando eu vi que não tinha cofre nenhum. Eu bem que tentei alguma coisa com a garota quando estava lá. Mas Perry não me deu chance. Espero que ninguém mais descubra isso além do senhor, porque eu não contei nem para o meu advogado. Pode ser que eu devesse ter contado outras coisas para o senhor, mas eu fico com medo da minha família descobrir. Porque eu tenho mais vergonha delas (dessas coisas que eu fiz) do que de morrer enforcado... Eu estive doente. Acho que por causa da batida de carro que eu tive. Uns desmaios, e às vezes eu tenho hemorragias no nariz e pelo ouvido esquerdo. Eu tive uma na casa de umas pessoas, juro por Deus — moram ao sul dos meus pais. Pouco tempo atrás um pedaço de vidro saiu da minha cabeça. Saiu pelo canto do olho. Meu pai me ajudou a tirar... Acho que devo contar ao senhor as coisas que levaram ao meu divórcio, e as coisas que me fizeram ir para a prisão. Começou na primeira metade de 1957. Minha mulher e eu estávamos morando num apartamento em Kansas City. Eu tinha largado meu trabalho na companhia de automóveis, e resolvi abrir uma oficina minha. Aluguei a garagem de uma mulher que tinha uma nora chamada Margaret. Eu conheci essa garota um dia no trabalho, e fomos tomar um café. O marido dela estava de viagem, no Corpo de Fuzileiros Navais. Em resumo, eu comecei a me encontrar com ela. Minha mulher pediu o divórcio. Comecei a achar que eu nunca tinha amado a minha mulher. Porque se eu tivesse amado, não teria feito as coisas que eu fiz. E por isso eu nunca me defendi do divórcio. Comecei a beber, e passei quase um mês inteiro embriagado. Descuidei da minha oficina, comecei a gastar mais do que ganhava, passei cheques sem fundo, e no final virei ladrão. Por isso fui mandado para a penitenciária... Meu advogado me disse que eu devia contar a verdade para o senhor, porque o senhor pode me ajudar. E eu preciso de ajuda, como o senhor bem sabe.

No dia seguinte, quarta-feira, o julgamento propriamente dito começou; foi também a primeira vez que espectadores comuns foram admitidos no recinto do tribunal, uma área pequena demais para acomodar mais do que uma porcentagem modesta da multidão que se formou junto à porta para tentar entrar. Os melhores lugares tinham sido reservados para vinte membros da imprensa, e para personagens especiais como os pais de Hickock e Donald Cullivan (que, a pedido do advogado de Perry Smith, viera de Massachusetts para depor como testemunha de defesa em favor de seu antigo companheiro de armas). Correu o rumor de que as duas filhas sobreviventes da família Clutter estariam presentes; não vieram, nem a nenhuma das sessões subsequentes. A família estava representada pelo irmão mais novo do sr. Clutter, Arthur, que percorreu de carro 150 quilômetros para estar presente. Disse aos jornalistas: "Só quero dar uma boa olhada neles dois [Smith e Hickock]. Só quero ver que tipo de animais eles são. Se deixassem por minha conta, eu despedaçava os dois". Sentou-se logo atrás dos acusados, e fixou neles um olhar persistente, como se tivesse a intenção de pintar seus retratos de memória. Num dado momento, e foi como se Arthur Clutter o tivesse intimado com sua vontade, Perry Smith virou-se e olhou para ele — e reconheceu um rosto muito parecido com o do homem que ele tinha matado: os mesmos olhos suaves, os mesmos lábios estreitos, o mesmo queixo firme. Perry, que estava mascando chiclete, parou de mastigar; baixou os olhos, passou-se um minuto, e depois, devagar, suas mandíbulas recomeçaram a se mover. Além desse momento, Smith, e Hickock também, apresentavam no tribunal uma atitude que era ao mesmo tempo desinteressada e indiferente; mascavam chiclete e batiam o pé com lânguida impaciência enquanto o estado convocava suas primeiras testemunhas.

Nancy Ewalt. E depois de Nancy, Susan Kidwell. As jovens descreveram o que viram ao entrar na casa dos Clutter no domingo 15 de novembro: as salas em silêncio, a bolsa vazia no chão da cozinha, o sol num dos quartos, e a colega delas, Nancy Clutter, cercada pelo próprio sangue. A defesa abriu mão de interrogar as testemunhas, uma tática que continuou a empregar com as três testemunhas seguintes (o pai de Nancy Ewalt, Clarence, o xerife Earl Robinson e o legista do condado, o dr. Robert Fenton), cada um dos quais acrescentou alguns elementos à descrição dos acontecimentos daquela ensolarada manhã de novembro: a descoberta, finalmente, de todas as quatro vítimas, a descrição de sua aparência e, do dr. Fenton, um diagnóstico clínico da razão — "Traumatismos graves do cérebro e de estruturas cranianas vitais, infligidos por arma de fogo".

E então Richard G. Rohleder subiu ao banco das testemunhas.

Rohleder é o investigador-chefe do Departamento de Polícia de Garden City. Seu passatempo é a fotografia, e ele entende do assunto. Foi Rohleder quem tirou as fotografias que, depois de ampliadas, revelaram as pegadas empoeiradas de Hickock no porão de Clutter, pegadas que a câmera conseguia distinguir, embora o olho humano não. E foi ele quem fotografou os corpos, as imagens da cena do crime que Alvin Dewey tinha examinado diversas vezes enquanto os crimes ainda não tinham solução. O objetivo do depoimento de Rohleder era demonstrar o fato de que tinha sido ele quem tinha tirado aquelas fotografias, que a acusação propunha serem admitidas como provas. Mas o advogado de Hickock objetou: "O único motivo de apresentar estas fotos como prova é induzir um julgamento prévio e inflamar o espírito dos jurados". O juiz Tate não aceitou a objeção, e admitiu as fotografias como prova, o que significava que deviam ser mostradas ao júri.

Enquanto isso ocorria, o pai de Hickock, dirigindo-se ao jornalista sentado a seu lado, dizia: "Esse juiz! Nunca vi um juiz com opinião tão formada. Nem precisam fazer um julgamento. Não com ele tomando conta. Ele foi um dos que seguraram o caixão no funeral!". (Na verdade, Tate mal conhecia as vítimas, e não esteve presente no funeral sob nenhuma condição.) Mas a voz do sr. Hickock era a única que se elevava naquele tribunal extremamente silencioso. No total, havia dezessete ampliações fotográficas, e enquanto eram passadas de mão em mão a expressão dos jurados refletia o impacto que as imagens provocavam: o rosto de um deles ficou muito corado, como se tivesse sido esbofeteado, e alguns, perturbados pelo primeiro vislumbre, obviamente não tinham coragem de prosseguir na tarefa; era como se as fotografias capturassem o olho de suas mentes, e forçassem cada um deles a finalmente *ver* de fato a coisa verdadeira e deplorável que tinha acontecido com um vizinho e com sua mulher e seus filhos. Ficaram espantados, ficaram enraivecidos, e vários deles — o farmacêutico, o gerente do boliche — fitaram os réus com desprezo absoluto.

O sr. Hickock pai, balançando a cabeça de cansaço, não parava de resmungar: "Não faz sentido. Não faz sentido montar um julgamento".

Como última testemunha do dia, a acusação tinha prometido apresentar um "homem misterioso". Era o homem que tinha dado a informação que levara à prisão dos acusados: Floyd Wells, ex-companheiro de cela de Hickock. Como ainda estava cumprindo pena na Penitenciária Estadual, e portanto corria risco de retaliação da parte dos demais presos, Wells nunca fora publicamente identificado como o informante. Agora, para que pudesse depor com segurança no julgamento, fora removido da prisão e instalado na pequena cadeia de um condado próximo. Ainda assim, a caminhada de Wells pelo tribunal até o banco das testemunhas foi estranhamente sorrateira — como se ele esperasse encontrar um assassino no caminho — e, quando passou por Hickock, os lábios deste retorceram-se enquanto ele sussurrava algumas palavras atrozes. Wells fez de conta que não percebeu; mas como o cavalo que ouve o guizo de uma cascavel, recuou da proximidade peçonhenta do homem que traíra. Ao subir ao banco, olhava fixo para a frente, um sujeito quase sem queixo, baixinho e com a aparência de menino de fazenda, num terno azul-marinho bastante decente que o estado do Kansas tinha comprado para a ocasião — o estado, empenhado em que sua testemunha mais importante tivesse uma aparência respeitável, e consequentemente digna de confiança.

O depoimento de Wells, aperfeiçoado por ensaios anteriores

ao julgamento, foi tão arrumado quanto sua aparência. Estimulado pelo apoio simpático de Logan Green, a testemunha reconheceu que no passado, por cerca de um ano, tinha trabalhado como empregado comum na fazenda River Valley; em seguida, declarou que dez anos mais tarde, depois de ter sido condenado por arrombamento, tinha travado amizade com outro ladrão encarcerado, Richard Hickock, para quem descreveu a propriedade e a família de Clutter.

"Agora", perguntou Green, "em suas conversas com o senhor Hickock, o que vocês falaram sobre o senhor Clutter?"

"Conversamos muito sobre o senhor Clutter. Hickock disse que logo ia conseguir a condicional, e que ia para o Oeste procurar trabalho; talvez passasse pela casa do senhor Clutter para pedir emprego. E eu contei a ele como o senhor Clutter era rico."

"E isso deixou o senhor Hickock interessado?"

"Ele quis saber se o senhor Clutter tinha um cofre em casa."

"Senhor Wells, na época o senhor achava que havia um cofre na casa da família Clutter?"

"Bem, faz tanto tempo que eu trabalhei lá. Achei que tivesse um cofre. Sabia que tinha algum tipo de armário... E logo em seguida ele [Hickock] começou a falar de assaltar o senhor Clutter."

"E ele lhe disse alguma coisa sobre a maneira como pretendia cometer esse roubo?"

"Ele me disse que, se era para fazer uma coisa daquelas, ele não ia deixar nenhuma testemunha."

"E ele disse o que ia fazer com as testemunhas?"

"Disse. Ele falou que a ideia dele era amarrar as pessoas, roubar tudo e depois matar todos eles."

Tendo estabelecido a premeditação em alto grau, Green entregou a testemunha às perguntas da defesa. O velho sr. Fleming, um clássico advogado do interior mais à vontade com títulos de propriedade de terra do que com impropriedades de comportamento, deu início ao contrainterrogatório. A intenção de suas perguntas, como logo deixou claro, era introduzir um tema que a acusação tinha feito o possível para evitar: a questão do papel do próprio Wells no planejamento do crime, e de sua própria responsabilidade moral.

"O senhor", perguntou Fleming, chegando rapidamente ao ponto crucial, "não disse nada ao senhor Hickock para tentar dissuadi-lo de vir aqui assaltar e matar a família Clutter?"

"Não. Quando as pessoas dizem esse tipo de coisa por lá [na Penitenciária Estadual do Kansas], ninguém presta muita atenção, porque todo mundo acha que é pura conversa."

"Quer dizer que vocês tiveram essas conversas mas elas não queriam dizer nada? O senhor não queria dar a ele [Hickock] a ideia de que o senhor Clutter tinha um cofre? O senhor queria que o senhor Hickock acreditasse nisso, não é?"

A seu modo tranquilo, Fleming estava criando problemas para a testemunha; Wells puxou a gravata como se o laço estivesse apertado demais.

"E o senhor queria que o senhor Hickock acreditasse que o senhor Clutter tinha muito dinheiro, não é?"

"Eu disse a ele que o senhor Clutter tinha muito dinheiro, sim."

Fleming tornou a pedir-lhe que contasse como Hickock o informara claramente de seus planos violentos em relação à família Clutter. E então, como que entregue a uma dor particular, o advogado lhe perguntou em tom de súplica: "E mesmo depois disso o senhor não fez nada para tentar fazê-lo mudar de ideia?".

"Eu não acreditei que ele fosse até o fim."

"O senhor não acreditou nele. Então por quê, quando o senhor soube do que tinha acontecido lá, por que o senhor achou que fosse ele o culpado?".

E Wells apressou-se a responder: "Porque aconteceu exatamente da maneira como ele disse que ia ser!".

Harrison Smith, o mais jovem dos advogados de defesa, entrou em ação. Assumindo uma postura agressiva e sarcástica que parecia forçada, porque na verdade ele é um homem gentil e tolerante, Smith perguntou à testemunha se ele tinha algum apelido.

"Não, todo mundo me chama de Floyd."

O advogado bufou com desdém. "Agora não chamam você de 'dedo-duro'? Ou será que preferem 'delator'?"

"Todo mundo me chama de Floyd", repetiu Wells em tom obstinado.

"Quantas vezes o senhor já esteve preso?"

"Umas três."

"Mais de uma delas por ter mentido, não foi?"

Negando, a testemunha disse que da primeira vez tinha sido preso por dirigir sem carteira, que um arrombamento tinha sido a razão para a segunda prisão e que a terceira, um castigo de noventa dias numa prisão do Exército, tinha sido o resultado de alguma coisa que acontecera quando era soldado: "Estávamos na guarda de uma viagem de trem. A gente bebeu um pouco no trem, e demos uns tiros numas janelas e nuns lampiões".

Todo mundo riu; todo mundo menos os acusados (Hickock cuspiu no chão) e Harrison Smith, que então perguntou a Wells por que, depois de ter tido conhecimento da tragédia de Holcomb, ele tinha levado várias semanas para contar o que sabia às autoridades. "O senhor", perguntou ele, "não estaria esperando que alguma coisa aparecesse? Talvez uma recompensa?"

"Não."

"O senhor não ouviu falar de recompensa nenhuma?" O advogado referia-se à recompensa de mil dólares que tinha sido oferecida pelo jornal *News* de Hutchinson em troca de informações que resultassem na prisão e na condenação dos assassinos da família Clutter.

"Eu vi no jornal."

"Antes de procurar as autoridades, não é?" E quando a testemunha admitiu que era verdade, Smith, triunfante, continuou perguntando: "Que tipo de imunidade o procurador do condado lhe ofereceu para vir depor aqui hoje?".

Mas Logan Green protestou: "Eu faço objeção à forma da pergunta, Meritíssimo. Não houve testemunho de oferta de imunidade a ninguém". A objeção foi mantida, e a testemunha dispensada; quando deixava o banco, Hickock anunciou para todos ao alcance de sua voz: "Filho da puta. Se alguém tem de ser enforcado é ele. Olhe para ele. Vai sair daqui, receber o dinheiro e se livrar da cadeia".

A previsão estava correta, pois não muito tempo depois Wells foi premiado tanto com a recompensa quanto com a liberdade condicional. Mas sua boa sorte durou pouco. Logo voltaria a ter problemas e, ao longo dos anos, ainda passaria por muitas vicissitudes. Atualmente, é residente da Prisão Estadual do Mississippi em Parchman, Mississippi, onde cumpre uma pena de trinta anos por assalto a mão armada.

Na sexta-feira, quando o tribunal entrou em recesso para o fim de semana, o estado já tinha apresentado todo o caso, incluindo o depoimento de quatro agentes do Federal Bureau of Investigation (FBI), de Washington. Esses homens, técnicos de laboratório com experiência em várias categorias de detecção científica de crimes, tinham estudado os indícios físicos que conectavam os acusados aos homicídios (amostras de sangue, pegadas, cápsulas de munição, corda e fita), e todos confirmaram a legitimidade das provas. Finalmente, os quatro agentes do KBI fizeram relatos sobre suas entrevistas com os prisioneiros e as confissões finalmente feitas por eles. Em seu interrogatório do pessoal do KBI, os advogados de defesa, uma dupla acuada, afirmaram que aquelas admissões de culpa tinham sido obtidas por meios impróprios — interrogatório brutal em salas quentes, superiluminadas, parecidas com o interior de um armário. A alegação, que não era verdadeira, irritou os detetives e os fez manifestar negativas muito convincentes. (Mais tarde, em resposta a um repórter que lhe perguntou por que ele tinha perseguido aquela alegação falsa por tanto tempo, o advogado de Hickock respondeu bruscamente: "E o que você quer que eu faça? Estou jogando sem cartas. Mas não posso ficar sentado lá feito um palhaço. Preciso dizer alguma coisa de vez em quando".)

A testemunha mais devastadora da acusação acabou sendo Alvin Dewey; seu depoimento, a primeira revelação pública dos fatos detalhados na confissão de Perry Smith, produziu manchetes (REVELADO O HORROR DOS CRIMES SILENCIOSOS — Relato de Acontecimentos de Gelar o Sangue), e deixou seus ouvintes chocados — entre eles o próprio Richard Hickock, que teve sua atenção despertada com um susto quando, no decorrer de seu comentário, o agente declarou: "Há um incidente que Smith me relatou e que ainda não mencionei. Que, depois que a família Clutter foi amarrada, Hickock disse a ele que achava que Nancy Clutter tinha um belo corpo e que pretendia violentá-la. Smith contou que disse a Hickock que não haveria nada daquilo. Smith me disse que não respeita gente incapaz de controlar seus desejos sexuais, e que estava disposto a lutar com Hickock caso este insistisse em estuprar a moça". Até aquele momento, Hickock não sabia que seu comparsa tinha revelado essa sua intenção à polícia; nem sabia que, num espírito mais amigável, Perry também tinha alterado sua história original para afirmar que tinha sido ele o único a atirar nas quatro vítimas — um fato revelado por Dewey perto do final de seu depoimento: "Perry Smith me disse que queria alterar duas coisas no depoimento que nos fez. Disse que todo o resto do depoimento estava correto. Menos essas duas coisas: queria dizer que tinha sido ele quem tinha matado a senhora Clutter e Nancy Clutter — e não Hickock. Ele me disse que Hickock... que ele não queria morrer deixando a mãe pensar achando que tinha matado algum dos membros da família Clutter. Disse que os pais de Hickock eram boas pessoas. E que era melhor deixar as coisas assim".

Ao ouvir essas palavras, a sra. Hickock começou a chorar. Ela tinha passado o julgamento todo sentada em silêncio ao lado do marido, as mãos torcendo um lenço amassado. Sempre que conseguia, atraía o olhar do filho, fazia-lhe um aceno de cabeça e simulava um sorriso que, embora frágil, confirmava sua lealdade. Mas agora ficou claro que a capacidade de autocontrole daquela senhora se tinha esgotado; e ela começou a chorar. Alguns espectadores olhavam para ela e desviavam os olhos, constrangidos; os demais procuravam dar a impressão de não perceber aquele surdo canto fúnebre que se erguia em contraponto ao recitativo de Dewey; até mesmo seu marido, talvez por achar pouco masculino reparar naquele choro, mantinha-se distante. Finalmente, uma repórter, a única presente, retirou a sra. Hickock do recinto do tribunal, conduzindo-a para a proteção de um banheiro de senhoras.

Depois que sua angústia cedeu, a sra. Hickock externou uma necessidade de fazer confidências. "Eu não tenho ninguém com quem possa conversar", contou ela à sua acompanhante. "Não quero dizer que as pessoas não me tratem bem, os vizinhos e tudo o mais. E gente desconhecida também — muitas pessoas que eu não conheço me escreveram dizendo que sabiam como devia ser difícil e como ficavam com pena. Ninguém disse nada de ruim, nem para Walter nem para mim. Nem mesmo aqui, onde alguma coisa desse tipo até era de se esperar. Todo mundo tem feito o possível para ser gentil. A garçonete do lugar onde nós comemos todo dia põe sorvete na torta e não cobra. Eu digo a ela para não botar, que eu não vou conseguir comer. Antes, eu comia qualquer coisa que não me comesse primeiro. Mas ela continua pondo o sorvete. Só para me agradar. Sheila é o nome dela, que disse que o que aconteceu não é nossa culpa. Mas eu acho que as pessoas olham para mim e pensam: Bem, parte da culpa por isso tudo é dela, de algum modo. A maneira como eu criei o Dick. E talvez eu tenha feito alguma coisa errada. Só não sei o que pode ter sido; chego a ficar com dor de cabeça de tanta força que faço para me lembrar. Somos gente comum, gente do campo, levando a vida da mesma forma que todo mundo. Tivemos alguns momentos bons na nossa casa. Eu ensinei Dick a dançar foxtrote. Dançar. Eu sempre adorei dançar, era o que eu mais gostava de fazer quando era moça; e tinha um rapaz, meu Deus, quando ele dançava parecia que era dia de Natal — ganhamos uma taça de prata dançando valsa juntos. Nós passamos muito tempo planejando fugir juntos e entrar para o teatro de variedades. Era só um sonho. Crianças sonhando. Ele foi embora da cidade, e um dia eu me casei com Walter, e Walter Hickock não sabia dançar nada. E me disse que se eu quisesse alguém bom de passo, devia ter me casado com um cavalo de sela. Ninguém nunca mais dançou comigo até eu ensinar Dick, e ele não aprendeu muito bem, mas era um doce, Dick era um garoto de sentimentos tão bons."

A sra. Hickock tirou os óculos que estava usando, limpou as lentes manchadas e tornou a acomodá-los em seu rosto rechonchudo e agradável. "Dick é muito mais do que estão dizendo naquele tribunal. Os advogados ficam falando que ele é terrível — um sujeito muito mau. Eu não tenho como arranjar desculpas para o que ele fez, para a participação que ele teve. Não esqueço daquela família; rezo por eles toda noite. Mas rezo por Dick também. E por esse rapaz, Perry. Eu errei quando odiei esse moço; agora só sinto pena dele. E sabe — acho que a sra. Clutter também ficaria com pena. Sendo o tipo de mulher que dizem que ela era."

O tribunal tinha entrado em recesso; o rumor da plateia indo embora ecoava no corredor do outro lado da porta do lavatório. A sra. Hickock disse que precisava ir ao encontro do marido. "Ele está morrendo. Acho que ele já não se importa mais."

Muitos observadores do julgamento ficaram pasmos diante do visitante de Boston, Donald Cullivan. Não conseguiam imaginar por que aquele jovem católico praticante, engenheiro de sucesso formado em Harvard, casado e pai de três filhos, podia ter decidido apresentar-se como amigo de um mestiço homicida sem instrução que ele só conhecia ligeiramente e tinha visto pela última vez nove anos antes. O próprio Cullivan disse: "Minha mulher também não entende. Vir até aqui era uma coisa que eu não podia me dar ao luxo de fazer — significava lançar mão de uma semana das minhas férias, e de um dinheiro de que realmente precisamos para outras coisas. Por outro lado, era uma coisa que eu não tinha como deixar de fazer. O advogado de Perry me escreveu perguntando se eu aceitava vir depor como testemunha de defesa; assim que eu li a carta, soube que só era possível dizer sim. Porque eu tinha oferecido minha amizade a esse homem. E porque — bem, porque eu acredito na vida eterna. Qualquer alma pode ser salva para Deus".

A salvação de uma alma, a saber, a de Perry Smith, era um projeto com que o subxerife e sua mulher, profundamente católicos, estavam prontos a colaborar — embora a sra. Meier tivesse ouvido uma recusa de Perry quando lhe sugerira uma consulta com o padre Goubeaux, um sacerdote local. (Perry disse: "Os padres e as freiras já tiveram uma chance comigo. E eu ainda trago as cicatrizes".) E assim, durante o recesso do fim de semana, o casal Meier convidou Cullivan para almoçar no domingo com o prisioneiro, na cela deste.

A oportunidade de recepcionar seu amigo, por assim dizer, deixou Perry encantado, e o planejamento do menu — ganso selvagem, recheado e assado, com molho, purê de batatas e vagens, galantina de verdura, pãezinhos quentes, leite gelado, torta de cereja recém-assada, queijo e café — parecia deixá-lo mais preocupado que o resultado do julgamento (que, a bem da verdade, ele não considerava nada incerto: "Esses caipiras daqui vão votar pelo enforcamento muito depressa, feito os porcos indo comer a lavagem. Basta ver os olhos deles. Como se eu fosse o único assassino presente naquele tribunal!"). Perry passou toda a manhã de domingo preparando-se para receber seu convidado. O dia estava quente, um pouco ventoso, e as sombras das folhas, emanações flexíveis dos galhos de árvore que roçavam as barras da janela de sua cela, deixavam seu esquilo amestrado como que num transe hipnótico. Red perseguia aquelas sombras móveis enquanto seu dono varria e espanava, esfregava o chão, limpava a privada e livrava a mesa de todo o acúmulo literário. Ela serviria de mesa para os dois, e quando Perry acabou de arrumá-la ficou muito convidativa, porque a sra. Meier lhe tinha emprestado uma toalha de linho, guardanapos engomados e seus melhores pratos e talheres.

Cullivan ficou impressionado — ele assobiou quando o festim, distribuído em travessas, foi disposto na mesa — e antes de sentar-se perguntou a seu anfitrião se podia dizer uma bênção. O anfitrião, de cabeça em pé, estalava os dedos enquanto Cullivan, a cabeça baixa e as palmas reunidas, entoou: "Abençoa-nos, Senhor, e as dádivas que vamos receber de tua abundância, pela misericórdia de Cristo nosso Senhor. Amém". Perry observou num murmúrio que, em sua opinião, todo o crédito era devido apenas à sra. Meier. "Foi ela quem preparou tudo." "Bem", disse ele, enchendo o prato de seu convidado, "estou feliz de ver você, Don. Está igualzinho. Não mudou nada."

Cullivan, com sua aparência de bancário meticuloso, com os cabelos rareando e um rosto bem difícil de guardar na memória, concordou que por fora ele também não tinha mudado muito. Mas seu eu interior, o homem invisível, era uma outra história: "Eu só estava perdendo tempo. Sem saber que Deus é a única realidade. Depois que você compreende isso, tudo entra no lugar. A vida adquire sentido — e a morte também. Minha nossa, você sempre come assim?".

Perry riu: "Ela cozinha mesmo muito bem, a senhora Meier. Devia ver como é gostoso o arroz à moda espanhola que ela faz. Ganhei seis quilos desde que vim para cá. É claro que eu estava mais para magro. Tinha perdido muito peso enquanto Dick e eu ficávamos zanzando de um lado para o outro — quase nunca fazia uma refeição completa, passava o tempo todo meio morto de fome. Na maior parte do tempo, nós vivíamos como animais. Dick estava sempre roubando comida enlatada das mercearias. Feijão cozido e espaguete pronto. Abríamos as latas no carro e comíamos frio mesmo. Dick adora roubar. É uma coisa que ele acha emocionante — uma doença. Eu também sou ladrão, mas só quando estou sem dinheiro para pagar. Dick, mesmo que esteja com cem dólares no bolso, rouba um chiclete".

Mais tarde, na hora dos cigarros e do café, Perry voltou ao tema do roubo. "Meu amigo Willie-Jay sempre falava disso. Dizia que todos os crimes são só 'variedades de roubo'. Inclusive o assassinato. Quando você mata um homem, está roubando a vida dele. Visto dessa maneira, eu devo ser um ladrão e tanto. Entenda, Don — eu realmente matei aquelas pessoas. No tribunal, da maneira como o velho Dewey falou, pareceu que eu tinha mentido — por causa da mãe de Dick. Mas não. Dick me ajudou, segurou a lanterna e catou os cartuchos vazios. E foi tudo ideia dele. Mas Dick não atirou em nenhum deles, não seria capaz — apesar de não perder tempo na hora de atropelar um cachorro velho. E eu não sei dizer por que eu matei." Franziu o rosto, como se aquela questão fosse uma novidade para ele, uma nova pedra desencavada, de uma cor surpreendente e não classificada. "Não sei por quê", disse ele, como se aproximasse a pedra da luz e a fizesse girar, procurando outro ângulo. "Eu estava danado com Dick. O garoto durão. Mas não foi por causa dele. Nem do medo de ser reconhecido. Eu estava disposto a correr o risco. Nem por causa de nada que algum dos Clutter tivesse feito. Não me fizeram mal nenhum. Ao contrário de outras pessoas. Ao contrário de tanta gente que me fez mal a vida inteira. Mas talvez os Clutter estivessem destinados a pagar por tudo."

Cullivan sondou o terreno, tentando avaliar a profundidade da contrição que, a seu ver, Perry deveria sentir. Será que estaria sentindo um remorso suficientemente profundo para despertar nele a vontade de encontrar a misericórdia e o perdão de Deus? E Perry disse: "Se eu me sinto arrependido? Se é isso que você quer saber — não. Não sinto nada. Bem que eu queria. Mas nada daquilo me incomoda nem um pouco. Meia hora depois que acabou, Dick já estava fazendo piadas e eu já estava rindo delas. Talvez nem eu nem ele sejamos humanos. Sou humano o bastante para sentir pena de mim mesmo. Pena de não poder também sair andando daqui quando você for embora. Mas é só isso". Cullivan mal podia acreditar naquela atitude tão indiferente; Perry estava confuso, iludido, não era possível que um homem fosse tão desprovido de consciência ou compaixão. Mas Perry disse: "Por quê? Soldados não perdem o sono. Matam gente e ganham medalhas por matar. Os bons habitantes do Kansas querem me matar — e algum carrasco vai ficar bem satisfeito de ser encarregado da tarefa. Matar é fácil — muito mais fácil do que passar um cheque sem fundos. Lembre-se: eu só tinha conhecido os Clutter mais ou menos uma hora antes. Se eu conhecesse aquelas pessoas de verdade, acho que o meu sentimento seria outro, e talvez eu não conseguisse viver em paz comigo mesmo. Mas da maneira como aconteceu, foi a mesma coisa que praticar numa galeria de tiro ao alvo".

Cullivan ficou em silêncio, e seu silêncio perturbou Perry, que pareceu interpretá-lo como uma reprovação implícita. "Caramba, Don, não vai querer que eu me comporte como um hipócrita logo com você. Que eu comece a dizer um monte de mentiras — que estou muito arrependido, que agora tudo o que eu quero é cair de joelhos e ficar rezando. Isso não combina comigo. Não posso aceitar de um dia para o outro uma coisa que eu sempre neguei.

A verdade é que você fez mais por mim do que qualquer coisa que você chame de Deus jamais fez. Ou fará. Ao escrever para mim, ao assinar como 'amigo'. Quando eu estava sem amigos. Além de Joe James." Joe James, explicou a Cullivan, era o jovem lenhador índio com quem ele morara um tempo na floresta perto de Bellingham, no estado de Washington. "Muito longe de Garden City. Pelo menos três mil quilômetros de distância. Mandei avisar Joe do problema que eu estou passando. Joe é pobre, tem seis filhos para alimentar, mas prometeu vir até aqui, mesmo que precise vir andando. Ainda não apareceu, e talvez não apareça, mas eu acho que virá. Joe sempre gostou de mim. Você gosta, Don?"

"Gosto, eu gosto de você."

A resposta suave e empática de Cullivan deixou Perry cheio de prazer e bastante agitado. Ele sorriu e disse: "Então você deve ser algum tipo de maluco". Levantando-se abruptamente, atravessou a cela e pegou uma vassoura. "Não sei por que eu devo aceitar morrer entre desconhecidos. Um bando de caipiras assistindo enquanto eu morro estrangulado. Merda. Eu devia me matar antes." Levantou a vassoura e apertou as cerdas contra a lâmpada acesa no teto. "Basta desenroscar a lâmpada, jogar no chão e cortar os pulsos com o vidro quebrado. É o que eu devia fazer. Enquanto você ainda está aqui. Alguém que gosta um pouco de mim."

O julgamento recomeçou às dez horas da manhã de segunda-feira. Noventa minutos mais tarde o tribunal entrou em recesso, uma vez que a defesa já tinha acabado sua exposição naquele curto espaço de tempo. Os acusados não quiseram depor a seu próprio favor, e portanto não surgiu a questão de saber se o responsável pela execução da família Clutter tinha sido Hickock ou Smith.

Das cinco testemunhas que depuseram, a primeira foi o sr.

Hickock pai, com seus olhos vazios. Embora falasse com uma clareza digna e lamentosa, só tinha uma contribuição a fazer que era relevante para o caso de ser alegada insanidade temporária. Seu filho, disse ele, tinha sofrido ferimentos na cabeça num acidente de carro em julho de 1950. Antes do acidente, Dick era um rapaz tranquilo, ia bem na escola, era querido pelos colegas e respeitador dos pais — "não criava problemas para ninguém".

Harrison Smith, conduzindo a testemunha com gentileza, disse: "Gostaria de lhe perguntar se, a partir de julho de 1950, o senhor observou alguma mudança na personalidade, nos hábitos e nos atos de seu filho Richard".

"Ele não parecia ser o mesmo rapaz."

"Quais foram as mudanças que o senhor observou?"

O sr. Hickock, entre hesitações reflexivas, relacionou várias alterações: Dick tornou-se cismado e inquieto, passou a andar com homens mais velhos, começou a beber e a jogar. "Deixou de ser o mesmo rapaz."

Esta última afirmação foi imediatamente questionada por Logan Green, que se encarregou de interrogar a testemunha pela acusação. "Senhor Hickock, o senhor disse que só foi ter problemas com o seu filho *depois* de 1950?"

"... Acho que ele foi preso em 1949."

Um sorriso cítrico retorceu os lábios finos de Green. "O senhor se lembra do motivo da prisão dele?"

"Foi acusado de entrar numa farmácia."

"Acusado? Mas ele não admitiu que tinha arrombado a loja?"

"É verdade, ele confessou."

"E isso em 1949. Mas o senhor disse que o seu filho só foi sofrer uma mudança de atitude e de conduta depois de 1950, não foi?"

"Eu diria que sim."

"O senhor quer dizer que depois de 1950 ele se transformou num *bom* rapaz?"

A tosse agitou o velho; ele cuspiu num lenço. "Não", disse ele, estudando a descarga. "Não foi isso que eu quis dizer."

"Então qual foi a mudança que aconteceu?"

"Bem, é muito difícil de explicar. Ele passou a se comportar de um modo diferente."

"O senhor quer dizer que ele *perdeu* as tendências criminosas?"

O gracejo do advogado produziu risadas, uma combustão no recinto do tribunal que o olhar implacável do juiz Tate encarregou-se de extinguir em pouco tempo. O sr. Hickock, finalmente liberado, foi substituído no banco pelo dr. W. Mitchell Jones.

O dr. Jones identificou-se para o tribunal como "médico especializado no campo da psiquiatria", e em apoio de suas qualificações acrescentou que já tinha atendido cerca de 1500 pacientes desde 1956, ano em que se tornara psiquiatra residente no hospital estadual de Topeka, em Topeka, Kansas. Passara os dois anos anteriores servindo na equipe do hospital estadual de Larned, onde era o encarregado da Ala Dillon, uma seção reservada aos loucos criminosos.

Harrison Smith perguntou à testemunha: "Com mais ou menos quantos homicidas o senhor já lidou?".

"Cerca de vinte e cinco."

"Doutor, gostaria de lhe perguntar se o senhor conhece meu cliente, Richard Eugene Hickock."

"Conheço."

"O senhor teve a oportunidade de examiná-lo profissionalmente?"

"Sim, senhor... Fiz uma avaliação psiquiátrica do senhor Hickock.

"Com base nos seus exames, o senhor formou alguma opinião quanto a Richard Eugene Hickock ter sido capaz de distinguir o certo do errado no momento em que o crime foi cometido?"

A testemunha, um homem corpulento de 28 anos com um rosto em forma de lua, inteligente e sutilmente delicado, respirou fundo, como que se preparando para uma resposta prolongada — que o juiz atalhou, advertindo que não era permitida: "O senhor pode responder dizendo sim ou não, doutor. Limite sua resposta a sim ou não".

"Sim."

"E qual é sua opinião?"

"Acho que, nos termos das definições correntes, o senhor Hickock era capaz de distinguir o certo do errado."

Limitado como estava pela Regra de M'Naghten (as "definições correntes"), uma fórmula que não distinguia nenhum matiz entre o preto e o branco, o dr. Jones estava impotente para responder de outra forma. Mas é claro que sua resposta foi uma decepção para o advogado de Hickock, que perguntou, sem muita esperança: "O senhor poderia qualificar a sua resposta?".

Não havia esperança porque, embora o dr. Jones concordasse plenamente em elaborar, a acusação teria o direito de objetar — como de fato objetou, lembrando que a lei do Kansas só admitia uma resposta de sim ou não para a pergunta pertinente. A objeção foi mantida, e a testemunha dispensada. Contudo, se o dr. Jones tivesse recebido autorização para falar mais, eis o que teria dito: "Richard Hickock está acima do normal em matéria de inteligência, compreende com facilidade novas ideias e tem um amplo cabedal de informações. Está sempre atento para o que acontece à sua volta, e não dá sinal algum de confusão mental ou desorientação. Seu pensamento é bem organizado e lógico, e ele aparenta estar em bom contato com a realidade. Embora eu não tenha encontrado os sinais costumeiros de danos orgânicos ao cérebro — perda de memória, formação concreta de conceitos, deterioração intelectual — essa hipótese não pode ser terminantemente descartada. Ele sofreu um sério ferimento na cabeça, com concussão e várias horas de inconsciência em 1950 — o que pude eu mesmo confirmar na consulta a arquivos hospitalares. Afirma ter sofrido desmaios, períodos de amnésia e dores de cabeça desde aquele episódio, e boa parte de seu comportamento antissocial ocorreu a partir de então. Jamais se submeteu aos exames médicos que poderiam provar ou afastar em definitivo a existência de sequelas no cérebro. Esses exames definitivos são indicados antes que se possa falar de uma avaliação completa... Hickock exibe sinais de anormalidade emocional. O fato de saber o que estava fazendo e ainda assim seguir em frente com o crime talvez seja a demonstração mais evidente disso. É uma pessoa impulsiva na ação, capaz de fazer as coisas sem pensar nas consequências ou no desconforto futuro que elas podem acarretar para si mesmo e para os outros. Não parece capaz de aprender com a experiência, e exibe um padrão fora do normal de períodos intermitentes de atividade produtiva seguidos por ações claramente irresponsáveis. É incapaz de tolerar sentimentos de frustração como uma pessoa mais normal, e não consegue livrar-se desses sentimentos, exceto por meio de atividades antissociais ... Sua autoestima é muito baixa, e secretamente ele se sente inferior aos outros e sexualmente inadequado. Esses sentimentos parecem ser supercompensados por sonhos de tornar-se rico e poderoso, por uma tendência a gabar-se de seus feitos e a gastar muito quando tem dinheiro, e pela insatisfação com o progresso lento e normal que pode obter com seu trabalho... Sente-se desconfortável nas relações com os outros, e é patologicamente incapaz de criar e manter ligações pessoais duradouras. Embora afirme concordar com os padrões morais correntes, parece óbvio que não se deixa influenciar por eles em suas ações. Em suma, exibe características bastante típicas daquilo que, psiquiatricamente, seria classificado de um sério distúrbio de caráter. É importante que tudo seja feito no sentido de descartarmos a hipótese de dano orgânico ao cérebro, porque, se ele estiver presente, pode ter tido uma influência substancial sobre seu comportamento, ao longo dos últimos anos e por ocasião do crime".

Sem contar a contestação formal perante o júri, que só poderia ocorrer no dia seguinte, o depoimento do psiquiatra encerrou a defesa planejada para Hickock. Em seguida era a vez de Arthur Fleming, o idoso advogado de Perry Smith. Ele apresentou quatro testemunhas: o reverendo James E. Post, capelão protestante da Penitenciária Estadual do Kansas; o amigo índio de Perry, Joe James, que afinal tinha chegado de ônibus naquela manhã, depois de viajar um dia e duas noites desde a sua casa na floresta no extremo Noroeste; Donald Cullivan; e, mais uma vez, o dr. Jones. Com a exceção do último, os homens foram apresentados como "testemunhas de caráter" — pessoas que podiam depor sobre as virtudes humanas do acusado. Não se saíram muito bem, embora cada um deles tenha conseguido apresentar alguma observação um tanto favorável antes que a acusação, protestando que comentários pessoais daquela natureza eram "incompetentes, irrelevantes e imateriais", conseguisse fazê-los calar-se e encerrar seus depoimentos.

Joe James, por exemplo, com seus cabelos negros e a pele ainda mais escura que a de Perry, uma figura esguia vestindo camisa desbotada de caçador e calçando mocassins, dava a impressão de ter emergido misteriosamente naquele exato momento das sombras das florestas. Disse ao tribunal que o acusado tinha morado com ele, em várias ocasiões, por uns dois anos. "Perry era um ótimo rapaz, e todos gostavam dele na minha vizinhança — nunca fez nada de errado que eu soubesse." O estado interrompeu seu depoimento nesse ponto; e também interrompeu Cullivan quando ele disse: "Durante o tempo em que estive com ele no Exército, Perry era um sujeito de quem todo mundo gostava".

O reverendo Post sobreviveu um pouco mais, pois não fez nenhuma tentativa direta de elogiar o prisioneiro, mas descreveu em termos simpáticos um encontro que tivera com ele em Lansing. "Eu conheci Perry Smith quando ele me procurou em meu gabinete na capela da prisão com um retrato que tinha pintado — um retrato de cabeça e ombros de Jesus Cristo desenhado com lápis pastel. Queria me dar o desenho para eu usar na capela. E está pendurado na parede do meu gabinete desde então."

Fleming perguntou: "O senhor tem uma fotografia desse desenho?". E o pastor tinha, sim, um envelope cheio de cópias; mas quando ia começar a exibi-las, com a aparente intenção de distribuí-las entre os jurados, um exasperado Logan Green pôs-se de pé num salto: "Meritíssimo, por favor, isso já está indo longe demais...". E o meritíssimo juiz cuidou de que ficasse por aquilo mesmo.

O dr. Jones tornou a ser chamado, e depois das mesmas preliminares que tinham acompanhado sua aparição original, Fleming propôs-lhe a pergunta crucial: "A partir de suas conversas e de seu exame de Perry Edward Smith, o senhor foi capaz de formar uma opinião quanto a ele ter sido capaz de distinguir o bem do mal no momento do crime?". E mais uma vez o tribunal advertiu a testemunha: "Responda sim ou não, o senhor formou uma opinião?".

"Não."

Entre murmúrios de surpresa, Fleming, ele próprio surpreendido, disse: "O senhor pode explicar ao júri por que não tem opinião?".

Green levantou uma objeção: "O homem não tem opinião, e pronto". De fato, do ponto de vista legal, a questão estava encerrada.

Mas caso tivessem permitido que o dr. Jones discorresse sobre a causa de sua indecisão, ele teria dito o seguinte: "Perry Smith exibe sinais claros de doença mental grave. Sua infância, relatada a mim e confirmada por arquivos das prisões, foi marcada pela brutalidade e pela falta de cuidado da parte dos pais. Parece ter crescido sem direção, sem amor, e sem jamais ter absorvido nenhum sentido fixo de valores morais... É orientado, hiperalerta para o que ocorre à sua volta e não demonstra nenhum sinal de confusão. Está acima da média em matéria de inteligência, e tem um bom cabedal de informações, levando-se em conta a insuficiência de sua formação educacional... Dois traços da constituição de sua personalidade se destacam como especialmente patológicos. O primeiro é sua orientação 'paranoide' em relação ao mundo. Ele é desconfiado e inseguro em relação aos outros, tende a sentir que os demais o discriminam, e sente que os outros são injustos com ele e não o compreendem. É exageradamente sensível às críticas que lhe fazem e não tolera a zombaria. Precipita-se em perceber ofensa ou insulto nas coisas que os outros lhe dizem e muitas vezes tende a interpretar mal mensagens bem-intencionadas. Sente grande necessidade de amizade e compreensão, mas hesita em confiar nos outros e, quando o faz, está sempre à espera de ser incompreendido ou até traído. Ao avaliar as intenções e os sentimentos alheios, sua capacidade de separar a situação real de suas projeções mentais é muito escassa. Com razoável frequência, julga que todas as pessoas são iguais e as qualifica de hipócritas, hostis e merecedoras do que quer que ele possa fazer contra elas. Associado a esse primeiro traço encontra-se o segundo, uma raiva sempre presente e mal controlada — facilmente desencadeada por qualquer sentimento de estar sendo enganado, ofendido ou considerado inferior pelos outros. Quase sempre, seus acessos de raiva passados voltaram-se contra figuras de autoridade — o pai, o irmão, o sargento do Exército, o encarregado da condicional — e em várias ocasiões levaram ao comportamento de ataque violento. Tanto ele como as pessoas que o conhecem sabem desses acessos de raiva, que ele afirma 'subir' dentro dele, e do pouco controle que ele consegue ter. Voltada contra si mesmo, essa raiva já provocou ideias de suicídio. A força desproporcional de seu ódio e sua incapacidade de controlá-lo ou canalizá-lo refletem uma fraqueza primária da estrutura de sua personalidade... Além desses traços, o paciente exibe leves sinais prematuros de um distúrbio em seus processos de pensamento. Tem pouca capacidade de organizar o pensamento, parece incapaz de descrever ou resumir suas ideias, deixando-se envolver e às vezes perder em detalhes, e parte de seu pensamento reflete uma qualidade 'mágica', uma desconsideração da realidade... Estabeleceu poucas relações emocionais próximas com outras pessoas, que não suportaram pequenas crises. Tem poucos sentimentos por pessoas de fora de um círculo muito restrito de amigos, e dá pouco valor real à vida humana. Esse distanciamento, a pouca intensidade emocional em certas áreas, é outro indício de sua anormalidade mental. Uma avaliação mais profunda seria necessária para chegarmos a um diagnóstico psiquiátrico preciso, mas a estrutura atual de sua personalidade está muito próxima de uma reação esquizofrênica paranoide".

É significativo que um veterano amplamente respeitado no campo da psiquiatria forense, o dr. Joseph Satten, da Clínica Menninger em Topeka, Kansas, tenha trocado ideias com o dr. Jones e endossado as avaliações que este fez de Hickock e Smith. O dr. Satten, que mais tarde dedicaria sua atenção ao caso, sugere que, embora o crime só tivesse ocorrido devido a uma certa interação friccional entre os perpetradores, tinha sido essencialmente cometido por Perry Smith, que, a seu ver, representava o tipo de assassino que descreveu num artigo: "Homicídio sem Motivo Aparente — Um Estudo de Desestruturação da Personalidade".

O artigo, publicado no *The American Journal of Psychiatry* de julho de 1960, e escrito em colaboração com três colegas, Karl Menninger, Irwin Rosen e Martin Mayman, declara sua intenção desde o início: "Ao tentar aquilatar a responsabilidade criminal dos homicidas, a lei tenta separá-los (como a todos os criminosos) em dois grupos, os 'sãos' e os 'insanos'. Acredita-se que o assassino 'são' aja por motivos racionais que podem ser compreendidos, embora condenáveis, e que o 'insano' seja impelido por motivos irracionais desprovidos de sentido. Quando os motivos racionais são evidentes (por exemplo, quando um homem mata para ganhar alguma coisa) ou quando os motivos irracionais são acompanhados por ilusões ou alucinações (por exemplo, quando um paciente paranoide mata seu perseguidor fantasioso), a situação apresenta poucos problemas para o psiquiatra. No entanto, os assassinos que parecem racionais, coerentes e controlados, mas cometem atos homicidas de forma bizarra e aparentemente desprovida de sentido, colocam um problema difícil, a julgar pelas discordâncias em tribunais e relatos contraditórios feitos sobre o mesmo criminoso. Nossa tese é que a psicopatologia desses homicidas constitui pelo menos uma síndrome específica que pretendemos descrever. Em geral, esses indivíduos mostram-se predispostos a lapsos graves no controle do ego que tornam possível a expressão aberta de violência primitiva, produzida por experiências traumáticas prévias e então inconscientes".

Os autores, como parte de um processo de apelação, tinham examinado quatro homens condenados por homicídios aparentemente sem motivo. Todos haviam sido examinados antes de seus julgamentos, e pronunciados "sem psicose" e "sãos". Três deles estavam condenados à pena de morte, e o quarto cumpria uma longa pena de prisão. Em todos esses casos, o aprofundamento da investigação psiquiátrica fora pedido porque alguém — o advogado, um parente ou um amigo — ficara insatisfeito com as explicações psiquiátricas previamente apresentadas, e perguntara: "Como é que uma pessoa sã como esse homem pode ter cometido um ato tão louco como o que provocou sua condenação?". Depois de descreverem os quatro criminosos e seus crimes (um soldado negro que mutilou e esquartejou uma prostituta, um trabalhador que estrangulou um menino de catorze anos quando este rejeitou suas propostas sexuais, um cabo do Exército que golpeou outro jovem na cabeça até a morte porque achou que a vítima zombava dele, e um empregado de hospital que tinha afogado uma menina segurando a cabeça dela debaixo d'água), os autores fazem um levantamento das áreas de semelhança. Os próprios homens, escrevem eles, estavam intrigados quanto à razão de terem matado suas vítimas, que lhes eram relativamente desconhecidas, e em todos os casos o assassino parecia ter caído num transe dissociativo com uma certa qualidade onírica, do qual despertava para "descobrir-se de repente" atacando sua vítima. "O achado histórico mais uniforme, e talvez mais significativo, foi uma história antiga, às vezes da vida toda, de controle errático dos impulsos agressivos. Por exemplo, três dos homens, por toda a vida, tinham-se envolvido com frequência em brigas que não eram altercações comuns, e que teriam se transformado em ataques homicidas caso eles não tivessem sido contidos por outras pessoas."

Aqui está uma série de outras observações contidas no estudo: "Apesar da violência presente em suas vidas, a imagem que todos tinham de si mesmos era de homens fisicamente inferiores, fracos e inadequados. Em todos eles, a história revelou um alto grau de exibicionismo sexual. Para todos, as mulheres adultas eram criaturas ameaçadoras, e em dois casos registrava-se perversão sexual declarada. Todos eles, também, passaram boa parte da juventude com medo de serem considerados 'frescos', fisicamente pequenos ou doentios... Em todos os quatro casos, havia indícios históricos de estados alterados de consciência, muitas vezes associados aos rompantes de violência. Dois dos homens relataram estados dissociativos profundos, semelhantes a um transe, durante os quais ocorria um comportamento violento e fora do comum, enquanto os outros dois falaram de episódios de amnésia menos profundos, e talvez menos organizados. Durante os momentos de violência efetiva, muitas vezes sentiam-se separados ou isolados de si mesmos, como se assistissem aos atos de outra pessoa... Também encontramos nos antecedentes históricos de todos a ocorrência de extrema violência paterna ao longo da infância. ... Um dos homens contou que 'era surrado com chicote cada vez que se virava'... Outro dos homens sofreu muitas surras violentas a fim de 'perder' a gagueira e os 'ataques' que tinha, bem como servir-lhe de corretivo por seu suposto 'mau' comportamento... A história ligada à violência *extrema*, seja ela fantasiada, observada na realidade ou efetivamente vivida pela criança, coaduna com a hipótese psicanalítica de que a exposição da criança a estímulos excessivos, antes que ela seja capaz de controlá-los, está intimamente ligada a déficits primitivos na formação do ego e, mais tarde, a sérios distúrbios em matéria de controle dos impulsos. Em todos esses casos, havia indícios de séria privação emocional nos primeiros anos de vida. Essa privação pode ter envolvido a ausência prolongada ou recorrente de um dos pais ou de ambos, uma vida familiar caótica em que os pais eram desconhecidos ou uma total rejeição da criança por um dos pais ou pelos dois, com a criança sendo criada por outras pessoas... Indícios de distúrbios na organização do afeto foram encontrados. Tipicamente, os homens exibiam uma tendência a não sentir raiva ou ódio em associação com atos violentos e agressão. Nenhum deles relatou sentimentos de ódio relacionados aos homicídios, nem de terem sentido raiva forte ou pronunciada, embora cada um deles tenha sido capaz de uma agressão enorme e brutal... Suas relações com outras pessoas eram de natureza superficial e fria, o que lhes dava uma qualidade de solidão e isolamento. As pessoas mal eram reais para eles, no sentido de serem capazes de provocar sentimentos cálidos ou positivos (ou mesmo de raiva)... Os três homens condenados à morte têm emoções pouco profundas em relação a seu destino e ao de suas vítimas. Culpa, depressão e remorso estão notavelmente ausentes. ... Pode-se dizer que esses indivíduos apresentam tendências homicidas, uma vez que ou carregam uma sobrecarga de energia agressiva ou têm um sistema instável de defesa do ego que permite, de tempos em tempos, a expressão nua e arcaica dessa energia. O potencial homicida pode ser ativado, especialmente se algum desequilíbrio já estiver presente, quando a provável vítima é inconscientemente percebida como uma figura-chave em alguma configuração traumática do passado. O comportamento, ou mesmo a mera presença, dessa figura acrescenta ao equilíbrio instável de forças uma tensão que pode resultar em descargas súbitas e extremas de violência, semelhantes à explosão que ocorre quando uma espoleta detona uma carga de dinamite... A hipótese de motivação inconsciente explica por que os assassinos perceberam vítimas inócuas e relativamente desconhecidas como provocadoras e, portanto, alvos adequados para a agressão. Mas por que o homicídio? A maioria das pessoas, felizmente, não reage com rompantes assassinos nem mesmo a provocações extremas. Os casos descritos, por outro lado, apresentavam uma predisposição a lapsos grosseiros no contato com a realidade e a uma profunda fraqueza no controle dos impulsos em momentos de grande tensão e desorganização. Nessas ocasiões, um conhecido casual ou mesmo um desconhecido podia facilmente perder seu significado 'real' e assumir alguma identidade na configuração traumática inconsciente. O 'velho' conflito era reativado, e a agressão logo alcançava proporções homicidas... Quando homicídios sem sentido como esses acontecem, são considerados o resultado final de um período de tensão e desorganização crescentes no assassino que começa bem antes do contato com a vítima, a qual, ao encaixar-se nos conflitos inconscientes do assassino, serve para desencadear inadvertidamente seu potencial homicida".

Devido aos muitos paralelos entre os antecedentes e a personalidade de Perry Smith e os dos indivíduos examinados em seu estudo, o dr. Satten sente uma certa segurança em considerá-lo incluído no mesmo rol. Além disso, as circunstâncias do crime parecem-lhe encaixar-se perfeitamente no conceito de "homicídio sem motivo aparente". Obviamente, três dos homicídios cometidos por Smith *tinham* motivo lógico — Nancy, Kenyon e a mãe precisavam ser mortos porque o sr. Clutter tinha sido assassinado. Mas o dr. Satten afirma que só o primeiro homicídio importa do ponto de vista psicológico, e que, quando Smith atacou o sr. Clutter, estava sofrendo um eclipse mental, profundamente envolto na escuridão esquizofrênica, pois não foi inteiramente um homem de carne e osso que ele "descobriu-se de repente" destruindo, mas "uma figura-chave em alguma configuração traumática do passado": seu pai? as freiras do orfanato que zombavam dele e o surravam? o odiado sargento do Exército? o responsável por sua condicional, que lhe ordenara "ficar fora do Kansas"? Um deles, ou eles todos.

Em sua confissão, Smith disse: "Eu não queria fazer mal àquele homem. Achei que era um senhor simpático. Que falava manso. E era assim que eu pensava até a hora em que cortei o pescoço dele". E conversando com Donald Cullivan, Smith disse: "[Os Clutter] não me fizeram mal nenhum. Ao contrário de outras pessoas. Ao contrário de tanta gente que me fez mal a vida inteira. Mas talvez os Clutter estivessem destinados a pagar por tudo". Assim, parece que, por caminhos independentes, tanto o analista profissional como o amador chegaram a conclusões bastante parecidas.

A aristocracia do condado de Finney não se interessara pelo julgamento. "Não fica bem", anunciou a mulher de um rico fazendeiro, "demonstrar curiosidade por esse tipo de coisa." Ainda assim, na última sessão do julgamento, havia um razoável segmento do *establishment* local sentado ao lado dos cidadãos comuns. Sua presença era um gesto de cortesia para com o juiz Tate e Logan Green, membros estimados de sua ordem. Havia também um grande contingente de advogados de fora da cidade, muitos dos quais tinham percorrido grandes distâncias, ocupando vários bancos; especificamente, estavam presentes para ouvir o discurso final de Green para o júri. Green, um septuagenário rijo, miúdo e cortês, tinha uma reputação considerável entre seus pares, admiradores de sua arte cênica — um repertório de talentos de ator em meio aos quais se destacava um sentido de *timing* agudo como o de um *showman* de boate. Especialista em direito criminal, seu papel mais frequente era o de defensor, mas naquele caso o Estado o convocara como assistente especial de Duane West, pois acreditava-se que o jovem procurador do condado era verde demais para conduzir a acusação sem apoio experiente.

Mas como acontece com a maioria dos números de estrelas, o discurso de Green era o último do programa. Foi antecedido pelas instruções sensatas do juiz Tate ao júri, bem como pelo sumário do procurador do condado: "Pode haver alguma dúvida em suas mentes quanto à culpa destes acusados? Não! Independentemente de quem tenha puxado o gatilho da espingarda de Richard Eugene Hickock, estes dois homens são culpados. Só existe um modo de assegurar que estes homens jamais voltarão a vagar pelas cidades deste país. Pedimos a pena máxima — a morte. Este pedido não é feito por vingança, mas com toda a humildade...".

E então os argumentos dos advogados de defesa precisaram ser ouvidos. O discurso de Fleming, descrito por um jornalista como uma "venda", lembrou um moderado sermão de igreja: "O homem não é um animal. Tem um corpo, e uma alma que vive eternamente. Não acredito que o homem tenha o direito de destruir essa casa, esse templo, habitado pela alma...". Harrison Smith, embora também apelasse para o presumível cristianismo dos jurados, escolheu como tema principal os males da pena capital: "Trata-se de uma relíquia da barbárie humana. A lei nos diz que tirar a vida humana é errado, e então dá ela própria o mau exemplo. O que é quase tão perverso quanto o crime que ela pune. O Estado não tem o direito de infligir a pena de morte. Ela não é eficaz. Não detém o crime, apenas diminui o valor da vida humana e dá origem a novos crimes de morte. Só pedimos misericórdia. E com certeza a prisão perpétua é pouca misericórdia...". Nem todos prestavam atenção; um dos jurados, como que envenenado pelos muitos bocejos de letargia que pesavam no ar, estava sentado com os olhos tão drogados e a boca tão aberta que uma abelha podia entrar e sair dela zumbindo.

Green acordou a todos. "Senhores", disse ele, falando de improviso, "acabam de ouvir dois pedidos enfáticos de misericórdia para os acusados. Parece-me uma sorte que estes admiráveis advogados, o senhor Fleming e o senhor Smith, não estivessem presentes na residência dos Clutter naquela noite fatídica — uma grande sorte para eles que não tenham estado lá a fim de pedir misericórdia para a família condenada. Porque se lá estivessem — bem, na manhã seguinte, teríamos mais do que quatro corpos."

Quando jovem em seu Kentucky natal, Green era chamado de Pinky ("rosado"), um apelido que se devia a sua coloração sardenta; agora, enquanto andava com ar pomposo diante do júri, a animação de sua tarefa esquentava suas faces e a marcava com manchas cor-de-rosa. "Não tenho a intenção de travar aqui um debate teológico. Mas eu previ que os advogados de defesa iriam usar a Santa Bíblia como argumento contra a pena de morte. Os senhores ouviram a Bíblia sendo citada. Mas *eu* também sei ler." Abriu com estrépito um exemplar do Velho Testamento. "E eis aqui algumas das coisas que o Livro Sagrado nos diz sobre o tema. Em Êxodo 20, versículo 13, temos um dos Dez Mandamentos: 'Não matarás'. O que se refere à matança *fora da lei*. Claro que sim, porque no capítulo *seguinte*, versículo 12, a pena para a desobediência aos Mandamentos é a seguinte: 'Quem ferir a outro e causar a sua morte, será morto'. O senhor Fleming pode querer fazer os senhores acreditarem que isso tenha mudado com o advento de Cristo. Mas não. Pois disse Cristo: 'Não penseis que vim destruir a lei ou os profetas: não vim destruir, mas cumprir'. E finalmente —" Green virou as páginas, e deu a impressão de fechar a Bíblia por acidente, ao que os advogados visitantes sorriram e cutucaram uns aos outros, pois aquele era um truque venerável de tribunal — o advogado que, enquanto lê as Escrituras, finge perder-se e depois observa, como Green observou agora: "Não importa. Acho que sou capaz de citar de memória. Gênesis 9, versículo 6: 'Quem derramar o sangue do homem, pelo homem terá o seu sangue derramado'".

"Porém", prosseguiu Green, "não vejo proveito numa discussão sobre a Bíblia. Nosso estado prevê que a pena para o assassinato em primeiro grau é a prisão perpétua ou a morte por enforcamento. Essa é a lei. Os senhores, cavalheiros, estão aqui para fazer a lei ser cumprida. E creio que jamais existiu um caso em que a pena máxima fosse tão justificada quanto este. Esses homicídios foram estranhos e ferozes. Quatro de nossos concidadãos foram sacrificados como porcos num matadouro. E por que motivo? Não por vingança ou por ódio. Mas por dinheiro. *Dinheiro*. Na balança fria, o cálculo era do peso de umas tantas onças de prata contra o de tantas outras de sangue. E como essas vidas foram compradas por pouco! Quarenta dólares de pilhagem! Dez dólares por vida!" Rodopiou e apontou um dedo que ia de um lado para o outro entre Hickock e Smith. "Chegaram armados com uma espingarda e um *punhal*. Chegaram para roubar e matar." Sua voz tremeu, tropeçou, desapareceu, como que estrangulada pela intensidade de seu horror pelos acusados, que mascavam chicletes com ar jovial. Tornando a virar-se para o júri, perguntou com voz rouca: "O que os senhores vão fazer? O que vão fazer com esses homens que amarram as mãos e os pés de um homem, cortam seu pescoço e estouram sua cabeça com um tiro? Dar a eles a pena *mínima*? Sim, e esse é apenas um dos quatro homicídios. E Kenyon Clutter, um jovem com a vida inteira pela frente, amarrado sem nada poder fazer e vendo a luta mortal de seu pai? Ou a jovem Nancy Clutter, ouvindo os disparos e sabendo que a seguinte era ela? Nancy, suplicando por sua vida: 'Não. Oh, por favor. Não. Não'. Que agonia! Que tortura indizível! E ainda resta a mãe, amarrada e amordaçada e forçada a ouvir enquanto seu marido, seus filhos amados morreriam um a um. Até que finalmente os assassinos, estes acusados à sua frente, entraram em seu quarto, puseram a luz da lanterna em seus olhos e deixaram a detonação de uma espingarda pôr fim à existência de toda uma família".

Fazendo uma pausa, Green apalpou com cuidado uma espinha em sua nuca, uma inflamação madura que parecia, como seu enfurecido portador, a ponto de explodir. "E então, cavalheiros, o que vão fazer? Dar-lhes a pena mínima? Mandá-los de volta para a penitenciária, e correr o risco de vê-los fugir ou receber liberdade condicional? Da próxima vez que eles saírem para um massacre, podem ser as *suas* famílias." "Eu lhes digo", disse ele em tom solene, contemplando o corpo de jurados de um modo que abrangia e desafiava a todos, "que alguns de nossos maiores crimes só ocorrem porque, no passado, um bando de jurados de coração acovardado recusou-se a cumprir o seu dever. Agora, cavalheiros, deixo a decisão por conta dos senhores e das suas consciências."

Sentou-se. West sussurrou para ele: "Foi magistral".

Mas alguns espectadores de Green sentiram menos entusiasmo; e depois que o júri retirou-se para discutir o veredicto, um deles, um jovem repórter de Oklahoma, trocou palavras amargas com outro jornalista, Richard Parr, do *Star* de Kansas City. Para o repórter de Oklahoma, o discurso de Green parecera "uma incitação ao populacho, uma coisa brutal".

"Ele só estava dizendo a verdade", respondeu Parr. "A verdade pode ser brutal. Se me permite inventar uma frase."

"Mas ele não precisava bater com tanta força. É injusto."

"O que é injusto?"

"Todo o julgamento. Os dois não tinham a menor chance."

"Até parece que deram muita chance a Nancy Clutter."

"Perry Smith. Meu Deus. Teve uma vida tão horrível —"

Parr disse: "Muita gente tem histórias tão tristes quanto a desse baixinho desgraçado. Inclusive eu. Pode ser que eu beba demais, mas nunca matei quatro pessoas a sangue frio".

"É, e que tal a ideia de enforcar o desgraçado? É matar a sangue frio também."

O reverendo Post, ouvindo a discussão, entrou na conversa. "Bem", disse ele, passando adiante uma reprodução fotográfica do retrato de Jesus desenhado por Perry Smith, "um homem capaz de fazer este desenho não pode ser cem por cento mau. Ainda assim, é difícil saber o que fazer. A pena de morte não é a resposta: não dá ao pecador tempo suficiente para encontrar Deus. Às vezes eu me desespero." Um sujeito jovial, com os dentes obturados de ouro e um bico de viúva prateado, repetiu em tom ligeiro: "Às vezes eu me desespero. Às vezes eu acho que o velho Doc Savage é que tinha razão". O Doc Savage a quem ele se referia era um herói ficcional popular entre os leitores adolescentes de revistas de aventuras da geração anterior. "Se vocês se lembram, Doc Savage era uma espécie de super-homem. Era um gênio em todos os campos — medicina, ciência, filosofia, artes. O velho Doc sabia tudo, e sabia fazer quase tudo. Um dos projetos dele foi livrar o mundo dos criminosos. Primeiro, comprou uma ilha imensa no meio do oceano. Depois, ele e os ajudantes — tinha um verdadeiro exército de ajudantes bem treinados — sequestravam todos os criminosos do mundo e os levavam para a ilha. E Doc Savage operava seus cérebros. Removia as partes onde crescem os maus pensamentos. E quando eles se recobravam tinham todos virado cidadãos decentes. *Não podiam* mais cometer crimes, porque aquela parte do cérebro deles tinha sido removida. Pois hoje me ocorre que uma cirurgia desse tipo talvez possa ser a resposta."

Uma campainha, o sinal de que o júri estava retornando, o interrompeu. As deliberações do júri tinham tomado quarenta minutos. Muitos espectadores, antecipando uma decisão rápida, nem sequer tinham deixado seus assentos. O juiz Tate, porém, precisou ser chamado em sua fazenda, aonde fora dar comida aos seus cavalos. A toga preta vestida às pressas ondulava ferozmente à sua volta quando finalmente chegou, mas foi com uma calma e uma dignidade impressionantes que ele perguntou: "Senhores do júri, chegaram aos veredictos?". O primeiro jurado respondeu: "Chegamos, meritíssimo". O bailio do tribunal carregou os veredictos selados até o juiz.

Apitos de trem, a fanfarra da chegada de um expresso da estrada de ferro Santa Fe, penetraram no recinto do tribunal. A voz de baixo de Tate entrelaçou-se com os gritos da locomotiva enquanto lia: "Primeira Acusação. Nós, o júri, consideramos o réu, Richard Eugene Hickock, culpado de homicídio em primeiro grau, e a punição é a morte". Depois, como que interessado na reação deles, olhou para os prisioneiros, que estavam de pé diante dele algemados aos guardas; eles o fitaram de volta com ar impassível até ele recomeçar a ler as sete sentenças que se seguiram: mais três condenações contra Hickock, e quatro contra Smith.

"— e a punição é a morte"; cada vez que chegava à sentença, Tate a enunciava com uma inexpressividade lúgubre que parecia ecoar o chamado triste, e agora cada vez mais distante, do trem. Então ele dispensou o júri ("Os senhores prestaram serviço com bravura"), e os condenados foram levados embora. Quando chegaram à porta, Smith disse a Hickock: "Esses não tiveram o coração acovardado!". Os dois riram alto, e um fotógrafo captou o flagrante. O retrato apareceu num jornal do Kansas, acima de uma legenda que dizia: "A última risada?".

Uma semana mais tarde, a sra. Meier estava sentada em sua sala de estar conversando com uma amiga. "É, agora as coisas ficaram muito silenciosas", disse ela. "Acho que devemos dar graças pelas coisas terem sossegado. Mas ainda estou com pena. Nunca tive muito assunto com Dick, mas Perry e eu acabamos nos conhecendo muito bem. Naquela tarde, depois de ouvir o veredicto e de ser trazido de volta aqui para cima — eu me fechei na cozinha para não ter de ficar com ele. Fiquei sentada junto à janela da cozinha, vendo as pessoas saírem do tribunal. O senhor Cullivan — ele olhou para cima, me viu e acenou. O casal Hickock. Todos indo embora. Hoje de manhã eu recebi uma carta linda da senhora Hickock; ela me visitou várias vezes durante o julgamento, e eu queria poder ajudar, mas o que se pode dizer para uma pessoa numa situação dessas? Depois que todo mundo tinha ido embora, e que eu tinha começado a lavar os pratos — eu ouvi Perry chorando. Liguei o rádio. Para não escutar. Mas continuava ouvindo. Chorando feito uma criança. Ele nunca tinha sucumbido antes, nunca tinha dado sinal de desespero. Bem, eu fui até lá. Até a porta da cela dele. Ele estendeu a mão. Queria que eu segurasse a mão dele, e eu segurei, fiquei segurando a mão dele, e ele só disse uma coisa: 'Estou coberto de vergonha'. Pensei em mandar chamar o padre Goubeaux — disse que no dia seguinte ia preparar arroz à moda espanhola para ele — mas ele só apertou a minha mão com mais força.

"E bem naquela noite, tivemos de deixar Perry sozinho. Wendle e eu quase nunca saímos, mas tínhamos um compromisso marcado havia muito tempo, e Wendle achava que não devíamos deixar de ir. Mas eu sempre vou me arrepender de ter deixado Perry sozinho. No dia seguinte eu preparei o arroz. Ele nem comeu. E quase nem falou comigo. Odiava o mundo todo. Mas no dia em que os homens vieram de manhã levá-lo para a penitenciária, ele me agradeceu e me deu um retrato dele. Uma foto pequena tirada quando ele tinha dezesseis anos. Disse que era assim que ele queria que eu me lembrasse dele, como o rapaz daquela foto.

"A pior parte foi dizer adeus. Sabendo para onde ele ia, e o que ia acontecer com ele. O esquilo dele vive com saudade de Perry.

Sempre vem até a cela procurar por ele. Tentei dar comida para o bichinho, mas ele não aceita nada de mim. Ele só gostava de Perry."

As prisões são importantes para a economia do condado de Leavenworth, no Kansas. As duas penitenciárias estaduais, uma para cada sexo, situam-se lá; e também Leavenworth, a maior prisão federal, e Fort Leavenworth, a mais importante prisão militar do país, usada tanto pelo Exército como pela Força Aérea dos Estados Unidos. Se todos os internos dessas instituições fossem libertados, poderiam povoar uma cidade pequena.

A mais antiga das prisões é a Penitenciária Estadual do Kansas para Homens, um palacete preto e branco adornado de torres que é a marca visual de uma cidade rural de resto comum, Lansing. Construída durante a Guerra Civil americana, recebeu seu primeiro residente em 1864. Hoje, a população de presos gira em torno de 2 mil; o diretor, Sherman H. Crouse, mantém um gráfico em que relaciona o total diário de acordo com a raça (por exemplo, Brancos 1405, Negros 360, Mexicanos 12, Índios 6). Qualquer que seja a sua raça, cada prisioneiro é cidadão de uma aldeia de pedra que existe no interior das altas muralhas guardadas por metralhadoras — pouco menos de cinco hectares cinzentos de ruas de concreto, blocos de celas e oficinas.

Numa área ao sul do complexo presidiário fica uma curiosa edificação de pequeno porte: um prédio escuro de dois andares em forma de caixão. Esse estabelecimento, oficialmente chamado de Área de Segregação e Isolamento, constitui uma prisão dentro da prisão. Entre os presos, o andar térreo é conhecido como o Buraco — o lugar para onde os prisioneiros mais difíceis, os encrenqueiros incorrigíveis, são banidos de vez em quando. Ao andar de cima se chega subindo uma escada de ferro em caracol; no alto fica o Corredor da Morte.

A primeira vez que os matadores dos Clutter subiram as escadas foi no fim de uma tarde chuvosa de abril. Tendo chegado a Lansing depois de uma viagem de carro de oito horas e 650 quilômetros desde Garden City, os recém-chegados foram despidos, banhados, tiveram os cabelos cortados bem curtos e receberam uniformes de brim áspero e chinelos macios (na maioria das prisões americanas, esses chinelos são o calçado costumeiro dos condenados); em seguida, uma escolta armada os acompanhou em meio ao úmido anoitecer até o edifício em forma de caixão, conduziu-os pelas escadas em espiral e os levou até duas das doze celas enfileiradas que compõem o Corredor da Morte de Lansing.

As celas são idênticas. Medem três metros por dois metros e dez, e sua única mobília é um catre, uma privada, uma pia e uma lâmpada de teto que nunca se apaga, dia e noite. As janelas das celas são muito estreitas, e além das barras são fechadas ainda por uma tela de arame preta como um véu de viúva; assim, os rostos dos prisioneiros condenados à forca só podem ser vagamente percebidos pelos passantes. Os próprios condenados à morte conseguem enxergar bastante bem o que está de fora; o que veem é um pátio vazio de terra batida que serve de campo de beisebol no verão, atrás do pátio um trecho do muro da prisão e, acima deste, um pedaço do céu.

O muro é feito de pedra bruta; pombos constroem ninhos em suas fendas. Uma porta de ferro oxidada, encaixada na parte do muro visível pelos ocupantes do Corredor, espanta os pombos toda vez que é aberta, faz com que saiam voando, porque as dobradiças rangem muito, gritam. A porta leva a um depósito cavernoso, onde mesmo no mais quente dos dias o ar é úmido e frio. Muitas coisas são guardadas ali: pilhas de chapas de metal usadas pelos presos para confeccionar placas de automóveis, antigas máquinas, parafernália de beisebol — e também uma forca de madeira sem pintura que exala um cheiro fraco de pinho. Porque é ali a câmara de execução do estado; quando um homem é trazido aqui para ser enforcado, os presos dizem que ele "foi para o Canto" ou, alternativamente, "foi visitar o depósito".

De acordo com a sentença do tribunal, Smith e Hickock tinham uma visita ao depósito marcada para dali a seis semanas: um minuto depois da meia-noite da sexta-feira, 13 de maio de 1960.

O Kansas aboliu a pena capital em 1907; em 1935, devido a uma súbita prevalência de turbulentos criminosos profissionais (Alvin "Old Creepy" Karpis, Charles "Pretty Boy" Floyd, Clyde Barrow e sua amante homicida, Bonnie Parker), os legisladores do estado decidiram restaurá-la. No entanto, foi apenas em 1944 que um carrasco teve a oportunidade de tornar a exercer o seu ofício; nos dez anos seguintes, teve nove oportunidades adicionais. Mas por seis anos, ou desde 1954, ninguém ganhava para enforcar ninguém no Kansas (exceto na prisão do Exército e da Força Aérea, que também tem um cadafalso). O falecido George Docking, governador do Kansas de 1957 a 1960, foi o responsável por esse hiato, pois era abertamente contrário à pena de morte ("não gosto de matar ninguém").

Agora, àquela altura — abril de 1960 — havia nas prisões dos Estados Unidos 190 pessoas aguardando a execução civil; cinco, inclusive os assassinos da família Clutter, estavam entre os hóspedes de Lansing. Ocasionalmente, visitantes de importância à prisão são convidados a dar o que uma alta autoridade chama de "uma olhadinha no Corredor da Morte". Os que aceitam são postos sob os cuidados de um guarda que, enquanto conduz o turista pela passarela de ferro diante das celas da morte, tende a identificar cada condenado com uma formalidade que deve considerar cômica. "E este", disse ele a um visitante em 1960, "é o senhor Perry Edward

Smith. E na cela ao lado fica o companheiro do senhor Smith, o senhor Richard Eugene Hickock. E ali temos o senhor Earl Wilson. E depois do senhor Wilson — quero lhe apresentar o senhor Bobby Joe Spencer. E este último cavalheiro, acredito que o senhor esteja reconhecendo, é o famoso senhor Lowell Lee Andrews."

Earl Wilson, um negro forte dado a cantar hinos religiosos, tinha sido condenado à morte pelo rapto, estupro e tortura de uma jovem branca; a vítima, embora tenha sobrevivido, ficou seriamente incapacitada. Bobby Joe Spencer, branco, um jovem afeminado, tinha confessado o homicídio de uma velha senhora de Kansas City, proprietária da pensão onde ele morava. Antes de deixar o cargo em janeiro de 1961, o governador Docking, que tinha sido derrotado em sua tentativa de reeleição (em grande parte devido à sua atitude frente à pena capital), comutou as penas desses dois homens em prisão perpétua, o que normalmente significava que eles poderiam candidatar-se à liberdade condicional dentro de sete anos. Bobby Joe Spencer, porém, logo tornaria a matar: apunhalou com um estoque outro jovem prisioneiro, seu rival na disputa pelo afeto de um preso mais velho (como disse um funcionário da prisão, "Duas bichinhas novas disputando um macho velho"). Essa façanha valeu a Spencer uma segunda pena de prisão perpétua. Mas o público não queria muito saber de Wilson ou de Spencer; comparados com Smith e Hickock, ou com o quinto homem do Corredor da Morte, Lowell Lee Andrews, os dois tinham recebido pouca atenção da imprensa.

Dois anos antes, Lowell Lee Andrews, um rapaz imenso e de visão fraca de dezoito anos que usava óculos de aro de osso e pesava uns 135 quilos, estava no segundo ano da Universidade do Kansas, onde era estudante bolsista de biologia. Embora fosse uma criatura solitária, retraída e muito pouco comunicativa, seus conhecidos, tanto na universidade quanto em sua cidade natal de Wolcott, Kansas, consideravam-no excepcionalmente gentil e afável (mais tarde, um jornal do Kansas publicaria um artigo sobre ele intitulado "O Melhor Rapaz de Wolcott"). Dentro daquele jovem estudioso e calado, porém, vivia uma segunda personalidade oculta, com emoções atrofiadas e um espírito tortuoso pelo qual pensamentos gelados corriam nas direções mais cruéis. Os demais membros de sua família — seus pais e uma irmã um pouco mais velha, Jennie Marie — teriam ficado perplexos se soubessem qual era o teor dos devaneios que Lowell Lee cultivava ao longo do verão e do outono de 1958; o filho brilhante, o irmão adorado, planejava envenená-los todos.

O pai, o sr. Andrews, era um próspero agricultor; não tinha muito dinheiro no banco, mas possuía terras no valor aproximado de 200 mil dólares. Aparentemente, o desejo de herdar essa fortuna era a motivação por trás do plano de Lowell Lee para destruir sua família. Porque o Lowell Lee secreto, escondido no interior do estudante de biologia que jamais deixava de ir à igreja, considerava-se um mestre do crime com coração de gelo: queria usar camisas de seda à moda dos gângsteres e dirigir carros esporte vermelhos; queria ser reconhecido não como um estudante de óculos, aplicado, gordo e virginal; e embora não desgostasse de nenhum membro de sua família, pelo menos não conscientemente, matá-los pareceu-lhe o meio mais rápido e mais sensato de implementar as fantasias que cultivava. O arsênico foi a arma de sua escolha; depois de envenenar as vítimas, pretendia deitá-las em suas camas e incendiar a casa, na esperança de que os investigadores julgassem que as mortes tinham sido acidentais. No entanto, havia um detalhe que o perturbava: e se as autópsias revelassem a presença do arsênico? E se a investigação da compra do veneno conduzisse até ele? Perto do final do verão, assim, desenvolveu outro plano. Passou três meses aperfeiçoando os detalhes. Finalmente, chegou uma noite gélida de novembro em que estava pronto para agir.

Era a semana do Dia de Ação de Graças, e Lowell Lee estava

em casa para passar o feriado, assim como Jennie Marie, uma jovem inteligente mas sem atrativos que frequentava uma faculdade em Oklahoma. Na noite de 28 de novembro, em torno das sete horas, Jennie Marie estava sentada com os pais na sala de estar vendo televisão; Lowell Lee estava trancado em seu quarto lendo o último capítulo de *Os irmãos Karamazov*. Assim que terminou, barbeou-se, vestiu seu melhor terno e começou a carregar tanto um rifle semiautomático calibre 22 quanto um revólver Ruger calibre 22. Enfiou o revólver num coldre de cintura, apoiou o rifle no ombro e desceu o corredor até a sala de estar, que estava no escuro, exceto pela luz trêmula da tela da tevê. Acendeu uma luz, fez pontaria com o rifle, puxou o gatilho e atingiu sua irmã bem entre os olhos, matando-a instantaneamente. Atirou três vezes na mãe e duas no pai. A mãe, com os olhos arregalados, os braços estendidos, caminhou trôpega na direção dele; tentou falar, sua boca se abriu e fechou, mas Lowell Lee disse: "Cale a boca". E para assegurar-se de que ela iria obedecer-lhe, deu-lhe mais três tiros. O sr. Andrews, porém, ainda estava vivo; soluçando, choramingando, arrastou-se pelo chão na direção da cozinha, mas quando chegou à porta o filho sacou o revólver e descarregou nele todas as balas, depois recarregou a arma e tornou a esvaziá-la; no total, seu pai absorveu dezessete balas.

Andrews, segundo afirmações que lhe foram atribuídas, não sentiu nada. "A hora chegou, eu fiz o que precisava fazer. E é só." Depois dos tiros, abriu uma das janelas de seu quarto e removeu a tela, e depois correu pela casa remexendo as gavetas das cômodas e espalhando o conteúdo pelo chão: sua intenção era jogar a culpa do crime em assaltantes. Mais tarde, ao volante do carro do pai, viajou mais de sessenta quilômetros por estradas escorregadias de neve até chegar a Lawrence, a cidade onde fica a Universidade do Kansas; a caminho, estacionou numa ponte, desmontou sua artilharia letal e livrou-se dela atirando as peças no rio Kansas. Mas é claro que a verdadeira finalidade de sua viagem era produzir um álibi. Primeiro parou na casa onde ficava alojado no campus; conversou com a governanta, disse-lhe que tinha vindo pegar sua máquina de escrever, e que por causa do mau tempo a viagem de Wolcott a Lawrence tinha levado duas horas. Depois, foi a um cinema, onde, de maneira nada usual, conversou com um dos lanterninhas e uma vendedora de balas. Às onze, quando o filme acabou, voltou para Wolcott. O cão vira-lata da família estava à espera na varanda da frente; uivava de fome, e por isso Lowell Lee, entrando na casa e passando por cima do corpo do pai, preparou-lhe uma tigela com leite quente e ração; depois, enquanto o cachorro devorava a refeição, telefonou para o gabinete do xerife e disse: "Meu nome é Lowell Lee Andrews. Moro na Wolcott Drive número 6040, e quero dar queixa de um assalto".

Quatro policiais da patrulha do xerife do condado de Wyandotte responderam ao chamado. Um dos membros do grupo, o patrulheiro Meyers, descreveu a cena da seguinte maneira: "Bem, era uma da manhã quando chegamos lá. Todas as luzes da casa estavam acesas. E aquele garoto imenso de cabelo escuro, Lowell Lee, estava sentado na varanda fazendo festa pro cachorro. Dando pancadinhas na cabeça dele. O tenente Athey perguntou ao rapaz o que tinha acontecido, e ele apontou para a porta, com um jeito de quem não quer nada, e disse: 'Olhem lá dentro'". Depois de olhar, os policiais pasmos convocaram o legista do condado, um cavalheiro que também ficou impressionado com a insensível indiferença de Andrews, pois, quando o legista lhe perguntou que arranjos ele queria fazer para o funeral, Andrews respondeu encolhendo os ombros: "Pouco importa o que vocês vão fazer com eles".

Logo depois, dois detetives experientes apareceram e começaram a interrogar o único sobrevivente da família. Embora convencidos de que estava mentindo, os detetives escutaram respeitosamente a história de como ele tinha ido até Lawrence para pegar uma máquina de escrever, ido ao cinema e chegado em casa depois da meia-noite, encontrando os quartos revirados e sua família morta. Ele continuou a sustentar a história, e podia jamais tê-la alterado se, depois de ser detido e transferido para a cadeia do condado, as autoridades não tivessem conseguido a ajuda do reverendo Virto C. Dameron.

O reverendo Dameron, um personagem dickensiano, orador melífluo e animado, sempre pronto a falar do enxofre do inferno, era o pastor da igreja batista de Grandview, em Kansas City, a igreja que a família Andrews frequentava regularmente. Acordado por um telefonema urgente do legista do condado, Dameron apresentou-se na cadeia em torno das três da manhã, ao que os detetives, cansados de interrogar o suspeito improdutivamente, retiraram-se para outra sala, deixando o pastor conversar a sós com seu paroquiano. E a entrevista acabou sendo fatal para este último, que muitos meses depois a contou para um amigo: "O senhor Dameron me disse: 'Lee, conheço você desde que nasceu. Desde que você era bem pequeno. E conhecia o seu pai desde que ele nasceu, crescemos juntos, fomos amigos de infância. E é por isso que estou aqui — não só porque sou seu pastor, mas porque para mim é como se você fosse um membro da minha família. E porque você precisa de um amigo com quem possa conversar e em quem possa confiar. E eu estou me sentindo muito mal com esses acontecimentos terríveis, e estou tão ansioso como você para ver os culpados presos e castigados'.

"Perguntou se eu estava com sede, e eu estava, então foi buscar uma coca para mim, e depois começou a falar sobre o feriado do Dia de Ação de Graças e quis saber se eu estava gostando do meu curso, e de repente ele disse: 'Lee, as pessoas aqui parecem estar com algumas dúvidas quanto à sua inocência. Eu tenho certeza de que você aceita fazer um teste no detector de mentiras e convencer essas pessoas da sua inocência para eles poderem sair logo à procura do culpado'. E então ele disse: 'Lee, não foi você que fez essa coisa terrível, foi? Se foi você, agora é a hora de aliviar a sua alma'. E aí eu pensei, que diferença faz?, e contei a verdade a ele, quase tudo. Ele balançava a cabeça, revirava os olhos e esfregava as mãos, e me disse que era uma coisa terrível, que eu ia ter de responder ao Todo-Poderoso, que ia precisar aliviar a minha alma contando aos policiais tudo o que eu tinha contado a ele. Eu estava de acordo?". Assim que o prisioneiro lhe fez um aceno de cabeça concordando, o conselheiro espiritual foi até a sala ao lado, lotada de policiais na expectativa, e lhes fez um convite exultante: "Podem entrar. O rapaz está pronto para depor".

O caso Andrews tornou-se a base para uma verdadeira cruzada legal e médica. Antes do julgamento, em que Andrews alegou inocência por motivo de insanidade, a equipe psiquiátrica da Clínica Menninger conduziu exames exaustivos do acusado; estes produziram um diagnóstico de "esquizofrenia do tipo simples". Com esse "simples", os autores do diagnóstico queriam dizer que Andrews não sofria ilusões, nem percepções falsas, nem alucinações, apenas a doença primária da separação entre pensamentos e sentimento. Era capaz de compreender a natureza dos seus atos, que eram proibidos, e que ele estava sujeito a uma punição. "Porém", para citar o dr. Joseph Satten, um dos autores do exame, "Lowell Lee Andrews não sentiu nenhuma emoção. Considerava a si mesmo a única pessoa importante, a única pessoa significante do mundo. E em seu mundo à parte, pareceu-lhe tão aceitável matar sua mãe quanto matar um animal ou uma mosca."

Na opinião do dr. Satten e de seus colegas, o crime de Andrews representava um exemplo tão indiscutível de responsabilidade atenuada que o caso oferecia uma oportunidade ideal para questionar a Regra de M'Naghten nos tribunais do Kansas. A Regra de M'Naghten, como já foi dito, não reconhece a existência de nenhuma forma de insanidade caso o acusado tenha a capacidade de discriminar entre o que é certo e errado — do ponto de vista legal, e não moral. Para grande tristeza dos psiquiatras e dos juristas liberais, a Regra de M'Naghten prevalece nos tribunais da Comunidade Britânica e, nos Estados Unidos, nos tribunais de quase todos os estados, com a exceção de uma meia dúzia e do Distrito de Columbia, que seguem a mais tolerante, embora para muitos impraticável, Regra de Durham, segundo a qual o acusado não é criminalmente responsável se o seu ato contra a lei for produzido por doença ou deficiência mental.

Em suma, o que os defensores de Andrews, uma equipe composta de psiquiatras da Clínica Menninger e dois advogados de primeira, pretendiam conseguir era uma vitória de tal envergadura que poderia transformar-se num marco judicial. O essencial era convencer o tribunal a substituir a Regra de M'Naghten pela Regra de Durham. Se isso acontecesse, Andrews, graças aos abundantes indícios de sua condição esquizofrênica, seria certamente condenado não à forca, nem mesmo à prisão, mas à internação no Hospital Estadual para os Criminosos Insanos.

Contudo, a defesa não contava com o conselheiro religioso do réu, o incansável reverendo Dameron, que compareceu ao julgamento como a principal testemunha de acusação e que, com o estilo rebuscado e rococó de um pregador ambulante de tenda de circo, declarou ao tribunal o que já tinha dito muitas vezes a seu ex-aluno de escola dominical sobre a ira iminente de Deus: "E eu digo a você, não existe nada no mundo que tenha mais valor que a sua alma, e você admitiu para mim muitas vezes nas nossas conversas que a sua fé é fraca, que você não tem fé em Deus. Você sabe que todo pecado é contra Deus e que Deus é o seu último juiz, e que você precisa responder a Ele. Foi isso que eu disse para ele sentir como era terrível a coisa que ele tinha feito, e que ele teria de responder ao Todo-Poderoso pelos seus crimes".

Ao que tudo indica, o reverendo Dameron estava determinado a fazer com que o jovem Andrews respondesse não apenas ao Todo-Poderoso, mas também aos poderes mais temporais, pois foi seu testemunho, somado à confissão do réu, que resolveu a questão. O juiz que presidia ao julgamento manteve o respeito à Regra de M'Naghten, e o júri atendeu ao Estado decidindo pela pena de morte que lhe fora pedida.

Sexta-feira, 13 de maio, a primeira data marcada para a execução de Hickock e Smith, passou sem causar dano. Um adiamento lhes foi concedido pela Suprema Corte de Kansas até que pudesse ser apreciado o recurso impetrado por seus advogados com o pedido de um novo julgamento. Na ocasião, o veredicto de Andrews estava sendo revisto pelo mesmo tribunal.

A cela de Perry ficava ao lado da de Dick; embora invisíveis um para o outro, podiam conversar com facilidade, mas ainda assim Perry mal falava com Dick, e não devido a alguma animosidade declarada entre os dois (depois da troca de algumas queixas mornas, a relação entre eles se convertera num acordo de tolerância mútua: conformados como gêmeos siameses incompatíveis, mas sem alternativa); era porque Perry, cauteloso como sempre, cheio de segredos e suspeitas, não gostava que os guardas e os outros presos pudessem ouvir seus "assuntos particulares" — especialmente Andrews, ou Andy, como o rapaz era chamado no Corredor da Morte. A fala educada de Andrews e a qualidade formal de sua inteligência com formação universitária eram um anátema para Perry, que embora nunca tivesse passado da terceira série imaginava-se mais culto do que a maioria das pessoas que conhecia, e gostava de corrigi-las, especialmente sua gramática e sua pronúncia. Mas de repente ali estava uma pessoa — "só um garoto!" — que passava o tempo todo a corrigi-lo. Não era de admirar que ele nunca abrisse a boca. Melhor ficar de boca fechada do que correr o risco de ouvir uma das observações carregadas de desprezo do jovem estudante, como: "O certo não é *dis*interessado, e sim *des*interessado". Andrews tinha a melhor das intenções ao corrigir Perry, uma coisa que não fazia com malícia, mas Perry sempre ficava com vontade de pô-lo para ferver num caldeirão de óleo — embora jamais admitisse, e embora jamais deixasse ninguém descobrir por quê, depois de um desses incidentes humilhantes, tinha ficado sentado em silêncio, ignorando as refeições que lhe eram entregues três vezes por dia. No início de junho ele parou completamente de comer — e disse a Dick: "Você pode ficar esperando a corda. Mas eu não" — e a partir desse momento recusou-se a tocar em comida ou água, ou a dizer uma palavra para quem quer que fosse.

Passaram-se cinco dias até que o diretor resolvesse levar o jejum a sério. No sexto dia, mandou que Smith fosse transferido para o hospital da prisão, mas a mudança não enfraqueceu a determinação de Perry; quando fizeram tentativas de alimentá-lo à força, ele resistiu, jogou a cabeça para trás e trincou os maxilares, que ficaram duros como ferraduras. Finalmente, foi imobilizado e alimentado por via intravenosa ou por um tubo inserido por uma de suas narinas. Mesmo assim, nas nove semanas seguintes seu peso caiu de 76 para 52 quilos, e o diretor foi avisado de que a alimentação à força não bastava para manter o prisioneiro vivo por tempo indeterminado.

Dick, embora impressionado com a força de vontade de Perry, não admitia que o objetivo dele fosse o suicídio; mesmo quando lhe disseram que Perry estava em coma, disse a Andrews, de quem tinha ficado amigo, que seu antigo comparsa estava fingindo. "Ele quer que achem que ele é louco."

Andrews, que comia compulsivamente (enchera um caderno de desenho com ilustrações de comestíveis, de bolo de morango a leitão assado), disse: "Talvez ele seja louco mesmo. Imagine, passar fome desse jeito".

"Ele só quer sair daqui. Está representando. Para acharem que ele é maluco e mandarem ele para um hospício."

Mais tarde, Dick tomou gosto por repetir a resposta de Andrews, que lhe parecera um belo exemplo das "ideias estranhas" do garoto, de sua complacência "desligada". "Bem", teria dito Andrews, "acho uma maneira bem difícil de tentar sair. Passar fome. Porque mais cedo ou mais tarde todos nós vamos sair daqui. Ou andando — ou carregados num caixão. Para mim tanto faz, sair andando ou carregado. No final, dá tudo na mesma."

E Dick disse: "O seu problema, Andy, é que você não respeita a vida humana. Nem mesmo a sua".

Andrews concordou. "E", disse ele, "vou lhe dizer mais uma coisa. Se eu um dia sair daqui vivo, conseguir passar pelos muros e sumir — ninguém vai saber aonde Andy foi, mas sempre vão saber por onde Andy passou."

Perry passou todo o verão oscilando entre um estupor semiadormecido e um sono doentio, encharcado de suor. Vozes trovejavam em sua cabeça; uma delas lhe perguntava o tempo todo: "Onde está Jesus? Onde?". E um dia ele acordou gritando: "O pássaro é Jesus! O pássaro é Jesus!". Sua antiga fantasia teatral favorita, aquela em que ele se chamava "Perry O'Parsons, A Sinfônica de Um Homem Só", voltou sob a forma de um sonho recorrente. O centro geográfico do sonho era uma boate de Las Vegas em que, usando uma cartola e um smoking brancos, ele desfilava por um palco iluminado tocando gaita, violão, banjo e bateria, cantava "You Are My Sunshine" e subia sapateando um curto lance de escadas com os degraus pintados de dourado; no alto, de pé numa plataforma, agradecia ao público. Mas não se ouvia nenhum aplauso, embora milhares de espectadores se apinhassem na vasta e suntuosa plateia — um público estranho, composto quase que exclusivamente de homens, na maioria negros. Olhando para eles, o artista suado finalmente entendia seu silêncio, porque de repente percebia que eram todos assombrações, os fantasmas dos executados, dos enforcados, dos asfixiados pelo gás, dos eletrocutados — e no mesmo instante ele compreendia que estava lá para juntar-se a eles, que os degraus dourados o tinham levado ao cadafalso, que a plataforma em que se encontrava abria-se debaixo de seus pés. Sua cartola caía; urinando, defecando, Perry O'Parsons partia para a eternidade.

Numa certa tarde, escapou de um sonho e, ao despertar, encontrou o diretor sentado ao lado de sua cama. O diretor disse: "Parece que você estava tendo um pesadelo". Mas Perry recusou-se a responder, e o diretor, que em várias ocasiões visitara o hospital e tentara convencer o prisioneiro a interromper o jejum, disse: "Eu lhe trouxe uma coisa. Do seu pai. Achei que você podia querer ver". Perry, com os olhos brilhando imensos num rosto agora quase fosforescentemente pálido, ficou estudando o teto; e ao fim de algum tempo, depois de pousar um cartão-postal na mesa de cabeceira do paciente, o visitante indesejado foi embora.

À noite, Perry olhou o cartão. Estava endereçado ao diretor da prisão, e o carimbo do correio era de Blue Lake, na Califórnia; a mensagem, escrita com uma conhecida letra socada, dizia: "Prezado senhor, Soube que o senhor está com meu filho Perry sob custódia. Por favor me escreva dizendo o que ele fez de errado e se, caso eu vá até aí, eu poderei vê-lo. Tudo vai bem comigo e espero que com o senhor também. Tex J. Smith". Perry destruiu o cartão, mas ele ficou preservado em sua mente, pois aquelas palavras rudes provocaram nele uma ressurreição emocional, o renascimento do amor e do ódio, e lembraram a ele que continuava vivo, apesar de sua tentativa em contrário. "E decidi", informou mais tarde a um amigo, "que devia continuar vivo. Se alguém queria me matar, não ia mais contar com a minha ajuda. Iam ter de passar por cima de mim."

Na manhã seguinte ele pediu um copo de leite, o primeiro alimento que se dispôs a aceitar voluntariamente em catorze semanas. Aos poucos, com uma dieta de gemadas e suco de laranja, recuperou peso; em outubro, o médico da prisão, o dr. Robert Moore, considerou-o forte o bastante para ser devolvido ao Corredor da Morte. Quando chegou, Dick riu e disse: "Bem-vindo ao lar, querido".

Dois anos se passaram.

A partida de Wilson e Spencer deixou Smith, Hickock e Andrews sozinhos com as lâmpadas acesas e as janelas veladas do Corredor da Morte. Os privilégios que eram concedidos aos prisioneiros normais lhes eram negados; não podiam ter rádios, jogar cartas e nem mesmo tinham direito a um período de exercício — na verdade, não podiam sair nunca das suas celas, exceto a cada sábado, quando eram levados para tomar um banho de chuveiro e depois recebiam uma muda de roupas semanal; as únicas outras ocasiões de alívio temporário eram as visitas muito espaçadas de advogados ou familiares. A sra. Hickock vinha uma vez por mês; seu marido morrera, ela perdera a fazenda, e, como disse a Dick, passava um tempo morando com um parente, e depois um tempo com outro.

Perry tinha a sensação de que vivia "no fundo do mar" — talvez porque o Corredor da Morte geralmente fosse cinzento e silencioso, como as profundezas oceânicas, sem nenhum som além dos roncos, das tosses, do arrastar de chinelos, do rumor emplumado dos pombos em seus ninhos nas muralhas da prisão. Mas nem sempre. "Às vezes", escreveu Dick numa carta à sua mãe, "não dá para ouvir nem os meus próprios pensamentos. Eles trancam prisioneiros nas celas do andar de baixo, que eles chamam de Buraco, e muitos deles estão enfurecidos e alguns, ainda por cima, são loucos. Ficam xingando e berrando o tempo todo. É insuportável, e todo mundo fica aos gritos mandando eles calarem a boca. Eu queria que você me enviasse uns tampões para os ouvidos. Mas eles não iam deixar eu usar. Nenhum descanso para os maus."

O pequeno prédio tinha sido construído havia mais de um século, e a passagem das estações suscitava diferentes sintomas de sua antiguidade; o frio do inverno saturava aquele ambiente de pedra e ferro, e no verão, quando as temperaturas muitas vezes se aproximavam ou superavam os quarenta graus, as velhas celas se convertiam em caldeirões malcheirosos. "Faz tanto calor que a minha pele está ardendo", escreveu Dick numa carta datada de 5 de julho de 1961. "Eu tento não me mexer muito. Fico sentado no chão. Minha cama está suada demais para eu me deitar nela, e o cheiro me deixa enjoado porque só posso tomar um banho por semana e sempre uso as mesmas roupas. Nenhuma ventilação, e a lâmpada só faz esquentar ainda mais. Muitos mosquitos batendo nas paredes."

Ao contrário dos prisioneiros comuns, os condenados à morte não são submetidos a uma rotina diária de trabalho; podem fazer o que quiserem com seu tempo — dormir o dia todo, como Perry fazia muito ("eu finjo que sou um bebezinho que não consegue ficar com os olhos abertos"); ou, como era o costume de Andrews, passar a noite inteira lendo. Andrews lia em média de quinze a vinte livros por semana; seu gosto ia da subliteratura às belas-letras, e ele gostava de poesia, especialmente de Robert Frost, mas também admirava Walt Whitman, Emily Dickinson e os poemas humorísticos de Ogden Nash. Embora a insaciabilidade de sua sede literária logo tivesse esgotado as prateleiras da biblioteca da prisão, o capelão da penitenciária e outros que se compadeciam de Andrews mantinham-no abastecido com pacotes trazidos da biblioteca pública de Kansas City.

Dick também gostava muito de ler; mas seu interesse limitava-se a dois temas — sexo, na forma em que era representado nos romances de Harold Robbins e Irving Wallace (Perry, depois que Dick lhe emprestou um deles, devolveu-o com um bilhete indignado: "Sujeira degenerada para mentes sujas e degeneradas!"), e livros de direito. Todo dia, consumia horas folheando livros jurídicos, compilando uma pesquisa que, esperava ele, poderia ajudar a reverter sua condenação. Também a serviço da mesma causa, disparou uma saraivada de cartas para organizações como a União Americana pelas Liberdades Civis e a Ordem dos Advogados do Estado do Kansas — cartas que classificavam seu julgamento de "simulacro de processo justo" e em que pedia aos destinatários que o ajudassem em sua tentativa de obter um novo julgamento. Perry foi convencido a redigir apelos semelhantes, mas quando Dick sugeriu que Andy seguisse o exemplo deles e escrevesse protestando em seu próprio benefício, Andrews respondeu: "Eu cuido do meu pescoço e você cuida do seu". (Na verdade, o pescoço de Dick não era a parte de sua anatomia que mais lhe vinha causando preocupação. "Meu cabelo está caindo aos chumaços", confessou ele em outra carta para sua mãe. "Estou em pânico. Ninguém na nossa família era careca, que eu me lembre, e a ideia de ficar um velho feio e careca me deixa apavorado.")

Os dois guardas-noturnos no Corredor da Morte, quando chegaram para trabalhar num fim de tarde de outono em 1961, trouxeram uma notícia. "Bem", anunciou um deles, "parece que vocês vão ter companhia." O significado do comentário ficou claro para todos: queria dizer que os dois jovens soldados que vinham sendo julgados pelo homicídio de um trabalhador ferroviário do Kansas tinham recebido a pena máxima. "Isso mesmo", disse o guarda, confirmando, "foram condenados à morte." E Dick disse: "Claro. É uma coisa muito comum no Kansas. Os júris passam sentenças de morte como quem entrega balas a crianças".

Um dos soldados, George Ronald York, tinha dezoito anos; seu companheiro, James Douglas Latham, era um ano mais velho. Os dois tinham uma bela aparência, o que talvez explique por que hordas de moças tinham acorrido ao julgamento. Embora condenados por uma única morte, a dupla tinha admitido ter feito sete vítimas no decorrer de uma viagem mortífera através do país.

Ronnie York, louro de olhos azuis, tinha nascido e sido criado na Flórida, onde seu pai era um conhecido e bem pago mergulhador de águas profundas. A família York tinha uma vida doméstica bastante confortável e Ronnie, superpaparicado e superelogiado pelos pais e por uma irmã mais nova que o idolatrava, era o centro adorado do lar. Os antecedentes de Latham eram o extremo oposto, tão tristes quanto os de Perry Smith. Nascido no Texas, era o filho mais novo de pais férteis, pobres e belicosos que, quando finalmente se separaram, deixaram a progênie cuidar de si própria como pudesse, espalhados por aqui e por ali, soltos e indesejados como folhas ao vento. Aos dezessete anos, precisando de um refúgio, Latham se alistara no Exército; dois anos mais tarde, considerado culpado de uma ausência sem licença, foi preso no cárcere do Fort Hood, no Texas. Foi lá que ele conheceu Ronnie York, que também estava preso por se ausentar sem licença. Embora fossem muito diferentes — mesmo fisicamente, York era alto e fleumático, enquanto o texano era um jovem baixo com olhos castanhos espertos que animavam um rosto pequeno e bonito —, descobriram que compartilhavam pelo menos uma opinião inabalável: o mundo era um lugar detestável, e todo mundo que vivia nele devia morrer. "O mundo é podre", dizia Latham. "A única resposta é a maldade. É só o que as pessoas entendem — a maldade. Se você queimar o celeiro do sujeito, ele entende. Envenenar o cachorro dele. Matá-lo." Ronnie disse que Latham estava "cem por cento certo", acrescentando: "De qualquer maneira, qualquer pessoa que você matar, vai estar fazendo um favor a ela".

As primeiras pessoas a quem decidiram prestar esse favor foram duas mulheres da Geórgia, donas de casa respeitáveis que tiveram a infelicidade de encontrar York e Latham pouco depois que a dupla homicida escapou do cárcere do Fort Hood, roubou uma caminhonete e seguiu até Jacksonville, na Flórida, a cidade natal de York. A cena do encontro foi um posto Esso nas vizinhanças mal iluminadas de Jacksonville; a data era 29 de maio de 1961. Originalmente, os soldados fugitivos tinham rumado para aquela cidade da Flórida a fim de visitar a família de York; quando lá chegaram, porém, York achou que poderia ser insensato fazer contato com seus pais; às vezes seu pai ficava furioso. Ele e Latham discutiram a questão, e Nova Orleans era seu novo destino quando pararam no posto Esso para abastecer a caminhonete. Ao lado deles, outro carro recebia combustível; continha duas matronais vítimas em potencial, que, ao final de um dia de compras e diversão em Jacksonville, voltavam para suas casas numa cidadezinha próxima à divisa entre a Flórida e a Geórgia. Infelizmente, elas estavam perdidas. York, a quem perguntaram o caminho que deviam tomar, foi muito prestativo: "Basta nos seguir. Levamos as senhoras para o caminho certo". Mas o caminho para o qual as conduziu era na verdade muito errado: uma estreita estrada secundária que ia sumindo até transformar-se num pântano. Ainda assim, as senhoras os seguiram confiantes até o veículo da frente parar. E viram, à luz de seus faróis, os obsequiosos jovens aproximarem-se delas a pé, e viram também, mas tarde demais, que cada um deles trazia nas mãos um chicote preto de couro trançado. Os chicotes eram do verdadeiro proprietário da caminhonete, um criador de gado; a ideia de Latham era usá-los como garrotes — o que, depois de assaltarem as mulheres, foi o que fizeram. Em Nova Orleans, os rapazes compraram uma pistola e gravaram dois riscos na coronha.

Ao longo dos dez dias seguintes, mais riscos foram acrescentados ao cabo da arma em Tullahoma, Tennessee, onde adquiriram um moderno conversível vermelho Dodge abatendo a tiros o dono, um caixeiro-viajante; e num subúrbio de St. Louis, no Illinois, onde mais dois jovens foram mortos. A vítima do Kansas, que se seguiu às cinco anteriores, era avô; seu nome era Otto Ziegler, ele tinha 62 anos e era um sujeito forte e amigável, do tipo incapaz de passar por motoristas em apuros sem lhes oferecer ajuda. Enquanto rodava por uma estrada do Kansas numa bela manhã de junho, o sr. Ziegler viu um conversível vermelho estacionado à beira da estrada, com a tampa do capô levantada, e dois jovens de boa aparência mexendo no motor. Como é que o generoso sr. Ziegler poderia saber que a máquina não tinha nenhum problema — que aquele era um truque destinado a assaltar e matar os candidatos a bons samaritanos? Suas últimas palavras foram: "Posso ajudar?". York, de uma distância de seis metros, mandou uma bala que atravessou o crânio do velho, e em seguida virou-se para Latham e disse: "Que beleza de tiro, hein?".

A última vítima foi a mais patética. Era uma moça de apenas 18 anos; trabalhava como arrumadeira num motel do Colorado onde a violenta dupla passou uma noite, durante a qual ela permitiu que os dois fizessem amor com ela. Em seguida eles lhe disseram que estavam a caminho da Califórnia, e a convidaram para vir junto. "Vamos", insistiu Latham, "quem sabe a gente vira artista de cinema." A moça e sua mala de papelão arrumada às pressas acabaram reduzidas a frangalhos encharcados de sangue no fundo de uma ravina perto de Craig, Colorado; mas poucas horas depois que ela tinha sido morta a tiros e jogada no abismo, seus matadores estavam efetivamente sendo alvo das lentes de câmeras de filmar.

Descrições dos ocupantes do carro vermelho, fornecidas por testemunhas que os tinham visto vagando pela área onde o corpo de Otto Ziegler foi encontrado, tinham sido distribuídas pelos estados do Oeste e do Meio-Oeste. Bloqueios foram armados, e helicópteros patrulhavam as estradas; foi um dos bloqueios de estrada no Utah que capturou York e Latham. Mais tarde, no quartel-general da polícia em Salt Lake City, uma estação de tevê local teve a permissão de filmar uma entrevista com eles. O resultado, se visto sem som, parece mostrar dois jovens atletas alegres, alimentados a leite, discutindo um jogo de hóquei ou de basquete — tudo, menos homicídios e o papel, logo claramente confesso, que eles tinham desempenhado na morte de sete pessoas. "Por quê", perguntou o entrevistador, "por que vocês fizeram o que fizeram?" E York, com um sorriso de autocongratulação, responde: "Nós detestamos o mundo".

Todos os cinco estados que reivindicaram o direito de julgar York e Latham endossam o homicídio judicial: Flórida (eletrocução), Tennessee (eletrocução), Illinois (eletrocução), Kansas (forca) e Colorado (gás letal). Já que dispunha das provas mais sólidas, o Kansas saiu vitorioso.

Os ocupantes do Corredor da Morte conheceram seus novos companheiros no dia 2 de novembro de 1961. Um guarda, escoltando os recém-chegados até as suas celas, apresentou-os: "Senhor York, senhor Latham, quero que conheçam o senhor Smith aqui. E o senhor Hickock. E o senhor Lowell Lee Andrews — o rapaz mais bonzinho de Wolcott!".

Quando o desfile terminou, Hickock ouviu Andrews rindo baixinho e perguntou: "Que graça você vê nesse filho da puta?".

"Nenhuma", respondeu Andrews. "Mas eu estava pensando: se você somar as minhas três e mais as suas quatro e mais as sete deles, são catorze de um lado e cinco do nosso. Catorze dividido por cinco dá uma média —"

"Dividido por *quatro*", corrigiu Hickock prontamente. "São só quatro assassinos aqui, e mais um sujeito condenado injustamente. Eu não sou assassino. Nunca encostei num fio de cabelo de ninguém."

Hickock continuou escrevendo cartas em protesto contra sua condenação, e uma delas finalmente deu frutos. O destinatário,

Everett Steerman, presidente do Comitê de Ajuda Legal da Ordem dos Advogados do Estado do Kansas, ficou perturbado com as alegações do remetente, que insistia em afirmar que ele e seu corréu não tinham sido submetidos a um julgamento justo. Segundo Hickock, a "atmosfera hostil" em Garden City tornara impossível a seleção de um júri isento, e por isso uma mudança de local deveria ter sido concedida. Quanto aos jurados escolhidos, pelo menos dois deles tinham indicado claramente que presumiam a culpa dos acusados durante o exame oral dos candidatos ao júri ("Quando lhe pediram que desse sua opinião sobre a pena capital, um deles respondeu que normalmente era contrário a ela, mas que naquele caso não"); infelizmente, o exame oral dos candidatos não tinha sido registrado em ata, porque a lei do Kansas só pede que isso seja feito quando ocorre um pedido específico nesse sentido. Muitos dos jurados, além disso, "conheciam bem o falecido. Assim como o juiz. O juiz Tate era amigo íntimo do sr. Clutter".

Mas a mais interessante das queixas de Hickock dizia respeito aos dois advogados de defesa, Arthur Fleming e Harrison Smith, cuja "incompetência e inadequação" eram a causa principal dos apuros em que o signatário se encontrava no momento, porque não tinham preparado nem apresentado uma defesa de fato, e essa falta de esforço, sugeria ele, tinha sido deliberada — um ato de colusão entre a defesa e a acusação.

Eram acusações graves, que afetavam a integridade de dois advogados respeitados e de um juiz distrital de renome, mas se fossem verdadeiras, mesmo que apenas em parte, os direitos constitucionais dos réus não tinham sido observados. Acionada pelo sr. Steerman, a Ordem dos Advogados do estado adotou uma linha de ação sem precedente na história legal do Kansas: indicou um jovem advogado de Wichita, Russell Shultz, para investigar as acusações e, caso surgissem indícios que justificassem a iniciativa, questionar a validade da condenação entrando com pedidos de habeas corpus na Suprema Corte do Kansas, que pouco antes confirmara o veredicto.

Parece que a investigação de Shultz foi bastante unilateral, pois só consistiu em pouco mais de uma entrevista com Smith e Hickock, da qual o advogado emergiu com frases de efeito para a imprensa: "A questão é a seguinte — acusados pobres e claramente culpados têm direito a uma defesa completa? Não creio que o estado do Kansas vá sofrer nenhum mal de monta ou duradouro com a morte dos autores desta apelação. Mas não acredito que ele possa recuperar-se da morte do processo legal justo".

Shultz entrou com seu pedido de habeas corpus, e a Suprema Corte do Kansas pediu a um de seus juízes aposentados, Walter G. Thiele, que realizasse um inquérito completo. E foi assim que, quase dois anos depois do julgamento, todo o elenco foi novamente reunido no recinto do tribunal de Garden City. Os únicos participantes de peso ausentes eram os acusados originais; em seu lugar, por assim dizer, estavam o juiz Tate, o velho sr. Fleming e Harrison Smith, cujas carreiras estavam ameaçadas — não devido às alegações do autor da apelação, mas devido ao crédito aparente que lhe fora dado pela Ordem dos Advogados.

A audiência, que num certo momento foi transferida para Lansing, onde o juiz Thiele ouviu os depoimentos de Smith e Hickock, levou seis dias; no final, todos os pontos tinham sido cobertos. Oito jurados garantiram que jamais tinham conhecido qualquer membro da família chacinada; quatro admitiram ter um ligeiro conhecimento do sr. Clutter, mas todos eles, inclusive N. L. Dunnan, o funcionário do aeroporto que dera a resposta polêmica durante o interrogatório dos jurados, afirmou que tinha começado sua função de jurado sem nenhum juízo prévio sobre o caso. Shultz insistiu com Dunnan: "O senhor gostaria de ser julgado por um jurado cujo estado de espírito fosse igual ao seu?". Dunnan respondeu que sim; e Schultz então afirmou: "O senhor se lembra de lhe terem perguntado se o senhor era contrário ou favorável à pena capital?". Assentindo com a cabeça, a testemunha declarou: "Eu respondi que em condições normais era provavelmente contrário. Mas que diante da magnitude do crime eu provavelmente votaria a favor".

Lidar com Tate foi mais difícil; em pouco tempo, Shultz percebeu que tinha agarrado um tigre pela cauda. Respondendo às perguntas relevantes para estabelecer sua suposta intimidade com o sr. Clutter, o juiz declarou: "Ele [Clutter] certa vez foi um dos litigantes neste tribunal, um caso que eu presidi, um processo de perdas e danos envolvendo a queda de um avião na sua propriedade; ele pediu reparação por danos causados a — acredito que a algumas árvores frutíferas. Além disso, em nenhuma outra ocasião eu o encontrei. *Nunca*. Eu o vi talvez uma ou duas vezes no decorrer de um ano...". Shultz, em dificuldades, mudou de assunto. "O senhor sabe", perguntou ele, "qual era a atitude dos membros da comunidade depois da captura desses dois homens?" "Acredito que sim", respondeu o juiz com uma confiança fulminante. "A minha opinião é que a atitude em relação a eles era a mesma que se teria em relação a qualquer outra pessoa acusada de um crime — que deviam ser julgados, como a lei previa; e que, se fossem culpados, deviam receber o mesmo tratamento justo que qualquer outra pessoa. Não havia um prejulgamento contra eles pelo fato de serem acusados de um crime." "O senhor quer dizer", perguntou Shultz com malícia, "que não viu motivo para o tribunal conceder-lhes, por iniciativa própria, uma mudança de local?" Os lábios de Tate curvaram-se para baixo, seus olhos faiscaram. "Senhor Shultz", disse ele, como se aquele nome fosse um sibilo prolongado, "o tribunal *não pode* conceder uma mudança de local *por conta própria*. Isso estaria em desacordo com a lei do Kansas. Eu só poderia conceder uma transferência caso ela fosse pedida da forma adequada."

Mas por que tal pedido não fora feito pelos advogados dos

réus? Shultz começou a procurar respostas para essa pergunta com os próprios advogados, porque desacreditá-los e provar que não tinham dado a proteção mínima aos seus clientes era, do ponto de vista do advogado de Wichita, o principal objetivo daquela audiência. Fleming e Smith resistiram ao ataque em grande estilo, especialmente Fleming, que, ostentando uma ousada gravata vermelha e um sorriso permanente, enfrentou Shultz com uma resignação de cavalheiro. Ao explicar por que não tinha entrado com um pedido de mudança de local, disse: "Eu achava que como o reverendo Cowan, pastor da igreja metodista, e homem de peso aqui, bem como muitos outros pastores locais, tinha se manifestado contra a pena capital, esta área era pelo menos um terreno favorável, e que era provável haver aqui mais gente inclinada à clemência no caso da pena de morte do que talvez em outros pontos do estado. E também acredito que foi um irmão do senhor Clutter quem deu uma declaração à imprensa indicando que os réus não deviam ser executados".

Shultz formulou uma série de acusações, mas por trás de todas elas estava a implicação de que, devido à pressão da comunidade, Fleming e Smith tinham sido deliberadamente negligentes. Os dois, afirmava Shultz, tinham traído seus clientes ao não conversarem com eles o suficiente (o sr. Fleming respondeu: "Trabalhei no caso da melhor forma que permitia minha capacidade, dedicando-lhe mais tempo do que costumo empregar na maioria dos meus casos"); ao dispensarem uma audiência preliminar (Smith respondeu: "Mas, senhor Shultz, nem o senhor Fleming nem eu ainda havíamos sido indicados quando a audiência preliminar foi dispensada"); ao fazerem declarações a jornalistas que prejudicaram os acusados (Shultz a Smith: "O senhor sabe que um repórter, Ron Kull, do *Daily Capital* de Topeka, afirmou que, no segundo dia do julgamento, o senhor disse que não havia dúvida da culpa do senhor Hickock, mas que o senhor só estava preocupado em obter a prisão perpétua em lugar da pena de morte?". Smith a Shultz: "Não, senhor. As palavras minhas que ele citou diziam que isso era incorreto"); e ao fracassarem na preparação de uma defesa adequada.

Esta última questão foi a que Shultz mais se esforçou por provar; é relevante, portanto, reproduzir uma opinião sobre ela, escrita por três juízes federais como consequência de um recurso posterior encaminhado ao Tribunal de Apelações dos Estados Unidos, Décimo Circuito: "Acreditamos, porém, que aqueles que examinam a situação em retrospecto perderam de vista os problemas que precisaram ser enfrentados pelos advogados Smith e Fleming quando empreenderam a defesa dos requerentes. Quando aceitaram a indicação, os dois já tinham feito confissões completas, e não alegaram na ocasião, nem alegaram seriamente em nenhum outro momento nos tribunais do estado, que essas confissões não tivessem sido espontâneas. Um rádio roubado da casa da família Clutter e vendido pelos acusados na Cidade do México tinha sido recuperado, e os advogados conheciam outras provas da culpa de seus representados com que a acusação podia contar. Quando convocados pelo tribunal para dizer como se declaravam em relação às acusações feitas contra eles, ficaram calados, e foi necessário que o tribunal fizesse uma declaração de inocência em seu nome. Não foram colhidos na época, nem apresentados em momento posterior algum ao julgamento, indícios que substanciassem uma defesa alegando insanidade. A tentativa de demonstrar insanidade como defesa devido a ferimentos sérios sofridos em acidentes ocorridos anos antes, e devido a dores de cabeça e desmaios ocasionais de Hickock, foi na verdade um último recurso. Os advogados tinham diante de si uma situação em que crimes revoltantes cometidos contra pessoas inocentes tinham sido admitidos. Nessas circunstâncias, teria sido justificado aconselharem os autores do presente recurso a se declararem culpados e se entregarem à clemência do tribunal. A única esperança que eles tinham era de que, devido a alguma reviravolta do destino, as vidas desses indivíduos desorientados pudessem ser poupadas".

No relatório final que entregou à Suprema Corte do Kansas, o juiz Thiele concluiu que os requerentes tinham sido submetidos a um julgamento constitucionalmente justo; com base nisso, o tribunal negou a moção para abolir o veredicto, e marcou uma nova data para a execução — 25 de outubro de 1962. Por coincidência, o enforcamento de Lowell Lee Andrews, cujo caso já tinha chegado duas vezes à Suprema Corte dos Estados Unidos, estava marcado para um mês depois.

Os assassinos da família Clutter conseguiram um adiamento concedido por um juiz federal, e evitaram a data marcada para eles. Andrews cumpriu a sua.

No cumprimento da pena capital nos Estados Unidos, o tempo médio decorrido entre a sentença e a execução é de cerca de dezessete meses. Recentemente, no Texas, o autor de um assalto a mão armada foi eletrocutado um mês depois de sua condenação; mas em Louisiana, no momento em que este livro está sendo escrito, dois estupradores esperam o cumprimento de sua pena há insuperados doze anos. A variação depende um pouco da sorte e muito do alcance do litígio. A maioria dos advogados que cuidam desses casos é indicada pelo tribunal e trabalha sem ganhar; mas em muitos casos os tribunais, a fim de evitar apelações futuras baseadas em queixas de representação inadequada, indicam advogados de primeira linha, que conduzem suas defesas com vigor exemplar. Entretanto, mesmo um advogado de talento moderado é capaz de adiar o dia da execução ano após ano, pois o sistema de recursos presente na jurisprudência americana acaba resultando numa verdadeira roleta jurídica, um jogo de azar, um tanto favorável ao criminoso, que os participantes podem jogar de maneira interminável, primeiro nos tribunais estaduais, depois através dos tribunais federais até alcançar o mais alto dos tribunais — a Suprema Corte dos Estados Unidos. Mas mesmo a derrota nesse foro final não é definitiva se o advogado dos requerentes conseguir encontrar ou inventar novos fundamentos para recursos; geralmente conseguem, e assim a roda torna a girar, e continua girando até que, talvez vários anos depois, o prisioneiro chegue de novo até o mais alto tribunal do país, para provavelmente tornar a iniciar o jogo lento e cruel. Mas a intervalos a roda para e um vencedor é proclamado — ou, embora com raridade cada vez maior, um perdedor: os advogados de Andrews lutaram até o último momento, mas seu cliente acabou subindo ao cadafalso na sexta-feira, 30 de novembro de 1962.

"A noite foi fria", disse Hickock, conversando com um jornalista com que se correspondia e que periodicamente obtinha permissão para visitá-lo. "Fria e úmida. Estava chovendo horrivelmente, e o campo de beisebol estava coberto de lama até os *cojones*. Quando eles levaram Andy para o Depósito, precisaram fazê-lo andar pelo caminho. Estávamos todos nas janelas olhando — Perry e eu, Ronnie York, Jimmy Latham. Era pouco depois da meia-noite, e o Depósito estava todo iluminado, feito uma abóbora no Halloween. As portas escancaradas. Dava para ver as testemunhas, muitos guardas, o médico e o diretor — tudo, menos a porra da forca. Ela estava num dos cantos, mas dava para ver a sombra dela. Uma sombra na parede, parecida com a sombra de um ringue de boxe.

"O capelão e quatro guardas estavam cuidando de Andy, e quando chegaram à porta pararam um instante. Andy estava olhando para a forca — dava para sentir que era o que estava olhando. Tinha os braços amarrados na frente do corpo. De repente, o capelão estendeu o braço e tirou os óculos de Andy. E era uma coisa de dar dó, Andy sem os óculos. Levaram o rapaz para dentro, e eu me perguntei se ele iria conseguir enxergar o suficiente para subir os degraus. Estava muito quieto, nenhum som além de um cachorro latindo longe daqui. Um cachorro da cidade. E então nós ouvimos, o som, e Jimmy Latham perguntou: 'O que foi isso?'; e eu *disse* a ele o que tinha sido — o alçapão.

"E então o silêncio voltou. A não ser pelo cachorro. O velho Andy dançou muito tempo. Deve ter feito uma tremenda sujeira. De tempos em tempos o médico vinha até a porta e ficava parado lá com o estetoscópio na mão. Acho que ele não estava gostando muito daquele serviço — ele respirava arquejando, como se estivesse com falta de ar, e também estava chorando. Jimmy disse: 'Olha só o veadinho'. Acho que ele vinha para fora para os outros não verem que ele estava chorando. Então ele voltava e escutava de novo para ver se o coração de Andy tinha parado de bater. Parece que não ia parar nunca. No fim das contas, o coração dele continuou batendo por dezenove minutos."

"Andy era um garoto engraçado", disse Hickock, dando um sorriso torto enquanto enfiava um cigarro entre os lábios. "É como eu disse a ele: ele não respeitava a vida humana, nem mesmo a dele. Pouco antes de ser enforcado, ele se sentou e comeu duas galinhas fritas. E passou a última tarde fumando charutos, tomando coca-cola e escrevendo poesia. Quando vieram buscá-lo, e a gente se despediu, eu disse: 'Vejo você daqui a pouco, Andy, porque eu tenho certeza de que a gente vai para o mesmo lugar. Dá uma olhada por lá e vê se encontra alguma sombra num canto para você e eu Lá Embaixo'. Ele riu, e disse que não acreditava em céu nem em inferno, só no pó voltando ao pó. E contou que uma tia e um tio tinham vindo o visitar, e dito a ele que tinham um caixão esperando para levá-lo para um pequeno cemitério no norte do Missouri. O mesmo lugar onde tinham enterrado os três de quem ele se livrara. Planejavam sepultar Andy bem ao lado deles. Ele contou que quando disseram isso ele teve dificuldade para não cair na risada. E eu disse: 'Você tem sorte de ter arrumado um túmulo. O mais provável é que mandem eu e Perry para sermos dissecados'. Continuamos fazendo esse tipo de piada até chegar a hora dele ir, e na hora em que ele estava indo ele me entregou um pedaço de papel com um poema escrito. Não sei se foi ele que escreveu. Ou se copiou de algum livro. A minha impressão foi que ele tinha escrito. Se você estiver interessado, posso mandar para você."

Mais tarde ele mandou, e a mensagem de despedida de Andrews era a nona estrofe da "Elegia escrita no pátio de uma igreja do interior", de Gray:

As jactâncias da heráldica, a pompa do poder,
E tudo que a beleza, tudo que a riqueza jamais deu,
Esperam igualmente a hora inevitável:
*Os caminhos da glória levam apenas à sepultura.**

"Eu gostava mesmo de Andy. Ele era maluco — não um maluco de verdade, daqueles que vivem urrando; mas, sabe como é, meio palhaço. Estava sempre falando que ia fugir daqui e viver como pistoleiro de aluguel. Gostava de se imaginar andando pelas ruas de Chicago ou Los Angeles com uma metralhadora guardada numa caixa de violino. Matando gente. Disse que a ideia dele era cobrar mil dólares por presunto."

Hickock riu, possivelmente do absurdo das ambições do amigo, suspirou, e sacudiu a cabeça. "Mas para alguém da idade dele foi a pessoa mais inteligente que eu já conheci. Uma biblioteca humana. Quando aquele garoto lia um livro, lia de verdade. É claro que ele

* No original: "The boasts of heraldry, the pomp of pow'r,/ And all that beauty, all that wealth e'er gave,/ Await alike the inevitable hour:/ The paths of glory lead but to the grave". (N. T.)

não sabia de porra nenhuma sobre a *vida*. Já eu sou um ignorante, menos quando se trata do que eu sei da vida. Já andei por muitas ruas feias. Já vi um homem branco ser chicoteado. Vi bebês nascendo. Vi uma garota, de no máximo uns catorze anos, dar para três caras ao mesmo tempo e fazer o dinheiro de todos eles valer a pena. Uma vez eu caí de um navio a cinco milhas da costa. Nadei cinco milhas com a minha vida passando pela frente dos meus olhos a cada braçada. Uma vez eu apertei a mão do presidente Truman no saguão do Hotel Muehlebach. Harry S. Truman. Quando eu estava trabalhando para o hospital, dirigindo uma ambulância, vi todos os lados da vida — coisas que podem fazer um cachorro vomitar. Mas *Andy*. Ele não sabia de porra nenhuma, além das coisas que lia nos livros.

"Ele era inocente feito uma criança, um garoto com um pacote de doces. Nunca tinha estado com uma mulher. Nem homem, nem mula. Foi o que ele disse. Talvez fosse isso o que eu mais gostava nele. Ele não inventava nada. O resto de nós no Corredor da Morte, ali todo mundo é vigarista e mente o tempo todo. E eu sou um dos piores. A gente precisa arrumar assunto para falar. Se gabar. Senão você não é ninguém, não é nada, é uma batata vegetando num limbo de dois por três. Mas Andy nunca fazia a mesma coisa. Dizia que não adiantava nada ficar falando de um monte de coisas que nunca tinham acontecido.

"Mas o velho Perry, *esse* não ficou muito triste com a partida de Andy. Andy era a única coisa no mundo que Perry quer ser — instruído. E Perry não perdoava Andy por isso. Sabe aquele jeito do Perry, de usar palavras complicadas que ele nem sabe direito o que significam? Parecendo um desses crioulos que vão à faculdade? Vou lhe contar, ele ficava louco de errar na frente de Andy e depois receber um corretivo. É claro que Andy só estava tentando ensinar as coisas a Perry. Mas a verdade é que ninguém consegue se dar bem com Perry. Ele não tem nem um amigo por aqui. Quem ele acha que é? Olhando para todo mundo com uma cara de desprezo. Chamando todos de pervertidos e degenerados. Falando horas que os QI's de todos são baixos. É uma pena que nem todo mundo tenha uma alminha sensível como a do senhor Perry. Um santo. Eu sei de gente aqui dentro que aceitava até ir para o Canto se conseguisse pegar Perry sozinho no chuveiro por um minuto só. O jeito como ele olha de cima para York e Latham! Ronnie diz que bem que queria saber onde é que podia arranjar um bom chicote por aqui. Disse que ia adorar dar um aperto em Perry. E eu não acho que ele esteja errado. Afinal, todo mundo aqui está na mesma situação, e eles são bons rapazes."

Hickock deu uma risadinha pesarosa, encolheu os ombros e disse: "Sabe o que eu quero dizer. *Bons* — em termos. A mãe de Ronnie York veio visitá-lo aqui várias vezes. Um dia, na sala de espera, ela se encontrou com a minha mãe, e agora uma virou a melhor amiga da outra. A senhora York quer que a minha mãe vá passar um tempo com ela na Flórida, e talvez até ficar morando lá. Meu Deus, tomara que ela vá. Aí ela não precisaria mais passar por esse sacrifício. Pegar o ônibus uma vez por mês para vir me ver. Sorrindo, tentando arranjar assunto para me consolar. Coitada. Não sei como ela aguenta. E me pergunto se ela não é doida".

Os olhos assimétricos de Hickock viraram-se para uma janela na sala de visitação; seu rosto, inchado, pálido como um lírio num enterro, brilhava ao sol fraco do inverno que entrava pelo vidro sombreado pelas barras.

"Coitada. Escreveu para o diretor, e pediu para falar com Perry também da próxima vez que vier aqui. Queria saber do próprio Perry como ele matou aquelas pessoas, e se é verdade que eu nunca cheguei a dar tiro nenhum. Eu só espero que um dia a gente consiga um novo julgamento, e que Perry deponha e diga a verdade. Mas duvido muito. Ele já resolveu que, se ele for, eu vou também. Um do lado do outro. Mas não está certo. Muita gente matou e nunca chegou no Corredor da Morte. E eu nunca matei *ninguém*. Se você tiver cinquenta mil dólares, pode apagar metade de Kansas City e sair rindo, rá-rá." Um sorriso súbito obliterou sua lamentação indignada. "Pronto. Comecei de novo. Um bebê chorão. Eu devia ter aprendido. Juro por Deus, eu fiz o possível para me dar bem com Perry. Mas ele critica tudo. Tem duas caras. Sempre com inveja de cada coisinha. De cada carta que eu recebo, de cada visita. Ninguém vem visitar Perry além de você", disse ele, acenando com a cabeça para o jornalista, que conversava tanto com Smith quanto com Hickock. "Ou o advogado dele. Lembra quando ele estava no hospital? Com aquela história fajuta de passar fome? E o pai dele mandou um cartão-postal? Pois o diretor escreveu para o pai de Perry e disse que ele podia vir visitar o filho a qualquer hora. Mas ele nunca apareceu. Não sei. Às vezes Perry me dá muita pena. Deve ser uma das pessoas mais sozinhas que já existiram. Mas. Ah, ele que se dane. Quase tudo isso é por culpa dele."

Hickock tirou mais um cigarro de um maço de Pall Mall, franziu o nariz e disse: "Tentei parar de fumar. E depois eu pensei que não faz diferença nestas circunstâncias. Com sorte, talvez eu pegue câncer e acabe morrendo antes de dar chance ao estado. Passei algum tempo fumando charutos. Do Andy. No dia seguinte ao enforcamento dele, eu acordei e chamei o garoto: 'Andy?', do jeito que eu sempre chamava. Então eu lembrei que ele já estava a caminho do Missouri. Com a tia e o tio. Olhei para o corredor. Tinham limpado a cela dele, e tudo estava empilhado do lado de fora. O colchão da cama, os chinelos e o caderno de desenho com todas as figuras de comida — ele dizia que era a geladeira dele. E uma caixa de charutos 'Macbeth'. Eu contei ao guarda que Andy me disse que ficasse com eles, que tinha me deixado os charutos no testamento. Mas nunca cheguei a fumar todos. Talvez fosse a lembrança de Andy, mas eles acabaram me deixando com indigestão".

"O que eu posso dizer sobre a pena de morte? Não sou contra. Não passa de vingança, mas não vejo problema nenhum na vingança. É uma coisa muito importante. Se eu fosse parente do senhor Clutter, ou de qualquer das pessoas que York e Latham mataram, eu só ia sossegar depois que os responsáveis tivessem dançado pendurados naquela corda. As pessoas que escrevem essas cartas para os jornais. Saíram duas num jornal de Topeka outro dia — uma delas de um pastor. Perguntando que farsa legal é essa, por que esses filhos da puta Smith e Hickock ainda não foram pendurados pelo pescoço, por que esses assassinos filhos da puta ainda estão comendo às custas do dinheiro dos contribuintes? Bem, eu entendo o lado deles. Estão danados porque ainda não conseguiram o que querem — vingança. E não vão conseguir, se depender de mim. Eu acredito na forca. Contanto que não seja eu o enforcado."

Mas acabou sendo.

Mais três anos se passaram, e ao longo desses anos dois advogados excepcionalmente talentosos de Kansas City, Joseph P. Jenkins e Robert Bingham, substituíram Shultz, que pedira para ser afastado do caso. Nomeados por um juiz federal, e trabalhando sem remuneração (mas motivados por uma opinião convicta de que os réus tinham sido vítimas de um "julgamento injusto, um pesadelo"), Jenkins e Bingham encaminharam inúmeros recursos no âmbito do sistema judiciário federal americano, conseguindo assim evitar três datas de execução: 25 de outubro de 1962, 8 de agosto de 1963 e 18 de fevereiro de 1965. Argumentavam que seus clientes tinham sido condenados injustamente, porque seus advogados só foram indicados depois que eles já tinham confessado e desistido das audiências preliminares; e porque não foram competentemente representados em seu julgamento, foram condenados com base em provas coletadas sem o apoio de um mandado de busca (a espingarda e a faca recolhidas na casa dos Hickock) e não lhes foi concedida uma mudança de local, embora os arredores do julgamento estivessem "saturados" de publicidade prejudicial aos acusados.

Com esses argumentos, Jenkins e Bingham conseguiram levar o caso três vezes à Suprema Corte dos Estados Unidos — a "poderosa", como muitos presos litigantes se referem a ela —, mas em cada ocasião o tribunal, que nunca comenta suas decisões nessas instâncias, negou os apelos recusando-se a conceder os mandados de avocação que teriam dado aos autores do apelo o direito a uma audiência plenária perante aquele tribunal. Em março de 1965, quando já fazia quase 2 mil dias que Smith e Hickock estavam confinados no Corredor da Morte, a Suprema Corte do Kansas decidiu que suas vidas deveriam ter fim entre meia-noite e duas da manhã da quarta-feira 14 de abril de 1965. Em seguida, um pedido de clemência foi apresentado ao governador recém-eleito do Kansas, William Avery; mas Avery, um rico proprietário rural sensível à opinião pública, recusou-se a interferir — uma decisão que julgava atender ao "mais alto interesse do povo do Kansas". (Dois meses mais tarde, Avery negou o pedido de clemência também para York e Latham, que foram enforcados em 22 de junho de 1965.)

E foi assim que, ao amanhecer daquela manhã de quarta-feira, Alvin Dewey, tomando seu café da manhã na cafeteria de um hotel de Topeka, leu, na primeira página do *Star* de Kansas City, a manchete que havia muito ele esperava: MORTE NA FORCA POR CRIME SANGRENTO. A matéria, escrita por um repórter da Associated Press, começava assim: "Richard Eugene Hickock e Perry Edward Smith, comparsas no crime, foram enforcados hoje na prisão estadual por um dos crimes mais sangrentos dos anais criminais do Kansas. Hickock, de 33 anos, morreu primeiro, à 0h41; Smith, de 36, morreu à 1h19...".

Dewey tinha visto os dois morrerem, pois figurava entre as cerca de vinte testemunhas convidadas para a cerimônia. Jamais tinha assistido a uma execução, e quando pouco depois da meia-noite entrou no frio depósito, a cena o surpreendeu: tinha imaginado um cenário digno, e não aquela caverna mal iluminada atulhada de tábuas e outros detritos. Mas o cadafalso propriamente dito, com seus laços de corda amarrados a uma viga transversal, era muito imponente; assim como, num estilo inesperado, o próprio carrasco, que projetava uma longa sombra a partir de sua posição alta na plataforma, acima dos treze degraus do instrumento de madeira. O carrasco, um cavalheiro anônimo e calejado que fora importado do Missouri para a ocasião e que recebeu seiscentos dólares por seu trabalho, envergava um surrado terno de risca de giz de jaquetão bastante espaçoso para a figura estreita que o ocupava — o paletó chegava-lhe quase aos joelhos, e na cabeça ele trazia um chapéu de caubói que, quando foi comprado, talvez tenha sido verde, mas que agora era uma coisa estranha descorada pelo tempo e por manchas de suor.

Dewey também achou deconcertante a conversa tensa e casual entre as demais testemunhas, enquanto aguardavam o começo do que uma delas definiu como "as festividades".

"O que eu soube foi que iam deixar os dois decidir na sorte quem ia primeiro. Pela palha mais curta, ou no cara ou coroa. Mas Smith disse que preferia a ordem alfabética. Deve ser porque o S vem depois do H. Rá!"

"Leu no jornal, no jornal da tarde, o que eles pediram para a última refeição? Os dois pediram a mesma coisa. Camarão. Batata frita. Pão de alho. Sorvete, morangos e chantilly. Parece que Smith não comeu muito."

"Mas Hickock tem senso de humor. Contaram que uma hora atrás um dos guardas disse a ele: 'Deve ser a noite mais longa da sua vida'. E Hickock riu e disse: 'Não. Vai ser a mais curta'."

"Ouviu falar dos olhos de Hickock? Ele deixou os olhos para um médico especialista. Assim que cortarem a corda, o médico vai arrancar os olhos dele e enfiar na cabeça de outra pessoa. Ainda bem que não vou ser eu. Eu ia me sentir esquisito com aqueles olhos na minha cara."

"Meu Deus! Isso é *chuva*? E todas as janelas abertas! Meu Chevrolet novinho! Meu Deus!"

A chuva repentina começou a bater no teto alto do depósito. O som, não muito diferente de um rufar de tambores, anunciou a chegada de Hickock. Acompanhado por seis guardas e um capelão que murmurava suas preces, entrou no lugar da morte algemado e usando um horrendo arreio feito de tiras de couro que prendia seus braços ao tronco. Ao pé do cadafalso, o diretor leu para ele a ordem oficial de execução, um documento de duas páginas; e enquanto o diretor lia, os olhos de Hickock, enfraquecidos por meia década de penumbra da cela, percorreram a pequena plateia até que, sem ter encontrado o que buscava, ele perguntou ao guarda mais próximo, num murmúrio, se havia algum membro presente da família Clutter. Quando lhe responderam que não, o prisioneiro deu a impressão de ter ficado desapontado, como se achasse que o protocolo que cercava aquele ritual de vingança não estava sendo devidamente observado.

Como é de costume, o diretor, tendo encerrado seu recitativo, perguntou ao condenado se ele tinha alguma última declaração a fazer. Hickock assentiu com a cabeça: "Só quero dizer que não estou ressentido. Vocês estão me mandando para um mundo melhor do que este jamais foi"; e então, como que para enfatizar suas palavras, trocou apertos de mão com os quatro principais responsáveis pela sua captura e condenação, todos os quais haviam pedido permissão para assistir às execuções: os agentes do KBI Roy Church, Clarence Duntz, Harold Nye e Alvin Dewey. "Prazer em vê-los", disse Hickock com seu sorriso mais encantador; era como se recebesse convidados em seu próprio funeral.

O carrasco pigarreou — impaciente, tirou seu chapéu de caubói e tornou a arrumá-lo na cabeça, um gesto que lembrava um pouco um abutre estufando as penas do pescoço, deixando-as depois assentar de novo — e Hickock, conduzido por um assistente, subiu os degraus do cadafalso. "O Senhor dá, o Senhor tira. Bendito é o nome do Senhor", entoou o capelão, enquanto o som da chuva se acelerava, enquanto o laço era ajustado e enquanto uma delicada máscara negra era ajustada ao redor dos olhos do prisioneiro. "Que o Senhor tenha piedade de sua alma." A porta do alçapão se abriu, e Hickock ficou pendendo da forca diante de todos por vinte minutos, até o médico da prisão finalmente anunciar: "Declaro que este homem está morto". Um carro fúnebre, com os faróis acesos cobertos de pingos de chuva, entrou no depósito, e o corpo, depositado numa padiola e envolto num cobertor, foi levado até o carro e desapareceu na noite.

Olhando para suas luzes traseiras, Roy Church sacudiu a cabeça: "Eu não acreditava que ele fosse ter essa coragem. De se comportar assim. Eu achava que era um covarde".

O homem com quem ele falava, um detetive, disse: "Ora, Roy. O sujeito era um vagabundo. Um desgraçado cheio de maldade. Ele mereceu".

Church, com os olhos pensativos, continuava sacudindo a cabeça.

Enquanto esperavam a segunda execução, um repórter e um guarda conversavam. E o repórter perguntou: "É o seu primeiro enforcamento?".

"Eu vi Lee Andrews."

"Pois este é o meu primeiro."

"Sei. E o que está achando?"

O repórter franziu os lábios. "Ninguém do jornal queria fazer esta matéria. Nem eu. Mas não foi tão feio quanto eu achava. Parece o mergulho de um trampolim. Só que com uma corda no pescoço."

"Eles não sentem nada. Caiu, quebrou o pescoço, pronto. Não sentem nada."

"Tem certeza? Eu estava bem perto. E ouvi quando ele tentava respirar."

"Foi, mas ele não sentiu nada. Ia ser muito cruel se ele sentisse."

"Pode ser. Mas por que eles não dão uns comprimidos para eles? Sedativos?"

"Não, é contra as regras. Lá vem Smith."

"Meu Deus, eu não sabia que ele era tão baixinho."

"É, bem pequeno. Feito as aranhas venenosas."

Quando entrou no depósito, Smith reconheceu seu antigo adversário, Dewey; parou de mascar um pedaço de chiclete de hortelã que tinha na boca, sorriu e piscou o olho para Dewey, com uma expressão lépida e maliciosa. Mas depois que o diretor lhe perguntou se tinha alguma coisa a dizer sua expressão mudou e ficou sóbria. Seus olhos sensíveis percorreram os rostos presentes com expressão grave, procuraram o carrasco sombrio, e depois baixaram para suas próprias mãos algemadas. Ele olhou para seus dedos, manchados de tinta, pois tinha passado seus últimos três dias no Corredor da Morte pintando autorretratos e retratos de crianças, geralmente filhos de prisioneiros que lhe forneciam fotografias da prole que quase nunca viam. "Acho", disse ele, "que é um absurdo tirar a vida de uma pessoa desta maneira. Não acredito na pena de morte, nem do ponto de vista moral nem legal. Talvez eu pudesse contribuir com alguma coisa, alguma coisa..." Sua segurança vacilou; a timidez encobriu sua voz, e deixou-a quase inaudível: "Não faria sentido pedir desculpas pelo que eu fiz. Seria até inadequado. Mas eu queria pedir. Eu peço desculpas".

Degraus, laço, máscara; mas antes de prenderem a máscara, o prisioneiro cuspiu seu chiclete na mão estendida do capelão. Dewey fechou os olhos; e os manteve fechados até ouvir o solavanco e o estalo que anunciavam a quebra do pescoço pela corda. Como a maioria dos profissionais das polícias americanas, Dewey estava convencido de que a pena de morte inibe o crime violento, e julgava que, se alguma vez a pena tinha sido merecida, era no caso presente. A execução anterior não o perturbara, ele nunca se interessara muito por Hickock, que lhe parecia um "vigarista de golpes miúdos que tinha ido além da conta, um sujeito vazio e sem valor". Mas Smith, embora fosse o verdadeiro assassino, despertava uma reação diferente, pois possuía uma certa qualidade, a aura de um animal desterrado, de uma criatura vagando ferida, que nunca deixava de impressionar o detetive. Recordou seu primeiro encontro com Perry na sala de interrogatório do Quartel-General da Polícia de Las Vegas — aquele minúsculo homem-menino sentado na cadeira de metal, seus pequenos pés calçando botas que não alcançavam o chão. E quando Dewey abriu os olhos, foi o que ele viu: os mesmos pés de menino, inclinados, pendentes.

Dewey tinha imaginado que, com as mortes de Smith e Hickock, ele teria uma sensação de clímax, de alívio, de um destino justo que se cumpria. Em vez disso, surpreendeu-se rememorando um incidente de quase um ano antes, um encontro casual no cemitério de Valley View, que, em retrospecto, tinha de alguma forma encerrado para ele o caso Clutter.

Os pioneiros que fundaram Garden City eram necessariamente pessoas espartanas, mas quando chegou a hora de criar um cemitério formal, estavam determinados, apesar do solo árido e das dificuldades para o transporte de água, a criar um rico contraste com as ruas empoeiradas e as planícies austeras. O resultado, que batizaram de Valley View, situa-se acima da cidade num platô de altitude modesta. Hoje, parece uma ilha escura onde se quebram as ondas dos campos de trigo circundantes — um bom refúgio para um dia de calor, pois é atravessado por muitas alamedas frescas sombreadas pelas árvores plantadas várias gerações atrás.

Numa tarde do mês de maio do ano anterior, um mês em que os campos ficam incendiados com o fogo verde-dourado do trigo em crescimento, Dewey passara várias horas no Valley View removendo as ervas daninhas do túmulo de seu pai, uma obrigação que já vinha negligenciando havia muito. Dewey tinha 51 anos, quatro a mais do que quando chefiara a investigação do caso Clutter; mas ainda era esguio e ágil, e ainda era o principal agente do KBI no oeste do Kansas; uma semana antes, tinha capturado uma dupla de ladrões de gado. O sonho de morar em sua própria fazenda ainda não tinha se tornado realidade, pois o medo que sua mulher sentia de viver naquele tipo de isolamento jamais se atenuara. Em lugar disso, o casal tinha construído uma casa nova na cidade; sentiam orgulho dela, e muito orgulho também de seus dois filhos, que agora tinham a voz grossa e eram altos como o pai. O mais velho ia começar a faculdade no outono.

Quando acabou de remover as ervas, Dewey saiu passeando pelas alamedas tranquilas. E parou junto a uma lápide com um nome recém-entalhado: Tate. O juiz Tate tinha morrido de pneumonia no mês de novembro do ano anterior; coroas, rosas murchas e fitas desbotadas pela chuva ainda se espalhavam pela terra nua. Ali perto, pétalas mais frescas estavam espalhadas por cima de uma cova mais recente — o túmulo de Bonnie Jean Ashida, a filha mais velha do casal Ashida, que durante uma visita a Garden City tinha morrido num acidente de carro. Mortes, nascimentos, casamentos — pouco tempo antes, ele ouvira dizer que o namorado de Nancy Clutter, o jovem Bobby Rupp, tinha se casado.

Os túmulos da família Clutter, quatro túmulos reunidos por baixo de uma única lápide cinza, ficavam num canto distante do cemitério — depois das árvores, expostos ao sol, quase à beira chamejante dos campos de trigo. Quando Dewey se aproximou deles, viu que já havia lá outra visitante: uma moça esguia com as mãos cobertas por luvas brancas, cabelos cor de mel escuro e pernas compridas e elegantes. Ela sorriu para ele, e ele se perguntou quem seria.

"Já se esqueceu de mim, senhor Dewey? Susan Kidwell."

Ele riu; e ela riu com ele. "Sue Kidwell. Caramba." Ele não a via desde o julgamento; na época, ela ainda era uma criança. "Como vai? E como vai a sua mãe?"

"Bem, obrigada. Ela continua a ensinar música na escola de Holcomb."

"Faz tempo que não passo por aqueles lados. Alguma mudança?"

"Ah, andam falando em asfaltar as ruas. Mas sabe como é Holcomb. Na verdade, eu quase não paro aqui. Estou no primeiro ano da Universidade do Kansas", disse ela. "Só vim passar uns dias em casa."

"Que beleza, Sue. E o que você está estudando?"

"Tudo. Principalmente artes, que eu adoro. Estou muito feliz." Ela olhou para a pradaria. "Nancy e eu planejávamos ir juntas para a faculdade. Íamos morar no mesmo quarto. Às vezes eu penso nisso. De repente, quando eu fico muito feliz, eu me lembro dos planos que a gente fazia."

Dewey olhou para a lápide cinzenta onde estavam inscritos quatro nomes, e a data da morte: 15 de novembro de 1959. "Você costuma vir muito aqui?"

"De vez em quando. Meu Deus, o sol está forte." Cobriu os olhos com óculos escuros. "Lembra-se de Bobby Rupp? Casou-se com uma moça linda."

"Ouvi dizer."

"Colleen Whitehurst. Ela é linda mesmo. E muito simpática também."

"Bobby tem sorte." E, para espicaçar Sue, Dewey acrescentou: "Mas e você? Deve ter muitos pretendentes."

"Bem. Nada sério. Mas, por falar nisso, o senhor pode me dizer as horas? Ah", exclamou ela, quando ele lhe disse que já passava das quatro, "preciso ir correndo! Mas foi um prazer encontrar o senhor, senhor Dewey."

"E um prazer para mim encontrar você, Sue. Boa sorte", gritou ele enquanto ela desaparecia pela alameda, uma linda moça apressada, os cabelos macios balançando e brilhando ao sol — exatamente como a moça que Nancy teria sido. E então, tomando o caminho de casa, ele voltou para a sombra das árvores, deixando para trás o vasto céu e o murmúrio das vozes do vento que curvava o trigo.

Posfácio

Nem tudo é verdade, apesar de verdadeiro

Matinas Suzuki Jr.

O prazo parece descomunal para o jornalismo de nossos dias, mas o editor William Shawn e a revista *The New Yorker* esperaram seis anos para Truman Capote entregar a primeira versão de *A sangue frio*. Em novembro de 1959, Capote, que estava em dívida com a revista (recebera um grande adiantamento para uma reportagem sobre a vida na Rússia da Guerra Fria e não escrevera a matéria), leu nas páginas internas do *The New York Times* a notícia em uma coluna do assassinato de um fazendeiro e sua família em algum lugar remoto do estado do Kansas. Em princípio, o título da notícia não despertou interesse especial em Capote. Mas, depois de remoer a história em sua cabeça por um dia e meio, viu ali a oportunidade que procurava para realizar um projeto que marcaria para sempre as relações entre o jornalismo e a literatura.

Truman Capote, *A sangue frio* e a revista *The New Yorker* ficariam unidos para sempre na história das letras americanas, mas a relação entre os três esteve longe de ser um convescote. Em 1942, um belo jovem de cabelos dourados, vestindo roupas exóticas, desfilando com passos de bailarina pelos corredores e com uma visão cínica do pessoal da redação, Capote trabalhou como contínuo e apontador de lápis no departamento de arte da revista. Harold Ross, o fundador e publisher da *The New Yorker*, muito conservador no governo interno (não gostava, por exemplo, que mulheres trabalhassem na redação), perguntou na primeira vez em que viu a figura: "O que é *isso*?". Diz a lenda que Capote, encarregado de abrir a correspondência da revista, escondia debaixo da mesa os desenhos que chegavam pelo correio e que ele julgava sem qualidade para serem impressos nas páginas da publicação — famosa pelos cartuns e ilustrações (anos mais tarde, ele disse que isso não era verdade).

O jovem Truman Capote foi cortado da revista em 1944 porque teria se apresentado, sem autorização, como representante dela na Conferência de Escritores de Bread Loaf e desrespeitado o consagrado poeta Robert Frost (este achou que Capote caiu ao dormir durante a leitura de seus poemas; Capote dizia que havia sido picado no tornozelo por um mosquito e que despencou ao tentar se coçar). Frost, fechando o livro, protestou: "Se é assim que a *New Yorker* encara a minha poesia, vou parar a leitura". E retirou-se do lugar onde lia os poemas. Harold Ross recebeu de um antigo colaborador o relato do que ocorrera na Bread Loaf (ele dizia que Capote abandonara a sala durante a leitura de Frost). Em setembro de 1944, escreveu ao poeta declarando que Truman não fora enviado pela revista e que tinha vontade de pedir desculpas, mas não o fazia por não se sentir responsável pelo comportamento de Capote.

Segundo Truman Capote, Ross lhe pediu explicações, mas ele deu de ombros, uma vez que estava em férias e bancando suas próprias contas. Era o fim de seu primeiro capítulo com a *The New Yorker*. Anos depois, Capote declararia que se dava bem com Harold Ross, mas há muitas evidências de que, do lado de Ross, a coisa não era bem assim. Em 1947, ele escreveu em um dos memorandos ao editor Gus Lobrano: "Se Capote é grande, então vou embora do país". Mas, em 1949, depois de Capote ter ficado conhecido tanto pelos primeiros contos publicados quanto pelo seu primeiro livro (*Others voices, others rooms*), Katharine White, editora de ficção da revista e mulher do mestre do estilo E. B.White, ficou impressionada com um texto dele "Shut a Final Door" e ponderou a Ross: "Somos tolos de fechar os olhos para Capote só porque ele tem um caráter questionável". Em 27 de julho de 1949, Ross, atendendo a Katharine White, enviou outro memorando a Lobrano. Dessa vez, lembrava-o de pedir a alguém que ligasse para a agente de Truman e dissesse que a *The New Yorker* estava interessada em dar uma olhada em qualquer texto de Capote que não fosse "muito psicótico".

Harold Ross não viveu para ver isso (morreu em 1951), mas o tempo dado a Truman Capote para escrever *A sangue frio*, autopromovido pelo autor como o primeiro romance de não ficção (ou sem ficção, como prefere Ivan Lessa na apresentação deste volume), revela muito da filosofia editorial da *The New Yorker* e do tipo de jornalismo que ele, Ross, e William Shawn procuravam publicar. Uma das grandes sacadas da dupla foi ter percebido que havia uma sedutora zona cinzenta entre o jornalismo e a literatura — e ter feito dessa área de névoas um dos pilares editoriais de uma publicação de periodicidade semanal. Para Shawn, interessavam pouco os detalhes, a descrição ou mesmo a violência do crime "naquelas planícies plantadas de trigo do oeste do Kansas". Como editor de uma revista que precisava publicar mais do que fatos, ele queria uma história que mostrasse os efeitos do crime, "a história de uma pequena cidade do Meio-Oeste respondendo a uma catástrofe sem precedentes", como disse Brendan Gill, autor do livro *Here at New Yorker* (uma brincadeira com o livro de E. B.White, *Here at New York*, traduzido para o português por Ruy Castro, com o título de *Aqui está Nova York*). Para ter um relato definitivo sobre como um trauma pode marcar as experiências humanas em um lugar provinciano, num momento em que a América do Norte explodia em conflitos sociais, Shawn poderia muito bem esperar mais de meia década.

Não deixa de ser curioso que, apesar de *A sangue frio* ter se tornado um dos maiores sucessos de venda em bancas da história da *The New Yorker* e um marco do jornalismo literário do século passado, muita gente na revista não ficou satisfeita com a série publicada em quatro edições sequenciais, a primeira parte saindo em 25 de setembro de 1965. Renata Adler, que trabalhou durante trinta anos na publicação, recorda que foi até Shawn reclamar. Para ela, o relato violava princípios fundamentais do semanário, era sensacionalista e alguns de seus elementos cruciais pareciam sem sentido e falsos. "Ele não pareceu concordar ou discordar, nem mesmo desejar que eu deixasse sua sala", escreveu Adler em seu livro sobre a *The New Yorker*. William Shawn, apesar de homenageado no prefácio da edição em livro — que saiu em tempo recorde, três meses depois da publicação da série na revista — não ficou mesmo satisfeito com o resultado do trabalho de Capote. Brendan Gill disse que ele "teria relutado em dizer para Truman ir em frente se soubesse que *A sangue frio* seria o que acabou provando ser". Ben Yagoda, que examinou as laudas datilografadas do relato de Capote comentadas nas margens por Shawn, sugere em seu livro *About Town* que as cenas violentas do texto e a falta de provas em algumas passagens devem ter chateado o editor, mas afirma que dificilmente essas preocupações foram discutidas com o autor. Vinte anos depois, em um almoço no Algonquin Hotel, localizado em frente ao prédio da antiga redação da *The New Yorker*, Bill Shawn disse a seu editor assistente Charles McGrath que lamentava ter publicado *A sangue frio*. Mas não explicou por quê.

Truman Capote levou seis anos para escrever *A sangue frio* porque, dizia, não poderia terminá-lo sem saber o destino dos acusados. O final do livro — e das vidas de Richard Hickock e Perry Smith — seriam momentos marcantes também em sua vida (ele conta que foi tão difícil escrever as últimas seis ou sete páginas que sua mão ficou paralisada. Ele escrevia à mão). Capote não poderia assistir ao enforcamento dos dois, mas Hickock e Smith o indicaram como uma das três testemunhas a que tinham direito. Truman Capote foi o confidente dos dois ao longo dos anos de cárcere. Na véspera da execução, pediram para estar com ele pela última vez. Capote desmontou. Disse ao diretor das penitenciárias do Kansas, Charles McAtee, que estava tão perturbado emocionalmente que não conseguiria vê-los. Joe Fox, editor de Capote na Random House, conta no livro de depoimentos *Truman Capote*, organizado por George Plimpton, que um funcionário da prisão ligava e dizia que Perry e Dick estavam no escritório dele e queriam falar com Capote. "Truman respondia 'eu não consigo fazer isso'. Estava às lágrimas boa parte do tempo. Não dormia", relatou Fox. À noite, finalmente, mudou de ideia e foi ver os principais personagens de seu livro na antecâmara da morte.

De pé, junto das outras dezenove testemunhas, Truman Capote assistiu ao enforcamento de Richard Hickock (até o último momento, Hickock dizia ter participado da ação do crime, mas que não havia matado ninguém). Bennet Cerf, um dos fundadores da Random House, contou várias vezes que Capote teve náuseas e vomitou durante a primeira execução. À segunda, o autor não conseguiu assistir. Escapou da sala antes de Perry Smith ser enforcado. Havia uma grande empatia entre o personagem real, Smith, e o escritor Capote. Os policiais estavam certos que os dois eram amantes e que Truman subornava guardas para encontrar Smith. Joe Fox disse que, no avião, de volta para Nova York, Capote segurou sua mão e chorou durante quase toda a viagem.

Em uma longa entrevista concedida a George Plimpton, publicada no suplemento de livros do *The New York Times* em 16 de janeiro de 1966, Truman Capote expôs o método de trabalho para chegar ao que batizou de "romance de não ficção" (ou "sem ficção"). Ele dizia ter se inspirado nos escritos, entre outros, de Lillian Ross (sobretudo em *Picture*, a grande reportagem escrita enquanto John Huston rodava *The Red Badge of Courage*) e Joseph Mitchell. Ele já havia realizado, cerca de dez anos antes, uma tentativa no gênero para a mesma *The New Yorker*, quando acompanhou a ida de uma montagem da ópera *Porgy and Bess* à União Soviética, naquela que foi a sua primeira incursão jornalística. Mas, em *A sangue frio*, a técnica estava madura:

1) Capote entrevistou por longo tempo um grande número de pessoas sem fazer anotações ou gravá-las. Segundo ele, a anotação e a gravação prejudicam o tempo dedicado à observação dos personagens e do ambiente, e intimidam os entrevistados, que perdem a naturalidade e deixam de fazer revelações importantes. Gay Talese, outro expoente do jornalismo literário, também condena o uso do gravador e das anotações na frente do entrevistado. Capote dizia ter treinado com um amigo uma técnica de prestar atenção absoluta ao que ouvia (o amigo lia longos trechos de um livro em voz alta, e depois Capote, qual um "fotógrafo literário", tentava reproduzir literalmente o trecho lido). Ele gabava-se de conseguir cerca de "95% de total precisão".

2) Como no texto jornalístico que se pretende objetivo, Capote evitou cuidadosamente evidenciar o autor na narrativa, esquivando-se

das interpretações e dos comentários, em um procedimento que Chris Anderson chamou de "retórica do silêncio", a "renúncia ao privilégio da intervenção direta". Sob esse aspecto, ele diferenciava-se de outros expoentes do jornalismo literário, como Norman Mailer, que se colocava como personagem do que escrevia. Capote: "Acredito que, para a forma do romance de não ficção ser inteiramente bem-sucedida, o autor não deve aparecer na obra".

3) Grande investimento de tempo no trabalho de pesquisa, na apuração dos dados e em entrevistas. Capote dizia ter feito investigações em mais de 8 mil páginas, incluindo aí os longos depoimentos compilados pela justiça. Ele refez o percurso de fuga de Richard Hickock e Perry Smith até a prisão em Las Vegas. Entrevistou as mesmas pessoas várias vezes, ao longo de três anos. A princípio, não só a provinciana população local, atemorizada pela violência do crime e ressabiada com a presença bizarra e cheia de perguntas de Truman Capote, não colaborou, como também os acusados Dick e Perry recusaram-se a falar (os detratores de Truman dizem que ele pagou cinquenta dólares a cada um para conseguir um bate-papo inicial). Ao longo dos anos, gastou centenas de horas conversando exaustivamente com os mesmos personagens. E levou bastante a sério o trabalho de bater perna atrás de informação, exercitando incansavelmente o chamado mergulho em profundidade no tema, que é um dos procedimentos requeridos pelo melhor jornalismo literário.

O relato de Truman Capote entraria para a história das relações entre jornalismo e literatura, mas boa parte da sua grande reputação veio das polêmicas que gerou (em geral, mesmo aqueles que foram mais reticentes com *A sangue frio* não deixam de reconhecer que o texto tem dramaticidade e é muito bem escrito). Entre a série de reações negativas, três se destacam.

A primeira nasce do fato de ele ter dito que inaugurou um novo gênero, o romance de não-ficção. Vários caminhões de tinta e papel de jornais, revistas e livros foram utilizados para provar que, longe de ser um inventor, ele era o continuador de um gênero com ampla tradição nas letras anglo-saxônicas.

A segunda polêmica girou em torno de uma questão moral e teve no influente e bom-de-texto crítico teatral inglês Kenneth Tynan o principal *sparring* de Truman naquele momento. Tynan (e alguns outros) achavam que Capote, ao longo dos anos cobrindo os desdobramentos legais do crime, teve tempo, dinheiro e influência suficientes para provar a insanidade mental dos dois e, assim, evitar que Richard Hickock e Perry Smith fossem à forca. A execução seria uma atração adicional para o relato e Capote estava sendo acusado de se beneficiar, literária e financeiramente, da morte dos criminosos de Holcomb. "Pela primeira vez, um escritor influente do primeiro time foi colocado em posição de intimidade privilegiada com criminosos prestes a morrer, e — na minha maneira de ver — fez menos do que poderia para salvá-los", escreveu Tynan, na edição de 13 de março de 1966 do jornal *The Observer*. E completou: "Não há prosa que valha uma vida humana". (Tynan tinha uma implicância renitente com Truman, como se vê pelas várias observações a respeito em seus diários. Ved Mehta, à época colaborador da *The New Yorker*, relembra que encontrou Tynan em Londres, em 1965, e ele lhe disse que ia esculhambar *A sangue frio* de uma maneira "que todo mundo saberia, de Londres a Los Angeles". Passados alguns anos, na primeira vez que Tynan e Truman se reencontraram pessoalmente depois da resenha no *Observer*, Capote pôde mostrar ao inglês um pouco de sua ironia. Segundo relato de Kathleen, mulher de Tynan, o casal caminhava pelo corredor de um hotel em Nova York, quando viu que Capote vinha na direção deles. Kenneth balançou ligeiramente a cabeça para cumprimentá-lo. Truman respondeu: "Mr. Tynan, I presume", e seguiu adiante.) Capote defendeu-se das acusações. Uma das pessoas mais veementes a ficar a seu lado foi a crítica do *The Nation*

Diana Trilling, que enviou uma carta ao *Observer* dizendo que a única obrigação moral do escritor com os assassinos era contar a história deles. Segundo Trilling, o jornal não publicou nenhuma das respostas à resenha de Tynan enviadas para a redação.

Mas a mais barulhenta polêmica se deu em torno da fidelidade de *A sangue frio* aos fatos realmente ocorridos naquela noite no Kansas. Em outras palavras, discutia-se o que era jornalismo e o que era ficção em *A sangue frio*. A polêmica, na verdade, começou com o próprio Capote dizendo, na entrevista a George Plimpton, que seu método, inspirado na reportagem jornalística, era "imaculadamente factual". Vários personagens citados em *A sangue frio* questionaram a falta de precisão nas transcrições dos depoimentos e na descrição do envolvimento deles nos fatos. Um autor, Philip K. Tompkins, dedicou-se a pesquisar discrepâncias entre passagens do livro e o que ele diz ter apurado como fatos reais. No seu artigo "In Cold Fact" ("A fato frio"), ele conclui que Capote pôs suas próprias observações na boca e na cabeça dos personagens, e, para piorar, criou um retrato irreal e romântico do assassino Perry Smith — o qual o crítico Harold Bloom, que alega ficar deprimido com a "imaginativa sublimação da identificação de Capote com os assassinos", afirma ser o "demônio ou outro eu de Capote".

Quando Capote fez a sua primeira reportagem para a *The New Yorker* depois da viagem à Rússia, foi acusado por Nancy Ryan, que estava com ele, de ter inventado uma passagem importante do relato. Mas a própria Ryan admitia que "ele não destruiu a verdade básica ou o espírito genuíno do todo". Segundo Ben Yagoda, como a revista tinha cuidado especial com a veracidade do que publicava, decidiu enviar um checador veterano para o Kansas. E ele afirmou que nunca vira um autor tão preciso nas apurações. Truman Capote dizia que as pessoas reclamavam porque é muito difícil fazer o perfil em profundidade de alguém sem, em certo grau, ofender este alguém. "A verdade parece ser que ninguém gosta de se ver descrito como realmente é", explicou a George Plimpton.

A questão da veracidade factual é uma das mais críticas no jornalismo literário. No caso de *A sangue frio*, porém, há uma nuance especial. Diferentemente de outros autores considerados representativos do jornalismo literário — Tom Wolfe, Gay Talese, John Hersey, Joseph Mitchell, Lillian Ross —, Truman Capote nunca fez do jornalismo a sua principal atividade profissional. Foi sempre basicamente um escritor, um escritor que vislumbrou nas técnicas jornalísticas a possibilidade de trabalhar com uma dimensão diferente da ficção convencional. Tom Wolfe lembra que Capote nunca chamou seu relato de jornalismo; "longe disso: ele disse ter inventado um novo gênero". Mesmo assim, Wolfe incluiu trechos de *A sangue frio* em sua antologia do *new journalism* (foi o único texto publicado na *The New Yorker*, o veículo por excelência do jornalismo literário, a ser selecionado para esse livro).

Os bons jornalistas literários se dizem menos interessados na exatidão das palavras de suas entrevistas — como faz o jornalismo rotineiro — do que em vislumbrar os sentidos mais profundos mascarados pelas palavras dos entrevistados. Eles pretendem traçar o perfil da "alma" de seus personagens. Na introdução ao trecho de *A sangue frio* que incluiu na antologia *The Art of The Fact* [A arte do fato], Ben Yagoda diz que a questão do factual jamais será inteiramente resolvida na literatura de não ficção , "mas é inegável que Capote, com o seu ouvido de romancista, ouviu o que seus personagens *poderiam* ter dito e transcreveu isso mais fielmente do que qualquer jornalista antes ou depois".

1ª EDIÇÃO [2003] 21 reimpressões

ESTA OBRA FOI COMPOSTA EM MINION PELA SPRESS E
IMPRESSA EM OFSETE PELA GEOGRÁFICA SOBRE PAPEL PÓLEN DA
SUZANO S.A. PARA A EDITORA SCHWARCZ EM JULHO DE 2024

A marca FSC® é a garantia de que a madeira utilizada na fabricação do papel deste livro provém de florestas que foram gerenciadas de maneira ambientalmente correta, socialmente justa e economicamente viável, além de outras fontes de origem controlada.